LIEUTENANT EVE DALLAS

Du même auteur
aux Éditions J'ai lu

EN GRAND FORMAT

Lieutenant Eve Dallas :
1 & 2 - Au commencement du crime 🔫 Crimes pour l'exemple
3 & 4 - Au bénéfice du crime 🔫 Crimes en cascade
5 & 6 - Cérémonie du crime 🔫 Au cœur du crime
7 & 8 - Les bijoux du crime 🔫 Conspiration du crime
9 & 10 - Candidat du crime 🔫 Témoin du crime
13 & 14 - Fascination du crime 🔫 Réunion du crime - *À paraître en janvier* 2011

Quatre saison de fiançailles :
Rêves en blanc
Rêves en bleu
Rêves en rose - *À paraître en mai* 2011

Retrouvez toutes les nouveautés de Nora Roberts sur www.jailu.com

NORA ROBERTS

LIEUTENANT EVE DALLAS

11 - La loi du crime
12 - Au nom du crime

Traduit de l'américain par Nicole Hibert et Sophie Dalle

Titre original :
JUDGMENT IN DEATH
A Berkley Book published by the Berkley Publishing Group, N.Y.

© Nora Roberts, 2000

Pour la traduction française :
© Éditions J'ai lu, 2004

BETRAYAL IN DEATH
A Berkley Book published by the Berkley Publishing Group, N.Y.

© Nora Roberts, 2001

Pour la traduction française :
© Éditions J'ai lu, 2004

LA LOI DU CRIME

1

Depuis le seuil du *Purgatoire*, elle contempla la mort. Le sang, l'horreur dans toute sa férocité jubilatoire, son irruption en ces lieux avec une sorte de rage d'enfant, pleine de fougue, de passion, et d'impitoyable brutalité.

Savamment calculé ou sauvagement impulsif, le meurtre n'avait jamais rien d'avenant.

C'était son métier de se frayer un chemin parmi les débris d'un crime, de ramasser les morceaux, de les remettre à leur place pour reconstituer le tableau d'une vie supprimée. Et, à travers ce tableau, de définir le portrait d'un assassin.

À présent, aux petites heures du matin, en ce timide printemps de 2059, un océan de verre broyé craquait sous ses bottes. De son regard noisette, elle scruta la scène : miroirs brisés, bouteilles cassées, bois fendu. Paravents éventrés, cloisons d'isolation défoncées. Les cuirs et tissus recouvrant tabourets et banquettes moelleuses étaient en lambeaux.

L'établissement de strip-tease chic n'était plus qu'un amas de coûteux détritus.

Derrière le bar incurvé gisait la victime, dans une marc de sang.

Le lieutenant Eve Dallas s'accroupit près du corps. Elle était flic. Il était donc à elle.

— Sexe masculin. Noir. La trentaine avancée. Traumatismes importants à la tête et sur le corps. Fractures multiples.

Elle sortit une jauge de sa mallette pour prendre la température ambiante et celle du cadavre.

— Le crâne fracassé suffisait à l'achever, mais ça ne s'est pas arrêté là.

— Il a été battu à mort.

D'un grognement, Eve approuva le commentaire de son assistante. Elle examinait ce qui restait d'un individu bien bâti, en pleine fleur de l'âge, un bon mètre quatre-vingt-cinq et cent dix kilos de muscles.

— Que voyez-vous, Peabody ?

Machinalement, Peabody changea de position, se concentra.

— La victime... Eh bien, il semble qu'on l'ait frappée par-derrière. Le premier coup a dû l'assommer, ou tout du moins l'étourdir. Le meurtrier a insisté. D'après la répartition des éclaboussures de sang et de cervelle, on a continué à la frapper une fois qu'elle était à terre, sans doute inconsciente. De toute évidence, certaines blessures ont été infligées *post mortem*. Cette matraque en métal est vraisemblablement l'arme du crime, et la personne qui s'en est servie est dotée d'une force considérable – peut-être renforcée par la prise de drogues, les éléments indiquant une violence excessive qu'on retrouve souvent chez les consommateurs de Zeus.

— Heure du décès, 4 heures, annonça Eve avant de lever la tête vers Peabody.

Celle-ci était amidonnée, repassée, officielle jusqu'au bout des ongles, la casquette posée réglementairement sur sa chevelure brune. « Elle a de beaux yeux, songea Eve, noirs et vifs », et bien qu'ayant blêmi devant ce spectacle abominable, elle tenait bon.

— Mobile ? demanda Eve.

— Il semble que ce soit le vol, lieutenant.

— Pourquoi ?

— Le tiroir-caisse est ouvert et vide. L'appareil à cartes est abîmé.

— Mmm... Dans un endroit de ce standing, j'imagine que les clients payaient le plus souvent par carte, mais ils devaient aussi travailler avec des espèces.

— Les accros au Zeus n'hésitent pas à tuer pour un peu de monnaie.

— C'est vrai. Cependant, qu'aurait pu faire notre victime, toute seule dans un bar fermé en compagnie d'un toxico ? Comment a-t-elle pu laisser un individu défoncé au Zeus sauter derrière le comptoir ?

De ses doigts enduits de Seal-It, elle extirpa un petit jeton de crédit en argent de la coulée de sang.

— Pourquoi notre drogué aurait-il laissé tout ça ? Il y en a plusieurs, disséminés autour du cadavre.

— Ils sont peut-être tombés, suggéra Peabody, tout en se disant qu'Eve avait une idée derrière la tête.

— Possible.

Elle compta les jetons, trente en tout, et les rangea dans un sachet transparent qu'elle tendit à Peabody. Puis elle ramassa la matraque maculée de sang et de cervelle. Environ soixante centimètres de longueur, estima-t-elle, et d'un poids impressionnant.

— C'est un métal solide, pas un objet qu'un toxico aura trouvé au hasard dans un immeuble abandonné. Nous allons découvrir que cette arme avait sa place ici, derrière le comptoir. Nous allons découvrir, Peabody, que notre victime connaissait son meurtrier. Peut-être même qu'ils buvaient un verre ensemble.

Réfléchissant à voix haute, elle poursuivit :

— Peut-être qu'ils ont eu des mots, et que la discussion a dégénéré. Notre tueur était probablement déjà sur les nerfs. Il savait où se trouvait la batte. Il est venu derrière le comptoir. Il l'avait déjà fait, aussi notre pauvre ami ne s'est-il pas méfié. Il a tourné le dos.

Elle fit de même, évalua le positionnement du corps et des éclaboussures.

— Le premier coup le propulse en avant, contre la glace du mur du fond. Voyez ces entailles sur son visage. Elles ne sont pas dues aux échardes de verre. Elles sont trop longues, trop profondes. Il réussit à se retourner, et c'est là que le meurtrier le frappe de nouveau, en pleine mâchoire. Il titube, tente de se rattraper aux étagères, qui s'écroulent sur lui. C'est là qu'il a reçu le coup fatal. Celui qui lui a fracassé le crâne.

Elle s'accroupit de nouveau.

— Ensuite, le tueur s'est défoulé, avant de saccager les lieux. Peut-être dans un élan de mauvaise humeur, peut-être pour se couvrir. Mais il était suffisamment maître de la situation pour revenir sur ses pas admirer son chef-d'œuvre avant de repartir. Une fois satisfait, il a déposé la matraque.

— Il a voulu maquiller ça en cambriolage qui aurait mal tourné ?

— Oui. Ou alors, notre victime était un crétin et je m'apitoie à tort sur son sort. Vous avez tout enregistré ? Sous tous les angles ?

— Oui, lieutenant.

— Retournons-le.

Le corps aux os rompus se souleva comme un sac rempli de vaisselle en miettes.

— Merde ! Nom de nom !

Eve se pencha pour ramasser le badge dans le sang coagulé. Avec son pouce, elle essuya la photo.

— Il était en service.

— C'était un flic ? s'exclama Peabody en s'avançant d'un pas.

Le silence se fit d'un coup. Les techniciens qui s'affairaient de l'autre côté de la pièce se turent, s'immobilisèrent.

Une demi-douzaine de visages se tournèrent vers le lieutenant.

— Kohli, détective Taj, annonça Eve d'un ton grave en se relevant. Il était des nôtres.

Peabody enjamba les débris pour rejoindre Eve auprès de la dépouille du détective Taj Kohli, qu'on s'apprêtait à transférer à la morgue.

— J'ai les renseignements, Dallas. Il appartenait à la brigade des Produits illicites du 128. Il y travaillait depuis huit ans. Auparavant, il avait été militaire. Trente-sept ans. Marié. Deux enfants.

— Rien à signaler sur son casier ?

— Non, lieutenant.

— Voyons s'il était en mission officielle ou s'il travaillait au noir. Elliott ? Je veux les disques de sécurité.

— Il n'y en a pas.

L'un des membres de l'équipe se précipita vers elle, l'air furieux.

— Ils ont tous disparu, jusqu'au dernier ! Le système de surveillance couvre tout l'établissement. Ce salaud a tout emporté. On n'a plus rien.

— Il a pensé à tout.

Les mains sur les hanches, Eve tourna en rond. Le club comprenait trois niveaux, une estrade au rez-de-chaussée, des pistes de danse au premier et au second. Plusieurs salons privés se succédaient également au dernier étage. Pour embrasser tout l'établissement, il devait y avoir au moins douze caméras, sinon plus. Piquer tous les enregistrements réclamait du temps et de la méthode.

— Il connaissait les lieux, décida-t-elle. Ou alors, c'est un as de la sécurité. Tout ça, marmonna-t-elle, c'est de la frime ! Il savait exactement ce qu'il faisait, il contrôlait tout. Peabody, trouvez-moi le propriétaire, le gérant. Je veux une liste de tous ceux qui travaillent ici. Je veux comprendre la structure.

— Lieutenant ?

Un agent visiblement harassé se faufila jusqu'à elle.

— Il y a un civil, dehors.

— Il y a plein de civils, dehors. Qu'ils y restent !

— Oui, lieutenant, mais celui-là insiste pour vous parler. Il prétend que ce club lui appartient. Et euh...

— Et euh quoi ?

— Et que vous êtes son épouse.

— Connors Divertissements, annonça Peabody en lisant les données sur son Palm.

Elle adressa un sourire circonspect à Eve.

— Devinez qui possède *Le Purgatoire* ?

— J'aurais dû m'en douter !

Résignée, Eve se dirigea vers l'entrée.

Depuis deux heures qu'ils s'étaient séparés pour vaquer à leurs affaires respectives, il n'avait guère changé. Il était toujours aussi beau. La brise soulevait légèrement l'imperméable beige qu'il portait sur son costume sombre. Cette même brise caressait la chevelure d'ébène qui encadrait son magnifique visage et ses lunettes de soleil noires ne faisaient qu'ajouter à son élégance.

Il les enleva et les rangea dans sa poche alors qu'Eve sortait. Elle rencontra le bleu intense de son regard.

— Bonjour, lieutenant.

11

— J'avais un mauvais pressentiment en venant ici. C'est tout à fait ton genre d'endroit, n'est-ce pas ? Décidément, je me demande ce qui ne t'appartient pas !

— C'était un rêve d'enfance... expliqua-t-il avec son léger accent irlandais. Si je comprends bien, nous sommes tous deux dans le pétrin.

— Pourquoi as-tu précisé à l'agent que j'étais ta femme ?

— Parce que tu l'es ! répliqua-t-il nonchalamment. Et je m'en réjouis quotidiennement ! ajouta-t-il en lui prenant la main avant qu'elle ne puisse esquiver.

— Ne me touche pas ! siffla-t-elle, ce qui le fit sourire.

— Ce n'est pas ce que tu disais, il y a quelques heures. Et même...

— Tais-toi, Connors !

Elle jeta un coup d'œil autour d'elle, bien qu'ils fussent seuls...

— Tu es sur les lieux d'une enquête policière.

— C'est ce qu'on m'a dit.

— Qui, « on » ?

— Le responsable de l'équipe de nettoyage, qui a découvert le cadavre. Il a commencé par prévenir la police, je tiens à le préciser. Cependant, il a jugé nécessaire de m'avertir aussi. Que s'est-il passé ?

Une fois de plus, ses affaires professionnelles se mêlaient à celles de Dallas. Mais à quoi bon s'en plaindre ? Elle essaya de se consoler en se disant qu'il lui donnerait un coup de main pour la paperasserie.

— Tu emploies un barman du nom de Kohli ? Taj Kohli ?

— Je n'en ai pas la moindre idée. Mais je peux me renseigner.

Il sortit un mini-ordinateur de la poche de sa chemise.

— Il est mort ?

— On ne peut plus mort.

— Oui, il travaillait pour moi, confirma Connors. Depuis trois mois, à temps partiel. Quatre soirées par semaine. Il avait une famille.

— Oui, je sais.

Il était sensible à ces détails, ce qui ne manquait jamais de la toucher.

— C'était un flic, dit Eve.

Connors parut surpris.

— Ça ne figurait pas sur ta base de données, n'est-ce pas ?

— Non. Apparemment, ma gérante a fait preuve de négligence. J'y remédierai. Tu m'autorises à entrer ?

— Oui, dans un instant. Depuis combien de temps possèdes-tu ce club ?

— Quatre ans, environ.

— Combien d'employés – à temps plein et à temps partiel ?

— Je te dirai tout ça, lieutenant, et je répondrai à toute question pertinente, rétorqua-t-il, une lueur d'agacement dans les prunelles. Mais, pour l'heure, j'aimerais voir ce qu'il en est.

Il poussa la porte, découvrit l'ampleur des dégâts, puis se concentra sur l'énorme sac en plastique noir que les croque-morts déposaient sur un brancard.

— Comment l'a-t-on tué ?

— Consciencieusement.

Connors se contenta de la dévisager. Elle soupira.

— C'était horrible, d'accord ? Une matraque en métal.

Elle regarda son mari jeter un coup d'œil vers le bar et les taches de sang qui brillaient sur le verre comme un tableau indéchiffrable.

— Après les premiers coups, il n'a plus rien dû sentir.

— On t'a déjà frappée avec une matraque ? Moi, oui, enchaîna-t-il sans lui laisser le temps de répondre. Ce n'est pas agréable. J'ai du mal à croire que ce soit une histoire de vol, même en admettant qu'elle ait pu dégénérer.

— Pourquoi ?

— Il devait y avoir assez de bouteilles d'alcool d'excellente qualité pour entretenir confortablement un individu pendant un certain temps. Pourquoi les casser, plutôt que de les vendre ? Quand on fait une descente dans un lieu comme celui-ci, ce n'est pas tant pour l'argent que pour l'inventaire, et certains équipements.

— C'est la voix de l'expérience qui parle ?

13

Il sourit malgré lui.

— Forcément. C'est-à-dire, mon expérience en qualité de propriétaire et citoyen respectueux des lois.

— Mouais.

— Les disques de sécurité ?

— Envolés. Il a tout pris.

— Il avait donc soigneusement étudié les lieux auparavant.

— Combien de caméras ? s'enquit Eve.

Une fois de plus, Connors interrogea son mini-ordinateur.

— Dix-huit. Neuf au rez-de-chaussée, six au premier et trois autres au second. Avant que tu ne m'interroges, l'établissement fermait à 3 heures ; le personnel devait donc être parti à la demie. Le dernier spectacle se termine à 2 heures. Les musiciens et les danseuses...

— Les strip-teaseuses, tu veux dire.

— Comme tu voudras. Elles finissent aussi à 2 heures. Tu auras leurs noms et leurs emplois du temps dans une heure.

— Merci. Pourquoi *Le Purgatoire* ?

— Ce nom me plaisait. Les prêtres affirment que c'est au purgatoire que les âmes des justes expient leurs péchés. Un peu comme une prison. J'ai toujours pensé que c'était une dernière chance pour l'être humain... avant d'enfiler ses ailes ou d'affronter le feu éternel.

— Que préférerais-tu ? Les ailes ou le feu ?

— Justement, ce que je préfère, c'est rester un être humain !

Les brancardiers s'apprêtaient à partir. Connors passa la main sur les cheveux de sa femme.

— Je suis navré.

— Moi aussi. Qu'est-ce qui pourrait expliquer qu'un détective de la police de New York ait infiltré *Le Purgatoire* ?

— Je n'en sais rien. Certains clients ont probablement des activités peu recommandables au regard du NYPSD, mais je n'ai reçu aucune information particulière à ce sujet. Il se peut aussi que quelques produits illicites changent de mains dans les salons privés ou sous les tables, mais il n'y a jamais eu de transaction importante ici. J'aurais été au courant. Certaines des strip-teaseuses détiennent une licence, mais pas toutes. Aucun mineur n'est autorisé à franchir le seuil de l'établissement – ni en tant qu'employé ni en tant que client. J'ai mes exigences, lieutenant.

— Je ne te reproche rien. J'ai besoin de savoir.

— Tu es furieuse que je sois là.

Ses cheveux courts un peu en désordre après la brise à l'extérieur, Eve fit une pause. Les portes s'ouvrirent pour céder le passage au cadavre.

Dehors, la circulation était déjà dense. Les voitures se suivaient pare-chocs contre pare-chocs et les navettes aériennes envahissaient le ciel. L'opérateur d'un aéroglisseur interpella les brancardiers.

— Bon, d'accord, je suis furieuse que tu sois là. Mais je m'en remettrai. Quand es-tu venu pour la dernière fois ?

— Je n'ai pas mis les pieds ici depuis des mois. L'affaire tournait, je n'avais pas besoin de m'en occuper.

— Qui la gère ?

— Ruth MacLean. Je te transmettrai tout ce que j'ai sur elle.

— Le plus vite sera le mieux. Tu veux inspecter la scène maintenant ?

— Il faut d'abord que je sache comment c'était avant. J'aimerais qu'on me laisse entrer un peu plus tard.

— Je m'en occupe. Oui, Peabody ? demanda-t-elle en pivotant vers son assistante qui s'éclaircissait la gorge.

— Excusez-moi, lieutenant, mais j'ai pensé que vous voudriez être tenue au courant. J'ai contacté le capitaine de brigade de la victime. Il nous envoie un membre de son unité et un psychologue pour prévenir les proches. Ils veulent savoir s'ils doivent vous attendre, ou s'ils doivent se rendre seuls chez l'épouse.

— Dites-leur de m'attendre. Je les retrouve sur place. Il faut que j'y aille, conclut-elle à l'intention de Connors.

— Je ne t'envie pas ton métier, lieutenant, murmura-t-il en lui prenant la main d'un geste tendre. Je te laisse travailler. J'aurai tous les renseignements qui te manquent, dès que possible.

— Connors ? lança-t-elle tandis qu'il se dirigeait vers la sortie. Je suis désolée, pour ton club.

— Ce n'est que du bois et du verre.

— Il n'en pense pas un mot, murmura Eve quand il eut disparu.

— Pardon, lieutenant ?

— Il ne les lâchera pas comme ça... Venez, Peabody, allons annoncer la terrible nouvelle à la famille. Qu'on en finisse au plus vite.

Les Kohli habitaient un immeuble convenable, de petite taille, dans l'East Side. Le genre de résidence qu'affectionnaient les familles jeunes et les couples de retraités. Pas assez branché pour attirer les célibataires, trop cher pour les pauvres.

C'était un édifice post-Guerre Urbaine, restauré de façon agréable, sinon avec goût.

Le dispositif de sécurité à l'entrée consistait en un simple code digital.

Eve repéra les flics avant même de se garer en double file et d'activer son signal lumineux « En service ».

La femme était très élégante, les cheveux en pointe sur les joues. Elle portait des lunettes noires et un tailleur bleu marine sans prétention. Remarquant ses escarpins à talons, Eve en déduisit qu'elle travaillait dans l'administration.

Une huile, sans aucun doute.

L'homme avait les épaules larges, le ventre légèrement proéminent, les cheveux grisonnants. Il avait des souliers de flic – à grosses semelles, parfaitement cirés. Sa veste était un peu étriquée, le bas des manches légèrement élimé.

Un vieux de la vieille, qui avait travaillé sur le terrain avant de passer dans un bureau, se dit Eve.

— Lieutenant Dallas.

La femme s'avança vers Eve, mais sans lui tendre la main.

— Je vous ai reconnue. On parle beaucoup de vous dans les médias, ajouta-t-elle avec une pointe d'amertume. Je suis le capitaine Roth, du 128. Et voici le sergent Clooney, venu en tant que soutien psychologique.

— Merci de m'avoir attendue. Mon assistante, l'officier Peabody.

— Où en est votre enquête, lieutenant ?

— Le corps du détective Kohli est entre les mains du légiste et sera traité en priorité. Mon rapport sera rédigé et diffusé une fois les proches prévenus du décès.

Elle marqua une pause, le temps de laisser passer un maxibus rugissant.

— À l'heure qu'il est, capitaine Roth, j'ai un officier de police décédé à la suite de coups particulièrement violents, aux petites heures du matin, alors qu'il se trouvait dans un club, après son service. Un club où il était employé comme barman à temps partiel.

— Le mobile ? Cambriolage ?

— C'est peu vraisemblable.

— Quel est-il, à votre avis ?

Un flot de ressentiment envahit Eve. Elle s'efforça de l'ignorer.

— À ce stade, je n'ai encore formé aucune opinion. Capitaine Roth, souhaitez-vous rester ici dans la rue à m'interroger, ou préférez-vous lire mon rapport une fois qu'il sera terminé ?

Roth ouvrit la bouche, reprit son souffle.

— Dont acte, lieutenant. L'inspecteur Kohli était sous mes ordres depuis cinq ans. J'irai droit au but : je tiens à ce que nous reprenions l'enquête.

— Je comprends vos sentiments, capitaine Roth. Je peux simplement vous assurer que, tant que je serai responsable de cette affaire, je m'y consacrerai pleinement.

« Enlevez donc ces fichues lunettes de soleil ! pensa-t-elle, exaspérée. Je veux voir vos yeux. »

— Vous pouvez demander un transfert d'autorité, continua-t-elle. Mais je vais être franche avec vous. Je n'abandonnerai pas la partie comme ça. J'étais là, ce matin. J'ai vu ce qu'on lui a infligé. Vous ne pouvez pas vouloir son meurtrier plus que moi.

— Capitaine, intervint Clooney en s'avançant pour poser la main sur le bras de Roth... Lieutenant... Nous sommes tous sous le coup de l'émotion, mais nous avons une mission à accomplir. Ici et maintenant.

Il avait un regard bleu clair, fatigué, qui inspirait confiance. Il leva les yeux vers une fenêtre au quatrième étage.

— Ce que nous pouvons ressentir ne ressemble ni de près ni de loin à ce qu'ils vont éprouver là-haut dans quelques minutes.

— Vous avez raison. Vous avez raison, Arty. Allons-y.

Roth se tourna vers l'entrée. Elle surmonta le problème du code digital en se servant d'un passe-partout.

— Lieutenant ? dit Clooney, resté légèrement en arrière. Je sais que vous voudrez interroger Patsy, la femme de Taj. Je vous demande d'y aller doucement pour le moment. Je sais ce par quoi elle va passer. J'ai perdu un fils en service, il y a quelques mois. Ça vous déchire.

— Je ne vais pas la bousculer, Clooney, n'ayez crainte. Je ne le connaissais pas, mais il a été assassiné, et il était flic. Ça me suffit. D'accord ?

— D'accord.

— Seigneur ! Je déteste ce genre de démarche.

Elle suivit Roth jusqu'à l'ascenseur.

— Comment faites-vous ? demanda-t-elle à Clooney. Le soutien psychologique. Comment tenez-vous le coup ?

— À dire vrai, ils m'ont désigné parce que j'arrive en général à maintenir la paix. J'ai un esprit de médiateur.

Il ébaucha un sourire.

— J'ai accepté, pour essayer, et je me suis rendu compte que j'étais plutôt doué. On sait ce qu'ils ressentent... à chaque étape.

Il pinça les lèvres et pénétra dans la cabine derrière les deux femmes.

— On tient le coup parce qu'on espère être utile... au moins un petit peu. Ça aide, d'être flic. Et ces derniers mois, j'ai compris que ça aidait encore plus d'être un flic qui avait subi un deuil. Vous avez déjà perdu un membre de votre famille, lieutenant ?

En un éclair, Eve revit la pièce minable, la silhouette massive d'un homme, et l'enfant qu'elle avait été, recroquevillée dans un coin.

— Je n'ai pas de famille.

— Eh bien…

Clooney se tut. Ils émergeaient sur le palier du quatrième.

Elle comprendrait tout de suite, et ils le savaient tous les trois. Femme de flic, elle comprendrait dès l'instant où elle ouvrirait la porte. Le contenu du discours variait peu, et n'avait aucune importance. Dès l'instant où elle aurait ouvert la porte, le cours de sa vie serait irrévocablement changé.

Ils n'eurent même pas le temps de frapper.

Patsy Kohli était une jolie femme à la peau veloutée couleur d'ébène, et aux cheveux bouclés, très courts. Elle était habillée pour sortir, un bébé accroché entre ses seins. Un petit garçon, à ses côtés, lui tenait la main en se trémoussant.

— On va balançoire ! On va balançoire !

Mais sa mère s'était figée, la joie dans ses yeux évaporée. Elle leva sa main libre, pressa le bébé contre son cœur.

— Taj.

Roth avait ôté ses lunettes noires, dévoilant des yeux d'un bleu glacial.

— Patsy, pouvons-nous entrer ?

— Taj, répéta-t-elle en secouant lentement la tête. Taj…

— Allons, Patsy, murmura Clooney en la prenant par les épaules, si on allait s'asseoir ?

— Non, non, non !

Le petit garçon se mit à pleurer en tirant sur la main inerte de sa maman. Roth et Eve le contemplèrent, paniquées.

Peabody s'approcha et s'accroupit devant lui.

— Salut, toi !

— On va balançoire… gémit-il, de grosses larmes roulant sur ses joues rebondies.

— Oui. Lieutenant, si j'emmenais le petit se promener ?

— Bonne idée. Excellente initiative. Madame Kohli, avec votre permission, mon assistante va sortir un moment avec votre fils. Je pense que ce serait mieux.

— Chad...

Patsy posa le regard sur l'enfant, comme si elle s'arrachait à un rêve.

— On va au parc. Tout près d'ici. Les balançoires.

— Je l'emmène, madame. Ne vous inquiétez pas.

Avec une aisance qui sidéra Eve, Peabody souleva le petit garçon et le posa sur sa hanche.

— Tu aimes les hot-dogs au soja, Chad ?

— Patsy, donnez-moi votre fille, intervint Clooney en dégrafant le porte-bébé.

Puis, d'office, il mit le nourrisson dans les bras d'Eve, stupéfaite et horrifiée.

— Euh, je ne peux pas...

Clooney entraînait déjà Patsy vers le canapé. Eve resta plantée là, devant deux immenses yeux noirs. Quand le bout de chou se mit à gazouiller, elle crut défaillir.

Elle chercha aussitôt de l'aide, en vain. Clooney et Roth étaient auprès de Patsy. La pièce était petite, chaleureuse, le tapis jonché de jouets, l'air imprégné d'un mélange de talc, de crayons gras et de sucre. L'odeur des enfants.

Heureusement, elle remarqua un panier rempli de linge soigneusement plié, près d'un fauteuil. Parfait, décida-t-elle en allant y déposer sa charge.

— Ne bouge pas, chuchota-t-elle, avant de tapoter maladroitement le crâne du bébé.

Enfin, elle put respirer normalement.

Elle revint vers ses collègues et la jeune femme effondrée, qui sanglotait en se balançant d'avant en arrière.

Eve resta à l'écart et observa Clooney à l'œuvre. Le chagrin avait envahi l'appartement, et de longs mois s'écouleraient avant qu'il ne se dissipe.

— C'est ma faute. C'est ma faute, balbutia enfin Patsy.

— Non, répliqua Clooney en lui serrant les mains jusqu'à ce qu'elle relève la tête. Bien sûr que non !

— C'est à cause de moi qu'il a accepté ce poste de barman. Je ne voulais plus retravailler après la naissance de Jilly. J'avais envie de rester à la maison. L'argent, le salaire d'une mère au foyer est tellement inférieur à…

— Patsy, Taj était heureux de vous savoir chez vous avec les enfants. Il était fier d'eux et de vous.

— Je ne peux pas… Chad…

Elle s'arracha à l'étreinte de Clooney et cacha son visage.

— Comment vais-je lui annoncer ça ? Comment pourra-t-il vivre sans Taj ? Où est-il ?

Elle regarda autour d'elle, affolée.

— Il faut que j'aille le voir. Peut-être que c'est une erreur.

Eve sut que le moment était venu pour elle de s'exprimer.

— Je regrette, madame Kohli. Il n'y a pas d'erreur. Je suis le lieutenant Dallas. Je suis en charge de l'enquête.

— Vous avez vu Taj ?

Tremblante, Patsy se leva.

— Oui. Je suis désolée, terriblement désolée pour vous. Vous sentez-vous assez forte pour parler, madame Kohli ? Pouvez-vous m'aider à retrouver le coupable ?

— Lieutenant Dallas… commença Roth.

Patsy secoua la tête.

— Non. Non. Je veux parler. Taj le voudrait. Il voudrait… Où est Jilly ? Où est mon bébé ?

— Je… euh…

Honteuse, Eve eut un geste vers le panier à linge.

— Ah ! murmura Patsy avec un petit sourire… Elle est si mignonne. Adorable. Elle ne pleure presque jamais. Je devrais la mettre dans son berceau.

— Je m'en occupe, Patsy, déclara Clooney. Bavardez avec le lieutenant… C'est ce qu'aurait souhaité Taj. Voulez-vous que nous prévenions quelqu'un ? Votre sœur ?

— Oui… Oui, s'il vous plaît. Si vous pouviez téléphoner à Carla…

— Le capitaine Roth s'en charge. N'est-ce pas, capitaine ? Pendant que je couche le bébé.

Roth serra les dents. Eve ne fut pas étonnée par son irritation. Clooney avait pris la situation en main, sans en avoir l'air. Or, cette femme ne supportait pas de recevoir des ordres de son sergent.

— Oui, bien sûr.

Lançant un regard noir à Eve, elle quitta le salon.

— Vous appartenez à la brigade de Taj ?

— Non.

— Non, non, bien sûr. Vous êtes de la section Homicides.

Un gémissement lui échappa. Admirative, Eve la vit se ressaisir aussitôt.

— Que voulez-vous savoir ?

— Votre mari n'est pas rentré ce matin. Ça ne vous a pas inquiétée ?

— Non.

Elle tendit le bras derrière elle, s'accrocha au canapé, se rassit.

— Il m'avait dit qu'il se rendrait sans doute directement au commissariat. Ça lui arrivait parfois. Il avait un rendez-vous avec quelqu'un après la fermeture du club.

— Qui ?

— Il ne me l'a pas précisé. Il a simplement dit qu'il avait quelqu'un à voir.

— Savez-vous s'il avait des ennemis, madame Kohli ?

— Il était flic. Avez-vous des ennemis, lieutenant ?

— Une personne en particulier ?

— Non. Vous savez, Taj mettait un point d'honneur à ne pas ramener son travail à la maison. Il ne voulait pas que ça puisse nous toucher. Je ne suis même pas au courant des affaires qu'il traitait. Il n'aimait pas en parler. Mais il était angoissé.

Elle croisa les mains sur ses genoux, les fixa un long moment. Eve ne put s'empêcher de remarquer son alliance.

— Je voyais bien qu'il était tracassé. Je lui ai demandé s'il avait des soucis, mais il est resté très vague. Comme d'habitude.

Elle parvint à esquisser un sourire.

— Il était… certains pourraient dire… un peu macho, mais c'était Taj. Il avait des principes. C'était un homme bon. Un père merveilleux. Il était passionné par son métier… Il aurait été fier de mourir en service. Mais pas comme ça. Pas comme ça ! Celui qui lui a fait ça l'en a privé. Comment est-ce possible ? Lieutenant, comment est-ce possible ?

Que lui répondre ? Eve n'avait que des questions.

2

— C'était très dur.

— Oui.

Eve démarra et s'efforça de chasser la morosité qui l'avait envahie dans l'appartement des Kohli.

— Elle tiendra le coup pour les enfants. Elle est solide.

— Les mômes sont adorables. Le petit garçon est un malin ! Il m'a soutiré un hot-dog au soja, trois esquimaux au chocolat et un cône caramel.

— Je parie qu'il a dû beaucoup insister.

Peabody afficha un sourire angélique.

— J'ai un neveu de son âge.

— Vous avez des neveux de tous les âges possibles et imaginables !

— Plus ou moins.

— Dites-moi, vous qui avez une telle expérience en matière de famille... On a un mari, une épouse, ils semblent s'entendre, le couple est équilibré, ils ont des enfants. Comment expliquez-vous que l'épouse, apparemment intelligente et courageuse, ne sache presque rien sur les activités de son époux ? Les dossiers qu'il traite, sa routine quotidienne ?

— Peut-être qu'il oublie tout, une fois le seuil du foyer franchi.

— Ça ne me convainc pas, marmonna Eve. Quand on vit avec quelqu'un jour après jour, on sait forcément ce que cette personne fait, ce qu'elle pense, ce qui l'intéresse. Patsy a dit qu'il était préoccupé, mais qu'elle ne savait pas pourquoi. Pourtant, elle n'a pas insisté.

Sourcils froncés, Eve secoua la tête tout en se faufilant entre les voitures.

— Connors et vous fonctionnez sur une autre dynamique.

— Que voulez-vous dire par là ?

Peabody observa le profil d'Eve à la dérobée.

— Eh bien… C'est une façon gentille de dire que vous ne supporteriez pas de savoir que l'autre vous cache quoi que ce soit. Si l'un d'entre vous a un souci, l'autre le flaire aussitôt et fait pression pour savoir de quoi il retourne. Vous êtes tous les deux curieux, et juste assez méchants pour ne rien laisser passer. Vous, par exemple, vous me rappelez ma tante Miriam.

— Peabody…

— Elle et mon oncle Jim sont mariés depuis quarante ans, enchaîna Peabody, imperturbable. Il part au bureau tous les matins et rentre à la maison tous les soirs. Ils ont quatre enfants, huit – non, neuf – petits-enfants, et une vie de rêve. Elle ne sait même pas combien il gagne par an. Il se contente de lui donner de l'argent de poche…

Eve faillit emboutir un Rapide Taxi.

— Quoi ?

— Oui, eh bien, je le répète, Connors et vous fonctionnez sur une autre dynamique. Bref, il lui donne de quoi entretenir la maison et le reste. Elle lui demande comment s'est passée sa journée, il lui répond très bien merci, et c'est la fin de la conversation sur le boulot.

Peabody haussa les épaules.

— C'est comme ça que ça marche chez eux. En revanche, ma cousine Frieda…

— J'ai compris, Peabody.

Eve alluma l'ordinateur de bord et appela le médecin légiste.

On lui passa immédiatement Morse, en salle d'autopsie.

— Je suis encore dessus, Dallas, annonça le spécialiste, le visage inhabituellement grave. Il est dans un état abominable.

— Je sais. Vous avez les rapports toxicologiques ?

— J'ai commencé par ça. Aucune trace de produit illicite dans l'organisme. Il avait ingurgité quelques centilitres de bière et mangé quelques bretzels juste avant sa mort. Apparemment, il buvait sa bière au moment où il a été frappé. Son dernier repas remontait à six heures : sandwich de pain complet au poulet, salade de pâtes. Café. À l'heure qu'il est, je peux vous annoncer que la victime était en bonne santé et en excellente condition physique.

— Bien. C'est la fracture du crâne qui l'a tué ?

— Ne vous ai-je pas dit que je travaillais encore sur lui ? rétorqua Morse d'un ton sec.

Avant même qu'Eve ne puisse réagir, il leva une main gantée, ensanglantée jusqu'au poignet.

— Désolé. Désolé. J'ai du mal à recoller les morceaux du puzzle. L'agresseur est arrivé par-derrière. Premier coup sur l'arrière de la tête. Les lacérations faciales indiquent que la victime est tombée à plat ventre sur du verre. Le second coup, à la mâchoire, a été fatal. Ensuite, ce salaud lui a fracassé la tête comme une cacahuète. Il n'a rien dû sentir, il était déjà mort. Les autres blessures sont *post mortem*. Je n'ai pas encore tout recensé.

— Ça me suffit. Merci, et pardonnez-moi de vous avoir pressé.

— Mais non, mais non, murmura Morse en gonflant les joues. C'est moi... Je le connaissais, alors j'ai du mal. C'était un homme bien, il nous montrait souvent des holographes de ses enfants. On ne voit pas souvent des visages souriants, par ici.

Il la fixa.

— Je suis content que l'enquête soit entre vos mains, Dallas. Ça m'aide. Vous aurez mon rapport avant la fin de mon service.

Il coupa la communication, la laissant devant un écran vide.

— Qui pouvait en vouloir à ce point à un homme bien, heureux papa et mari attentionné ? Qui a pu le massacrer ainsi, sachant que dans notre corporation on se serre toujours les coudes pour coincer un tueur de flics ? Quelqu'un le détestait, et pas cordialement.

— Quelqu'un qu'il aurait arrêté ?

On ne pouvait pas s'inquiéter de ceux-là, songea Eve, mais on y pensait toujours.

— Un flic qui boit un verre avec un délinquant ne lui tourne pas le dos. Il se méfie. Penchons-nous plutôt sur ses dossiers, Peabody. Je suis curieuse de savoir quel genre de flic était Taj Kohli.

Eve traversait le hall en direction de son bureau quand une femme quitta précipitamment son banc dans la salle d'attente.

— Lieutenant Dallas ?

— C'est moi.

— Je me présente : Ruth MacLean. Je viens d'apprendre la terrible nouvelle, au sujet de Taj. Je...

Elle leva les bras dans un geste d'impuissance.

— Connors m'a signalé que vous souhaitiez me parler, aussi je suis venue immédiatement. J'aimerais pouvoir vous aider.

— Je vous en remercie. Un instant, je vous prie. Peabody !

Elle attira son assistante à l'écart.

— Activez les archives sur Kohli. Ensuite, vous vérifierez l'état de ses finances.

— L'état de ses finances, lieutenant ?

— Parfaitement. Si vous avez le moindre problème, adressez-vous à Feeney, à la Division de Détection électronique. Creusez un peu. Tâchez de savoir qui étaient ses copains dans l'équipe. Il ne parlait jamais de son travail avec sa femme, mais peut-être qu'il se confiait à un ami. Je veux savoir s'il avait des hobbies, des loisirs. Et je veux savoir sur quels dossiers il travaillait.

— Entendu, lieutenant.

— Madame MacLean ? Je vais vous emmener dans une salle d'interrogatoire. Mon bureau est un peu encombré.

— Comme vous voudrez. Je n'en reviens pas de ce qui s'est passé. Je ne comprends pas comment c'est possible.

— Nous allons en parler.

« Officiellement », songea Eve en entraînant Ruth à travers un dédale de couloirs.

— Je voudrais enregistrer notre entretien, si cela ne vous ennuie pas, annonça-t-elle en invitant Ruth à s'asseoir devant la table.

— Ça ne me gêne pas, au contraire, je suis là pour ça.

Eve alluma l'appareil.

— Dallas, lieutenant Eve, avec MacLean, Ruth. Le sujet s'est porté volontaire pour coopérer officiellement sur le dossier Kohli, Taj. Homicide. Merci d'avoir pris cette initiative, madame MacLean.

— Je ne sais pas si je vais pouvoir vous renseigner de façon utile.

— Vous gérez le club où Taj Kohli travaillait comme barman à temps partiel ?

Eve n'était pas du tout étonnée par le choix de Connors. Ruth MacLean était élégante, mince, ravissante. Ses yeux violets, emplis de gravité, scintillaient comme des joyaux sur sa peau d'albâtre.

Les traits délicats, un menton volontaire. Une jupe courte, moulante, impeccablement coupée, mettait en valeur ses jambes superbes.

Elle avait les cheveux couleur du soleil, tirés en arrière ; une coiffure exigeant une grande confiance en soi et une ossature parfaite.

— *Le Purgatoire*. Oui. J'en suis la gérante depuis déjà quatre ans.

— Et avant cela ?

— J'étais hôtesse dans un petit bar au centre-ville. Auparavant, j'étais danseuse, précisa-t-elle avec un mince sourire. Et puis, j'ai décidé que j'en avais assez de la scène, que je voulais me lancer dans un autre métier où je pourrais rester habillée. Connors m'en a donné l'opportunité, d'abord chez *Trends*, puis au *Purgatoire*. Votre mari apprécie l'ambition, lieutenant.

Eve décida de ne pas approfondir cette question.

— Est-ce vous qui engagez les employés ?

— Oui. C'est moi qui ai engagé Taj. Il cherchait un travail à mi-temps. Sa femme venait d'avoir un bébé et avait opté pour le statut de mère au foyer. Il avait besoin d'arrondir ses fins de mois. Il était d'accord pour assurer le dernier service, et comme il était marié et heureux de l'être, il ne risquait pas de draguer les filles.

— Ce sont vos seules exigences ?

— Non, mais ces détails ont leur importance.

Ruth agita les doigts. Elle portait une seule bague, un trio de pierres entremêlées comme des serpents.

— Il savait préparer les cocktails, les servir. Il avait l'œil sur les trouble-fête. Je ne savais pas qu'il était flic. Sur son formulaire, il avait marqué qu'il était agent de sécurité, ce que j'ai vérifié.

— Quelle société ?

— Lenux. J'ai appelé le siège, discuté avec son supérieur – du moins, j'ai supposé que c'était lui – qui me l'a chaudement recommandé. Je n'avais aucune raison de m'interroger, ses références étaient bonnes. Je lui ai proposé un essai de deux semaines. Au bout de ce délai, les deux parties étant satisfaites, il a obtenu son contrat définitif.

— Le nom de votre contact chez Lenux figure-t-il dans vos archives ?

— Oui.

Ruth poussa un soupir.

— J'ai déjà essayé de leur téléphoner. Cette fois, je suis tombée sur un numéro qui n'était plus en service.

— J'aimerais l'avoir tout de même. Juste pour info.

— Bien entendu.

Ruth ouvrit son sac, en sortit un agenda électronique.

— Je ne sais pas pourquoi il m'a caché qu'il était flic, murmura-t-elle en rédigeant le numéro sur un e-mémo pour Eve. Peut-être qu'il a eu peur que je lui refuse la place. D'un autre côté, quand on sait que le propriétaire l'est…

— Je ne suis pas propriétaire du club.

— Non, enfin…

Elle haussa les épaules et lui tendit le mémo.

— Taj Kohli était encore présent après la fermeture. C'est normal ?

— Ça peut arriver. En général, c'est le barman de service qui ferme, avec l'un des membres de l'équipe de sécurité. D'après mes notes, ce soir-là, c'était au tour de Nester Vine d'accompagner Taj. Je n'ai pas encore réussi à le joindre.

— Vous vous rendez au club tous les soirs ?

— Cinq soirs par semaine. Les dimanches et lundis, on fait relâche. J'y suis restée hier jusqu'à 2 h 30. L'une des filles avait un problème avec son petit ami. Je l'ai ramenée chez elle et je lui ai tenu la main un moment, puis je suis allée chez moi.

— Quelle heure était-il ?

— À mon arrivée à la maison ? Environ 3 h 30, 3 h 45, j'imagine.

— Le nom de la jeune femme avec laquelle vous étiez jusque-là ?

— Mitzie. Mitzie Treacher. Lieutenant, la dernière fois que j'ai vu Taj, il était bien vivant derrière son bar.

— Je me contente de rassembler les faits, madame MacLean. Avez-vous une idée de l'état d'esprit dans lequel se trouvait Kohli ?

— Il m'a paru en pleine forme. Nous n'avons pas beaucoup parlé. Je lui ai demandé à deux reprises de me donner un verre d'eau minérale, on a échangé des banalités : comment ça va, il y a du monde... Bref... Mon Dieu ! souffla-t-elle en fermant les yeux. C'était un homme agréable, calme, rassurant. Il téléphonait toujours à sa femme pour prendre de ses nouvelles pendant la pause.

— Il se servait de l'appareil de l'établissement ?

— Non. Nous interdisons les coups de fil personnels, hormis en cas d'urgence. Il a utilisé son lien Palm.

— Il l'a utilisé, hier soir ?

— Je n'en sais rien. Il en avait l'habitude, je n'ai pas fait attention. Non, attendez... Il mangeait un sandwich, dans l'arrière-salle. Je me rappelle être passée devant la porte ouverte. Il roucoulait... Il s'adressait au bébé... Je m'en souviens, parce que c'était tellement mignon et ridicule, ce type baraqué, en train de gazouiller devant l'écran. C'est important ?

— J'essaie simplement de me faire une idée de l'individu...

Eve n'avait pas vu de lien Palm près du cadavre.

— Avez-vous remarqué un client en particulier, hier ou un autre soir, quelqu'un qu'il connaissait, qui discutait avec lui au bar ?

— Non. Bien sûr, nous avons nos fidèles. Des gens qui passent plusieurs fois par semaine. Taj connaissait leurs goûts et leurs manies ; ils appréciaient ses attentions.

— Il s'est lié d'amitié avec d'autres employés ?

— Pas que je sache. Il était plutôt réservé. Gentil, mais il s'occupait de son boulot. Il observait, écoutait.

— Vous avez une matraque en métal, derrière le comptoir ?

— C'est légal ! répliqua précipitamment Ruth avant de pâlir. C'est avec la matraque que...

— Taj a-t-il jamais eu l'occasion de s'en servir, ou de menacer quelqu'un avec cette arme ?

— Jamais, affirma Ruth en passant la main sur sa poitrine. Enfin si, il a dû la brandir une ou deux fois, mais avec son physique, ce n'était pas nécessaire. C'est un club de bonne réputation. Nous y avons très rarement des problèmes. Je gère un établissement de qualité, lieutenant. Connors ne tolérerait rien de moins.

Le rapport préliminaire était simple et, pour Eve, loin d'être satisfaisant. Elle avait les faits. Un policier décédé, battu à mort avec une violence inouïe, et un saccage des lieux qui tendait à indiquer un agresseur drogué au Zeus ou à un mélange redoutable de produits illicites. Une vague tentative de maquiller le crime en cambriolage, un lien Palm volatilisé et trente jetons de crédit.

Selon toute apparence, la victime travaillait là en dehors de ses heures de service pour arrondir les fins de mois de sa famille. Un homme irréprochable sur le plan professionnel, apprécié de ses collègues, adulé par les siens. Il n'avait pas, du moins d'après ce qu'Eve avait appris jusque-là, vécu au-dessus de ses moyens, entretenu une maîtresse ou touché à une affaire dangereuse qui aurait pu lui coûter la vie.

On pouvait donc en conclure qu'il avait joué de malchance. Pourtant, Eve n'y croyait guère.

Elle appela sa photo d'identité sur son écran et l'examina attentivement. Imposant, le regard fier, la mâchoire volontaire, les épaules larges.

— Quelqu'un voulait se débarrasser de vous, Kohli. Qui avez-vous contrarié ?

Elle changea de position.

— Ordinateur, recherche de probabilités. Dossier ouvert, projection cause du décès et résultats préliminaires légiste, rapport responsable de l'enquête sur la victime. Probabilité de connaissance de l'agresseur ?

— *Recherche en cours… Selon les données enregistrées et le rapport du responsable, il y a 94,3 % de chances que la victime ait connu son agresseur.*

— Oui, eh bien, un bon point pour moi !

Elle se pencha en avant, passa la main dans ses cheveux.

— Qui les flics fréquentent-ils ? À part d'autres flics, des indics, des voyous, la famille ? Les voisins. Et les barmen ? Qui connaissent-ils ?

Elle eut un petit rire amer.

— Absolument tout le monde ! Quelle casquette portiez-vous lors de votre entretien cette nuit, détective ?

— Lieutenant, s'enquit Peabody, depuis le seuil de la pièce, j'ai obtenu la liste des affaires affectées à Kohli. Quant à l'état de ses finances, tous les comptes sont joints, il nous faut donc un mandat ou l'autorisation de son épouse pour procéder aux vérifications.

— Je m'en charge. Et sur le reste ?

— Rien à signaler. Il a participé à une grosse affaire, il y a six mois. Un dealer, Ricker.

— Max Ricker ?

— Oui. Kohli était tout en bas de l'échelle, il s'occupait surtout de la paperasserie. Ce n'est pas lui qui l'a appréhendé, mais le lieutenant Mills et l'inspecteur Martinez. Ils ont fait le lien entre l'entrepôt de produits illicites et Ricker, qui a été mis en examen. Mais il leur a échappé. Cela étant, ils ont coffré six autres membres du cartel.

— Ricker n'est pas du genre à abîmer sa manucure en se plongeant les mains dans le sang. Mais il n'hésiterait pas à engager un tueur à gages, même pour un flic.

À cette idée, Eve eut un sursaut d'excitation.

— Essayez de savoir si Kohli a témoigné. Il me semble que c'est passé au tribunal avant que le dossier ne soit clos pour vice de forme. J'aimerais savoir le rôle exact qu'il a joué dans cette histoire. Adressez-vous au capitaine Roth, et si elle vous envoie promener, passez-la-moi. Je serai avec le commandant.

Le commandant Whitney resta debout devant sa fenêtre, pendant qu'Eve le mettait au courant de l'évolution de son enquête. Les mains croisées dans le dos, il observait le trafic aérien.

L'un des tout nouveaux Gliss-Express passa, suffisamment près pour qu'il distingue la couleur des yeux du jeune pilote – en violation directe avec le Code de la circulation.

« Culotté, songea distraitement Whitney. Et stupide, ajouta-t-il en entendant la sirène d'une patrouille des airs. Pris en flagrant délit. Si seulement c'était toujours aussi facile ! »

Quand Eve se tut enfin, Whitney se tourna vers elle. Son visage était large et sombre, ses cheveux grisonnants coupés en brosse. Cet homme imposant, au regard clair, avait passé la première moitié de sa carrière dans les rues. S'il œuvrait désormais derrière un bureau, il n'avait pas oublié pour autant ce que c'était que de porter une arme.

— Avant de commenter votre rapport, lieutenant, je tiens à vous informer que j'ai été en communication avec le capitaine Roth, du 128. Elle a demandé officiellement le transfert de l'affaire Kohli à sa section.

— Oui, monsieur. Elle m'avait prévenue de son intention.

— Et quel est votre avis sur la question ?

— Je peux le comprendre.

— Je suis d'accord avec vous.

Il marqua une pause, inclina la tête.

— Vous ne me demandez pas si je compte accéder à sa requête ?

— Je n'ai aucune raison tactique de le faire, et si vous l'aviez décidé, vous me l'auriez annoncé d'emblée.

Whitney eut une petite moue et pivota de nouveau vers la baie vitrée.

— En effet. L'enquête reste entre vos mains. L'émotion est grande, lieutenant. C'est un coup dur pour le capitaine Roth, son équipe et tous les policiers du NYPSD. Quand l'un d'entre nous tombe, c'est toujours très douloureux, même si nous connaissons tous les risques du métier. Cependant, la nature de ce crime le propulse à un autre niveau. Cet excès de violence indique un manque de professionnalisme.

— J'en conviens. Je n'élimine pas cet angle. Si Ricker est impliqué, celui qu'il a engagé a peut-être reçu l'ordre de brouiller les pistes. Je ne sais pas encore quel genre de flic était Kohli, commandant. Je ne sais pas s'il a été assez imprudent ou audacieux pour se mettre en situation de vulnérabilité face à l'un des tueurs de Ricker. Peabody est en train d'effectuer des recherches sur les affaires dont il était chargé. J'ai besoin de savoir qui il fréquentait, qui étaient ses indics, et dans quelle mesure il était impliqué dans l'enquête et le procès Ricker.

— Ce n'est pas la première fois qu'on soupçonne Ricker d'avoir organisé le meurtre d'un policier. Mais en général, il est plus subtil.

— Il y avait une animosité personnelle dans le cas présent, commandant. Que ce soit contre le badge ou contre Kohli, cela reste un mystère. Mais c'était très personnel. Connors est propriétaire du club, ajouta-t-elle.

— Oui, je l'ai entendu dire.

Il revint vers son bureau.

— Je ne devrais avoir aucun mal à obtenir des renseignements sur l'établissement, son personnel et sa clientèle. La gérante s'est déjà présentée spontanément pour un entretien. Le fait que Kohli ait dissimulé son rattachement au NYPSD m'incite à penser qu'il était sur une affaire, de sa propre initiative. Il a délibérément caché son véritable métier, au point de prévoir une couverture. Rien ne permet d'affirmer qu'il travaillait en civil pour le département, ce n'était donc pas officiel.

— Je n'ai aucune connaissance d'une enquête, officielle ou non, qui aurait conduit l'inspecteur Kohli au *Purgatoire*. Cependant, j'en parlerai avec le capitaine Roth.

Il agita le bras avant qu'Eve ne puisse objecter.

— Ça passera mieux si ça vient de moi, Dallas. Évitons de faire des vagues.

— Bien, monsieur, répondit-elle à contrecœur. J'aimerais avoir un mandat pour accéder aux états financiers de Kohli. Tous les comptes sont joints, avec sa veuve. À l'heure qu'il est, je préfère ne pas ennuyer Mme Kohli avec ça.

— Ou la mettre en alerte, devina Whitney. Vous pensez qu'il détournait des fonds ?

— J'aimerais pouvoir écarter cette possibilité, commandant.

— Allez-y. Soyez discrète. Je vous envoie votre mandat. Trouvez-moi ce tueur de flics.

Eve passa le reste de la journée à étudier les dossiers de Kohli, à se familiariser avec les affaires auxquelles il avait été affecté, à tenter de comprendre l'homme. Et le policier.

Apparemment, c'était un professionnel consciencieux, sans plus. S'il n'était presque jamais absent, il ne faisait pas non plus beaucoup d'heures supplémentaires.

Il n'avait jamais utilisé son arme à force maximum, et n'avait donc jamais subi de tests poussés. Cependant, il avait bouclé, ou participé au bouclage d'un bon nombre de dossiers, et ses rapports étaient efficaces, soigneusement rédigés, complets.

Cet homme-là était respectueux des règles ; il menait une carrière sans histoires et rentrait chez lui le soir en oubliant tout ce qu'il avait vécu dans la journée.

Comment ? se demanda-t-elle. Comment était-ce possible ?

Son dossier militaire était du même registre. Sans éclat. Engagé à l'âge de vingt-deux ans, il avait passé six années dans l'armée, les deux dernières dans la police militaire.

Tous les « t » étaient barrés, tous les « i », surmontés d'un point. Une vie tout à fait ordinaire. Presque trop parfaite.

En téléphonant à Nester Vine, du *Purgatoire*, Eve était tombée sur son épouse, harassée. La veille, Vine était rentré avant la fin de son service, malade comme un chien. Elle arrivait d'ailleurs de l'hôpital, où elle avait emmené son mari souffrant d'une appendicite aiguë, à 3 heures du matin.

Comme alibi, on ne faisait pas mieux. Cependant, Mme Vine avait suggéré à Eve d'appeler Nancie, une strip-teaseuse, qui semblait avoir traîné au club après que Kohli eut pressé Vine de rentrer chez lui.

Par souci de précision, Eve avait contacté l'hôpital pour s'assurer qu'on avait bien opéré le dénommé Nester Vine, en urgence, aux petites heures du matin.

« Nester, à éliminer », se dit-elle en ajoutant Nancie à sa liste de personnes à interviewer.

Ses coups de fil au lieutenant Mills et à l'inspecteur Martinez restèrent sans réponse. Ils étaient sur le terrain, indisponibles. Elle leur laissa à chacun un message, rassembla ses documents et s'apprêta à partir.

Elle étudierait les états financiers de Kohli dans la soirée.

Peabody était dans son box, plongée dans la paperasserie.

— Laissez ça pour demain. Allez vous reposer.

— Vraiment ? s'exclama Peabody, son visage s'éclairant d'un seul coup tandis qu'elle jetait un coup d'œil à sa montre. Et presque à l'heure, en plus ! J'ai un dîner à 20 heures avec Charles. Je vais avoir le temps de me pomponner.

Eve grogna et Peabody sourit.

— Vous savez ce qui est difficile, quand on jongle avec deux types ?

— Pourquoi ? Vous considérez McNab comme un type ?

— Dans ses bons jours, il offre un contraste agréable avec Charles. Bref, vous savez ce qui est difficile, quand on sort avec les deux ?

— Non, Peabody, qu'est-ce qui est difficile quand on sort avec les deux ?

— Rien, justement !

Avec un éclat de rire, Peabody s'empara de son sac et fila comme une flèche.

— À demain !

Eve secoua la tête. Elle avait déjà du mal avec un seul homme... Si elle quittait le Central assez vite, pour une fois, elle serait peut-être à la maison avant lui.

Pour se tester, elle tenta d'oublier ses dossiers. La circulation était suffisamment dense pour monopoliser son esprit, et les panneaux d'affichage animés vantaient tout, de la nouvelle mode de printemps au tout dernier modèle de voiture de sport.

Apercevant un visage connu sur l'un des écrans, elle faillit foncer dans un glissa-gril.

Mavis Freestone, la chevelure en pics orange, tournoyait au-dessus de la rue, au carrefour de la 34e. Vêtue de quelques bouts d'étoffe bleu électrique placés aux endroits stratégiques, elle virevoltait, se déhanchait, tournoyait. À chaque révolution, ses cheveux changeaient, du rouge à l'or, en passant par le vert pomme.

Eve ne put s'empêcher de sourire.

— Mon Dieu ! Mavis, tu m'épateras toujours !

Que de chemin parcouru par sa plus vieille amie, ex-prostituée, qu'Eve avait un jour arrêtée ! Après avoir travaillé comme danseuse dans une multitude de bars de troisième zone, voilà qu'elle était devenue une star de la musique.

Eve s'apprêtait à allumer son vidéocom de bord, avec l'intention de téléphoner à Mavis, quand son lien Palm personnel bipa.

— Oui...

Elle continua de fixer le panneau d'affichage, ignorant les coups de Klaxon agacés derrière elle.

— Ici Dallas.

— Bonsoir, Dallas.

— Webster.

Aussitôt, Eve se raidit. Elle avait beau connaître Don Webster personnellement, aucun flic n'appréciait de recevoir un appel des Affaires internes.

— Pourquoi m'appelles-tu sur mon lien Palm personnel ? Le règlement stipule que vous devez employer les canaux officiels.

— J'espérais bavarder avec toi. Tu as quelques minutes ?

— Je t'écoute.

— En face à face.

— Pourquoi ?

— Allez, Dallas. Dix minutes.

— Je rentre chez moi. Contacte-moi demain matin.

— Dix minutes, insista-t-il. Je te retrouve au parc en face de chez toi.

— Ça concerne les Affaires internes ?

— À tout de suite ! lança-t-il avec un sourire qui ne fit qu'augmenter ses soupçons. Je suis juste derrière toi.

Dans son rétroviseur, elle constata que c'était vrai. Sans un mot, elle coupa la communication.

Elle dépassa le portail de sa propriété et roula encore cinq cents mètres – par principe – avant de se garer dans le seul emplacement disponible.

Elle ne fut pas surprise quand Webster se mit en double file, insensible au regard foudroyant d'un élégant couple de promeneurs accompagné de trois lévriers afghans, et alluma son signal « En service ».

Il avait toujours su user et abuser de son sourire, et ses yeux bleus pétillaient de vivacité. Il avait un visage mince, encadré de cheveux ondulés, à la coupe flatteuse.

— Tu as drôlement avancé dans le monde, Dallas. Quel quartier !

— Oui, on se réunit tous les mois pour faire la fête dans la rue. Qu'est-ce que tu veux, Webster ?

— Comment vas-tu ? lui demanda-t-il d'un ton nonchalant en se dirigeant vers la pelouse luxuriante et les arbres bourgeonnants.

Ravalant sa colère, Eve fourra les poings dans ses poches et le suivit.

— Très bien. Et toi ?

— Je ne peux pas me plaindre. Belle soirée. J'adore le printemps à New York.

— Bon, ça suffit. Qu'est-ce que tu veux ?

— Tu n'as jamais été une grande bavarde, rétorqua-t-il en se rappelant la première et unique fois où il avait réussi à l'attirer dans son lit ; ils n'avaient pas échangé deux mots... Si on s'asseyait sur un banc ?

— Je n'en ai aucune envie, pas plus que de parler de la pluie et du beau temps. Je veux rentrer chez moi. Et si tu n'as rien d'intéressant à me dire, c'est ce que je vais faire.

Elle se détourna, s'éloigna de trois pas.

— Tu t'occupes de l'homicide Kohli.

— C'est exact, rétorqua-t-elle en pivotant vers lui, sur le qui-vive. En quoi cela concerne-t-il le Bureau des Affaires internes ?

— Je n'ai pas dit que ça concernait le Bureau des Affaires internes. Pas plus que d'habitude, quand on perd un des nôtres.

— Alors pourquoi ce rendez-vous en privé avec la responsable de l'enquête ?

— On se connaît depuis longtemps. L'Académie, ça remonte à loin. J'ai pensé que ce serait plus sympa comme ça.

Sans le quitter du regard, elle revint vers lui, se planta face à lui.

— Épargne-moi tes insultes, Webster. Quel est le rapport entre le Bureau des Affaires internes et mon enquête ?

— Écoute, j'ai lu le rapport préliminaire. C'est une affaire difficile. Pour le département, sa section, sa famille.

— Tu connaissais Kohli ?

— Pas vraiment, murmura-t-il avec un sourire un peu amer. Rares sont les inspecteurs qui se lient d'amitié avec ceux des Affaires internes. C'est curieux comme on fronce tous les sourcils sur les flics ripoux, alors que personne ne veut fréquenter ceux qui les démasquent.

— Tu es en train de me dire que Kohli était un ripou ?

— Pas du tout. D'ailleurs, s'il y avait une enquête interne, il me serait formellement interdit d'en discuter avec toi.

— Arrête, Webster ! Tout ça, c'est des conneries. J'ai un flic mort sur les bras. S'il était mêlé à une affaire louche, j'ai besoin de le savoir.

— Je ne suis pas autorisé à te confier des révélations venant des Affaires internes. J'ai appris que tu avais accédé à ses états financiers.

Eve dut tourner sa langue dans sa bouche pour ne pas exploser.

— Je ne suis pas autorisée à te parler d'une enquête en cours. Et en quoi cela peut-il t'intéresser ?

— Tu cherches à m'énerver, lui reprocha-t-il avec un petit haussement d'épaules. Je voulais simplement te prévenir, d'une manière officieuse et amicale, qu'il vaudrait mieux pour le bien de tous que ce dossier soit clos au plus vite.

— Kohli était en rapport avec Ricker ?

Cette fois, un muscle de la joue de Webster tressauta, mais il conserva une voix suave.

— Je ne sais pas ce que tu racontes. Vérifier les états financiers de Kohli ne te mènera nulle part, Dallas. Il n'était pas en service quand on l'a tué.

— Un homme a été battu à mort. Un flic. Une jeune femme est devenue veuve. Deux petits enfants viennent de perdre leur papa. Et ça n'a pas d'importance, sous prétexte qu'il n'était pas en service ?

Webster eut la bonne grâce de paraître mal à l'aise. Il détourna la tête.

— Non, non, ce n'est pas ça.

— Ne viens pas m'expliquer comment faire mon métier, Webster. N'essaie pas de me dire comment je dois mener une enquête. Tu as abandonné ce boulot-là. Pas moi.

— Dallas...

Il la rattrapa avant qu'elle n'atteigne le trottoir. L'agrippant par le bras, il se prépara à faire face à son explosion de rage. Elle se contenta de le regarder droit dans les yeux.

— Lâche-moi. Immédiatement.

Il s'exécuta, mit la main dans sa poche.

— J'essaie simplement de te dire que le Bureau des Affaires internes ne veut pas de vagues.

— Je m'en fous complètement ! Si tu as quelque chose à me dire concernant le meurtre du détective Taj Kohli, tu n'as qu'à le faire par les voies officielles. Ne me file plus jamais comme ça, Webster. Plus jamais !

Elle remonta dans sa voiture, attendit que la rue soit libre et effectua un demi-tour.

Webster la regarda foncer à travers le portail du monde dans lequel elle évoluait désormais. Il aspira trois grandes bouffées d'air, en vain, puis balança un énorme coup de pied dans le pneu de son véhicule.

Il s'en voulait terriblement de ce qu'il venait de faire. Plus grave, il était furieux de constater qu'il ne l'avait jamais complètement oubliée.

3

Folle de rage, Eve remonta à vive allure l'allée menant à l'imposant manoir dont Connors avait fait leur demeure.

Pour ce qui était de fermer la porte sur le boulot, c'était réussi ! songea-t-elle avec amertume. Comment faire quand il vous poursuivait jusqu'à votre seuil ? Webster avait une idée derrière la tête, ce qui signifiait qu'il y avait un hic, et que ce hic venait du Bureau des Affaires internes.

À présent, elle devait se calmer, de manière à dissiper sa colère contre cet assaut intempestif. Ce qui comptait, c'était de comprendre ce qu'il avait cherché à lui dire et, plus important encore, de deviner ce qu'il lui avait si soigneusement caché.

Elle laissa sa voiture au bout de l'allée, parce qu'elle aimait la garer là, et parce que cela agaçait prodigieusement le majordome de son mari, l'exaspérant Summerset.

S'emparant de sa mallette, elle gravit les marches du perron puis, tout à coup, s'immobilisa à mi-chemin. Avec un profond soupir, elle se retourna et s'assit.

Le moment était venu de tenter quelque chose de nouveau, se dit-elle. De profiter de cette magnifique soirée de printemps, d'admirer la somptuosité des arbres en fleurs et des buissons disséminés sur la pelouse. Elle vivait ici depuis plus d'un an mais prenait rarement le temps d'en savourer les plaisirs. Oui, vraiment, il était temps qu'elle commence à apprécier ce que Connors avait construit, avec son goût infaillible.

La maison elle-même, avec ses volées de marches, ses tourelles et ses somptueuses baies vitrées, était un monument à l'élégance, au confort et à la fortune. Les innombrables pièces regorgeaient d'œuvres d'art et d'antiquités d'une valeur inestimable.

Le parc était révélateur d'une autre facette de la personnalité de son créateur : un homme qui avait besoin d'espace, qui l'exigeait. Qui contrôlait tout. Un homme, aussi, qui savait s'émerveiller de la beauté d'une fleur qui allait s'épanouir, puis faner, au fil de la saison.

Il en avait planté partout et entouré le domaine d'une haute muraille en pierre, avec un portail en fer forgé sécurisé qui les protégerait de la ville.

Pourtant, la ville était juste là, tout autour, palpable.

Cette propriété symbolisait la dualité de Connors. Et sans doute aussi la sienne.

Il avait grandi dans les ruelles de Dublin et avait fait ce qu'il fallait pour survivre. De son côté, elle avait perdu son enfance. Les souvenirs, les images de ce qu'elle avait subi, de ce qu'elle avait fait pour s'en échapper, la hantaient encore.

Il s'était consolé avec l'argent, le pouvoir et la domination. Eve avec son badge. Rien n'effacerait jamais le passé mais, ensemble, ils étaient devenus… normaux. Ils avaient fondé un couple, un foyer.

Voilà pourquoi elle pouvait s'asseoir sur les marches de ce perron après une journée pénible, contempler les corolles ondulant sous la brise. Et l'attendre.

Elle regarda s'approcher la longue limousine noire. Elle patienta tandis que Connors en descendait, échangeait quelques mots avec le chauffeur. Le véhicule s'éloigna, et il se dirigea vers elle, le regard sur son visage. Personne ne l'avait jamais dévisagée ainsi. Comme si rien d'autre n'existait.

Chaque fois, elle en avait le cœur qui battait.

Il s'installa près d'elle.

— Bonsoir.

— Bonsoir. Belle soirée, dit-il.

— Oui. Les plates-bandes sont superbes.

— Oui. C'est le renouveau du printemps. Un cliché, certes, mais la vérité, comme la plupart des clichés.

Il lui caressa les cheveux.

— Que fais-tu ?

— Rien.

— Justement. Ça ne te ressemble pas, mon Eve chérie.

— C'est une expérience, répondit-elle en croisant les jambes. Je m'efforce de ne plus penser à mon travail.

— Et tu réussis ?

— C'est une catastrophe ! avoua-t-elle en fermant les yeux. Sur le chemin du retour, tout allait bien. J'ai vu l'affiche de Mavis.

— Ah oui ! Spectaculaire, n'est-ce pas ?

— Tu ne m'en avais pas parlé.

— Elle n'est parue qu'aujourd'hui. J'ai pensé que tu l'apercevrais en rentrant et que ce serait une jolie surprise.

— En effet.

Elle esquissa un sourire.

— J'ai failli défoncer un glissa-gril ! J'étais là, à rire, sur le point de lui téléphoner, quand j'ai eu une communication.

— Et le métier a repris le dessus.

— Plus ou moins. C'était Webster.

Les yeux rivés sur les arbustes, elle ne vit pas Connors se raidir.

— Don Webster, des Affaires internes.

— Oui, je m'en souviens. Qu'est-ce qu'il voulait ?

— C'est ce que j'essaie de comprendre. Il m'a appelée sur ma ligne personnelle et a réclamé un rendez-vous en privé.

— Pas possible ! murmura Connors, d'une voix dangereusement douce.

— Il m'avait filée depuis le Central. Je l'ai retrouvé à quelques centaines de mètres d'ici. Après avoir échangé les banalités d'usage, il m'a fait tout un cinéma sur l'affaire Kohli.

Le seul fait d'y repenser suffit à raviver sa fureur.

— D'après lui, les Affaires internes veulent qu'on boucle le dossier vite fait, bien fait. Il était outré que j'aie osé examiner les états financiers de Kohli. Cependant, il ne confirme ni n'infirme quoi que ce soit. Il prétend agir en tant qu'ami, officieusement, entre nous.

— Et tu l'as cru ?

— Non, mais je me demande où il voulait en venir. Ça me déplaît de penser que le BAI fourre son nez dans mes dossiers.

— Il s'intéresse à toi sur le plan personnel.

— Webster ? s'exclama-t-elle, sincèrement étonnée. Pas du tout. On a passé une nuit ensemble, il y a des années. Ça s'est arrêté là.

« Pour toi, peut-être », songea Connors, mais il se garda de commenter.

— Quoi qu'il en soit, j'ai l'impression qu'il s'agissait davantage de Ricker que de Kohli.

— Max Ricker ?

— Oui. Tu le connais, devina-t-elle en relevant la tête. J'aurais dû m'en douter.

— Nous nous sommes rencontrés. Où est le rapport ?

— Kohli a participé à l'arrestation de Ricker, récemment. Il ne jouait pas un rôle clé dans l'histoire, et Ricker leur a filé entre les doigts, mais cela a dû lui coûter beaucoup de temps et d'argent. Il se pourrait que Ricker ait décidé de se venger.

— Ce que j'ai vu aujourd'hui au *Purgatoire* n'évoquait guère le style de Ricker.

— Ça m'étonnerait qu'il ait laissé ses empreintes digitales…

— Évidemment, concéda Connors. Tu veux savoir si j'ai déjà fait affaire avec lui, ajouta-t-il après un silence.

— Je ne t'ai pas posé la question.

— Non, mais ça t'intrigue.

Il lui prit la main, l'effleura d'un baiser, se leva.

— Allons nous promener.

— J'ai rapporté du travail… En ce qui concerne mon expérience, c'est complètement raté : il faudrait que je m'y mette.

— Tu travailleras mieux si nous mettons les choses au point tout de suite.

Il l'entraîna vers la pelouse. La brise avait emporté des arbres des pétales qui jonchaient l'herbe comme des flocons de neige. Le crépuscule les enveloppait, l'air était imprégné de parfums divers, délicieux.

Connors se pencha, cueillit une tulipe, la lui offrit.

— Je n'ai pas vu Max Ricker depuis des années. Cependant, à une époque, nous avons travaillé ensemble, si l'on peut dire.

— Sur quoi ?

Il s'arrêta, plongea son regard dans le sien et constata avec regret qu'elle paraissait préoccupée.

— Pour commencer, sache que même quelqu'un comme moi, qui suis un… touche-à-tout… désapprouve certaines activités. L'emploi d'un tueur à gages, par exemple. Je n'ai jamais tué pour lui, Eve, ni d'ailleurs pour personne d'autre que moi-même.

Elle opina.

— Laissons cela pour l'instant.

— Très bien.

Ils en avaient déjà trop dit pour se dérober maintenant. Ils se remirent à marcher.

— Produits illicites ? demanda-t-elle.

— Au début de ma carrière, je n'ai pas toujours pu… Non, rectifia-t-il, conscient que la franchise était vitale… Disons plutôt que je manquais parfois de discernement. En effet, il m'est arrivé de tremper dans des affaires de drogue de temps en temps, et parfois avec Ricker et son organisation. Notre dernière association remonte à une dizaine d'années au moins. Ses pratiques m'avaient toujours déplu, et j'avais atteint un stade où je n'étais plus obligé de négocier avec les gens de son espèce.

— D'accord.

— Eve…

Sans la quitter des yeux, il lui caressa la joue.

— Quand je t'ai rencontrée, j'étais pratiquement revenu dans le droit chemin. J'avais fait ce choix longtemps auparavant, parce que cela me convenait. Après t'avoir connue, je me suis débarrassé des entreprises douteuses qui me restaient. Je l'ai fait pour toi.

— Tu n'as pas besoin de me répéter ce que je sais déjà.

— Si, au contraire. Pour toi, je suis prêt à tout. Mais je ne peux pas, et je ne voudrais pas, changer mon passé ni ce qui m'a amené jusqu'ici.

Elle contempla la corolle blanche de la tulipe, parfaite et pure. Puis elle le dévisagea de nouveau.

Dieu sait qu'il n'était pas pur mais, pour elle, il était parfait !

— Je ne te le demande pas, murmura-t-elle en posant les mains sur ses épaules. Nous sommes si bien ensemble.

Plus tard, après avoir partagé un dîner au cours duquel l'un comme l'autre avait pris soin de ne pas évoquer ses soucis, Eve s'installa dans son bureau pour étudier les relevés de comptes de Taj et de Patsy Kohli.

Elle les examina sous des angles divers, avala trois tasses de café, tira plusieurs conclusions, puis se leva. Elle frappa brièvement à la porte séparant son espace de travail de celui de Connors et entra.

Il était devant sa console et, d'après ce qu'elle put comprendre, discutait avec un correspondant à Tokyo. Il leva la main pour lui demander de patienter.

— Je regrette, mais cette projection ne satisfait pas mes besoins du moment, Fumi-san.

— Bien entendu, celle-ci est préliminaire et négociable, répondit son interlocuteur, d'une voix précise, courtoise.

— Dans ce cas, peut-être aurions-nous intérêt à en reparler quand les chiffres seront plus affinés.

— Ce serait un honneur d'en discuter avec vous en personne, Connors-san. Mes associés sont d'avis qu'une négociation aussi délicate serait mieux servie de cette manière. Tokyo est magnifique au printemps. Peut-être viendrez-vous visiter notre ville, à nos frais, bien entendu, dans un avenir proche ?

— Si agréable que soit votre proposition, c'est malheureusement impossible en ce moment, car j'ai un emploi du temps surchargé. En revanche, c'est avec plaisir que je vous rencontrerais, ainsi que vos partenaires, à New York. Si cela vous est possible, il vous suffit de contacter mon assistante. Elle sera ravie de vous aider à organiser votre voyage.

Il y eut un court silence.

— Je vous remercie de votre gracieuse invitation. Je vais consulter mes associés, et je prendrai contact avec votre assistante au plus vite.

— Au plaisir de vous voir. *Domo*, Fumi-san.

— Qu'est-ce que tu achètes, encore ? demanda Eve.

— Cela reste à voir, mais que dirais-tu d'une équipe de base-ball japonaise ?

— J'adore le base-ball, déclara Eve, après réflexion.

— Et voilà ! Que puis-je faire pour toi, lieutenant ?

— Si tu es en pleine acquisition d'une équipe de sport, ça peut attendre.

— Je n'achète rien du tout, du moins pas tant que les négociations n'auront pas abouti… Sur mon territoire, ajouta-t-il, une lueur espiègle dans les prunelles.

— Très bien. D'abord, une question. Si je refusais de te parler de mes activités professionnelles, comment réagirais-tu ?

— Je t'y obligerais de force, naturellement.

Elle s'esclaffa, ce qui l'amusa.

— Mais cette question ne s'applique pas à nous. Pourquoi la poses-tu ?

— Permets-moi de la formuler autrement. Quand deux personnes sont mariées, qu'elles vivent sous le même toit, que leur couple paraît solide, est-il possible que l'une d'entre elles n'ait pas la moindre idée de la façon dont l'autre occupe ses journées ?

Comme il se contentait de hausser les sourcils, elle émit un juron.

— Je ne fais pas allusion à toi. Je ne vois pas comment tu pourrais me tenir au courant de toutes tes entreprises. D'ailleurs, je sais à peu près ce que tu fais. Tu achètes tout ce qui te tombe sous la main, et tu produis ou vends à peu près tout ce dont peut avoir besoin l'espèce humaine. Et là, en ce moment, tu es sur le point de devenir le propriétaire d'une équipe de base-ball japonaise. Tu vois ?

— Seigneur ! Ma vie est un livre ouvert ! Mais pour en revenir à ta question, je suppose qu'on peut habiter ensemble sans connaître tous les tenants et les aboutissants du métier ou des passions de l'autre. Et si j'aimais la pêche ?

— La pêche ?

— C'est un exemple. Hypothèse : la pêche est ma passion, et je pars souvent l'assouvir pendant un week-end dans le Montana. Est-ce que, chaque fois que je rentrerais, tu prêterais attention à mes exploits ?

— La pêche ? répéta-t-elle, incrédule.

Il éclata de rire.

— Voilà, tu as tout compris. Donc, ma réponse est oui. Et maintenant, qu'est-ce qui te tracasse ?

— J'essaie simplement de me faire une idée. Enfin, dans la mesure où tu as menacé de me frapper – et là, je serais forcée de te démolir – je veux bien partager avec toi quelques-unes de mes interrogations. Tu pourrais jeter un coup d'œil sur quelque chose ?

— Volontiers. Mais tu ne pourrais pas me démolir.

— Non seulement je le peux, mais je l'ai déjà fait.

— Uniquement en trichant, lança-t-il en passant dans le bureau de sa femme.

Elle avait laissé le relevé de comptes à l'écran. Connors prit appui contre la table, inclina la tête et se mit à le parcourir.

Pour lui, les chiffres n'avaient pas de secrets.

— Dépenses routinières pour un train de vie typique de classe moyenne, constata-t-il. Loyer raisonnable, payé régulièrement. Traites sur un véhicule, coûts de maintenance et parking un peu chers. Ils devraient faire jouer la concurrence. Impôts, vêtements, nourriture… la colonne divertissements est un peu légère. Ils sortent peu. Dépôts bimensuels, qui pourraient coïncider avec le versement des salaires. On ne peut certainement pas les accuser de vivre au-dessus de leurs moyens.

— Non, en effet. La rubrique automobile est intéressante. D'autant que Kohli disposait d'une voiture de fonction et que ni lui ni son épouse n'en possèdent une personnelle.

— Vraiment ?

Sourcils froncés, Connors se concentra.

— Il y a donc de la fraude dans l'air. Mais à moins de quatre mille par mois, ça n'a rien de grave.

— Et maintenant, dis-moi ce que tu penses de ceci, murmura Eve. Comptes d'investissements. Fonds d'études universitaires, de retraite, épargne.

— Tiens, tiens…

— Quelqu'un prévoyait l'avenir. Un demi-million en cinq mois, et à un taux très intéressant. Bien que, personnellement, j'aurais préféré diversifier et mettre une plus grosse part du gâteau dans des secteurs en expansion, si le but est de payer des études supérieures.

— Il n'avait pas besoin d'un conseiller financier. Un flic ne met pas de côté 500 000 dollars comme ça. C'est forcément de l'argent sale.

Eve s'assit, l'esprit en ébullition.

— Il touchait des pots-de-vin. Qui le payait, et pourquoi ? Il n'a même pas pris la peine de dissimuler ces rentrées. C'est culotté.

Elle se releva, arpenta la pièce.

— C'est culotté, insista-t-elle. Je ne crois pas que c'était un homme stupide. Je pense qu'il était sûr de lui, certain de s'être couvert.

— S'il n'avait pas été tué, personne n'aurait mis le nez dans ses comptes, fit remarquer Connors. Son train de vie n'éveillait aucun soupçon.

— Oui, c'était un employé consciencieux, ni plus ni moins. Il rentrait chez lui retrouver sa jolie femme et ses adorables enfants et, le lendemain, il recommençait. Rien à signaler. Le genre de flic qui ne paie pas de mine, mais que tout le monde apprécie. Un type gentil, sans histoires. Pourtant, le BAI l'avait à l'œil.

Elle s'immobilisa devant l'écran mural.

— Ils le surveillaient, et ils savaient que Kohli se remplissait les poches. Ils ne veulent pas que ça se sache. D'après mon expérience, le BAI n'a jamais eu de cœur, ce n'est donc pas par égard pour la veuve éplorée. Qui protège qui ?

— Peut-être qu'ils essaient simplement de défendre leurs billes. Ils avaient entamé une enquête sur Kohli et tiennent à refermer eux-mêmes le dossier.

— C'est possible. Ça ne m'étonnerait pas d'eux.

Mais elle l'avait en travers de la gorge.

— Ripou ou pas, un flic est mort, et il est à moi.

D'un signe du menton, elle désigna l'écran.

— Je veux parler à Max Ricker.

— Lieutenant, dit Connors en venant se planter derrière elle pour lui masser la nuque, j'ai confiance en tes capacités, ton intellect et tes instincts. Mais Ricker est un homme dangereux, déplaisant. Surtout envers les femmes. Tu lui plairas pour plusieurs raisons, et notamment parce que tu es mon épouse.

— Ah bon ?

Elle pivota vers lui.

— Nous ne nous sommes pas quittés en très bons termes, avoua Connors.

— C'est parfait, je peux m'en servir. S'il est intéressé, je ne devrais pas avoir trop de mal à obtenir un rendez-vous.

— Je m'en occupe.

— Non.

— Réfléchis deux minutes. Je peux l'atteindre plus vite et plus directement.

— Pas cette fois, et pas comme ça. Tu ne peux pas changer ton passé, lui rappela-t-elle, et il en faisait partie. Mais il n'a pas de place dans ton présent.

— Il en a une dans le tien.

— Exactement. Tâchons d'agir, sinon séparément, du moins côte à côte. Je ne sais pas quel genre de flic était Kohli, mais aujourd'hui, c'est à moi de le représenter. J'organiserai une rencontre au moment propice.

— Laisse-moi me renseigner, au moins. Comme ça, tu seras mieux équipée quand tu le verras.

Et lui aurait le temps de faire ce qu'il fallait pour la tenir éloignée de Ricker.

— Comme tu voudras. Dis-moi ce que tu sais de lui.

Perturbé, Connors alla se verser un cognac.

— C'est un homme habile, cultivé, qui peut se montrer charmant quand ça lui chante. Il est assez vaniteux et apprécie la compagnie de ravissantes jeunes femmes. Quand elles lui plaisent, il peut être très généreux. Quand elles l'irritent...

Connors se retourna en faisant tournoyer l'alcool dans son verre.

— ... il peut être très brutal. Il se comporte de la même manière avec ses employés et ses associés. Je l'ai vu un jour entailler la gorge d'un domestique qui lui avait présenté un verre en cristal ébréché.

— De nos jours, on a un mal fou à trouver des domestiques dignes de ce nom.

— N'est-ce pas ? Ses principales ressources proviennent de la production et de la distribution de produits illicites sur une grande échelle, mais il trempe aussi dans les armes, les assassinats et le sexe. Il a plusieurs officiels de haut rang dans la poche, ce qui lui permet d'agir en toute impunité. Une fois que tu auras pris contact avec lui, il lui faudra moins d'une heure pour savoir tout de toi. Il saura des choses, Eve, que tu préférerais ne jamais dévoiler.

Son estomac se noua, mais elle hocha la tête.

— Ça ne m'effraie pas. Il a une famille ?

— Il avait un frère. D'après la rumeur, Ricker l'a éliminé après une brouille. Quoi qu'il en soit, le corps n'a jamais été retrouvé. Il a un fils de mon âge, peut-être un peu plus jeune. Alex. Je ne l'ai jamais rencontré, car il habitait en Allemagne à l'époque où je traitais avec Ricker. Il paraît qu'Alex est cloîtré chez lui, isolé.

— Ses faiblesses ?

— La prétention, l'arrogance, l'avidité. Jusqu'ici, il s'en est toujours relativement bien sorti. Mais depuis un an environ, on raconte – discrètement, prudemment – que sa santé mentale se détériore et que, en conséquence, certaines de ses affaires sont en difficulté. C'est une des voies que j'explorerai de près.

— S'il est impliqué dans la mort de Kohli, c'est un crime. Sa mauvaise santé mentale ne l'empêchera pas de finir ses jours en prison. Crois-tu qu'il acceptera de me rencontrer, si je prends contact avec lui ?

— Il te donnera rendez-vous, parce qu'il sera curieux. Mais si tu pointes le doigt sur lui, il ne te le pardonnera jamais. C'est un homme impitoyable, Eve, et il est très patient. Il attendra un an, dix ans s'il le faut, mais il finira par se venger.

— Donc, si je l'attaque, il faudra que ce soit pour la bonne raison.

« Pire, pensa Connors en avalant le reste de son cognac d'un trait. Si elle l'attaque, il faudra que Ricker disparaisse. »

Lui aussi pouvait être impitoyable. Et patient.

Cette nuit-là, Eve se tourna vers lui. Elle le faisait rarement, sauf si les cauchemars la pourchassaient. Quand elle dormait, c'était d'un sommeil profond, innocent. Peut-être avait-elle su qu'il en éprouvait le besoin, qu'il avait envie de la sentir pelotonnée contre lui dans l'obscurité, dans l'intimité.

Ses lèvres cherchèrent celles de Connors tandis que ses mains s'aventuraient le long de son dos, de ses hanches.

Les membres entremêlés, haletants, ils s'abandonnèrent l'un à l'autre.

Elle s'arqua vers lui, offerte, exigeante. Quand il la pénétra, ils gémirent à l'unisson, leurs corps se fondant l'un dans l'autre au rythme des battements de leurs cœurs.

Quand elle sentit qu'elle allait se perdre dans l'abîme du plaisir, elle prononça son nom.

Il releva la tête, vit la lueur dans ses yeux grands ouverts.

— Eve, chuchota-t-il.

Tard dans la nuit, Connors l'écouta respirer. Il connaissait les raisons multiples et variées qui pouvaient pousser un homme à tuer. Mais la plus féroce, la plus vitale de toutes, c'était de protéger celle qu'il aimait.

4

Le lieutenant Alan Mills parvint à joindre Eve sur son vidéocom alors qu'elle se servait une seconde tasse de café. Au premier coup d'œil, elle se dit qu'il aurait lui aussi besoin d'une bonne dose de caféine.

Ses yeux gonflés, rougis, d'un gris aqueux, semblaient se perdre dans la pâleur de son visage.

— Dallas. Ici, Mills. Vous vouliez me parler ?

— En effet. Je suis en charge de l'affaire Kohli.

— Quelle saloperie ! grogna Mills. Je donnerais cher pour descendre celui qui a tué Kohli. Qu'est-ce que vous avez ?

— Un peu de ci, un peu de ça, éluda-t-elle, réticente à la perspective de partager ses données avec un homme qui semblait être tombé de son lit et carburer à un produit chimique pas forcément approuvé par le département. Vous et votre collègue, Martinez, avez eu l'occasion de travailler avec Kohli au cours de l'année passée. Max Ricker.

— Oui, oui, marmonna Mills en se frottant le menton. Lui et une dizaine d'autres flics, et ce salaud nous a filé entre les doigts. Vous pensez que Ricker est mêlé à ça ?

— Pour l'instant, je cherche à comprendre. J'essaie de dresser un portrait de Kohli pour avoir une idée de son assassin. Si vous avez un moment dans la matinée, Mills, pourriez-vous venir me retrouver avec Martinez sur la scène du crime ? Votre avis m'intéresse.

— J'ai entendu dire que l'enquête allait être transférée chez nous.

— Vous avez mal entendu.

Il sembla digérer cette information avec difficulté.

— Kohli était des nôtres.

— Et maintenant, il est à moi. Je vous demande de coopérer. Y êtes-vous prêt ?

— De toute façon, je voulais jeter un œil sur la scène. Quelle heure ?

— Pourquoi pas maintenant ? Je serai au *Purgatoire* dans une vingtaine de minutes.

— Je préviens Martinez. Elle est probablement encore en pleine sieste. Elle est mexicaine.

Il coupa la communication, et Eve contempla son appareil d'un air songeur, avant de le ranger dans la poche de son pantalon.

— Eh ben, dis donc, Mills ! Personne ne m'a prévenue que tu étais un crétin…

— Ledit crétin va néanmoins tenter de prouver qu'il est plus fort que toi, commenta Connors, qui avait cessé momentanément de parcourir les rapports de la Bourse pour l'observer en pleine action.

— Oui, ça, je l'ai compris.

Elle enfila son holster. « Comme d'autres mettent leurs boucles d'oreilles », pensa Connors.

Il se leva, vint vers elle, laissa courir un doigt sur sa joue.

— Il découvrira très vite – à ses dépens – qu'il se trompe. Tu es la plus solide de tous, lieutenant.

Elle vérifia son arme, la cala dans l'étui.

— C'est un compliment ou une pique ?

— Une observation. Je souhaiterais, moi aussi, revoir la scène du crime – à des fins d'assurance.

« À des fins d'assurance, tu parles ! » se dit Eve.

— Pas aujourd'hui, camarade. Mais je m'arrangerai pour que tu puisses y aller demain.

— En tant que propriétaire de l'établissement, je suis en droit d'inspecter les lieux pour évaluer le coût des dommages.

— En tant que responsable de cette enquête, je suis en droit de sceller et préserver les lieux jusqu'à ce que je sois certaine que tous les indices ont été relevés.

— Tout a été passé au peigne fin hier après-midi, et enregistré.

Il se pencha vers la table basse du coin salon, ramassa un disque.

— Le propriétaire a la permission d'entrer en compagnie d'un représentant de la police et de son assureur pour estimer les dégâts et le montant des réparations à effectuer. Voici le mémo de mon avocat concernant ce problème, lieutenant.

Elle lui arracha le fichier des mains.

— C'est toi qui m'énerves, maintenant, marmonna-t-elle, ce qui le fit sourire. Je n'ai pas le temps de m'occuper de toi ce matin.

Il se dirigea tranquillement vers son dressing, sélectionna un costume dans la multitude de vêtements suspendus. Comment s'y prenait-il, avec un tel choix ?

— Il va peut-être falloir que tu le trouves. J'y vais avec toi. Je me suis arrangé pour qu'on passe me prendre au club une fois que j'aurai terminé.

— Tu avais déjà tout prévu avant de rentrer hier soir.

— Mmm...

Il s'approcha de l'armoire de sa femme, en sortit une veste grise assortie à son pantalon. Eve, elle, aurait perdu une heure à la chercher en vain.

— Il fait frais, ce matin, annonça-t-il en la lui tendant.

— Tu te crois malin, n'est-ce pas ?

— Oui.

Il se pencha, l'embrassa, lui attacha ses boutons.

— Prête ?

— Ne parle pas aux autres flics, recommanda Eve tandis qu'ils arrivaient au club.

— Qu'est-ce que je pourrais avoir à leur dire ? ripostat-il, l'œil rivé sur l'écran de son ordinateur portable, pendant qu'elle se garait.

— Tu ne te déplaces sous aucun prétexte sans être accompagné par moi, Peabody, ou un officier désigné par mes soins, insista-t-elle. Et tu ne touches à rien.

— Une petite résidence d'été à Juno, Alaska, ça t'intéresse ? lança-t-il d'un ton faussement innocent.

Elle le fusilla du regard.

— Non, enchaîna-t-il, je vois bien que non. Moi non plus, d'ailleurs. Ah ! nous y voilà ! Apparemment, nous sommes les premiers.

— Pas de blagues, Connors.

— Dieu merci, j'ai laissé mon nez rouge au bureau !
Veux-tu que je t'ouvre ? s'enquit-il en avisant les scellés
officiels sur la porte.

— Ne commence pas ! grommela-t-elle en s'efforçant
de ne pas mordre à l'appât. Si tu enfreins les ordres, je
te fais jeter dehors par deux molosses en uniforme.

— Quel dommage ! C'est tellement plus excitant
quand la brutalité policière vient de toi.

— La ferme !

Lorsqu'elle poussa la porte, un mélange d'odeurs
désagréables les assaillit.

— Lumière ! commanda-t-elle. Bar principal.

Celles qui fonctionnaient s'allumèrent.

— Ce n'est pas mieux aujourd'hui qu'hier, n'est-ce
pas ? murmura Connors en scrutant la salle.

— Ferme la porte, dit-elle tout bas.

Prenant une profonde inspiration, elle fit ce qu'elle
faisait le mieux. Elle se plongea dans la scène du
meurtre.

— Il entre, après la fermeture. Il est déjà venu. Il a
besoin de connaître les lieux, les allées et venues
du personnel, le système de sécurité. Peut-être qu'il travaillait ici, mais si c'est le cas, et s'il était de service hier
soir, il est parti avec les autres. Personne ne pourra
affirmer qu'il était resté seul avec Kohli.

Elle enjamba les débris, s'avança jusqu'au comptoir.

— Il s'assied, demande un verre. Gentiment, décontracté. Ils ont une affaire à discuter en tête à tête.

— Pourquoi ne suggère-t-il pas à Kohli de débran-
cher les caméras de surveillance ? intervint Connors.

— Ce n'est pas ça qui l'inquiète. Il s'en occupera plus
tard. Pour l'heure, il fait la conversation, amicalement.
Il ne veut surtout pas éveiller les soupçons de Kohli.
Celui-ci prend une bière, mais reste derrière le bar.
Il est à l'aise. Il grignote des bretzels. Le type ne lui
est pas étranger. Ils ont sans doute déjà bu un coup
ensemble.

Elle leva les yeux, vérifia la position des caméras.

— Kohli ne s'inquiète pas non plus de la sécurité.
Donc, soit ils n'abordent aucun sujet compromettant,
soit il a déjà tout éteint. Pendant ce temps, l'autre

réfléchit à la manière dont il va agir. Il se déplace derrière le bar, cette fois, pour se servir lui-même.

Elle imagina la suite. Kohli, grand, imposant, vivant, habillé de l'uniforme du *Purgatoire*. Pantalon et chemise noirs. Il sirotait sa bière, engloutissait ses bretzels.

— Son cœur bat la chamade, mais il sait dissimuler son émotion. Peut-être qu'il raconte une blague, ou qu'il demande quelque chose à Kohli. Juste pour qu'il lui tourne le dos un court instant. Le temps qu'il frappe.

« Une seconde, songea-t-elle. Pas plus. Une seconde pour s'emparer de la matraque, prendre son élan. »

— Au premier coup, il ressent les vibrations le long des bras, jusque dans les épaules. Le sang jaillit, le visage de Kohli s'écrase contre le miroir. Les bouteilles tombent. Elles explosent… L'agresseur en éprouve un regain d'énergie. À présent, il ne peut plus reculer. Il cogne de nouveau, en pleine figure. Il prend plaisir à voir l'expression de Kohli, sa souffrance, sa surprise. Le troisième coup l'achève, lui fracasse le crâne. Mais ça ne suffit pas.

Elle leva les mains, un poing sur l'autre, comme si elle serrait la matraque.

— Il veut en finir. Il frappe encore et encore, et les craquements d'os résonnent comme une musique. Il est en rage. Il a du mal à respirer. Il a un goût de sang dans la bouche. Quand il s'écarte, il fouille dans la poche de Kohli, s'empare de son badge et le jette dans la mare de son sang. Le sang sur le badge a une signification pour lui. Puis il roule le corps dessus.

Elle se tut un instant.

— Il est couvert de sang, lui aussi. Ses mains, ses vêtements, ses chaussures. Mais ailleurs, dans le club, tout est impeccable. Il s'est changé, après s'être nettoyé. Les techniciens ont relevé des traces du sang, de la cervelle et de la peau de Kohli dans les tuyaux de l'évier du bar.

Elle se retourna vers le bac, recouvert de poudre.

— Il s'est lavé ici, avec le cadavre derrière lui. Froidement. Sans état d'âme. Ensuite, il casse tout autour de lui. C'est la fête. Mais il garde la tête sur les épaules. Il jette la matraque derrière le bar, près de Kohli. Voilà ce que j'ai fait et voilà comment. Enfin, il récupère les disques de sécurité et disparaît.

— Tu as un sacré courage, lieutenant. C'est admirable.

— Je fais ce que j'ai à faire.

— Non… tu vas beaucoup plus loin.

— Ne me distrais pas, répliqua-t-elle, un peu gênée par son ton attendri… De toute façon, ce n'est qu'une hypothèse.

— D'une logique irréfutable. En t'écoutant, j'ai tout vu. Le détail du badge me paraît important. Kohli a sans doute été tué parce qu'il était flic.

— Oui. J'en reviens toujours à ça.

La porte s'ouvrit, et Eve jeta un coup d'œil vers l'entrée. Aussitôt, elle reconnut Mills, bien qu'il fût plus grand qu'elle ne l'avait supposé, et terriblement enrobé.

De toute évidence, il ne profitait pas des programmes d'entretien physique proposés par le département.

À ses côtés se tenait une jeune femme petite et menue, bâtie pour l'action. Son teint olivâtre trahissait ses origines sud-américaines. Ses cheveux noirs et brillants étaient rassemblés en une tresse dans le dos. Ses yeux, tout aussi noirs, étaient vifs.

Auprès d'elle, Mills avait l'allure d'un chien hybride trop nourri et négligé.

— On m'avait prévenue que ce n'était pas beau à voir, dit Martinez avec une pointe d'accent, mais je ne m'attendais pas à ça…

Elle posa le regard sur Connors, puis s'adressa à Eve.

— Vous devez être le lieutenant Dallas.

— En effet, répondit Eve en venant à leur rencontre. Merci d'être là. Le civil est le propriétaire des lieux.

Mills salua Connors d'un bref signe de la tête et s'approcha du bar. Il avait une démarche d'ours.

— Sale façon de mourir, grommela-t-il.

Peabody apparut, et Eve s'empressa de la présenter.

— Mon assistante. Officier Peabody, voici le lieutenant Mills et l'inspecteur Martinez.

Discrètement, elle désigna le coin du col de son chemisier, avant de rejoindre Martinez près du comptoir.

Reconnaissant le signal, Peabody enclencha son magnétophone.

— Depuis combien de temps connaissiez-vous Kohli ? demanda Eve.

— Moi, deux ans environ, quand j'ai été mutée de Brooklyn au 128. Le lieutenant le connaissait depuis plus longtemps.

— Oui, depuis ses débuts. Toujours le petit doigt sur la couture du pantalon. Avant de se joindre à nous, il était militaire, ça lui est resté. Un as du service minimum.

— Du calme, Mills, marmonna Martinez. On marche sur son sang.

— Ben quoi ? Je ne dis rien de mal. C'était comme ça. Il pointait en arrivant et repartait pile à l'heure. Il n'acceptait pas de faire une seule minute supplémentaire s'il n'en avait pas reçu l'ordre directement du capitaine. Mais quand il était là, il faisait son boulot.

— Comment a-t-il été choisi pour participer à l'affaire Ricker ?

— C'est Martinez qui le voulait, dit Mills en secouant la tête d'un air effaré devant les dégâts derrière le comptoir. Jamais je n'aurais imaginé qu'on puisse le descendre. J'aurais parié qu'il allait faire ses vingt-cinq ans et passer sa retraite à fabriquer des maquettes ou une bêtise du même genre.

— C'est moi qui suis allée le chercher, confirma Martinez.

Elle se plaça de façon à ce qu'Eve comprenne qu'elle voulait s'éloigner du lieutenant. Et vite.

— J'étais en charge du dossier, sous les ordres du lieutenant Mills. Kohli était un maniaque du détail. Il ne laissait rien passer. Quand on lui confiait une mission de surveillance, il rendait un rapport décrivant tout ce qu'il avait vu pendant quatre heures, jusqu'aux détritus dans le caniveau. Il avait de bons yeux.

Elle fronça les sourcils.

— Si vous pensez que Ricker a engagé un tueur pour l'éliminer, ça m'étonnerait. Kohli travaillait dans l'ombre. Sur cette enquête, il passait le plus clair de son temps à remplir des formulaires. C'est vrai qu'il était présent lors de l'arrestation, mais il n'est pas intervenu, sinon pour enregistrer la scène. C'est moi qui ai arrêté Ricker – pour ce que ça a servi...

— Kohli était celui qui connaissait les détails, argua Eve. Ricker a peut-être eu vent de certains d'entre eux... ?

Il y eut un long silence. Martinez échangea un regard avec Mills, avant qu'ils ne se tournent ensemble vers elle.

— Ce que j'entends ne me plaît pas du tout, Dallas, déclara Mills d'une voix menaçante.

Du coin de l'œil, Eve vit Connors se figer. Peabody aussi. Elle fit un pas en avant, comme pour se libérer de deux chiens de garde.

— Je me contente de poser les questions de routine.

— Dans le cas présent, c'est différent. Il s'agit d'un flic. Kohli portait un badge comme vous et moi. Qu'est-ce qui vous fait dire qu'il était ripou ?

— Je n'ai pas dit ça.

Mills agita un doigt sous son nez.

— Ben voyons ! railla-t-il. Empruntez cette voie-là, Dallas, et vous pourrez toujours courir pour avoir mon aide. Voilà pourquoi ce dossier devrait nous revenir, plutôt qu'à une garce du Central.

— Navrée, Mills. Il restera entre les mains de la garce du Central. Autant vous y faire.

Eve vit Martinez retenir un sourire.

— Il fallait poser la question, je l'ai posée. Vous ne m'avez toujours pas répondu.

— Allez vous faire foutre ! La voilà, votre réponse.

— Mills, murmura Martinez... Du calme.

— Vous, foutez-moi la paix ! hurla-t-il subitement en serrant les poings, le visage écarlate de colère. Les bonnes femmes n'ont pas leur place dans ce métier. Allez-y, Martinez, amusez-vous avec la pute de Whitney, vous verrez où ça vous mènera. Kohli était ce qu'il était, mais dans la profession, on se serre les coudes, un point c'est tout.

Il lança un ultime regard noir à Eve et sortit. Martinez s'éclaircit la gorge, se gratta le crâne.

— Le lieutenant a un léger problème avec les femmes et les groupes minoritaires.

— Pas possible !

— Oui. N'en faites pas une affaire personnelle. Écoutez, c'est moi qui ai mené l'affaire Ricker, et

Kohli était fiable. C'est une des raisons qui m'ont incitée à lui confier toutes les tâches administratives. Moi non plus, je n'ai pas apprécié votre question, mais je vous crois quand vous dites que c'est la routine. Qu'il fallait la poser. Kohli n'était peut-être pas un fan des heures supplémentaires, mais il respectait son badge. Il aimait son métier de flic, défendre la loi. Je ne crois pas qu'il ait retourné sa veste, lieutenant. Ça me paraît invraisemblable.

— Qu'est-ce que Mills a voulu signifier par « Kohli était ce qu'il était » ?

— Ah, ça ! C'est parce que Kohli était noir. Mills est d'avis qu'un flic, un vrai, doit forcément être de sexe masculin, blanc et hétéro. Entre nous, Mills est un salaud de première.

Eve attendit que Martinez soit partie.

— Vous avez tout enregistré, Peabody ?

— Oui, lieutenant.

— Sauvegardez l'ensemble et faites-moi une copie pour mes dossiers, gardez l'original bien au chaud. Accompagnez Connors, le temps qu'il évalue le montant des dégâts... Tu as un quart d'heure ! ajouta-t-elle à l'intention de son mari. Ensuite, dehors !

— Elle est si mignonne quand elle se fâche, vous ne trouvez pas, Peabody ?

— Je l'ai toujours dit.

— Quatorze minutes ! aboya Eve. Le décompte continue.

— Si nous commencions par le haut ? suggéra Connors en offrant son bras à Peabody.

Dès qu'ils furent hors de portée, Eve sortit son vidéocom et appela Feeney, à la Division de Détection électronique.

— Il faudrait que tu me rendes un petit service, attaqua-t-elle, dès que son visage apparut sur l'écran.

— Si c'est en rapport avec le meurtre du flic, ça ne compte pas. Tous les hommes de mon unité sont sur le pont.

— Tu peux te mettre sur fréquence privée ?

Feeney fronça les sourcils, mais enfonça la touche nécessaire et coiffa un casque.

— Qu'est-ce qui se passe ?

— Ça ne va pas te plaire. J'aime autant te le dire d'emblée, pour que tu ne puisses pas me le reprocher ensuite. Je voudrais que tu consultes les archives sur deux collègues, le lieutenant Alan Mills et l'inspecteur Julianna Martinez, tous deux de la brigade Produits illicites, au 128.

— Ça ne me plaît pas.

— Sois discret, surtout.

L'expression déjà morose de Feeney s'affaissa encore un peu plus.

— Ça ne me plaît pas du tout.

— Je suis désolée d'avoir à te demander ça. Je pourrais le faire moi-même, mais tu seras plus rapide et plus efficace.

Elle jeta un coup d'œil à la galerie du troisième, où se trouvaient Connors et Peabody.

— Moi non plus, je n'aime pas ça, mais il faut que j'ouvre la porte avant de pouvoir la refermer.

Bien que seul dans son bureau, Feeney baissa le ton.

— C'est une recherche de routine, Dallas, ou tu flaires un mauvais coup ?

— Je ne peux rien te dire maintenant, mais les coïncidences sont trop nombreuses pour être ignorées. Dès que tu auras fini, Feeney, préviens-moi. On se donnera rendez-vous quelque part et je te mettrai au courant.

— Je connais Mills. C'est un salaud.

— Oui, j'ai eu le plaisir de le rencontrer.

— Mais je ne pense pas qu'il soit ripou, Dallas.

— C'est le problème, justement. Nous ne voulons jamais l'envisager.

Elle rangea son appareil dans sa poche, remit un tabouret sur ses pattes et s'y percha. Dans son cahier de notes, elle entama une liste de noms ; elle plaça celui de Kohli au milieu de la page, traça une flèche vers celui de Ricker, puis de là vers Mills et Martinez. Elle ajouta Roth puis, tout en bas dans le coin, Webster, du Bureau des Affaires internes.

Elle tira un trait entre lui et Kohli, en se demandant si elle allait le connecter à quelqu'un d'autre avant d'en avoir fini.

Puis, parce qu'elle n'avait pas le choix, elle inscrivit Connors, qu'elle relia à Kohli et à Ricker. En priant le ciel pour que ça s'arrête là.

La mort, se dit-elle, avait laissé un tableau, racontait une histoire, du point de vue de la victime et de celui du tueur. La scène elle-même, le cadavre, la méthode, l'heure et le lieu, ce qui restait, ce qui avait disparu... Tous ces éléments contribuaient à l'élaboration du scénario.

Produits illicites, gribouilla-t-elle. *Badge dans le sang. Violence exagérée. Strip-teaseuses. Disques de sécurité volatilisés. Vice. Sexe ? Fric. Trente jetons de crédit.*

Elle continua d'écrire, se relut, l'air grave, tandis que Connors et Peabody revenaient vers elle.

— Pourquoi les jetons de crédit ? s'interrogea-t-elle à voix haute. Parce qu'il est mort pour l'argent ? Pas pour maquiller le crime en cambriolage. Est-ce un symbole ? De l'argent ensanglanté. Pourquoi trente jetons ?

— Trente pièces d'argent, intervint Connors... Tu es bien le fruit de l'école publique, lieutenant ! Tu n'as pas eu le plaisir d'étudier la Bible. Judas a reçu trente pièces d'argent pour avoir trahi le Christ.

— Trente pièces d'argent, répéta-t-elle en opinant, avant de se lever.

» On peut imaginer que Kohli représente Judas. Mais qui joue le rôle de Jésus ? s'exclama-t-elle en scrutant une dernière fois les lieux. Bon ! Ton temps est écoulé. Tu peux appeler ton chauffeur.

— Il m'attend sûrement déjà dehors.

Connors ouvrit la porte et la tint pour la laisser passer. Il la saisit par le bras, l'attira contre lui, l'embrassa avec fougue.

— Merci de ta coopération, lieutenant.

— Waouh ! fit Peabody en regardant Connors monter dans la limousine. Il suffit de le voir à l'œuvre pour deviner qu'il embrasse à merveille.

— Peabody, je vous en prie !

— Désolée, c'est plus fort que moi, je ne peux m'empêcher de me mettre à votre place, répliqua-t-elle en se frottant les lèvres, pendant qu'Eve remettait les scellés sur la porte.

— Vous avez vos prétendants.

— Ce n'est pas pareil. Vraiment pas pareil. Où allons-nous ?

— Voir une strip-teaseuse.

— Dommage que ce ne soit pas un strip-teaseur !

— Eh oui, dommage !

Nancie habitait un bel immeuble d'avant-guerre dans l'avenue Lexington. Les fenêtres des étages supérieurs étaient ornées de jardinières débordantes de fleurs multicolores, et un concierge en uniforme adressa un large sourire à Eve lorsqu'elle lui présenta son badge.

— J'espère que ce n'est rien de grave, lieutenant. S'il y a quoi que ce soit, prévenez-moi.

— Merci, mais je pense que ça ira.

— Je parie qu'il gagne une fortune en pourboires, commenta Peabody tandis qu'elles s'enfonçaient dans le hall. Beau sourire, petites fesses. Que peut-on exiger de plus d'un concierge ?

Elle examina les alentours, l'ascenseur aux portes en cuivre rutilantes, le somptueux bouquet.

— C'est plutôt chic, pour une strip-teaseuse. Ce genre d'immeuble me paraît davantage destiné aux jeunes cadres. Je me demande combien elle gagne par an.

— Vous envisagez de changer de profession ?

— Mais oui, bien sûr ! railla Peabody en entrant dans la cabine. Les hommes font la queue pour me voir nue. Remarquez, McNab…

— Taisez-vous, Peabody, je ne veux pas le savoir.

Au sixième étage, Eve fila dans le couloir jusqu'à l'appartement C. À son grand soulagement, on leur ouvrit promptement, ce qui coupa court aux élucubrations de Peabody.

— Nancie Gaynor ?

— Oui.

— Lieutenant Dallas, du NYPSD. Pouvons-nous vous parler quelques minutes ?

— Bien sûr. C'est à propos de Taj…

Nancie correspondait parfaitement à son appartement. Nette, jolie comme un rayon de soleil. Elle était jeune, vingt-cinq ans environ, estima Eve, et mignonne comme tout avec ses boucles dorées, sa bouche de poupée peinte de rose brillant, et ses immenses yeux verts. Sa combinaison jonquille mettait en valeur ses courbes, sans vulgarité.

Pieds nus, elle s'effaça pour leur céder le passage.

— Ça me rend malade, dit-elle. Complètement malade. Ruth nous a tous appelés, hier, pour nous annoncer la nouvelle.

Son regard s'emplit de larmes.

— Je n'arrive pas à croire qu'un truc pareil ait pu se passer au *Purgatoire*.

D'un geste, elle invita les deux femmes à prendre place sur le long sofa recouvert de velours rose et croulant sous des coussins de satin chatoyant.

— Asseyez-vous. Je peux vous offrir quelque chose à boire ?

— Non, merci, ne vous dérangez pas. Cela vous ennuie, si nous enregistrons cette conversation, miss Gaynor ?

— Ah ! Euh... mon Dieu !

Nancie se mordilla la lèvre et croisa les mains sous une spectaculaire paire de seins.

— Euh... je suppose que non. Vous y êtes obligée ?

— Avec votre permission.

— Bon, d'accord, euh... Si je peux vous aider, bien sûr... Mais on peut s'asseoir, n'est-ce pas ? Parce que ça me rend un peu nerveuse. Je n'ai jamais été impliquée dans une affaire de meurtre. On m'a interrogée, une fois, quand je suis arrivée d'Umtawa, parce que ma colocataire avait une licence, et qu'elle avait laissé passer la date limite de sa validité. Mais je suis sûre que c'était un oubli de sa part. Bref, j'ai discuté avec l'officier en charge du comité des licences... mais c'était différent.

Eve leva les sourcils.

— Umtawa ?

— Dans l'Iowa. Je suis venue ici il y a quatre ans. J'espérais danser à Broadway, avoua-t-elle avec un sourire contrit. Je suis plutôt bonne danseuse, voyez-vous, mais bon... Comme beaucoup d'autres filles... et la vie est chère, alors j'ai accepté un boulot dans un club. Un endroit très moche, ajouta-t-elle. Et là, je commençais vraiment à me décourager et à me dire que je ferais mieux de rentrer dans l'Iowa et de me marier avec Joey, mais ce n'est pas une lumière, alors quand Ruth m'a proposé une autre place dans un établissement de standing, où les clients gardent leurs sales pattes pour eux... C'était nettement mieux, et on était mieux payées. Ensuite, quand Ruth a pris la direction du *Purgatoire*, elle nous a emmenées avec elle. Alors ça, c'est la classe. Je tiens à ce que vous le sachiez...

Eve était un peu étourdie par ce flot de paroles. Nancie se pencha en avant.

— ... Ruth nous a recommandé de prendre contact avec vous si on savait quelque chose. Le lieutenant Eve Dallas. Elle nous a dit de répondre à toutes vos questions, dans la mesure de notre possible, parce que... parce que c'est comme ça et parce que vous êtes la femme de Connors. Le propriétaire du *Purgatoire*.

— Il me semble l'avoir entendu dire, en effet.

— Oh ! vous savez, je répondrais à vos questions même si vous n'étiez pas mariée avec Connors ! Après tout, c'est mon devoir de citoyenne, et Taj était un très gentil garçon. Il respectait notre intimité, si vous voyez ce que je veux dire. Même dans un club chic, parfois, le personnel vous lorgne en douce. Mais on pouvait se promener nue comme un ver devant Taj, il ne bronchait pas. Bon, il regardait, parce qu'il était là, mais il ne *regardait* pas... Il avait une femme et des enfants. C'était un bon père de famille.

Comment la faire taire ? se demanda Eve.

— Miss Gaynor...

— Oh ! vous pouvez m'appeler Nancie !

— Très bien. Nancie, vous avez travaillé avant-hier soir. Votre collègue Mitzie a-t-elle présenté son numéro, elle aussi ?

— Bien sûr ! On a à peu près les mêmes horaires. Mitzie est partie assez tôt. Elle avait le cafard, vous comprenez, parce que son crétin de petit ami l'a larguée pour une hôtesse de l'air. Elle n'arrêtait pas de fondre en larmes dans la loge parce que bon, c'était l'homme de sa vie, et ils avaient l'intention de se marier et d'acheter une maison dans le Queens. À moins que ce ne soit à Brooklyn ? Et puis…

— Miss Gaynor…

— Ça n'a aucune importance, n'est-ce pas ? enchaîna-t-elle avec un grand sourire. Bref, Ruth l'a ramenée chez elle. Ruth est formidable, pour ça. Elle s'occupe bien de nous. Elle était danseuse, autrefois. Je devrais peut-être appeler Mitzie pour prendre de ses nouvelles.

— Je suis sûre qu'elle apprécierait votre geste.

En tout cas, l'alibi de Ruth MacLean était confirmé. C'était déjà ça.

— Parlez-moi de la dernière fois que vous avez vu Taj.

— Eh bien…

Nancie se cala dans les coussins.

— J'avais deux passages ce soir-là, plus deux choré-graphies en groupe, et trois présentations privées. J'étais donc assez occupée. Pendant ma première pause, j'ai vu Taj manger un sandwich au poulet. Je lui ai dit : « Hé ! ça m'a l'air bon à croquer. » C'était pour plaisanter, bien sûr, parce qu'un sandwich, ça se mange forcément.

— Ah ! murmura Eve.

— Il a rigolé, il m'a dit qu'en effet, c'était délicieux, et que c'était sa femme qui le lui avait préparé. J'ai demandé un soda à la cerise, et je lui ai dit que je le ver-rais plus tard, parce que je devais changer de costume.

— Vous n'avez parlé de rien d'autre ?

— Non, seulement du sandwich au poulet. Quand je suis retournée dans ma loge, c'était le bazar. Une des filles, Dottie, avait perdu sa perruque rousse, et comme je vous l'ai expliqué, Mitzie…

— Oui, oui, pour Mitzie, on sait tout.

— Oui, bon. Une autre fille, Charmaine, si je m'en souviens bien, consolait Mitzie en lui disant qu'elle était bien débarrassée, ce qui a fait pleurer Mitzie encore plus fort. Là-dessus, Wilhimena, une transsexuelle, lui a dit de la fermer. Charmaine, je veux dire, pas Mitzie. Et tout le monde courait dans tous les sens parce qu'on avait un numéro en commun. Après ça, j'avais un pas-sage privé. J'ai aperçu Taj au bar, je lui ai fait un signe de la main.

Eve en avait les oreilles qui bourdonnaient.

— Il discutait avec quelqu'un ?

— Je n'ai rien remarqué. Il avait le don de servir dix mille clients en même temps. J'ai présenté mon strip-tease à un homme d'affaires de Toledo. Il m'a expliqué que c'était son anniversaire, mais parfois, ils racontent n'importe quoi pour vous convaincre de leur accorder un petit extra, sauf que Ruth nous l'interdit si on n'est pas licenciée. Il m'a refilé un pourboire de cent dollars, et je suis montée à l'étage. Je ne me rappelle pas avoir revu Taj avant la fermeture. J'avais envie d'un autre soda, il m'en a donné un, et je suis restée au comptoir quelques minutes, histoire de me détendre.

Elle reprit son souffle. Eve ouvrit la bouche, mais Nancie fut plus rapide.

— Ah ! Et Nester était malade. Euh… Nester Vine. Il était très pâle, il transpirait, et il n'arrêtait pas d'aller aux toilettes, jusqu'à ce que Taj lui dise de rentrer chez lui se soigner. J'avais un peu le cafard, parce que je venais d'apprendre que Joey s'était fiancé avec Barbie Thomas, chez moi.

— À Umtawa.

— C'est ça. Elle lui a toujours couru après, marmonna Nancie en fronçant les sourcils. Taj m'a consolée, il m'a assuré que je finirais par trouver le prince charmant. Il m'a dit que quand ce serait le bon, je le saurais dès le premier instant, que je ne me poserais aucune question. Je voyais bien qu'il pensait à sa femme, parce que son regard brillait quand il parlait d'elle. Alors, j'ai traîné un peu. Nester aurait dû faire la fermeture avec lui, mais il était malade. Je vous l'ai dit ?

— Oui, oui, dit Eve. Oui, oui.

— Bon, il était malade, comme je l'ai dit. En fait, on n'a pas vraiment le droit de fermer tout seul, mais ça peut arriver. Taj m'a dit qu'il était tard, que je ferais mieux de rentrer chez moi. Il voulait m'appeler un taxi, mais je préférais prendre le métro. Il s'est énervé, parce que les rues sont dangereuses, la nuit. J'ai fini par céder, et il a attendu avec moi à la porte. C'était tout lui. Adorable, attentionné.

— Il n'a pas par hasard mentionné un ami qui devait passer le voir ?

— Je ne pense pas...

Elle se tut, eut une petite moue.

— Peut-être. Peut-être que si, mais j'avais le blues, je pensais à tous mes amis, là-bas, et à Joey. Je crois qu'il m'a dit un truc du style : « Les amis restent toujours des amis ». Il est possible qu'il ait parlé d'un ami qu'il allait voir. Mais je n'ai pas imaginé que c'était là, tout de suite, au club.

Elle poussa un soupir, se tapota les lèvres du bout du doigt.

— Ça ne peut pas être un ami qui lui a fait ça.

« Tout dépend, songea Eve. Tout dépend de l'ami. »

5

Eve se dit qu'elle avait deux solutions : passer trois jours à interviewer les danseuses, strip-teaseuses et clients du *Purgatoire*, ou concentrer ses efforts sur Max Ricker.

Le choix n'était pas difficile à faire, mais elle se devait de couvrir les deux aspects.

En entrant dans la salle des officiers, elle scruta les visages. Quelques-uns étaient en communication, d'autres rédigeaient des rapports ou parcouraient des archives. Une équipe prenait la déposition d'un civil qui semblait davantage excité que désemparé. Une odeur de café rance et de désinfectant imprégnait l'air.

Ces flics, elle les connaissait. Certains étaient plus malins que d'autres, mais tous étaient consciencieux. Eve n'avait jamais été du genre à en imposer hiérarchiquement à qui que ce soit et là, elle était sûre d'obtenir satisfaction sans avoir recours à ces procédés.

Elle patienta jusqu'à ce que le civil s'en aille, visiblement content de lui.

— Bon ! Écoutez-moi bien !

Une dizaine de têtes se tournèrent vers elle. Elle observa leur changement d'expression. Tous savaient de quelle affaire elle s'occupait. Non, pensa-t-elle tandis que les uns coupaient court à leur conversation téléphonique et que les autres ignoraient leur écran : elle n'aurait aucune difficulté à les rallier à sa cause.

— J'ai plus de six cents témoins potentiels à éliminer ou à interroger en rapport avec l'homicide de l'inspecteur Taj Kohli. J'ai besoin de votre aide. Ceux d'entre vous qui ne sont pas sur une affaire prioritaire, ou qui peuvent se débrouiller pour m'accorder quelques heures de leur temps dans les jours à venir, peuvent se présenter, à moi ou à Peabody.

Baxter fut le premier à bondir sur ses pieds. Il était souvent agaçant, mais on pouvait toujours compter sur lui.

— J'ai du temps. On en a tous.

Il regarda autour de lui, comme pour défier quiconque de prétendre le contraire.

— Tant mieux, dit Eve en glissant les mains dans ses poches. Voici où nous en sommes...

Là, elle devait y aller prudemment.

— ... L'inspecteur Kohli a été battu à mort alors qu'il travaillait hors service dans un club de standing appelé *Le Purgatoire*. L'établissement était fermé et, apparemment, Kohli connaissait son agresseur. Je suis à la recherche d'un individu que Kohli aurait suffisamment connu pour lui tourner le dos.

Quelqu'un, pensa-t-elle, qui l'avait contacté ou que lui-même avait joint sur son lien Palm pendant son service. Ce qui expliquerait que le tueur ait subtilisé l'appareil.

— D'après mes renseignements, Kohli n'était pas sur une affaire particulièrement sensible en ce moment. Mais il se peut que l'assassin soit une taupe, ou un informateur extérieur. Le mobile du cambriolage ne tient pas debout. C'était une histoire personnelle. Le 128 estime que l'enquête lui revient. Je suis d'avis que ça reste chez nous.

— Je l'espère ! intervint une femme, Carmichael, en brandissant sa tasse de café.

— Jusqu'ici, les médias n'ont pas réagi. Ce n'est pas un scoop. La mort d'un barman ne relance pas les taux d'audience, et le fait qu'il était flic n'y change pas grand-chose. Kohli n'intéresse pas les journalistes.

Elle marqua une pause, guetta les regards.

— Mais pour nous, c'est important. Ceux qui le souhaitent peuvent informer Peabody du nombre de témoins qu'ils veulent traiter. Elle recensera les volontaires. Vous m'adresserez directement toute déclaration et tout rapport.

— Dallas, je peux me charger des strip-teaseuses ? lança Baxter en ricanant. Les mieux roulées ?

— Bien entendu, Baxter. Nous savons tous que c'est le seul moyen pour vous de voir des femmes nues.

Quelques rires fusèrent.

— Je serai sur le terrain presque toute la journée. Si vous avez la moindre information, appelez-moi.

Comme elle se dirigeait vers son bureau, Peabody lui courut après.

— Vous y allez toute seule ?

— Je veux que vous restiez ici, pour coordonner le tout.

— Oui, mais...

— Peabody, jusqu'à l'année dernière, je travaillais essentiellement en solo.

En tirant son fauteuil pour s'y asseoir, elle nota la lueur de déception dans les prunelles de son assistante.

— Ça ne signifie pas que vous n'êtes pas bonne, Peabody. Ressaisissez-vous. J'ai besoin de vous ici. Vous êtes plus efficace que moi pour ce genre de tâche.

Le visage de Peabody s'éclaira.

— Oui, c'est vrai. Mais je pourrais peut-être vous rejoindre quand j'en aurai terminé ici.

— Je vous le ferai savoir. Pourquoi ne pas commencer tout de suite, pendant que tout le monde est dans de bonnes dispositions ? Au boulot !

— Oui, lieutenant.

Eve attendit que Peabody ait disparu, puis se releva pour fermer la porte. Ensuite, elle s'installa pour examiner les données dont elle disposait concernant Max Ricker. Elle ne voulait pas se laisser prendre de court.

Elle avait déjà vu sa photo, mais cette fois, elle l'étudia soigneusement. D'allure imposante, Ricker avait des traits volontaires, anguleux. Sa bouche mince, surmontée d'une moustache argentée, n'adoucissait en rien l'ensemble. Ses yeux étaient d'une couleur métallique, opaque.

La vanité évoquée par Connors se trahissait par sa toison de cheveux noirs ondulés, striés de gris, le diamant qui scintillait à son oreille droite et la blancheur de sa peau sans rides, tirée.

— Sujet : Ricker, Max Edward. Un mètre quatre-vingt-cinq. Cent dix kilos. Blanc. Date de naissance : 3 février 2000. Né à Philadelphie, Pennsylvanie. Parents : Leon et Michelle Ricker, décédés. Un frère, décédé. Diplômé de l'université de Pennsylvanie. Pas de mariage ou de cohabitation légale. Un fils, Alex, date de naissance : 26 juin 2028. Nom de la mère : Morandi, Ellen Mary. Décédée. Domiciles actuels à Hartford, Connecticut ; Sarasota, Floride ; Florence, Italie ; Londres, Angleterre ; Long Neck Estates de Yost Colony et Hôtel Nile River sur Vegas II. Profession : entrepreneur. Intérêts et holdings...

Eve ferma les yeux pour écouter la longue liste des entreprises de Ricker. En d'autres temps, elle s'était penchée sur un homme immensément riche, propriétaire d'une multitude de sociétés et d'organisations, qui lui avait semblé, comme Ricker, dangereux.

Cette recherche-là avait changé toute sa vie.

Elle était bien décidée à ce que celle-ci change la vie de Ricker.

— Ordinateur, commanda-t-elle. Casier judiciaire, arrestations et accusations.

— En cours...

Elle se redressa et haussa les sourcils. Au fil des ans, Ricker avait accumulé les délits, à commencer par un vol simple en 2016, puis trafic d'armes, distribution de produits illicites, fraude, extorsion de fonds et deux conspirations de meurtre. Chaque fois, il s'en était sorti, mais le fichier était long et varié.

— Tu es moins malin que Connors, murmura-t-elle. Lui ne s'est jamais fait prendre. Je sens là une certaine arrogance. Au fond, ça t'est égal d'être pris. Parce que tu prends ton pied à baiser le système. C'est une faiblesse, Ricker. De taille. Ordinateur, copie toutes les données sur disque.

Elle se tourna vers son vidéocom. L'heure était venue de découvrir où Ricker faisait le pied de grue.

La chance lui souriait : Ricker séjournait dans sa propriété du Connecticut, et il avait accepté de la rencontrer sans l'obliger à franchir le barrage d'un océan d'avocats.

Eve effectua le parcours sans délai, et fut accueillie au portail par un trio de gardiens menaçants qui lui imposèrent pour la forme une vérification d'identité. On la pria de laisser son véhicule à l'entrée et de monter dans une petite navette.

L'opérateur, un droïde féminin mince et élégant, la conduisit le long d'une allée flanquée d'arbres menant à une demeure de deux étages tout en bois et en verre, perchée sur une colline rocailleuse dominant la mer.

À l'entrée se dressait une fontaine en pierre représentant une femme vêtue d'une robe ondoyante, qui versait gracieusement un vase bleu pâle dans un bassin rempli de poissons rouges.

Un jardinier s'affairait sur une plate-bande du côté est de la maison. Il portait un pantalon large, une chemise, un chapeau à large bord et un laser télécommandé à double portée.

Une autre droïde l'accueillit à la porte, en uniforme noir amidonné. Son sourire était chaleureux, sa voix suave.

— Bonjour, lieutenant Dallas. M. Ricker vous attend. J'espère que vous avez fait bonne route. Si vous voulez bien me suivre…

En lui emboîtant le pas, Eve examina le décor. Ici, tout respirait l'argent. L'ensemble manquait de classe. Contrairement à Connors, Ricker avait un penchant pour le moderne, les couleurs criardes, l'abondance d'étoffes. Tout était anguleux, accentué par ce qu'Eve considérait désormais comme sa signature : l'argent.

« Trente pièces d'argent », songea-t-elle en pénétrant dans une pièce tapissée de rouge sang, avec une vue spectaculaire sur l'océan. Les autres murs étaient encombrés de toiles abstraites, ou surréalistes, en tout cas très laides.

Ici, le parfum des fleurs donnait le tournis, la lumière était trop forte, et les meubles, tout en courbes, chatoyants de coussins et d'argent.

Ricker, assis dans un fauteuil, sirotait un liquide rose fuchsia dans un long tube. Il se leva, sourit.

— Ah ! Eve Dallas. Enfin nous nous rencontrons. Bienvenue dans mon humble demeure. Puis-je vous offrir un rafraîchissement ?

— Non, merci.

— Très bien, mais si vous changez d'avis, n'hésitez pas... Marta, je n'ai plus besoin de vous.

— Bien, monsieur Ricker.

La droïde sortit à reculons et ferma la porte à double battant.

— Eve Dallas, répéta-t-il, les yeux luisants, en l'invitant d'un geste à s'asseoir. Je suis vraiment enchanté. Puis-je vous appeler Eve ?

— Non.

Son expression devint glaciale tandis qu'il émettait un rire tonitruant.

— Dommage ! Lieutenant, alors. Je vous en prie, mettez-vous à l'aise. J'avoue éprouver une certaine curiosité à l'égard de la femme qui a épousé l'un de mes vieux... j'allais dire protégés... Mais je suis sûr que Connors s'offusquerait de ce terme. Je dirai donc un de mes anciens associés. Je regrette qu'il ne vous ait pas accompagnée aujourd'hui.

— Il n'a rien à faire ici, ni avec vous.

— Pas pour le moment. Asseyez-vous ! insista-t-il.

Elle s'exécuta.

— Comme vous êtes belle ! murmura-t-il en l'examinant de bas en haut.

Les hommes qui regardaient les femmes de cette manière cherchaient à les mettre en situation de vulnérabilité. Eve se sentit vaguement insultée.

— J'aime beaucoup votre allure compétente, sans prétention, enchaîna-t-il. Personne ne s'attendait à ça de la part de Connors, évidemment. Il a toujours eu un faible pour les femmes plus stylées, plus sexy.

Il pianota sur le bras de son siège, et elle remarqua qu'il avait les ongles vernis de sa couleur fétiche.

— Comme c'est habile d'avoir choisi quelqu'un comme vous, aux attributs et à la profession plus subtils. Ce doit être pratique pour lui d'avoir une alliée au sein de la police.

Il essayait de la provoquer, aussi se contenta-t-elle de pencher la tête.

— Vraiment ? Et pourquoi cela, monsieur Ricker ?

Ricker but une gorgée de son cocktail.

— Vu ses intérêts, ses entreprises...

— Ses affaires vous concernent-elles, monsieur Ricker ?

— Uniquement d'un point de vue académique, dans la mesure où nous avons travaillé ensemble autrefois.

Elle se pencha en avant.

— Acceptez-vous d'en parler, officiellement ?

Il étrécit les yeux.

— Prendriez-vous le risque de le perdre, lieutenant ?

— Connors est assez grand pour se défendre. Et vous ?

— L'auriez-vous dompté, lieutenant ? Le loup se serait-il métamorphosé en un gentil chien-chien ?

Cette fois, elle éclata d'un rire sincère.

— Le gentil chien-chien vous arracherait la gorge sans effort. Et vous le savez. J'étais loin d'imaginer que vous aviez si peur de lui. C'est intéressant.

— Vous vous trompez.

Ses doigts s'étaient resserrés autour de son tube. Elle vit les muscles de son cou tressaillir, comme s'il avait du mal à avaler.

— Je ne le pense pas. Cependant, Connors n'est pas la raison de ma visite. C'est de vous que j'aimerais parler, monsieur Ricker.

Elle sortit son enregistreur.

— Avec votre permission.

Il ébaucha un sourire qui n'en était pas un.

— Je vous en prie.

Il tapota sur le bras de son fauteuil. À l'opposé, un hologramme apparut. Six hommes en costume sombre étaient alignés derrière une table, les mains croisées, les yeux brillants.

— Mes avocats, expliqua-t-il.

Eve plaça l'appareil sur la table basse qui les séparait et récita le code Miranda révisé.

— Vous êtes perfectionniste. Cela doit plaire à Connors. À moi aussi.

— Avez-vous bien compris vos droits et vos obligations, monsieur Ricker ?

— Parfaitement.

— Vous avez engagé votre droit de parler en présence de vos avocats – au nombre de six – au cours d'un entretien informel. Vous avez été arrêté il y a six mois pour...

Elle leva la main et, bien que connaissant son texte par cœur, sortit son carnet de notes avant de poursuivre.

— ... fabrication, possession et distribution de produits illicites, y compris des hallucinogènes et des drogues connues, transport illégal, international et interplanétaire de substances interdites, possession d'armes non autorisées, installation d'usines chimiques sans licence et...

— Lieutenant, afin de nous épargner à tous deux un temps précieux, sachez que j'étais conscient de tout cela lors de cette malencontreuse arrestation à l'automne dernier. Vous savez, je suppose, que la plupart de ces plaintes ont été retirées, et que celles qui ne l'ont pas été ont donné lieu à un procès à l'issue duquel j'ai été acquitté.

— Je sais que vos avocats et le procureur de la ville de New York ont négocié une entente. En échange, votre représentant a soumis les noms de quatre marchands d'armes et de produits illicites et tous les renseignements les concernant. Vous n'êtes pas très loyal envers vos associés, monsieur Ricker.

— Au contraire ! Mes associés ne sont pas marchands d'armes ou de produits illicites, lieutenant. Je suis un homme d'affaires, je participe activement aux œuvres de charité et aux causes politiques chaque année.

— Oui, je suis au courant de vos dons multiples et divers. Vous avez été très généreux avec l'organisation Cassandra.

— C'est exact.

Il eut un geste pour interrompre l'un des avocats, qui voulait intervenir.

— Et j'ai été choqué, profondément choqué en découvrant leurs activités terroristes. Vous avez rendu un grand service au monde, lieutenant, en crevant cet abcès. Avant que les médias ne s'emparent de ce scandale, j'étais convaincu que le groupe Cassandra se dévouait entièrement à la préservation des droits et de la sécurité des Américains. Grâce à des moyens paramilitaires, certes, mais légaux.

— C'est dommage que vous ne vous soyez pas mieux renseigné au départ, monsieur Ricker. Or, j'imagine qu'un homme disposant de vos ressources se méfie, avant d'investir plus de dix millions de ses dollars si péniblement gagnés.

— C'est une erreur que je regrette profondément. Depuis, l'employé chargé des donations a été licencié.

— Je vois. Pour le reste des accusations, vous avez dû passer devant le tribunal. Malheureusement, il manquait certaines pièces à conviction, et les données qui avaient conduit à la descente dans votre entrepôt étaient endommagées.

— C'est le terme officiel ? railla-t-il. Les données étaient minces, incomplètes, déformées par la police, de façon à justifier un assaut sur un entrepôt dont j'étais propriétaire, mais qui était géré par un indépendant.

Eve nota qu'il avait haussé le ton, et qu'il pianotait de plus en plus vite sur le bras de son fauteuil.

— Il s'agit de harcèlement, ni plus ni moins, et mes avocats envisagent d'intenter un procès au NYPSD.

— Quelles étaient vos relations avec l'inspecteur Taj Kohli ?

— Kohli ? répéta-t-il avec un sourire. Je crains que ce nom ne me dise pas grand-chose. Je connais nombre de vos collègues, lieutenant. Je défends ardemment la cause des hommes et des femmes qui servent la loi. Mais Kohli… attendez… attendez…

Il se frotta les lèvres et laissa échapper un petit rire.

— Kohli, mais oui, bien sûr ! J'ai entendu parler de cette tragédie. Il a été tué récemment, n'est-ce pas ?

— Kohli faisait partie de la brigade qui a investi votre entrepôt de New York, ce qui vous a coûté plusieurs millions en…

La voix des avocats se fit entendre.

— M. Ricker n'a jamais été légalement connecté aux entrepôts, laboratoires et autres centres de distribution de New York découverts et fermés par le département de police. Nous nous opposons à toute déclaration proclamant le contraire.

— L'homicide de l'inspecteur Kohli est un drame, lieutenant. Vais-je être interrogé chaque fois qu'un officier de police connaîtra un sort malheureux ? Ce serait, là encore, du harcèlement.

— Pas du tout, puisque vous m'avez accordé cette interview sans condition.

Ce fut au tour d'Eve de sourire.

— Je suis certaine que votre armée d'avocats pourra le vérifier. Kohli était un méticuleux, monsieur Ricker. Il s'attachait aux détails. En tant qu'homme d'affaires et homme du monde, je suis sûre que vous serez d'accord avec moi pour dire que la vérité a le don de refaire surface, si profondément enfouie soit-elle. Il suffit qu'une personne, la bonne, creuse un peu la question. Je suis très attachée à la vérité, et je supporte mal qu'un collègue soit purement et simplement exécuté. Ma mission est donc de démasquer celui qui a tué – ou donné l'ordre qu'on tue – Kohli.

— Je ne doute pas de votre émotion, d'autant que ce meurtre brutal a eu lieu dans un établissement appartenant à votre mari. Vous êtes dans une situation délicate, n'est-ce pas, lieutenant ? Pour vous comme pour Connors. Est-ce pour cela que vous venez m'ennuyer avec vos accusations à peine voilées, au lieu d'interroger votre époux ?

— Je n'ai pas précisé qu'il s'agissait d'un meurtre brutal ni qu'il avait eu lieu dans un établissement appartenant à mon mari. Comment l'avez-vous su, monsieur Ricker ?

Pour la première fois, il parut mal à l'aise. Son regard se vida et il resta bouche ouverte. Les six avocats se mirent à parler en même temps dans un brouhaha incompréhensible, ce qui donna à Ricker le temps de se reprendre.

— Je m'efforce de me tenir au courant de tout, lieutenant. C'est important, dans mon métier. On m'a informé qu'il y avait eu un incident sur l'une des propriétés de votre mari.

— Qui, on ?

— Un associé, je crois. Je ne m'en souviens plus très bien. Est-il interdit de se renseigner ? Pour ma part, je collectionne les renseignements. C'est une sorte de hobby. Je m'informe sur les gens qui m'intéressent. Vous, par exemple. Ainsi, je sais que vous avez été élevée par l'État, qu'on vous a trouvée en état de détresse quand vous aviez huit ans... Vous aviez été violée, n'est-ce pas, et maltraitée. Ce doit être difficile de vivre avec un tel traumatisme, de vous réconcilier avec votre innocence volée. Le nom que vous portez vous a été attribué par une assistante sociale. Eve, un choix plutôt sentimental. Et Dallas, en référence à la ville où l'on vous a récupérée, brisée, gisant dans une sombre ruelle.

Prise de court, Eve sentit un étau se refermer sur sa poitrine. Mais elle resta impassible.

— Nous jouons avec les cartes qui nous sont données. Moi aussi, je récolte les informations, notamment sur ceux qui me dérangent. Fouillez mon passé tant que vous voudrez, Ricker, ça vous donnera une image claire et nette de celle contre qui vous vous battez désormais. Kohli est à moi, et je découvrirai son assassin. Comptez sur moi. Fin de l'entretien, conclut-elle en ramassant son magnétophone.

À cet instant, les avocats se répandirent en invectives et en objections, mais Ricker éteignit l'hologramme. Il était encore plus pâle – si c'était possible –, que lorsqu'elle était arrivée.

— Faites attention, lieutenant. Ceux qui me menacent le font à leurs risques et périls.

— Ça ne m'effraie pas, Ricker.

Il se leva en même temps qu'elle, s'avança d'un pas. Eve se surprit à espérer qu'il perde son sang-froid, ne serait-ce qu'une fraction de seconde.

— Vous vous croyez de taille à vous mesurer à moi ? Vous pensez que votre badge est signe de pouvoir ? Vous pouvez disparaître comme ça !

Il claqua les doigts sous son nez.

— Essayez, si ça vous amuse.

Son visage se contracta, mais il eut un mouvement de recul.

— Peut-être êtes-vous convaincue, à tort, que Connors peut vous protéger. Il est faible, il s'est complètement liquéfié d'amour pour un flic. J'avais des projets pour lui, autrefois. J'en ai d'autres aujourd'hui.

— Je vous conseille de bien étudier vos archives, Ricker. Vous verrez que je n'ai besoin de personne. Mais je vais vous dire une chose : Connors va être enchanté de savoir à quel point vous le craignez. Nous allons en rire tous les deux, à vos dépens, tout à l'heure.

Comme elle se détournait, il la saisit par le bras, et son cœur fit un bond. Il accentua un instant sa pression, incrustant les doigts dans sa chair, avant de la relâcher.

— Je vous raccompagne.

— Je connais le chemin. Vous feriez mieux de vous mettre au travail, Ricker, et de vous assurer que vous avez bien couvert vos arrières. J'ai l'intention de retourner toutes les pierres sous lesquelles vous vous êtes immiscé. Je sens que je vais beaucoup m'amuser.

Sur ces mots, elle sortit. La droïde, toujours aussi souriante, n'était pas loin.

— J'espère que vous avez passé un bon moment, lieutenant. Par ici...

Derrière elle, Eve entendit un bruit de verre qui se fracassait.

« Décidément, songea-t-elle avec un petit sourire, j'ai réussi à l'ébranler. »

On la ramena jusqu'à sa voiture, et on la surveilla attentivement jusqu'à ce qu'elle ait franchi le portail.

Dix minutes plus tard, elle repéra la première voiture qui la filait. Pas très discrètement. Elle poursuivit son chemin, en dépassant à peine la limite de vitesse autorisée. Au bout d'une quarantaine de kilomètres, un second véhicule surgit d'une bretelle, juste devant elle.

« Je joue le jeu », décida-t-elle en appuyant sur l'accélérateur.

Elle déboîta, se faufila entre les automobiles, sans toutefois leur compliquer trop la tâche. Tout en surveillant la route, elle brancha son vidéocom. Presque tranquillement.

D'une manière qui, espéra-t-elle, indiquait la panique, elle sortit de l'autoroute juste après la frontière de l'État de New York.

— J'étais sûre que vous ne me décevriez pas, bande de crétins, marmonna-t-elle tandis que les deux voitures fonçaient juste derrière elle.

De nouveau, elle accéléra. Puis, brusquement, elle effectua un demi-tour et revint droit sur ses poursuivants. Les premiers partirent vers la droite, les seconds vers la gauche et, comme ils roulaient à vive allure, ils achevèrent leur course dans le fossé. Elle s'immobilisa, mit sa sirène en marche et descendit, l'arme au poing.

— Police ! Tout le monde sort. Les mains en l'air.

Elle vit le passager du deuxième véhicule plonger la main dans sa veste. Sans hésiter, elle tira sur le phare.

Le verre explosa alors que les hurlements d'autres sirènes s'ajoutaient aux siens.

— Sortez de là immédiatement ! ordonna-t-elle en brandissant son badge. Police de New York. Vous êtes en état d'arrestation.

L'un des conducteurs obéit, l'air défiant.

— En quel honneur ?

— On va commencer par excès de vitesse, répliqua-t-elle. Les mains sur le toit. Vous connaissez la position.

Les uniformes surgirent de toutes parts.

— Vous voulez qu'on les menotte, lieutenant ?

— Oui, j'ai l'impression qu'ils résistent. Et regardez-moi ça ! s'exclama-t-elle en palpant l'un des suspects… Une arme dissimulée. Une arme interdite, en plus ! Alors là, mon vieux, vous êtes dans de sales draps.

Une fouille rapide révéla d'autres armes, six grammes d'Exotica, deux de Zeus, un petit nécessaire d'outils de cambriolage et trois tuyaux en métal susceptibles de faire office de matraques.

— Emmenez-les au Central, voulez-vous ? Inculpez-les pour possession de produits illicites, port d'armes interdites à bord d'un véhicule motorisé, et possession de marchandises suspectes. Ah ! Et n'oubliez pas : excès de vitesse, conclut-elle en se frottant les mains. M. Ricker va être très fâché contre vous, messieurs.

Elle remonta dans sa voiture, satisfaite.

« Et voilà, monsieur Ricker, ce que c'est que de donner des ordres quand on est sous le coup de l'émotion.

« Le round numéro un est pour moi. »

6

Ian McNab traversa la salle des officiers en s'efforçant de paraître décontracté. Difficile de passer inaperçu, avec sa tresse qui lui tombait à la taille et son pantalon orange, mais il faisait beaucoup d'efforts.

Sa présence en ces lieux pouvait s'expliquer. Plusieurs requêtes sur les témoins de l'affaire Kohli avaient atterri à la Division de Détection électronique. C'était son prétexte, et McNab s'y accrochait.

Il avait une autre raison d'être là, et cette raison se trouvait dans un box minuscule, tout au fond, absorbée dans ses dossiers.

Elle était tellement mignonne quand elle était concentrée ! Décidément, il était fou d'elle. Ça ne l'enchantait pas vraiment, car il s'était toujours promis de collectionner autant de femmes que possible. Il adorait les femmes.

Seulement voilà. Peabody avait surgi dans son existence, avec ses affreuses godasses de flic et son uniforme impeccable, et tout avait basculé.

Elle ne se montrait pas du tout coopérative. Certes, il avait réussi à l'entraîner dans son lit, par terre dans la cuisine, dans une cabine d'ascenseur, dans un vestiaire désert, entre autres... mais elle n'était pas amoureuse de lui.

Lui, en revanche, était bien obligé d'admettre – à contrecœur – qu'il était follement épris de l'officier Delia Peabody.

Il se percha sur le bord de son bureau.

— Bonjour, ma belle. Quoi de neuf ?

— Qu'est-ce que tu fais ici ? répliqua-t-elle, sans même lever les yeux vers lui. Tu as encore brisé tes chaînes ?

— À la DDE, ce n'est pas comme ici. Ils ne nous enferment pas. Comment arrives-tu à travailler dans une cage pareille ?

— Efficacement. Fiche-moi la paix, McNab, je suis complètement débordée.

— C'est l'affaire Kohli ? On ne parle que de ça. Pauvre bougre !

Décelant une note de pitié dans sa voix, elle daigna enfin se redresser. Elle remarqua que son regard vert trahissait à la fois la tristesse et la colère.

— Oui, eh bien on va se débrouiller pour rattraper le salaud qui l'a tué. Dallas étudie le problème sous tous les angles possibles.

— C'est la meilleure. Plusieurs gars d'ici nous ont réclamé des renseignements. À la DDE, tout le monde est dessus, de Feeney aux stagiaires.

— Tout le monde, sauf toi, railla-t-elle. En quel honneur ?

— On m'a désigné pour aller à la pêche aux nouvelles. Allez, Peabody, ça nous concerne tout autant que vous. Donne-moi de quoi les rassasier.

— Je n'ai malheureusement pas grand-chose à dire. Garde ça pour toi, ajouta-t-elle en baissant le ton et en scrutant les alentours. Je ne sais pas à quoi joue Dallas. Elle est partie sur le terrain sans m'emmener avec elle et ne m'a donné aucune explication. Puis, il y a quelques minutes, elle m'a appelée. Les uniformes doivent nous ramener quatre individus accusés de délits divers, notamment de port d'armes. Elle m'a demandé de lui sortir leurs fichiers, vite fait bien fait. Elle ne va pas tarder à arriver.

— Qu'est-ce que tu as trouvé ?

— Les quatre ont séjourné dans divers établissements gouvernementaux. Crimes violents, pour la plupart. Agressions, agressions mortelles, manipulations, chantage... Mais regarde...

Elle parla encore plus bas, obligeant McNab à se pencher vers elle.

— Tous ont un lien avec Max Ricker.

McNab ouvrit la bouche, puis ravala son exclamation et demanda :

— Tu crois que Ricker est derrière l'homicide Kohli ?

— Je n'en sais rien, mais je sais que Kohli faisait partie de l'équipe qui l'a arrêté à l'automne dernier, parce que Dallas m'a demandé de lui transmettre le dossier et la transcription du procès. J'y ai jeté un coup d'œil rapide. Kohli était tout en bas de l'échelle, il n'a d'ailleurs pas témoigné. Bien entendu, Ricker a pu filer en toute liberté. Mais Dallas doit avoir une idée derrière la tête, en inculpant quatre de ses hommes de main.

— Très intéressant, murmura McNab.

— Tu peux annoncer la visite des quatre malfrats, mais attends qu'on en sache davantage avant de divulguer la connexion avec Ricker.

— Pour te promettre le silence, il me faudrait une motivation. Si tu passais chez moi, ce soir ?

— Je ne sais pas ce qu'a prévu Dallas…

Il lui souriait. Curieusement, Peabody avait de plus en plus de mal à résister à ce sourire un peu bêta.

— … mais ce devrait être possible.

— On pourrait… commença-t-il en se penchant vers elle.

Tout à coup, il s'écarta, comme s'il venait de se brûler.

— Seigneur ! Le commandant.

— Du calme.

Peabody se ressaisit, elle aussi.

Il n'était pas rare que Whitney fasse une apparition, mais ce n'était pas non plus une habitude.

— Oh ! la la ! Il vient par ici.

Elle dut résister à son envie de rajuster sa veste.

Whitney s'immobilisa sur le seuil du box et fixa son regard noir, glacial, sur McNab.

— Vous ne travaillez plus pour la Division de Détection électronique ?

— Si, si, commandant. La DDE travaille en collaboration avec la division Homicides sur l'affaire Taj Kohli. Nous pensons qu'en réunissant nos forces respectives, nous réussirons à boucler le dossier plus rapidement.

« Excellent ! songea Peabody, partagée entre l'admiration et l'irritation. Habile comme un félin. »

— Dans ce cas, je vous conseille de regagner vos quartiers et de vous remettre à l'ouvrage, au lieu de déranger l'officier Peabody.

« Ah ! pensa-t-elle. Dommage... »

McNab faillit saluer, mais se ravisa à temps. Il se volatilisa comme un nuage de fumée.

— Avez-vous les données requises par votre lieutenant sur les quatre individus actuellement mis en examen ?

Déjà ?

— Oui, commandant.

Il tendit la main vers elle, et Peabody commanda aussitôt l'impression.

— Conformément aux ordres reçus, j'ai déjà transmis les copies au lieutenant Dallas.

Whitney se contenta de grogner, puis se détourna en parcourant les documents. Il marqua une pause quand Eve apparut.

— Lieutenant, dans votre bureau.

Peabody tressaillit. Il s'était exprimé d'un ton dur comme le granit. Courageusement, elle sortit de son box, mais Eve l'invita d'un geste à rester où elle était.

Il y avait de l'orage dans l'air... Sur qui la foudre allait-elle s'abattre ?

— Commandant...

Eve tint la porte et le laissa passer devant elle, puis la ferma.

— Expliquez-moi, lieutenant, pourquoi vous avez quitté l'État et votre juridiction pour aller interroger Max Ricker, sans annoncer vos intentions, et sans en avertir la hiérarchie ?

— Commandant, en tant que responsable de l'enquête, je n'y suis pas obligée. Et je suis autorisée à quitter ma juridiction si l'entretien peut être utile à l'affaire.

— Et harceler un civil dans un autre État ?

Un flot de colère l'envahit, mais elle l'ignora.

— Harceler, monsieur ?

— J'ai reçu un appel de l'avocat de Ricker, qui menace de vous traîner, ainsi que cette division et la ville de New York, devant les tribunaux, pour avoir harcelé son client, puis attaqué et détenu quatre de ses employés.

— Ah bon ? Il a vraiment très peur, alors, murmura-t-elle. Je ne pensais pas l'avoir ébranlé à ce point. Commandant, reprit-elle, j'ai contacté Ricker, je lui ai demandé un rendez-vous à sa convenance, qu'il a bien voulu m'accorder.

Elle sortit un disque scellé d'un tiroir.

— La requête, effectuée sur cette console, et l'acceptation, ont été sauvegardées, de même que mon interview avec Ricker, qui a eu lieu chez lui, après citation du Code Miranda révisé, et la présence holographique de six de ses avocats.

Cette fois, elle sortit un disque de sa pochette.

— Tout a été enregistré avec son accord. Sauf votre respect, commandant, il se fout de notre gueule.

— Tant mieux. Je m'en doutais, marmonna Whitney en s'emparant du disque. Cependant, soupçonner Ricker d'être impliqué dans l'homicide d'un flic est aussi dangereux que délicat. J'espère que vos présomptions sont justifiées.

— Il est de mon devoir d'envisager le problème sous tous les angles. Je fais mon métier.

— Est-ce qu'il consiste aussi à pourchasser quatre hommes sur la voie publique, à mettre en danger leur vie et celle de passants innocents, en conduisant de manière imprudente, au point d'infliger des dommages à deux véhicules ?

— Sur le trajet, entre le Connecticut et New York, j'ai été filée, puis poursuivie par deux voitures anonymes, chacune comptant deux hommes à bord. J'ai tenté de les semer, mais elles se sont encore rapprochées, en dépassant les limites de vitesse autorisées. Consciente du danger que cela pouvait présenter pour d'autres civils, je suis sortie de l'autoroute très encombrée pour emprunter une route plus tranquille. À cet instant, les deux véhicules ont encore accéléré. Ils ont traversé la frontière entre les deux États. Ne connaissant par leurs intentions, j'ai demandé du renfort, et plutôt que de prendre des risques supplémentaires, j'ai allumé ma sirène et fait demi-tour. En conséquence, les deux voitures ont quitté la route.

— Licutenant...

— Commandant, je tiens à aller jusqu'au bout de mon rapport sur cet incident, déclara-t-elle d'un ton calme, qui masquait à la perfection son agacement.

— Allez-y, lieutenant. Je vous écoute.

— Je me suis identifiée en tant qu'officier de police, et je leur ai donné l'ordre de descendre de leurs véhicules. L'un des individus a eu un geste suspect. J'ai effectué un tir de sommation, qui a abîmé un phare. Deux patrouilles sont arrivées en renfort. Au cours de la fouille qui a suivi, nous avons découvert des armes interdites, des substances illicites en petites quantités, des outils et trois tuyaux en métal. J'ai donc ordonné aux agents en uniforme de transporter les individus au Central, j'ai contacté mon assistante pour qu'elle consulte les dossiers des quatre suspects, et je suis revenue ici avec l'intention de rédiger mon rapport, puis de procéder aux interrogatoires.

Elle plongea la main dans son sac, en sortit deux autres disques.

— Tout ce que je viens de dire a été enregistré par mon ordinateur de bord durant la poursuite, et mon mini-micro lors de l'arrestation. Je pense que les procédures ont été respectées au mieux.

Whitney empocha les disques en ébauchant un sourire.

— Beau travail. Très beau travail.

— Merci, aboya-t-elle.

— Vous m'en voulez de vous avoir questionnée ?

— Oui, commandant. En effet.

— Je ne peux guère vous en vouloir.

Il tapota distraitement la poche dans laquelle il avait rangé les disques et alla se planter devant la fenêtre.

— Je pensais bien que vous aviez respecté toutes les règles, mais je n'en étais pas absolument certain. Quoi qu'il en soit, et malgré les sauvegardes, cet avocat ne vous lâchera pas. Je voulais m'assurer que vous tiendriez le coup. Comme toujours, Dallas, vous avez été parfaite.

— Je n'ai pas peur de cet avocat.

— Je sais.

Whitney reprit son souffle, contempla la vue un instant en se demandant comment elle arrivait à travailler dans un espace aussi confiné.

— Vous attendez que je vous présente des excuses, lieutenant ?

— Pas du tout, commandant.

— Tant mieux.

Il se tourna vers elle, le visage fermé.

— Cela étant, en pointant le doigt sur Ricker, vous avez mis le département dans une situation difficile.

— La mort d'un flic me paraît…

— Ne sous-estimez pas mon point de vue sur le meurtre de l'inspecteur Kohli, l'interrompit-il d'un ton sec. Si Ricker est impliqué, je veux sa peau encore plus que vous. Oui, encore plus, insista-t-il. Et maintenant, dites-moi pourquoi, puisqu'il a accepté de vous rencontrer, il a lancé quatre de ses gorilles à vos trousses ?

— Je l'ai exaspéré.

— Soyez plus précise, lieutenant.

Il se tourna vers elle.

— Mais où peut-on s'asseoir, dans ce trou ?

Sans un mot, elle tira son fauteuil grinçant. Il l'examina un moment, puis éclata d'un rire tonitruant, allégeant d'un seul coup l'atmosphère.

— Vous vous fichez de moi ? Si je mets ne serait-ce qu'une fesse sur ce machin, je vais me retrouver les quatre fers en l'air. Pour l'amour du ciel, Dallas, vous êtes gradée. Pourquoi vous obstinez-vous à rester dans cette fosse ?

— Ça me plaît. Quand on dispose d'un endroit plus vaste, on y ajoute quelques sièges, voire une table. Et là, les gens commencent à défiler. Pour bavarder.

— C'est vrai, concéda-t-il entre ses dents. Donnez-moi un de ces cafés dont Connors vante tant les mérites.

Elle s'approcha de l'autochef et en programma deux tasses.

— Commandant, j'aimerais vous parler quelques minutes à titre purement confidentiel.

— Donnez-moi ce café, et je vous accorde une heure. Mon Dieu, quel arôme !

Elle sourit en se rappelant la première fois qu'elle avait goûté le café de Connors. Du vrai, pas du lyophilisé ou un ersatz. Elle aurait dû comprendre, dès lors, qu'il était l'homme de sa vie.

Et, parce qu'il était l'homme de sa vie, elle se retourna avec les gobelets et se confia à son patron.

— Connors a eu des relations d'affaires avec Ricker, autrefois. Il a mis un terme à leur association il y a plus de dix ans. Ricker ne l'a pas oublié et, surtout, il ne le lui a jamais pardonné. S'il le pouvait, il se vengerait volontiers à travers moi. Au cours de notre entretien, je me suis servie de Connors pour le titiller. À plus d'une reprise, il a perdu son calme. Plus je ferai pression, plus il perdra pied.

— Il en veut beaucoup à Connors ?

— Oui, je le crains, mais en même temps, il a peur de lui. C'est d'ailleurs ce qui l'irrite plus que tout. Parce qu'à ses yeux, il ne s'agit pas de crainte, mais de haine. S'il a donné l'ordre à ses hommes de me poursuivre, c'est parce qu'il a réagi instinctivement, sans réfléchir. Il est trop intelligent pour prendre une telle initiative, qui remonterait forcément jusqu'à lui. Mais il m'en voulait de l'avoir méprisé. Et d'être l'épouse de Connors.

— Vous lui avez tendu la perche. Il aurait pu s'en prendre à vous avant que vous ne sortiez de la maison.

— Il n'aurait pas osé, pas sur son terrain. Il a pris un risque, mais un risque calculé. Si j'arrive à faire parler un de ces imbéciles, on pourra pousser Ricker dans ses retranchements.

— Ils ne se dévoilent pas facilement.

— Il ne faudrait pas grand-chose. Je veux mettre Ricker derrière les barreaux. Il a échappé à la prison lors de son dernier procès. Il n'aurait jamais dû. J'ai étudié tous les rapports, toutes les transcriptions. L'affaire semblait dans le sac. Puis, il y a eu tous ces vices de forme : la disparition des pièces à conviction et même d'un des principaux témoins, alors qu'il était prétendument sous protection... Plusieurs petits trous finissent par en former de gros, et il a réussi à s'en sortir.

— Je suis d'accord, et je souhaite plus que tout qu'on parvienne à coincer Ricker. Mais le lien avec l'affaire

Kohli est pour le moins ténu. Je ne vois pas vraiment où vous le situez.

— Je travaille dessus, se contenta-t-elle de répondre.

Elle pensa à Webster et à ses sous-entendus, mais décida de garder cela pour elle.

— Dallas, vous ne pouvez pas faire de Ricker une vendetta personnelle.

— Ce n'est pas le cas. Laissez-moi un peu de temps, commandant.

— C'est votre enquête. Mais soyez prudente. Si Ricker a ordonné l'assassinat de Kohli, il n'hésitera pas à vous éliminer. D'après ce que vous m'avez dit, il a plus d'une raison de le faire.

— À force de se sentir visé, il finira par commettre une erreur. Pas moi.

Elle fit sa tournée en compagnie des avocats, un pour chacun des individus qu'elle avait interpellés. Des crétins en costume, selon elle. Ils connaissaient toutes les ficelles, mais ils auraient du mal à contourner le fait qu'elle avait tout enregistré.

— Des enregistrements que vous seule possédez, fit remarquer le crétin nommé Canarde en agitant ses mains parfaitement manucurées. Comment prouver que ces disques n'ont pas été produits ou trafiqués dans le seul but de harceler mon client ?

— Pourquoi votre client m'a-t-il collé au cul pendant mon trajet entre le Connecticut et New York ?

— La loi n'interdit à personne de circuler sur une voie publique, lieutenant.

— Il transportait des armes interdites et dissimulées.

— Mon client affirme que c'est vous qui les avez mises là.

Eve posa son regard sur ledit client, un individu qui devait peser cent cinquante kilos, doté de mains énormes et d'un visage hideux. Jusqu'ici, il n'avait pas prononcé une parole.

— Ainsi votre client, qui semble être frappé de mutisme, prétend que – comme par hasard – je me promenais avec quatre lasers manuels autorechargeables et deux fusils à longue portée à bord de mon véhicule de fonction, dans l'espoir qu'un civil innocent surviendrait, afin que je puisse l'accuser, sous le prétexte que... Quoi ? Que sa tête ne me revenait pas ?

— Mon client ne connaît pas vos motivations.

— Votre client est une ordure et il n'en est pas à son premier coup d'essai. Agression, port d'armes illégales, agression mortelle, possession de substances illicites avec intention de les revendre... Vous ne défendez pas un enfant de chœur, Canarde. Avec tout ce que j'ai contre lui, il est cuit. D'après moi, il en a pour vingt-cinq ans dans une colonie pénale extraplanétaire. Vous n'en avez jamais visité, je suppose ?

Elle eut un sourire cruel.

— En comparaison, les cellules de chez nous sont de véritables suites de luxe.

— Nous ne nous laisserons pas intimider par vos insinuations, lieutenant. Mon client n'a plus rien à dire.

— C'est vrai que, jusqu'ici, il a été bavard comme une pie. Vous allez laisser Ricker vous sacrifier comme un agneau sur l'autel ? Vous pensez que ça va l'ennuyer de savoir que vous serez en cage pendant vingt-cinq ans ?

— Lieutenant Dallas, l'interrompit Canarde.

Mais Eve continua, sans la moindre inquiétude.

— Vous ne m'intéressez pas plus que ça, Lewis. Si vous voulez sauver votre peau, il va falloir coopérer avec moi. Qui vous a envoyé à mes trousses, aujourd'hui ? Dites-moi son nom, et je vous libère.

— Cet entretien est terminé, décréta Canarde en se levant.

— Est-ce qu'il est terminé, Lewis ? Est-ce que vous voulez que ça se finisse comme ça ? Vous êtes prêt à entamer votre quart de siècle sous les verrous ? Il vous paie tant que ça, pour que vous acceptiez de la fermer et de vivre vingt-quatre heures sur vingt-quatre dans cinq mètres carrés, sous l'œil d'une caméra, à dormir sur une planche et pisser dans un bocal ? Les prisons extraplanétaires sont un véritable bagne, Lewis.

— Monsieur Lewis, je vous conseille de garder le silence. J'ai mis un terme à cette rencontre, lieutenant, et j'exige que mon client ait droit à une audience.

— Oh ! il l'aura, n'ayez crainte ! rétorqua-t-elle. Si vous vous imaginez que ce salaud déguisé en avocat vous défend, vous êtes encore plus bête que je ne le pensais, Lewis.

— J'ai rien à dire. Ni aux flics, ni aux connes, grogna Lewis.

Cependant, Eve décela une lueur de terreur dans ses prunelles.

— Dans ce cas, ça ne me concerne en aucune façon.

Elle fit signe au gardien.

— Collez-moi ce crétin au trou. Dormez bien, Lewis. Canarde, je ne vous souhaite pas de beaux rêves…

Elle longea le couloir, jusqu'à une porte derrière laquelle se tenaient Whitney et Peabody, en salle d'observation.

— Les audiences sont prévues pour demain à partir de 9 heures, annonça Whitney. Canarde et son équipe vont faire pression pour qu'ils soient entendus.

— Parfait, ça ne les empêchera pas de passer la nuit en cellule. Je tiens à revoir Lewis avant l'audience. Arrangeons-nous pour qu'il passe en fin de séance. C'est lui qui va craquer.

— D'accord. Vous n'avez jamais visité un centre de réhabilitation extraplanétaire, n'est-ce pas, lieutenant ?

— Non, mais il paraît qu'ils sont minables.

— Pire que ça. Lewis en aura entendu parler, lui aussi. Insistez bien là-dessus. Et maintenant, rentrez chez vous vous reposer, conclut Whitney.

— C'est vrai qu'il pourrait écoper de vingt-cinq ans là-bas ? s'enquit Peabody, lorsque les deux femmes se retrouvèrent seules.

— Oh oui ! On ne se moque pas d'un flic. Le système le réprouve. Lewis en est conscient et il va réfléchir cette nuit. Soyez ici à 6 h 30, je veux qu'on s'y mette le plus tôt possible. Vous pourrez assister à l'entretien, en prenant un air méchant et impitoyable.

— J'adore ça ! Vous vous en allez ? demanda Peabody, sachant que, la plupart du temps, son lieutenant restait travailler après l'avoir libérée.

— Oui, oui. Je meurs d'envie de prendre une douche. 6 h 30, Peabody.

— À vos ordres, lieutenant.

Elle n'avait pas dîné, et fut furieuse de constater que le voleur de friandises qui l'avait choisie comme pigeon avait de nouveau sévi. Elle dut se contenter d'une pomme, que quelqu'un avait bêtement oubliée dans le réfrigérateur de la brigade.

Ce petit en-cas l'avait suffisamment rassasiée pour qu'en arrivant chez elle, Eve se précipite sous la douche plutôt qu'à table. Elle fut un peu déçue que Summerset ne vienne pas l'accueillir dans le hall, la privant ainsi de leur chamaillerie vespérale.

D'abord, se laver, décida-t-elle en montant. Ensuite, elle partirait à la recherche de son mari. Entre-temps, elle en profiterait pour réfléchir à sa journée et aux informations qu'elle était prête à partager avec lui.

Pour l'heure, et afin de préserver l'harmonie conjugale, il lui paraissait plus prudent d'éviter toute conversation concernant Ricker.

En pénétrant dans la chambre, elle vit d'abord les fleurs. Difficile de ne pas remarquer le gigantesque bouquet en plein milieu de la pièce. Au bout d'un instant, elle réalisa qu'il était soutenu par une paire de jambes toutes maigres, en pantalon noir.

Summerset. La douche attendrait.

— C'est pour moi ? Oh ! Summerset, il ne fallait pas ! Si vous n'essayez pas de maîtriser votre passion à mon égard, Connors va finir par vous renvoyer.

— Comme d'habitude, répondit la gerbe odorante, votre humour m'échappe. Cet arrangement floral prétentieux vient d'être livré par un coursier privé.

— Attention au chat ! lança Eve tandis que Galahad passait juste devant le majordome.

À son étonnement, Summerset s'écarta, évitant d'un poil la queue du chat, et déposa l'énorme composition sur une table du coin salon.

Galahad fit un bond, renifla les fleurs, puis redescendit se frotter contre les mollets de Summerset.

— C'est pour vous. Le problème est donc désormais entre vos mains.

— Qui m'envoie ça ? Connors a meilleur goût, en général.

— Absolument, répliqua Summerset en humant leur parfum d'un air un peu dégoûté... Peut-être qu'une de vos relations douteuses cherche à vous amadouer.

— Mais oui, c'est ça !

Elle arracha la carte, puis poussa un grognement qui effraya le chat.

— C'est cette ordure de Ricker.

— Max Ricker ? s'exclama Summerset, d'un ton glacial. En quel honneur ?

— Pour me provoquer, murmura-t-elle distraitement en ravalant un sursaut d'angoisse. À moins que ce ne soit Connors. Débarrassez-moi de cette horreur. Mettez-la au feu ou au recyclage, peu importe. Et surtout, pas un mot à Connors.

Elle saisit le majordome par la manche.

— Pas un mot à Connors ! insista-t-elle.

Elle ne demandait jamais rien à Summerset. Le fait qu'elle le supplie l'inquiéta.

— Qui est Ricker pour vous ?

— Une cible. Enlevez-moi ça, bon sang ! Où est Connors ?

— Là-haut dans son bureau. Montrez-moi la carte. Il vous a menacée ?

— C'est un appât. Destiné à énerver Connors. Prenez l'ascenseur. Allez ! Plus vite que ça ! s'emporta-t-elle en froissant la carte de visite avant qu'il ne puisse la lui prendre des mains.

— Faites très, très attention, prévint-il en partant.

Elle attendit que les portes de la cabine se referment sur lui pour relire la missive :

Je n'ai jamais eu la chance d'embrasser la mariée.
M. Ricker.

— Tu l'auras, marmonna-t-elle en la déchirant en mille morceaux. Quand on se retrouvera en enfer.

Recouvrant ses esprits, elle se déshabilla. Elle laissa ses vêtements là où ils étaient tombés, déposa son arme sur le long comptoir et entra dans la douche de verre.

— Plein jet, ordonna-t-elle en fermant les yeux. Température 39°.

Elle resta sous l'eau un long moment. Quand elle se sentit décontractée, elle commanda la fermeture des robinets, essora ses cheveux, pivota. Et poussa un cri.

— Seigneur ! Mon Dieu ! Connors, tu sais combien je déteste que tu me prennes par surprise comme ça !

— Oui, je sais.

Il ouvrit la porte du box de séchage, sachant qu'elle préférait cela à un drap de bain. Pendant que le ventilateur ronronnait, il alla chercher son peignoir accroché derrière la porte.

Quand elle émergea, il se figea.

— Qui t'a fait ça ?

— Quoi ?

— Tu as des bleus sur le bras.

— Ah, ça !

Elle repensa à Ricker, qui l'avait empoignée sur son passage.

— Tu as raison. J'ai dû me cogner… Allez, donne-moi mon peignoir !

Connors resta cloué sur place, le regard froid.

— Ce sont des marques de doigts, lieutenant. Qui t'a malmenée ?

— Pour l'amour du ciel ! s'écria-t-elle en lui arrachant la sortie-de-bain des mains. Je suis flic, rappelle-toi ! Cela signifie que je rencontre chaque jour mon lot de vilains personnages. Tu as mangé ? Je meurs de faim.

Il la laissa repartir dans la cuisine, tripoter les boutons de l'autochef, attendit qu'elle ait lancé sa commande.

— Où sont les fleurs ?

Et merde !

— Quelles fleurs ?

— Celles qui ont été livrées il y a quelques minutes.

— Je ne sais pas de quoi tu parles. Je viens d'ar… Hé !

Il la fit pivoter vers lui si brusquement que ses dents s'entrechoquèrent.

— Ne me mens pas. Jamais.

— Arrête ! gémit-elle.

Mais il avait beau être furieux, il s'arrangeait pour ne pas lui faire mal.

— On reçoit des bouquets très souvent. Lâche-moi, je t'en prie. J'ai faim.

— Je tolérerai – et Dieu sait que je tolère – beaucoup de choses de ta part, Eve, mais je ne supporte pas que tu me mentes. Ces hématomes, tu ne les avais pas ce matin. Summerset est en bas, occupé à éliminer une énorme composition florale. Sur tes ordres, je suppose, puisqu'il l'avait montée ici. J'en sens encore le parfum. De quoi as-tu peur ?

— De rien.

— De qui, alors ?

— Toi.

Elle savait qu'elle avait tort, que c'était cruel de sa part. Elle s'en voulut d'autant plus que son visage devint soudain impassible et qu'il recula prudemment.

— Je te demande pardon.

Elle détestait qu'il emploie ce ton formel et rigide. C'était pire que les cris. Et, lorsqu'il tourna les talons pour s'en aller, elle abandonna la partie.

— Connors, pardonne-moi. Je suis désolée.

— J'ai du travail.

— Ne me repousse pas, je t'en supplie, murmura-t-elle en se passant les mains dans les cheveux, puis en pressant les paumes sur ses tempes. Je ne sais pas comment m'y prendre. Quoi que je fasse, ça va t'énerver.

Vaincue, elle se laissa tomber sur le canapé.

— Pourquoi ne pas commencer par la vérité ?

— Oui, d'accord. Mais avant, je veux que tu me promettes quelque chose.

— Quoi ?

— Oh ! assieds-toi, veux-tu ?

— Je suis très bien debout… Tu es allée voir Ricker, devina-t-il.

— Ma parole, mais c'est de la télépathie !

Elle arrondit les yeux, se releva, se précipita vers lui.

— Hé ! Hé ! Hé ! Tu m'as promis…

— Je ne t'ai rien promis du tout.

Elle le rattrapa dans le couloir, envisagea un bref instant de le mettre à terre, puis décida de s'attaquer à son point faible. Elle s'accrocha à son cou.

— Je t'en prie.

— Il t'a agressée.

— Connors. Regarde-moi, Connors… Je l'avais provoqué. J'ai mes raisons. J'ai réussi à l'ébranler. Le coup des fleurs, c'est une perche à ton intention. Il veut te faire réagir.

— Et qu'est-ce qui pourrait me retenir ?

— Moi. Je te demande de garder ton calme. C'est moi qui vais le coincer. C'est mon boulot.

— Parfois, tu m'en demandes un peu trop.

— Je sais. Je sais que tu pourrais te débarrasser de lui sans problème. Mais ce ne serait pas la bonne façon de procéder. Tu n'es plus cet homme-là.

— Ah non ?

— Non. Je me suis trouvée face à lui aujourd'hui et, à présent, je suis devant toi. Tu n'as plus rien à voir avec lui… Allons nous asseoir, je vais tout te raconter.

Du bout du doigt, il la força à relever le menton. Le geste était tendre, mais son regard trahissait encore une certaine colère.

— Ne me mens plus jamais.

— Non, chuchota-t-elle en lui prenant la main. Plus jamais.

7

Elle lui exposa tous ses faits et gestes de la journée, d'un ton proche de celui qu'elle avait employé lors de son entretien avec Whitney. Posé, professionnel, sans passion.

Connors ne dit rien, pas un mot, mais il ne la quitta pas des yeux. Son visage impassible ne révélait rien de ce qu'il pensait. De ce qu'il ressentait.

Eve savait de quoi il était capable s'il se sentait poussé dans ses retranchements. Non, pas seulement, songea-t-elle avec un sursaut d'angoisse. Quand il était convaincu que ses méthodes étaient les meilleures.

Lorsqu'elle eut terminé, il se leva et se dirigea tranquillement vers le panneau mural dissimulant le bar. Il se versa un verre de vin, brandit la bouteille.

— Tu en veux ?

— Euh... volontiers.

Il la servit d'une main sûre, aussi naturellement que s'ils venaient d'évoquer un incident domestique mineur.

Eve était plutôt solide. Elle avait affronté la douleur et la mort sans frémir, assisté aux souffrances et aux atrocités endurées par d'autres sans se départir de son calme. Mais l'attitude de Connors la mettait dans tous ses états. Elle dut se retenir pour ne pas avaler son vin d'un trait.

— Voilà... c'est à peu près tout.

Il se rassit, se cala confortablement dans les coussins. « Comme un chat, se dit-elle. Un gros félin menaçant. » Il but une gorgée en l'observant par-dessus le bord de son verre en cristal.

— Lieutenant, prononça-t-il d'une voix douce, qui en aurait dupé plus d'un.

— Quoi ?

— Crois-tu vraiment que je vais rester là sans intervenir ?

Elle posa son verre.

— Oui.

— Tu n'es pas une femme stupide. Tu sais combien j'admire ton instinct et ton intelligence.

— Arrête, Connors ! N'en fais pas une affaire personnelle, je t'en prie.

Une lueur de rage dansa dans ses prunelles bleues.

— C'est une affaire personnelle.

Elle se pencha vers lui.

— Non, à moins que tu ne le laisses te provoquer. C'est ce qu'il cherche, pour pouvoir s'en prendre directement à toi. Tu n'es pas un homme stupide, Connors. Tu sais combien j'admire ton instinct et ton intelligence.

Pour la première fois depuis plus d'une heure, il ébaucha un sourire.

— Un point pour toi, Eve.

— Il ne peut pas m'atteindre, s'empressa-t-elle d'ajouter en se mettant à genoux et en posant les mains sur ses épaules. Sinon à travers toi. Ne joue pas son jeu.

— Tu crains que je perde ?

Elle s'assit sur ses talons.

— Je sais très bien que tu gagneras. Et ça m'effraie d'imaginer ce que ça risque de nous coûter à tous les deux. Ne fais pas ça, Connors. Laisse-moi travailler de mon côté.

Il se tut un moment en la contemplant.

— S'il te touche encore une fois, s'il t'inflige la moindre marque, il est mort. Non, tais-toi, enchaîna-t-il avant qu'elle puisse dire quoi que ce soit. Je me tiendrai à l'écart, pour toi. Mais s'il franchit la ligne, terminé !

Il lui effleura le menton d'une caresse.

— Mon Eve chérie… tu ne le connais pas. Malgré toute ton expérience, tu n'as pas idée de ce qu'il représente. Moi, si.

Parfois, il fallait savoir se contenter de ce que l'on avait pu obtenir.

— Tu ne le poursuivras pas.

— Pas pour l'instant. Et ça ne me plaît pas, aussi restons-en là.

— Tu es encore fâché contre moi.

— Oh oui ! Très fâché.

— Qu'est-ce que tu attends de moi ? s'enquit-elle en se relevant, furieuse contre elle-même parce qu'elle mourait d'envie de lui mettre son poing dans la figure. Je t'ai demandé pardon.

— Tu m'as demandé pardon parce que je t'ai forcé la main.

— Bon, d'accord. C'est vrai, concéda-t-elle.

Agacée, elle donna un violent coup de pied dans le canapé.

— Je ne sais pas comment m'y prendre ! Je t'aime à la folie. Ça ne te suffit pas ?

Il ne put s'empêcher de rire : elle paraissait si désemparée.

— Mon Dieu, Eve, tu es impayable !

— Tu pourrais au moins m'accorder un handicap pour… Et merde ! s'exclama-t-elle, interrompue par le bip de son communicateur.

Résistant au désir de jeter l'appareil contre le mur, elle donna un deuxième coup de pied dans le canapé.

— Ici Dallas ! Qu'est-ce qu'il y a ?

— *Message destiné à Dallas, lieutenant Eve. Un homme tombé en service, pont George-Washington, direction est, niveau deux. Identification préliminaire de la victime : Mills, lieutenant Alan, affecté au 128, division des Substances illicites. Vous êtes attendue sur les lieux en tant que responsable d'enquête.*

— Ô mon Dieu ! Message reçu. Prévenez Peabody, officier Delia. J'arrive.

Elle s'était laissée tomber sur le divan, la tête entre les mains.

— Encore un flic.

— Je t'accompagne. Je t'accompagne, lieutenant, insista Connors alors qu'elle refusait d'un signe de tête. Ou sinon, j'y vais de mon côté. Habille-toi. Je prendrai le volant, ça ira plus vite.

Le pont scintillait de mille feux dans la nuit claire. Le trafic aérien était si dense qu'il dissimulait les timides tentatives du mince croissant de lune.

La vie continuait.

Au niveau deux, fermé à la circulation, une dizaine d'unités de patrouille noires et blanches s'étaient regroupées comme des chiens en chasse. Se faufilant entre des hommes en civil et en uniforme, Eve entendit un brouhaha de communications, de marmonnements et de jurons.

Sans un mot, elle s'approcha du véhicule beige garé sur la voie de secours.

Mills occupait le siège passager, paupières closes, le menton sur la poitrine comme s'il s'était assoupi. Un filet de sang coulait sur son torse.

Eve enduisit ses mains de Seal-It et examina la position du cadavre.

Calme, songea-t-elle en se penchant par la vitre baissée. Elle aperçut le badge, par terre sur le sol ensanglanté de la voiture, et les pièces d'argent.

— Qui l'a trouvé ?

— Un bon Samaritain, dit l'un des agents en s'avançant d'un pas. On le tient au chaud avec deux collègues. Il est très secoué.

— Vous avez eu son nom ? Sa déclaration ?

— Oui, lieutenant, répondit-il en sortant son mini-ordinateur et en l'allumant. James Stein, domicilié au 1001, 59ᵉ Avenue. Il rentrait chez lui – il avait travaillé tard ce soir – et il a remarqué la voiture arrêtée sur le bas-côté. La circulation était fluide, d'après lui, et il a vu quelqu'un à l'intérieur. Ça l'a intrigué. Il s'est arrêté pour proposer ses services. Constatant les faits, il nous a alertés.

— À quelle heure ?

— Euh… 21 h 15. Mon partenaire et moi sommes arrivés les premiers sur la scène, à 21 h 25. On a tout de suite reconnu le véhicule banalisé de fonction, on l'a signalé ainsi que le numéro de la plaque d'identification et une description du défunt.

— Très bien. Faites ramener Stein chez lui.

— Vous ne voulez pas l'interroger, lieutenant ?

— Pas ce soir. Vérifiez ses coordonnées et faites-le ramener chez lui.

Se détournant, elle vit Peabody et McNab émerger d'une unité de patrouille.

— Lieutenant ! lança Peabody… J'étais avec McNab quand j'ai reçu l'appel. Je n'ai pas pu me débarrasser de lui.

— Mouais, grommela Eve en jetant un coup d'œil vers Connors… Je sais ce qu'on ressent. Enregistrez tout, sous tous les angles.

Elle ne prit pas la peine de cacher son irritation en voyant le capitaine Roth bondir d'une voiture qui venait d'arriver.

Eve alla à sa rencontre.

— Votre rapport, lieutenant.

Eve n'avait pas de comptes à rendre à Roth, et toutes deux en étaient conscientes. Elles se dévisagèrent un moment.

— À ce stade, vous en savez autant que moi, capitaine.

— Ce que je sais, lieutenant, c'est que vous avez merdé et que je me retrouve avec un deuxième homme mort sur les bras.

Autour d'elles, les gens se turent brusquement, comme si on leur avait tranché les cordes vocales d'un coup de couteau.

— Capitaine Roth, je comprends votre émotion. Mais si vous cherchez à me rabaisser, je vous prie de passer par les voies officielles. Ne vous en prenez pas à moi sur ma scène de crime.

— Ce n'est plus la vôtre.

Eve fit un pas de côté pour empêcher Roth de la bousculer.

— Si. Et de ce fait, je suis en droit d'ordonner votre départ, si cela est nécessaire. Arrangez-vous pour que ce ne le soit pas.

Roth enfonça l'index dans la poitrine d'Eve.

— Vous voulez qu'on se batte, Dallas ?

— Non, mais je n'hésiterai pas si vous remettez la main sur moi ou si vous essayez de vous interposer dans mon enquête. Et maintenant, reculez.

Les yeux de Roth lancèrent des flammes, et elle montra les dents.

— Capitaine !

Clooney surgit de la foule de flics, le visage écarlate, le souffle court, comme s'il avait couru.

— Capitaine Roth, est-ce que je peux vous parler ? En privé.

Roth se ressaisit, hocha la tête et repartit au pas de charge vers son véhicule.

— Je suis désolé, lieutenant, murmura Clooney, son regard se posant sur Mills... Ça la bouleverse.

— Je comprends. Qu'est-ce que vous fabriquez ici, Clooney ?

— Les rumeurs se répandent très vite, soupira-t-il. Une fois de plus, je vais devoir frapper à une porte et consoler une veuve. Nom de nom !

Il rejoignit Roth.

— Elle n'a aucune raison de vous sauter dessus comme ça, protesta McNab, juste derrière Eve.

Celle-ci pivota sur elle-même, fixa la scène que Peabody était en train de filmer méticuleusement.

— Ça, c'est une raison suffisante.

Il n'était pas d'accord, mais il se garda d'insister.

— Je peux vous aider ?

— Je vous le ferai savoir... McNab ?

— Oui, lieutenant ?

— Vous n'êtes pas toujours complètement bouché.

Il sourit, fourra les mains dans ses poches et alla retrouver Connors.

— Salut ! Alors vous aussi, vous jouez les accompagnateurs ?

— Faut croire, gronda Connors, qui mourait d'envie d'une cigarette, ce qui le mettait de mauvaise humeur. Qu'est-ce que cette histoire a à voir avec le capitaine Roth ?

McNab haussa les épaules et Connors sourit.

— Ian, les cancans sont la spécialité des inspecteurs de la Détection électronique.

— Oui, bon. D'accord, on a fouiné un peu quand on a appris la mort de Kohli, d'autant que c'était un de ses hommes. C'est une dure de dure, dix-huit ans de carrière, une collection d'arrestations à son actif, des tonnes de récompenses pour services rendus, et deux ou trois réprimandes mineures pour insubordination.

Mais ça, c'était à ses débuts. Elle a gravi vaillamment les échelons de la hiérarchie. Elle a été promue capitaine il y a moins d'un an, et il paraît qu'elle s'accroche du bout des ongles à son titre depuis le marasme de l'affaire Ricker.

Tous deux se tournèrent vers l'endroit où Roth et Eve venaient de s'accrocher.

— Et ça, devina Connors, ça la rend susceptible.

— On dirait bien. Elle a eu un petit problème avec l'alcool, il y a quelques années. Elle a suivi une cure de désintoxication avant que ça ne dégénère. Elle en est à son second mariage et, d'après mes sources, le ménage bat de l'aile. Elle ne vit et ne respire que pour et par son boulot.

Il marqua une pause et regarda Roth, en grande discussion avec Clooney.

— Si vous voulez mon avis, elle a le flair pour « son » terrain et un sens très développé de la compétition. C'est sans doute indispensable pour pouvoir porter les barrettes de capitaine. Perdre deux hommes, ça fait mal, et le fait qu'une autre mène l'enquête doit la ronger. Surtout quelqu'un comme Dallas, avec sa réputation.

— Quelle est-elle, sa réputation ?

— C'est la meilleure, déclara McNab en toute simplicité, avec un léger sourire. Peabody veut devenir comme elle, quand elle sera grande. À propos de Peabody, je tenais à vous remercier des conseils que vous m'aviez donnés – vous savez, sur l'aspect romantique d'une relation. Ça marche plutôt bien.

— Tant mieux.

— Mais elle continue à fréquenter ce gus sous licence. J'en suis vert.

Connors baissa les yeux tandis que McNab lui tendait un paquet géant de chewing-gums au raisin. « Après tout, pourquoi pas ? » se dit-il en en prenant un.

Ils mâchèrent, l'air songeur, en contemplant leurs femmes au travail.

Eve ignora les badauds. Elle aurait pu exiger qu'on les refoule, mais avait la sensation que ce serait mal perçu. Tous ces flics étaient là pour rendre hommage à leur collègue, et s'assurer qu'eux-mêmes étaient bien vivants.

— Victime identifiée. Il s'agit de Mills, lieutenant Alan, rattaché au 128, division des Substances illicites. Blanc, âge cinquante-quatre ans.

Eve énuméra les données en soulevant légèrement le menton du cadavre.

— La victime a été découverte par le civil Stein, James, du côté passager de sa voiture de fonction, sur la voie de secours du pont George-Washington, direction est. Cause du décès non encore déterminée. Il avait bu, Peabody.

— Pardon ?

— Du gin, d'après l'odeur.

— Je ne sais pas comment vous faites, avec toute cette puanteur, marmonna Peabody entre ses dents.

D'une main enduite de Seal-It, Eve écarta la veste de Mills, constata que son arme était encore dans son étui.

— On dirait qu'il n'a même pas eu la présence d'esprit de dégainer. Pourquoi n'était-il pas au volant ? C'est son véhicule. Je ne connais pas un seul flic qui cède volontiers sa place à un autre.

Elle fronça le nez.

— Ça sent le sang, le gin et les entrailles.

Elle détacha la ceinture de sécurité, puis eut un mouvement de recul tandis que les tripes d'Alan Mills se répandaient sous sa chemise.

— Ô mon Dieu !

Peabody s'étrangla, pâle comme un linge.

— Dallas…

— Éloignez-vous. Allez-y, respirez de l'air frais.

— Ça va, je…

Mais elle avait le tournis et son estomac se rebellait. Elle eut tout juste le temps d'atteindre la rambarde avant de rendre les tacos au fromage et aux haricots rouges qu'elle avait partagés avec McNab.

Eve ferma les yeux un instant et se concentra de toutes ses forces. Ses oreilles bourdonnaient. Elle attendit d'être certaine que les grondements qu'elle entendait provenaient de la circulation au-dessus et en dessous.

Sans trembler, elle déboutonna la chemise souillée de Mills. On l'avait entaillé de la gorge à l'entrejambe.

Elle le précisa dans son rapport, pendant que Peabody finissait de rendre son dîner.

Écœurée, elle se redressa, s'écarta, aspira une grande bouffée d'air frais. Du regard, elle scruta un océan de visages moroses, horrifiés ou terrifiés. Peabody n'était pas la seule à vomir.

— Ça va, ça va, assura-t-elle en revenant.

— Allez, assieds-toi une minute. Reprends-toi, ma chérie.

— McNab, j'ai besoin de la caméra.

— Non, non, je peux le faire ! affirma Peabody en repoussant la main de McNab et en redressant les épaules. Je suis désolée, lieutenant.

— Il n'y a pas de honte. Donnez-moi votre caméra. Je vais terminer.

— Non, lieutenant. Je tiendrai le coup.

Eve opina, faillit passer la main sur son front et se rappela juste à temps dans quoi elle venait de mettre les doigts.

— Entendu… Où est le légiste ?

— Lieutenant, dit Connors en lui présentant un mouchoir en soie d'une blancheur virginale.

— Ah ! merci. Tu n'as pas le droit d'être ici. Tu dois rester en arrière.

Elle chercha un endroit où jeter l'étoffe maculée, finit par la fourrer dans un sachet transparent.

— Tu devrais t'accorder quelques minutes de répit.

— Impossible. Si je craque, si je donne ne serait-ce que l'impression que je vais craquer, je perdrai le contrôle de la situation.

Elle s'accroupit, enduisit de nouveau ses mains de Seal-It. Lorsqu'elle se releva, elle lui rendit le mouchoir dans son sac en plastique.

— Navrée.

Puis elle se campa fermement sur ses jambes, pieds écartés, tandis que Roth revenait au pas de charge, Clooney sur ses talons. Roth s'immobilisa brutalement, comme si elle venait de heurter un mur invisible, et fixa ce qui restait de l'homme qui avait servi sous ses ordres.

— Oh ! Jésus Marie mère de Dieu ! s'exclama-t-elle, les yeux secs.

Ceux de Clooney se voilèrent de larmes.

— Mon Dieu ! Mills. Mon Dieu ! regarde ce qu'ils t'ont fait...

Paupières closes, il reprit son souffle.

— On ne peut pas dire ça à la famille. On ne peut pas donner les détails. Capitaine Roth, nous devons informer les proches avant qu'ils n'apprennent la nouvelle par d'autres biais. Nous devons les épargner le plus possible.

— D'accord, Art, d'accord.

Elle jeta un coup d'œil vers Eve, qui allumait son communicateur.

— Que faites-vous ?

— Je contacte le médecin légiste, capitaine.

— Je viens de le faire. L'équipe sera là dans moins de deux minutes. Je souhaite vous parler un moment, lieutenant. En tête à tête. Clooney, aidez l'assistante du lieutenant à sécuriser la scène. Personne ne doit s'approcher.

Eve la suivit un peu à l'écart.

— Lieutenant, je vous prie d'excuser mon éclat de tout à l'heure.

— J'accepte vos excuses.

— C'est rapide.

— Vos excuses aussi.

Roth cligna des yeux, puis hocha lentement la tête.

— J'ai horreur de ça, avoua-t-elle. Je n'en suis pas arrivée là en cédant à mes sautes d'humeur et en présentant mes excuses. Vous non plus, je suppose. Au NYPSD, les femmes sont davantage surveillées et jugées.

— C'est probable, capitaine, mais je n'y prête guère attention.

— Dans ce cas, vous êtes une meilleure femme que moi, Dallas, ou alors, beaucoup moins ambitieuse. Parce que moi, ça me détruit. Ma colère envers vous était une réaction émotive, aussi inappropriée qu'importune. Si la mort de Kohli m'a terriblement affectée, c'est parce que je l'appréciais énormément. Si je n'ai pas su me maîtriser devant celle de Mills, c'est parce que je le détestais.

Elle se tourna légèrement vers la voiture.

— C'était un salaud, un homme cruel. Pour lui, c'était clair : une femme se devait d'élever des enfants et de cuisiner des tartes aux pommes, pas de porter un badge. Il ne supportait pas les Noirs, les Juifs, les Asiatiques... bref, il haïssait tous ceux qui n'étaient pas comme lui, un mâle blanc trop bien nourri. Mais c'était un de mes hommes, et je veux savoir qui lui a fait ça.

— Moi aussi, capitaine.

Roth hocha de nouveau la tête et, ensemble, elles regardèrent arriver le médecin légiste. « Morse », songea Eve. Pour les gars en bleu, on ne prenait que les meilleurs.

— Les homicides, ce n'est pas mon domaine, Dallas, comme me l'a gentiment fait remarquer Clooney. Je connais votre réputation, et je compte sur vous. Je veux... Je *souhaiterais* recevoir une copie de votre rapport.

— Vous l'aurez demain matin.

— Merci.

Elle examina longuement Eve.

— Vous êtes vraiment aussi bonne qu'on le dit ?

— Je n'écoute pas ce que l'on dit.

Roth eut un petit rire.

— Si vous voulez gravir les échelons, vous avez intérêt à changer d'optique.

Sur ce, elle lui tendit la main. Eve l'accepta. Elles prirent congé l'une de l'autre.

Levant les yeux, Eve repéra le premier hélicoptère dépêché par les médias. Elle réglerait ce problème plus tard.

— Eh bien, ils ne l'ont pas loupé ! constata Morse en enfilant une blouse de protection.

— Insistez sur les analyses toxicologiques. Je suis prête à parier qu'il était inconscient quand on l'a coupé en deux. Son arme était dans l'étui, je n'ai remarqué aucune trace de lutte. Et il empestait le gin.

— Il en aurait fallu des litres pour l'assommer au point qu'il puisse subir ce genre de traitement sans objection. Vous pensez qu'il a été tué ici ?

— Oui, à cause de la quantité de sang. L'assassin l'a saoulé – ou drogué ; il a pris le temps de déboutonner sa chemise et lui a entaillé le torse. Puis il a reboutonné la chemise et attaché la ceinture de sécurité. Il a même renversé le siège, juste assez pour que les entrailles restent en place, plus ou moins, jusqu'à ce qu'un heureux passant le détache.

— Je parie que je connais la gagnante, dit Morse, avec un sourire indulgent.

— Mmm…

Elle n'était pas près d'oublier la sensation des intestins de Mills lui glissant entre les doigts.

— Le meurtrier a conduit Mills jusqu'ici et s'en est allé. On ne relèvera pas d'empreintes… Quel culot ! Il a dû rester assis, en attendant que la voie soit libre pour descendre de la voiture. Il avait dû en prévoir une de rechange, à proximité.

— Un complice ?

— Peut-être. Je ne peux pas éliminer cette possibilité. Je vérifierai auprès des agents de la circulation. Peut-être que l'un d'entre eux a remarqué un autre véhicule sur la voie de secours, cette nuit. Il n'a pas sauté du pont, en tout cas. Il avait tout planifié. N'oubliez pas les rapports toxicologiques, Morse.

Peabody était appuyée contre la rambarde, McNab à ses côtés. Elle avait repris des couleurs, mais Eve savait quelles images défileraient dans sa tête dès qu'elle fermerait les yeux.

— McNab, vous voulez participer ?

— Avec plaisir, lieutenant.

— Allez avec Peabody récupérer les disques de circulation des guichets de péage. Tous les disques, tous les niveaux, sur les dernières vingt-quatre heures.

— Entendu !

— Peabody, effectuez une recherche standard sur James Stein, notre bon Samaritain. Je ne pense pas que vous trouverez grand-chose, mais soyons efficaces. Je vous attends au bureau de mon domicile à 8 heures.

— Vous avez rendez-vous avec Lewis dans la matinée, lui rappela Peabody. Et moi, je dois être au Central à 6 h 30.

— Je m'occupe de Lewis. Vous avez une longue nuit devant vous.

— Vous aussi, murmura Peabody. Je me présenterai au Central, conformément aux ordres reçus, lieutenant.

— Comme vous voudrez, dit Eve en passant la main dans ses cheveux. Demandez aux premiers arrivés sur la scène de vous fournir le transport.

Elle se détourna, rejoignit son mari.

— Il faut que je t'abandonne.

— Je t'accompagne jusqu'au Central. Je rentrerai à la maison par mes propres moyens.

— Je n'y vais pas tout de suite. Je dois m'arrêter en route. Je vais demander à l'un des hommes de te ramener.

Il contempla les patrouilles d'un air dédaigneux.

— Je vais me débrouiller tout seul. Merci quand même.

Décidément, personne n'était de son côté, ce soir.

— Je ne peux pas te laisser ici comme ça.

— Je vais me débrouiller tout seul, lieutenant, répéta-t-il. Où vas-tu ?

— J'ai deux ou trois choses à vérifier avant de rédiger mon rapport. Combien de temps seras-tu furieux contre moi ?

— Je n'ai pas encore décidé. Mais je ne manquerai pas de te le faire savoir.

— Tu me donnes l'impression d'être une garce.

— Ça, ma chérie, c'est ton problème.

Déchirée entre la rage et un sentiment de culpabilité, elle le fusilla des yeux.

— Tant pis ! lâcha-t-elle en saisissant le col de sa veste pour l'attirer vers elle et l'embrasser sur la bouche. À plus tard.

— Tu peux compter sur moi.

8

Don Webster fut arraché à un profond sommeil par ce qu'il prit tout d'abord pour un violent orage. Émergeant enfin de sa torpeur, il se dit que quelqu'un essayait de s'introduire dans son appartement en abattant le mur à l'aide d'une masse.

Il s'apprêtait à saisir son arme quand il comprit qu'on frappait à sa porte.

Il enfila un jean, prit son pistolet et alla coller son œil au judas.

Mille pensées se bousculèrent dans son esprit, dans un mélange de plaisir, de fantasme et de malaise. Il ouvrit.

— Tu passais par hasard dans le quartier ?

— Espèce de salaud ! rétorqua Eve en le bousculant pour entrer et en claquant la porte derrière elle. Je veux des réponses, et je les veux maintenant.

— C'est vrai que tu n'as jamais aimé les préliminaires, railla-t-il.

Aussitôt, il regretta ses paroles. Il se reprit en affichant un sourire insolent.

— Quoi de neuf ?

— Un deuxième flic vient de tomber, Webster.

Son sourire se volatilisa.

— Qui ? Comment ?

— C'est à toi de me le dire.

Ils se dévisagèrent un moment. Webster fut le premier à se détourner.

— Je n'en sais rien.

— Qu'est-ce que tu sais ? Quelle est la position du BAI là-dessus ? Parce qu'il y en a une. Je la flaire.

— Écoute, tu débarques chez moi à... 1 heure du matin, tu me sautes à la gorge et tu m'annonces qu'un collègue est mort. Tu ne me dis pas qui c'est, ni comment c'est arrivé, et tu veux que je t'abreuve d'informations !

— Mills ! glapit-elle. Inspecteur Alan. Division des Produits illicites, comme Kohli. Tu veux savoir comment ? Quelqu'un lui a ouvert le torse, des amygdales aux couilles. Je le sais, parce que c'est moi qui ai récupéré ses tripes dans mes mains.

— Seigneur ! Seigneur ! murmura-t-il en se frottant le visage. J'ai besoin d'un remontant.

Il s'éloigna.

Eve lui emboîta le pas. Elle repensa vaguement à son ancien logement, celui qu'il habitait à l'époque où il travaillait sur le terrain. Celui-ci était nettement plus vaste, plus chic.

Le BAI payait grassement ses employés, songea-t-elle avec une pointe d'amertume.

Il se précipita dans la cuisine, ouvrit le réfrigérateur, en sortit une bière. Il jeta un coup d'œil vers elle, hésita, en prit une seconde.

— Tu en veux une ?

Comme elle ne réagissait pas, il la rangea.

— Comme tu voudras... Où est-ce que ça s'est passé ? demanda-t-il après avoir bu.

— Je ne suis pas ici pour répondre à tes questions. Je ne suis pas ton indic.

— Pas plus que je ne suis le tien, riposta-t-il en s'adossant contre le comptoir.

Il devait à tout prix se ressaisir, maîtriser ses émotions, sans quoi elle risquait de le faire trop parler.

— C'est toi qui es venu me chercher, lui rappela-t-elle. À la pêche aux tuyaux. Ou en tant que messager du BAI.

Le regard de Webster se durcit, mais il but de nouveau, tranquillement.

— Si tu as un problème avec moi, soumets-le au Bureau des Affaires internes. Tu verras où ça te mènera.

— Je résous mes problèmes toute seule. Quel est le point commun entre Kohli, Mills et Max Ricker ?

— En t'attaquant à Ricker, tu ne réussiras qu'à mettre le feu aux poudres et à te brûler.

— Je me suis déjà attaquée à lui. Tu n'étais pas au courant, n'est-ce pas ? ajouta-t-elle avec satisfaction. Ce petit joyau ne t'était pas encore tombé entre les mains. Je viens d'inculper quatre de ses hommes.

— Tu ne les garderas pas longtemps.

— Peut-être pas mais, avec un peu de chance, j'en tirerai plus que de mon collègue. Tu as pourtant été flic, autrefois ?

— Je le suis toujours. Bon sang !

— Dans ce cas, comporte-toi comme tel.

— Tu t'imagines que si je ne récolte pas les honneurs de la presse, c'est parce que je me fiche de mon boulot ? Je fais ce que je fais parce que ça me plaît. Si tous les policiers étaient aussi purs et durs que toi, on n'aurait pas besoin du BAI.

— Est-ce qu'ils étaient corrompus ? Mills et Kohli. C'étaient des ripoux ?

L'expression de Webster devint impassible.

— Je ne peux pas te le dire.

— Parce que tu n'en sais rien, ou parce que tu t'y refuses ?

Il la regarda droit dans les yeux et, l'espace d'un éclair, elle crut déceler dans ses prunelles une lueur de regret.

— Je ne peux pas te le dire.

— Le BAI a-t-il lancé une enquête impliquant Kohli, Mills et/ou d'autres officiers affectés au 128 ?

— Si oui, ce serait confidentiel. Je ne serais pas en mesure de confirmer ou de nier, ni de discuter les détails.

— Où Kohli a-t-il trouvé les fonds pour renflouer ses comptes épargne ?

Webster pinça les lèvres.

— Je ne ferai aucun commentaire sur cette allégation.

— Est-ce que je vais découvrir des sommes similaires sur un compte au nom de Mills ?

— Sans commentaires.

— Tu devrais faire de la politique, Webster.

Elle tourna les talons.

— Eve... Attention ! murmura-t-il. Sois prudente.

Elle sortit sans un mot, le laissant planté sur place aux prises avec ses démons.

Puis il alla brancher son vidéocom.

Eve passa ensuite chez Feeney. Pour la deuxième fois de la nuit, elle arracha un homme à son sommeil. Les yeux gonflés, plus froissé que de coutume, vêtu d'un peignoir bleu élimé révélant ses jambes trop maigres, il lui ouvrit.

— Dallas ! Il est 2 heures du matin !

— Je sais. Désolée.

— Eh bien... entre, mais parle tout bas, avant que ma femme se réveille et se croie obligée de nous préparer du café.

L'appartement était petit, plus modeste que celui de Webster, en taille comme en style. Un énorme fauteuil trônait au milieu de la salle de séjour, face à l'écran géant. Les stores étaient baissés, donnant l'impression de se trouver dans une boîte à chaussures usagée.

Eve se sentit immédiatement à l'aise.

Il se rendit dans la cuisine, un espace étroit équipé d'un comptoir le long d'un mur. Eve savait qu'il l'avait bricolé lui-même, parce qu'il s'en était vanté pendant des semaines. Sans un mot, elle se percha sur l'un des tabourets et le laissa programmer l'autochef.

— Je pensais que tu viendrais plus tôt. Je t'ai guettée un moment.

— Navrée, mais j'ai été retenue ailleurs.

— Oui, j'en ai entendu parler. Il paraît que tu es allée affronter Ricker. C'est risqué.

— Je vais le dévorer tout cru.

— Assure-toi qu'il ne te reste pas définitivement sur l'estomac.

Feeney posa deux tasses de café fumant sur le plan de travail et prit place sur le deuxième tabouret.

— Mills est pourri.

— Mills est mort.

— Merde !

Feeney marqua une pause.

— Il est mort riche. On est tombés sur deux millions et demi de dollars gentiment éparpillés sur divers comptes, il y en avait peut-être encore ailleurs. Il s'est bien débrouillé pour cacher son jeu, en se servant essentiellement de noms de parents décédés.

— Est-ce qu'on peut remonter la filière pour savoir d'où vient cet argent ?

— Pour l'instant, on n'a pas eu de chance. Pas plus qu'avec Kohli, d'ailleurs. L'argent a été tellement blanchi qu'il est complètement stérilisé. Mais je peux te dire que Mills a commencé à alimenter sérieusement ses fonds de pension et son portefeuille deux semaines avant l'arrestation de Ricker. C'est là que ça a vraiment commencé.

Il frotta sa barbe naissante.

— Kohli a démarré plus tard. Plusieurs mois après. Je n'ai encore rien sur Martinez. Soit elle est propre, soit elle a pris plus de précautions. J'ai vérifié les états de Roth.

— Et ?

— Et, depuis six mois, elle a sorti des montants importants, de tous ses comptes. *A priori*, on pourrait penser qu'elle est complètement fauchée.

— Il existe un lien entre les retraits ?

— Je suis encore dessus, soupira-t-il. J'envisage de consulter leurs archives et leurs relevés de communications. Seulement, ça va être un peu long, parce que je dois y aller en douce.

— Très bien, merci.

— Qu'est-il arrivé à Mills ?

Elle but une gorgée de café avant de lui raconter la scène.

— C'était un connard, dit Feeney, mais ça, c'est franchement ignoble. C'est forcément quelqu'un qu'il connaissait. On ne s'approche pas comme ça d'un flic pour le découper en morceaux s'il n'est pas parfaitement détendu.

— Il avait bu. D'après moi, il avait bu avec l'assassin. Comme Kohli. Peut-être qu'ils s'étaient donné rendez-vous pour aller faire un tour ensemble. Il ne se méfie pas, il est imbibé, rideau !

— Oui, probablement. Tu as eu raison de mettre McNab sur les passages des véhicules. Il saura se montrer efficace.

— Il vient chez moi avec Peabody demain à 8 heures. Tu peux te joindre à nous ?

Il eut son petit sourire de basset triste.

— Compte sur moi.

Il était presque 4 heures lorsqu'elle rentra enfin chez elle, sous une fine pluie de printemps. Elle prit une douche bien chaude pour se laver des horreurs de la nuit. Le front appuyé au carrelage frais, elle laissa couler l'eau jusqu'à ce qu'elle ne sente plus ni le sang ni la bile.

Elle régla son réveil pour 5 heures. Elle avait l'intention de s'attaquer de nouveau à Lewis, ce qui l'obligeait à regagner le Central dans un peu plus d'une heure. D'ici là, elle dormirait.

Elle se coucha, heureuse de sentir la chaleur de son mari. Connors était sûrement réveillé. Il avait un sommeil léger, il avait dû la sentir arriver.

Mais il ne se tourna pas vers elle comme à son habitude, ne lui tendit pas les bras, ne lui murmura pas de paroles douces.

Eve ferma les yeux.

Quand elle se réveilla, une heure plus tard, elle était seule.

Elle était dans sa voiture, prête à démarrer, quand Peabody émergea de la maison.

— J'ai failli vous rater !

— Me rater ? Qu'est-ce que vous faites ici ?

— J'ai dormi ici. Avec McNab.

Dans une chambre dont elle rêverait jusqu'à la fin de ses jours.

— On vous a apporté les disques que vous nous avez demandés. Connors a pensé que ce serait plus simple pour nous si on restait là.

— Connors ?

— Euh… oui, marmonna Peabody en s'installant du côté passager et en attachant sa ceinture. Il est venu avec nous récupérer les fichiers, puis il a fait venir sa voiture, et nous sommes revenus ensemble nous mettre au travail.

— Qui s'est mis au travail ?

Peabody crut détecter une certaine nervosité dans la voix d'Eve.

— Eh bien... moi, McNab et... Connors. Il nous a déjà aidés pour ce genre de consultation technique, donc, je me suis dit que... J'ai eu tort ?

— Non, non.

À quoi bon réagir, de toute façon ?

La lassitude d'Eve ne plut pas du tout à Peabody.

— On s'est arrêtés aux alentours de 3 heures, expliqua-t-elle. Je n'avais encore jamais dormi dans un lit-gel. On a l'impression d'être sur un nuage, sauf qu'on ne pourrait jamais rester sur un nuage. McNab ronflait comme un train, mais j'ai sombré à peine la tête posée sur l'oreiller. Vous êtes fâchée contre Connors ?

— Non.

« Mais lui m'en veut encore... »

— Avez-vous repéré le véhicule de Mills sur l'un des disques ?

— Ô mon Dieu ! Je n'en reviens pas de ne pas vous l'avoir dit. Oui. Il a franchi le péage à 20 h 18. On jurerait qu'il était endormi. Mais il suffit de zoomer pour voir le sang.

— Qui était au volant, Peabody ?

— Ça, c'est la mauvaise nouvelle. Personne. McNab dit qu'il faudrait vérifier l'ordinateur de bord, mais apparemment, il était en mode automatique.

— Il l'avait programmé.

Eve n'y avait pas songé. Quelle assurance, quelle audace ! L'assassin avait emmené Mills quelque part, puis programmé la voiture. S'il y avait eu le moindre problème, tant pis.

— Oui, c'est ce que nous avons déduit. McNab l'a surnommée la météore de la mort. Parce que la voiture, c'était un modèle Météore... À cette heure-là, on échange des plaisanteries douteuses, je suppose.

— Il faut un code spécial, pour programmer un véhicule de la police. Un code, ou une autorisation.

— D'après Connors, on peut procéder autrement, il suffit de connaître la méthode.

Eve appela Feeney pour lui demander de filer à la fourrière et de procéder au plus vite aux tests adéquats.

— Si on ne relève rien d'anormal, c'est qu'il aura obtenu le code ou l'autorisation.

— Il n'a pas pu avoir l'autorisation ! protesta Peabody. Pour cela, il aurait fallu que ce soit…

— Exactement. Un flic.

Peabody arrondit les yeux, effarée.

— Vous ne pensez tout de même pas que…

— Écoutez-moi. Une enquête sur un meurtre ne commence pas avec un cadavre. Elle commence par une liste, des possibilités, des angles. On boucle le dossier en réduisant la liste, en éliminant les possibilités, en examinant tous les angles. On prend les éléments, les preuves, l'histoire, la scène, la victime et l'assassin, et on rassemble les pièces du puzzle jusqu'à ce que chacune ait sa place. Gardez ça pour vous, enchaîna Eve. Ne dites rien. Mais si on compte un plus un, et si on obtient un flic, on fera avec.

— Entendu. Tout ça me rend malade.

— Je sais, concéda Eve en descendant de sa voiture. Faites venir Lewis en salle d'interrogatoire.

Elle but un café très fort, prit sa vie en main et s'offrit une viennoiserie au distributeur. Le chausson fourré à la framboise n'était pas des meilleurs, mais il lui cala l'estomac.

Elle entra dans la pièce avec, à la main, une tasse remplie à ras bord de son café préféré – ou plutôt, celui de Connors – pour son arôme à faire damner un saint. Tout sourires, elle s'installa, pendant que Peabody se postait devant la porte, le regard méchant. Eve brancha le magnétophone.

— Bonjour, Lewis. Quelle belle journée, n'est-ce pas ?

— Il paraît qu'il pleut.

— Mais la pluie, c'est excellent pour les fleurs ! Alors ? Comment avez-vous dormi ?

— Très bien.

Elle sourit de nouveau, but un peu. Il avait les yeux cernés ; il ne s'était sans doute pas plus reposé qu'elle.

— Bien, comme nous le disions lors de notre dernière rencontre…

— J'ai pas à répondre à vos conneries sans mon avocat.

— Mes conneries ? Peabody, repassez l'enregistrement afin de vérifier si j'ai prononcé le mot conneries, je vous prie.

— Ça ne marchera pas avec moi, rétorqua Lewis. J'ai rien à dire. Je garde le silence. C'est mon droit.

— Accrochez-vous à vos droits, Lewis, tant que c'est possible. Au Centre pénal d'Omega, ils ne vous serviront pas à grand-chose. Parce que c'est là que je vais vous envoyer. Ce sera l'un des buts de mon existence : vous mettre dans une de leurs plus petites cages en béton. Vous pouvez donc garder le silence et me laisser parler. Conspiration d'enlèvement d'un officier de police.

— Vous ne pouvez rien prouver. On ne vous a pas touchée.

— Quatre hommes armés à bord de deux véhicules m'ont poursuivie à une vitesse élevée, d'un État à l'autre. Vous n'auriez jamais dû franchir la frontière, camarade. Je pourrais très bien présenter cette affaire au niveau fédéral et, à mon humble avis, le FBI s'en donnerait à cœur joie. Vu votre casier judiciaire, la seule accusation de port d'armes interdites suffirait à vous expédier sur Omega. Sans parler des drogues.

— Je ne suis pas un toxico.

— Il y avait des substances illicites dans la voiture que vous conduisiez. Encore une erreur. Si vous aviez été passager, vous auriez eu une chance de mieux vous en sortir. Mais en tant que conducteur… Ricker ne viendra même pas vous saluer quand on vous embarquera à bord de la navette interplanétaire.

— J'ai rien à dire.

— Oui, je sais.

Cependant, il commençait à transpirer.

— Je parie que l'avocat vous a fait des promesses. Je parie que je peux vous les citer. Vous ferez de la prison, mais vous aurez des compensations. Ils s'arrangeront pour que vous soyez bien installé. Cinq ans, sept tout au plus. Et vous repartirez riche.

Elle vit, à son regard, qu'elle avait marqué un point.

— Évidemment, il ment comme il respire, et je pense que vous êtes assez malin pour l'avoir compris cette nuit. Une fois sous les verrous, c'est fini, et si vous avez le malheur de vous plaindre, un de vos codétenus s'empressera d'agir. Du poison saupoudré sur votre purée déshydratée... Un coup dans les reins pendant votre quart d'heure de promenade... Un accident sous la douche, une malencontreuse glissade sur une savonnette, vous vous briserez le cou. Vous serez mort avant d'avoir compris d'où ça venait.

— Si je parle, je serai mort avant même d'arriver là-bas.

« Épatant ! se dit-elle en se penchant vers lui. Première fissure dans la carapace. »

— Vous savez qu'on a les moyens de protéger un témoin.

— Tu parles ! Il est capable de retrouver n'importe qui, n'importe où.

— Il n'est pas magicien, Lewis. Je vous offre une échappatoire. Donnez-moi ce que je veux, et j'obtiendrai votre libération, une nouvelle existence à l'endroit de votre choix, ici ou sur une autre planète.

— Pourquoi je vous ferais confiance ?

— Parce que moi, je n'ai aucune raison de souhaiter votre mort. Ça vous en bouche un coin ?

Lewis se contenta de s'humecter les lèvres.

— J'ai la sensation que Ricker est assez instable. Qu'est-ce que vous en pensez, Lewis ?

Elle lui accorda quelques instants pour réfléchir, avant de reprendre :

— Ricker va se dire que vous avez merdé. Peu importe qu'il vous ait envoyé me rattraper. C'était stupide de sa part. Il va vous reprocher d'avoir loupé votre coup. Vous le savez. Vous le savez, et vous savez qu'il est un peu fou.

Lewis y avait réfléchi toute la nuit, se tournant et se retournant sur sa couchette. Il en était venu à cette conclusion lui-même, et il se méfiait comme de la peste de Canarde. Ricker ne pardonnait jamais les fautes de ses employés.

— Je n'irai pas en prison.

— On s'y efforcera.

— Sûrement pas ! Vous m'obtenez l'immunité. Je ne dirai pas un mot avant d'avoir vu la paperasse. L'immunité, Dallas, une nouvelle identité, un nouveau visage, et 150 000 dollars d'argent de poche pour redémarrer de zéro.

— Vous voulez peut-être une ravissante épouse et quelques enfants aux joues roses en prime ?

— Ah, ah ! Très drôle.

Il se sentait beaucoup mieux, à présent.

— Arrangez-vous et je parlerai.

— Je m'y mets tout de suite, annonça-t-elle en se levant. On vous obligera peut-être à vous présenter en audience. Restez calme. Et silencieux. Si jamais Canarde a vent de tout ceci, il ira directement le rapporter à Ricker.

— Je sais comment ça fonctionne.

— Vous avez bien joué, commenta Peabody tandis qu'elles s'éloignaient dans le couloir.

— Oui.

Eve était déjà en train de contacter les autorités, mais elle tomba sur une messagerie énonçant les heures d'ouverture du bureau.

— J'ai l'impression que je vais encore tirer quelqu'un du lit aujourd'hui, marmonna-t-elle. Allons-y, je veux jeter un coup d'œil sur le disque et mettre tout le monde au courant.

— Tout le monde ?

— Feeney se joint à nous.

En arrivant à la maison, elle s'attendait plus ou moins à trouver Connors et McNab penchés sur son ordinateur. Découvrant McNab tout seul, elle fut surprise, courroucée et déçue. Jetant un coup d'œil sur la porte séparant leurs lieux de travail respectifs, elle nota que la lumière rouge était allumée – signe que Connors s'était enfermé à clé.

Pour rien au monde elle n'irait frapper.

— Je ne peux pas faire mieux, lieutenant, annonça McNab. J'ai amélioré l'image, elle est parfaitement nette, mais tout ce qu'on voit, c'est un macchabée assis dans une voiture.

Elle s'empara de la feuille qu'il lui avait imprimée, examina Mills.

— Revoyez les segments qui suivent celui-ci. Je veux que vous arrêtiez et agrandissiez chaque voiture, camionnette, scooter ou moto ayant franchi ce point jusqu'à ce qu'on ait fermé l'accès à la circulation.

— Vous voulez tous les véhicules qui ont traversé le pont, direction est, niveau deux, sur plus d'une heure ?

— Exactement, répliqua-t-elle sèchement. Ça vous pose un problème ?

— Non. Non, lieutenant.

McNab s'autorisa un soupir.

Eve s'installa devant son vidéocom pour contacter le bureau du Dr Mira et organiser une réunion, le lendemain, avec le profileur le plus réputé du NYPSD. Après une légère hésitation, elle appela Whitney.

— Commandant, j'ai demandé au capitaine Feeney et à l'inspecteur McNab de m'assister sur l'affaire en cours.

— Vous êtes autorisée à impliquer la DDE et tous ceux que vous jugerez nécessaires. Où en êtes-vous sur l'homicide Mills ?

— Je préférerais vous en parler de vive voix, commandant, quand j'aurai plus de données en main. Entretemps, je souhaite qu'on mette l'inspecteur Martinez, du 128, sous surveillance.

— Croyez-vous qu'elle soit connectée à ces décès ?

— Rien ne me permet de l'affirmer, commandant. Pourtant je pense que Martinez, si elle n'est pas impliquée, pourrait devenir une cible. Je compte m'entretenir avec elle, mais j'ai quelques problèmes à régler avant.

— Très bien, lieutenant. Je m'en occupe.

— Commandant, êtes-vous au courant d'une éventuelle enquête conduite par le BAI sur Kohli, Mills et Martinez ?

Il fronça les sourcils.

— Pas du tout. Et vous ?

— Non, mais j'ai quelques inquiétudes.

— C'est noté. Faites-moi parvenir votre rapport pour midi. Les médias flairent un scoop, ils sont sur le pied de guerre.

— Bien, commandant.

Eve joignit ensuite Nadine Furst, de Channel 75, à son domicile.

— Dallas, vous avez lu dans mes pensées ! Je viens de recevoir un tuyau d'une source fiable. Qui assassine tous ces flics ?

Eve consulta sa montre.

— Retrouvez-moi à mon bureau à... 10 h 30 précises. Je vous rencontrerai seule à seule et vous communiquerai les éléments dont je dispose, en exclusivité, avant toute conférence de presse.

— Qui dois-je tuer, en échange ?

— Nous n'irons pas jusque-là. J'aimerais juste que vous laissiez filtrer quelques renseignements. De source policière anonyme. Vous avez souvent peur, Nadine ?

— Vous plaisantez ? J'ai fréquenté un dentiste. Rien ne m'effraie.

— Il faudra vous couvrir malgré tout. La fuite concerne Max Ricker.

— Seigneur Dieu, Dallas ! Qu'est-ce que vous avez sur lui ? C'est confirmé ? Qu'est-ce que je renifle ? Je sens que je vais ramasser le prix Emmy, non, non, le Pulitzer !

— Du calme. À 10 h 30 précises, Nadine. Et si j'entends quoi que ce soit avant ça, vous êtes fichue.

— Compris !

Eve coupa la communication, réfléchit aux initiatives à prendre d'urgence, puis se tourna vers Peabody et McNab, qui la fixaient attentivement.

— Vous avez un problème ?

— Non, non, lieutenant. On travaille. J'ai déjà étudié les dix premières minutes.

— C'est trop peu.

— Peut-être que si j'avalais un petit-déjeuner...

— Vous êtes là depuis huit heures au moins. Il ne doit plus rien rester à manger.

De nouveau, elle regarda la porte de Connors. Tentée, très tentée. L'arrivée de Feeney lui épargna d'avoir à prendre une décision difficile.

— Voilà ! annonça-t-il en déposant les disques sur son bureau, avant de s'asseoir. Les diagnostics, les analyses informatiques. J'ai tout vérifié, en long, en large et en travers. Le programme n'a pas été trafiqué. J'en mets ma main à couper.

— Il s'est servi du code de Mills ? demanda Eve.

— Non et, de toute façon, s'il l'avait eu, c'est probablement Mills qui le lui aurait donné.

Feeney fouilla dans sa poche, en sortit une poignée de cacahuètes.

— C'était un code d'autorisation d'urgence – ancien, mais encore valide sur cette voiture. La Maintenance l'utilisait pour consulter les parcours et les données des unités hors service. Depuis quelques années, ils ont un nouveau système, mais les vieux véhicules répondent encore à celui-ci. Le hic, c'est qu'il avait besoin d'un passe-partout.

— Mills en avait un dans sa poche.

— Oui, murmura Feeney. Oui, tu me l'avais signalé. Bref, le meurtrier a agi étape par étape.

Elle opina, ignorant l'étau qui se resserrait autour de sa poitrine.

— Bon. Tout porte à croire qu'on est à la recherche d'un flic, en activité ou retraité.

— Merde !

— Les deux victimes connaissaient leur agresseur et lui faisaient confiance où, du moins, ne se sentaient pas menacées par lui.

Elle se déplaça derrière son bureau, alluma l'écran mural.

— Kohli, commença-t-elle en traçant un diagramme. Kohli à Mills. Mills à Martinez. Roth est liée aux trois. Au milieu, Max Ricker. Qui ai-je oublié ?

En guise de réponse, elle afficha une liste de tous ceux qui avaient œuvré à l'arrestation de Ricker.

— Vérifiez tous ces fichiers. Soyez discrets. Concentrez-vous sur les états financiers. Kohli et Mills avaient tous deux des comptes épargne trop bien garnis. Suivez le fric.

Elle marqua une pause, scruta leurs visages.

— C'est dégueulasse, marmonna McNab... Lieutenant, si ces deux-là étaient des ripoux, s'ils prenaient l'argent de Ricker ou d'un de ses sbires, pourquoi les éliminer ? Pourquoi un de leurs collègues impliqué dans l'histoire s'en prendrait-il à eux ?

— Pensez-vous qu'il existe un code d'honneur chez les escrocs, McNab ?

— Non, mais tout de même. Quel pouvait être leur intérêt ?

— Se protéger. Les remords, la culpabilité, répondit-elle en haussant les épaules. Ou, plus simplement, Ricker en aura payé un autre pour nettoyer le terrain. Trente pièces d'argent, ajouta-t-elle, songeuse. Ricker adore l'argent. L'assassin ne figure peut-être pas sur cette liste, mais vous y trouverez sans doute la prochaine cible. Trente pièces d'argent, répéta-t-elle. Symbole de trahison. Le tueur voulait-il nous faire comprendre que ces flics étaient corrompus ? Nous devons découvrir pourquoi. Commencez par trouver combien d'entre eux ont les mains sales.

— Quand ça va sortir, ça va barder, dit Feeney. J'en connais plus d'un qui t'en voudra d'avoir jeté l'opprobre sur le badge.

— Il est déjà couvert de sang. Il faut que j'aille au Central, puis que je passe au tribunal. Je vous fais installer un deuxième ordinateur pour que vous puissiez travailler en réseau.

La lumière rouge était toujours allumée. Eve n'allait pas s'humilier en frappant à la porte de Connors devant ses collègues. Elle sortit de la pièce, longea le couloir et, ravalant son amour-propre, frappa à l'autre porte.

Connors lui ouvrit en personne, sa mallette à la main.

— Lieutenant ! Je m'apprêtais justement à partir.

— Oui, eh bien, moi aussi. Mon équipe va rester ici, aujourd'hui. Ça m'arrangerait d'avoir un ou deux ordinateurs en plus.

— Summerset leur donnera tout ce dont ils ont besoin.

— Parfait. Eh bien…

Il lui effleura le bras tandis qu'ils se dirigeaient ensemble vers l'escalier.

— Autre chose ?

— Ça m'ennuie de savoir que tu continues à m'en vouloir.

— Je m'en doute. Qu'est-ce que tu veux que j'y fasse ? demanda-t-il d'un ton tellement mielleux qu'elle dut se retenir pour ne pas lui flanquer un coup de pied.

— Tu y arrives mieux que moi. Nous ne sommes pas sur un terrain d'égalité.

— La vie est injuste... Je t'aime, Eve. Rien ne pourra changer ça. Mais, parfois, tu m'exaspères.

Un flot de soulagement la submergea.

— Écoute, je voulais simplement éviter que tu sois impliqué dans...

— Ah, l'interrompit-il en posant l'index sur ses lèvres pour lui intimer le silence, nous y sommes ! Nous n'avons pas le temps d'explorer cette voie pour l'instant, aussi je te propose de réfléchir un peu de ton côté entre deux rendez-vous.

— Ne me fais pas passer pour une idiote.

Il l'embrassa. C'était déjà ça.

— Va travailler, Eve. Nous reparlerons de cela plus tard.

Elle l'entendit donner des ordres à Summerset dans le vestibule, puis il sortit.

Eve descendit quelques marches, se remémorant la scène et imaginant toutes les reparties pleines d'esprit qu'elle aurait pu lui balancer, si elle avait eu le temps d'y penser.

— Lieutenant...

Summerset l'attendait en bas. Il lui tendait sa veste, ce qu'il ne faisait jamais.

— Je veillerai à ce que vos associés aient tout le matériel nécessaire.

— Très bien. Merci.

— Lieutenant.

Elle glissa les bras dans la veste tendue en serrant les dents.

— Quoi, encore ?

Il ne cilla pas.

— Concernant vos actes d'hier soir...

— Stop ! trancha-t-elle en le bousculant pour passer.

— Je crois que vous aviez parfaitement raison, conclut-il.

Elle s'immobilisa, sidérée, et se tourna vers lui.

— Qu'est-ce que vous avez dit ?

— Vous m'avez parfaitement entendu, et j'ai horreur de me répéter.

Sur ce, il disparut.

9

Nadine Furst arriva à l'heure précise, prête à tourner. Eve ne lui avait pas donné son accord pour un passage en direct, mais elle ne s'y opposa pas. C'était un point mineur – que Nadine ne manqua pas de noter.

Au fil du temps, elles avaient appris à se connaître et étaient devenues amies. Elles attaquèrent l'interview sans tarder. Il n'y aurait pas de scoop. Nadine était parfaitement consciente qu'Eve Dallas ne lâchait une bombe que lorsqu'elle prévoyait de s'en servir à ses propres fins.

Néanmoins, un entretien en primeur avec la responsable de l'enquête et son reportage soigneusement documenté lui permettraient de gagner une part considérable d'audience sur la concurrence.

« Selon les informations dont nous disposons actuellement, conclut Nadine, il semblerait que le ou les meurtriers de l'inspecteur Kohli et du lieutenant Mills aient employé des méthodes radicalement différentes. Est-ce le fait qu'ils aient appartenu à la même équipe qui vous amène à envisager un lien entre les deux homicides ? »

« Question intelligente », songea Eve. Elle se doutait bien que Nadine s'était renseignée sur les deux victimes et savait que toutes deux avaient participé à l'arrestation de Ricker. Mais elle était assez maligne pour ne pas évoquer ce dernier sans un signal de son interlocutrice.

« Cette connexion, et certaines preuves, que le département ne peut pas encore révéler, nous conduisent à penser que l'inspecteur Kohli et le lieutenant

Mills ont été tués par un seul et même individu. Non seulement ils appartenaient tous deux au 128 mais, en plus, ils avaient travaillé ensemble sur un certain nombre de dossiers. Nous explorons toutes les voies possibles. Le NYPSD usera de tous les moyens pour retrouver, identifier et inculper l'assassin de deux collègues.

— Merci, lieutenant. C'était Nadine Furst, en direct du Central pour Channel 75. »

Elle rendit l'antenne à sa station, hocha la tête en direction de l'opératrice, puis se cala confortablement dans son siège.

« Comme un chat prêt à bondir sur un gros canari », pensa Eve.

— Et maintenant...

— Malheureusement, je suis pressée. On m'attend au tribunal.

Nadine bondit de son fauteuil.

— Dallas...

— Si vous m'accompagniez ? proposa Eve mine de rien, en fixant la camerawoman d'un œil noir.

— Volontiers. Il fait tellement beau ! Lucy, vous pouvez y aller. Je prendrai les transports en commun.

— Comme vous voudrez.

Toujours affable, et comprenant qu'il y avait anguille sous roche, Lucy ramassa son matériel et s'en alla.

— Alors ? demanda Nadine, dès qu'elle et Eve furent seules. Ricker...

— Pas ici. Allons nous promener.

— Vous parliez donc sérieusement, murmura Nadine en examinant les fins talons de ses escarpins. Mon Dieu ! Ce que je dois endurer pour que le public soit informé !

— Vous ne portez ces engins de torture que parce qu'ils vous font de jolies jambes.

— Exact.

Résignée, Nadine suivit Eve dans le couloir.

— Comment ça va, sur le plan personnel ?

En se dirigeant vers l'ascenseur, Eve se surprit à avoir envie de confier à Nadine ses problèmes avec Connors. Après tout, Nadine était une femme, et Eve éprouvait le besoin de discuter de stratégie féminine ou quelque chose du genre.

Puis elle songea qu'en dépit de sa beauté, de son intelligence et de sa bonne humeur naturelle, Nadine n'était pas vraiment une championne des relations hommes-femmes.

— Très bien.

— Eh bien, vous en mettez du temps à répondre ! Quelques petits soucis, au paradis ?

— Je suis préoccupée, c'est tout.

Elles émergèrent du bâtiment, et Eve décida d'emprunter le chemin le plus long. Il lui fallait de l'air, et un peu de temps.

— Tout ce que vous savez, vous l'aurez appris d'une source policière anonyme, Nadine.

— Bien entendu, Dallas. Cependant, vu le face-à-face qu'on vient de présenter, les gens ne vont pas avoir beaucoup de mal à deviner qui est ladite source.

— Pas possible !

Nadine la dévisagea.

— Je suis désolée d'avoir un métro de retard. Je vais tâcher d'y remédier tout de suite. Si je comprends bien, vous voulez que certaines personnes vous accusent, ou du moins vous soupçonnent d'être à l'origine de l'information que vous allez me communiquer.

— C'est plutôt une supposition. Vous en ferez ce que vous voudrez. Vous savez déjà – sans quoi je perds mon temps avec vous – que Kohli et Mills ont participé à l'arrestation de Ricker.

— Oui, c'est ce que j'ai cru saisir. L'équipe était formée d'une dizaine de flics et de plusieurs fonctionnaires de l'administration. Ricker est un type dangereux, mais de là à imaginer qu'il se venge sur tout un groupe de policiers… Et en quel honneur ? Parce que ça l'a énervé ? Certes, il a perdu un paquet de fric, mais il s'en est sorti.

— J'ai des raisons de croire qu'il avait des liens avec au moins l'une des victimes.

« Reste vague, se dit Eve. Laisse à la journaliste le soin de creuser. »

— Ce matin, quatre hommes doivent passer en audience. Des employés de Max Ricker. Ils sont accusés de divers crimes, notamment poursuite illégale d'un officier de police. Si Ricker a le culot d'envoyer ses gorilles aux trousses d'un flic en plein jour, j'ai l'impression que ça ne le dérangerait pas trop d'organiser les meurtres des collègues.

— Quoi ? Il en a après vous ? Dallas, en tant que reporter, ce que vous m'annoncez là me donne des frissons. Mais en tant qu'amie, ajouta-t-elle en posant la main sur son bras, je vous conseillerais de prendre des vacances. Très, très loin.

Eve s'immobilisa au bas des marches du palais de justice.

— Votre source policière ne peut pas vous dire que Ricker est suspecté du meurtre, ou de conspiration du meurtre de deux agents du NYPSD. Mais votre source peut vous dire que les enquêteurs examinent avec la plus grande attention les activités et les associations du dénommé Max Edward Ricker.

— Vous n'arriverez pas à le coincer, Dallas. Il est comme la fumée, il se volatilise sans cesse.

— Vous verrez, promit Eve en gravissant l'escalier.

— Sûrement, marmonna Nadine. Et je vais m'inquiéter, aussi.

Eve poussa les portes et s'efforça de ne pas soupirer en voyant les queues devant les portiques de sécurité. Elle choisit la plus courte, réservée aux policiers et aux officiels de la ville. Elle venait de passer quand, tout à coup, ce fut le chaos.

Elle entendit les cris en provenance du premier étage, où avait lieu l'audience de Lewis. Fonçant dans l'escalier, elle se faufila entre les avocats et les groupies des tribunaux déjà rassemblés.

Lewis gisait à terre, les yeux révulsés.

— Il est tout simplement tombé ! s'exclama quelqu'un. Comme ça, d'un coup ! Il faut appeler un médecin !

Jurant entre ses dents, Eve se précipita vers lui, s'accroupit.

— Madame, écartez-vous, s'il vous plaît.

Elle leva les yeux vers l'agent en uniforme.

— Dallas, lieutenant Eve. Celui-ci est à moi.

— Désolé, lieutenant. J'ai prévenu les secours.

— Il ne respire plus ! constata-t-elle en le chevauchant et en lui déchirant sa chemise pour tenter une réanimation… Faites reculer tous ces gens. Interdisez l'accès au secteur…

— Interdire l'ac…

— C'est un ordre ! aboya-t-elle, avant de faire du bouche-à-bouche à la victime.

En vain. Elle continua néanmoins jusqu'à l'intervention des secouristes, qui ne purent que constater le décès. Écœurée, elle s'adressa à son gardien.

— Rapport. Je veux savoir tout ce qui s'est passé depuis l'instant où vous l'avez sorti de sa cellule.

— Rien à signaler, lieutenant. Tout s'est déroulé normalement, répliqua-t-il, un peu vexé. Le sujet a été menotté, puis transporté jusqu'ici.

— Qui était à bord ?

— Mon partenaire et moi-même. Il ne devait en aucun cas entrer en contact avec les trois autres suspects. Nous l'avons accompagné jusqu'ici.

— Vous n'avez pas utilisé l'ascenseur sécurisé ?

— Non, lieutenant, avoua-t-il en tressaillant imperceptiblement. Il était bloqué, lieutenant. Nous sommes montés par l'escalier. Il ne nous a pas causé le moindre problème. Son avocat était déjà là et nous a demandé d'attendre un moment pendant qu'il finissait une consultation par communicateur avec un autre client. Nous avons patienté et, brusquement, le sujet a vacillé. Il avait du mal à respirer. Quand il est tombé, mon partenaire s'est penché sur lui, pendant que je faisais reculer les gens. Ensuite, vous êtes arrivée sur la scène.

— À quel poste appartenez-vous… agent Harmon ? demanda-t-elle après avoir lu son insigne.

— Je suis au Central, lieutenant. Division Sécurité.

— Qui a approché le sujet ?

— Personne, lieutenant. Mon partenaire et moi étions de chaque côté, comme le veut la procédure.

— Êtes-vous en train de me dire que personne ne s'est approché de cet homme avant qu'il ne s'effondre ?

— Personne. Enfin… Naturellement, nous avons franchi la zone de sécurité. La queue était assez longue, il y avait du monde partout. Mais personne n'a adressé la parole au défunt, ou n'a eu de contact physique avec lui. Quelqu'un a arrêté mon coéquipier pour lui demander des indications.

— Se tenait-il très près du sujet ?

— Elle, lieutenant. C'était une femme. Elle semblait complètement désemparée.

— L'avez-vous bien regardée, Harmon ?

— Oui, lieutenant. Une vingtaine d'années, blonde, les yeux bleus, le teint pâle. Elle avait pleuré, lieutenant, mais elle essayait de retenir ses larmes, si vous comprenez ce que je veux dire. Elle était bouleversée, et quand elle a lâché son sac, tout le contenu s'est répandu par terre.

— Je parie que vous vous êtes tous deux empressés de l'aider à ramasser ses affaires.

Le ton de sa voix alerta Harmon qui eut un pincement au cœur.

— Lieutenant, ça n'a pas pris plus de dix secondes. Le sujet était menotté, il n'a jamais quitté notre ligne de mire.

— Permettez-moi de vous montrer quelque chose, Harmon, et vous en parlerez à votre camarade quand il aura deux minutes... Par ici, ordonna-t-elle en s'accroupissant de nouveau près du cadavre. Vous voyez cette marque rougeâtre, cette petite tache circulaire sur le cœur du défunt ?

Harmon dut pratiquement coller le nez sur la poitrine de Lewis.

— Oui, lieutenant.

— Savez-vous ce que c'est ?

— Non, lieutenant. Non, je n'en sais rien.

— C'est la trace laissée par une seringue. Votre blonde éplorée a assassiné sous votre nez celui dont vous aviez la charge.

Elle fit passer l'immeuble au peigne fin, en quête d'une jeune femme répondant à la description de Harmon, mais elle ne s'attendait pas à trouver grand-chose. Elle appela une équipe de techniciens, de façon à pouvoir entamer les démarches nécessaires et s'accorda l'immense plaisir d'interroger Canarde.

— Vous saviez qu'il allait parler, n'est-ce pas ?

— Je ne sais pas ce que vous voulez dire, lieutenant.

De retour au Central, dans la salle d'interrogatoire n° 3, Canarde admira tranquillement sa manucure.

— Permettez-moi de vous rappeler que je suis venu ici de mon plein gré. Je n'étais pas aux côtés de mon infortuné client, ce matin, et il vous reste encore à déterminer les causes exactes du décès.

— Un homme en bonne santé, de moins de cinquante ans, s'écroule, victime d'une crise cardiaque. Ça tombe bien, d'autant que les autorités s'apprêtaient à lui accorder l'immunité pour avoir présenté des preuves à l'encontre d'un autre de vos clients.

— Si tel est le cas, lieutenant, vous me l'apprenez. On ne m'a jamais fait part de cette proposition. En tant qu'avocat du défunt, j'aurais dû être prévenu.

Il avait de petites dents, parfaitement alignées, d'une blancheur éclatante.

— Il me semble que vous avez contourné certaines procédures légales. Apparemment, ça n'a pas joué en faveur de mon client.

— En effet. Vous pourrez dire à votre client, Canarde, que tout ce qu'il a réussi à faire, c'est à m'énerver. Je travaille encore plus sérieusement quand je suis énervée.

Canarde la gratifia d'un de ces sourires sournois dont il avait le secret.

— Mon client, lieutenant, s'en fiche totalement, maintenant. À présent, si vous voulez bien m'excuser, je dois faire mon devoir envers ce pauvre M. Lewis. Je crois savoir qu'il avait une ex-épouse et un frère. Je vais leur présenter mes condoléances. Et si, par un hasard extraordinaire, vous avez raison, et qu'on a poussé M. Lewis dans sa tombe, je conseillerai à ses proches d'intenter un procès au NYPSD pour négligence. Ce sera un plaisir pour moi de les représenter.

— Je parie qu'il n'a même pas besoin de vous payer, Canarde. Il vous jette le poisson, vous sautez, poussez des cris, puis replongez dans le marais pour le récupérer.

Il sourit, mais son regard ne refléta pas le moindre amusement. Il se leva, hocha la tête et quitta la pièce.

— J'aurais dû anticiper, confia Eve au commandant. J'aurais dû savoir que Ricker avait des sources au sein du département.

— Vous vous êtes couverte, répondit Whitney, en proie à une colère sourde. Seules quelques personnes étaient au courant de la proposition d'immunité.

— Pourtant, il y a eu une fuite. Et maintenant que Lewis a été éliminé, je n'aurai aucune chance de retourner les autres contre Ricker. Je ne peux même pas m'assurer qu'ils prendront la peine maximum. J'ai besoin d'un levier, commandant. Il me faut quelque chose, même mineur, pour justifier sa mise en examen.

— Ce ne sera pas facile. Il est beaucoup trop bien protégé. Mills, reprit Whitney... vous êtes certaine qu'il avait les mains sales ?

— Non, lieutenant, je ne peux pas l'affirmer. Je ne sais pas davantage si les sommes qu'il a touchées provenaient de Ricker. Feeney travaille là-dessus en ce moment.

— À partir de maintenant, je veux un rapport quotidien de tous vos faits et gestes, les vôtres et ceux de votre équipe. Tous, sans exception, lieutenant.

— Bien, commandant.

— Je veux la liste de tous les flics que vous surveillez, ceux qui ne vous inspirent aucune inquiétude et les autres.

— Oui, commandant.

— Si vous pensez que d'autres que Mills et Kohli sont impliqués, il faudra avertir le BAI.

Ils s'observèrent un instant.

— Commandant, je préférerais ne pas alerter le Bureau des Affaires internes à ce stade de mon enquête.

— Dans combien de temps pensez-vous prendre votre décision ?

— Si vous pouviez m'accorder vingt-quatre heures, commandant.

— Une journée, Dallas. Le temps presse, autant pour vous que pour moi.

Sans perdre une minute, Eve prit contact avec Martinez et lui demanda de la rencontrer en terrain neutre, histoire de faciliter les choses.

Elle retrouva Martinez dans un petit café à mi-chemin entre leurs bureaux respectifs. Suffisamment éloigné aussi de chacun pour que ce ne soit pas un lieu fréquenté par les flics.

Martinez arriva avec quelques minutes de retard, laissant ainsi à Eve l'occasion d'observer, de jauger. De toute évidence, Martinez était sur la défensive.

— J'ai dû prendre sur mon temps personnel, annonça-t-elle, les épaules aussi crispées que sa voix, en s'installant sur la banquette d'en face. Et je n'en ai pas beaucoup.

— Parfait. Moi aussi, j'ai à faire. Un café ?

— Je n'en bois jamais.

— Comment survivez-vous ?

Martinez eut un sourire amer, puis appela un serveur droïde pour lui commander un verre d'eau.

— Pas du robinet ! précisa-t-elle. Je le sentirai tout de suite, et je vous court-circuiterai le cerveau. Venons-en au but, continua-t-elle en revenant vers Eve. Vous comptez sur moi pour dénoncer Kohli et Mills, mais vous n'obtiendrez rien. Vous essayez de remuer du linge sale alors que c'est le boulot du BAI. Ça me retourne l'estomac.

Eve prit sa tasse de café et contempla tranquillement Martinez.

— Eh bien, au moins, c'est clair. Mais dites-moi, d'où tenez-vous toutes ces informations ?

— Quand un flic part à la chasse aux collègues, les rumeurs courent vite. Tout le monde en parle, au 128. On a deux flics morts. Il me semble que vous devriez davantage vous occuper de retrouver l'assassin, plutôt que de farfouiller comme ça avant même qu'ils soient enterrés.

Martinez avait du caractère, ce qu'Eve respectait, mais ce n'était pas ainsi qu'elle gravirait les échelons de la hiérarchie.

— Quoi que vous ayez entendu, quoi que vous pensiez, découvrir le meurtrier est ma priorité.

— Mais oui, c'est ça ! Votre priorité, c'est de couvrir votre mari.

— Pardon ?

— Il est le propriétaire du *Purgatoire*. Je me dis qu'il devait y avoir quelque chose de louche, là-bas, et que Kohli s'en est rendu compte. Ils ne savaient pas qu'il était flic, alors ils n'ont pas dû faire bien attention. Ensuite, quand il s'est un peu trop approché, ils se sont débarrassés de lui.

— Et Mills ?

Martinez haussa les épaules.

— C'est vous qui prétendez que les deux affaires sont liées.

— Voyez-vous, Martinez, quand je vous ai rencontrée, avec Mills, j'ai pensé que c'était lui, le débile de l'équipe. Et voilà que vous avez l'audace de blesser mon amour-propre en me démontrant que je me suis trompée.

— Vous n'êtes pas mon chef, répliqua Martinez dont les yeux noirs lançaient des flammes. Je n'ai pas à vous écouter.

— Alors suivez le conseil de quelqu'un qui a plus d'expérience. Apprenez quand il faut parler et quand il faut se taire. Vous êtes là depuis moins de cinq minutes et, déjà, vous m'en avez appris plus que ce que j'ai demandé.

— Je ne vous ai absolument rien dit !

— Vous m'avez dit que quelqu'un avait lancé une rumeur dans vos quartiers. On sait déjà – probablement grâce à cette source – que Kohli et Mills étaient soupçonnés de corruption. Posez-vous la question : d'où est-ce que cela peut venir ? Qui pourrait chercher à rendre les collègues méfiants à mon égard ? Réfléchissez, Martinez.

Eve en profita pour savourer une gorgée de café.

— Je n'ai pas besoin de couvrir Connors. Il se débrouille tout seul comme un grand depuis longtemps. Ceux qui me soupçonnent de vouloir remuer du linge sale ont forcément quelque chose à se reprocher.

— Les gens parlent, répliqua Martinez d'un ton moins confiant.

Dès que son verre d'eau arriva, elle s'en empara.

— Oui, surtout quand ils en ont envie. Vous croyez que j'aurais mis plus de trois millions de dollars sur les comptes d'épargne de Kohli et de Mills dans le seul but de couvrir mon mari ? Vous croyez que je les payais depuis des mois dans l'espoir de provoquer un scandale impliquant des collègues ?

— C'est vous qui dites qu'ils avaient de l'argent.

— Parfaitement.

Martinez resta silencieuse un moment, le regard rivé sur Eve. Puis, paupières closes, elle lâcha un soupir.

— Merde ! Merde ! Je refuse de dénoncer un autre flic. Je suis la cinquième génération. Dans la famille, on est flics depuis plus de cent ans. Il faut qu'on se serre les coudes.

— Je ne vous demande pas de porter un jugement. Je vous demande de réfléchir. Tout le monde ne respecte pas le badge. Deux de vos coéquipiers sont morts. Tous deux avaient réussi à mettre de côté des sommes importantes – beaucoup trop par rapport à leur salaire. Aujourd'hui, ils sont morts. Voulez-vous être la prochaine victime ?

— La prochaine ? Vous pensez que je suis une cible ? Vous pensez que je suis corrompue ! enchaîna-t-elle en s'assombrissant.

— Rien ne me permet de l'affirmer. Et pourtant, j'ai cherché.

— Espèce de garce ! J'ai bossé comme une malade pour atteindre le grade d'inspecteur. Et maintenant, vous allez me livrer au BAI ?

— Je ne vous livre à personne. Mais si vous n'êtes pas franche avec moi, vous allez vous pendre vous-même. D'une façon ou d'une autre. Qui est au cœur de cette histoire ? demanda Eve en se penchant en avant. Réfléchissez, nom de nom !

— Ricker, marmonna Martinez en serrant les poings.

— Vous l'aviez cerné, n'est-ce pas ? Vous aviez tout ce qu'il vous fallait pour l'arrêter et l'inculper.

— Cela m'a pris des mois pour tout organiser. J'étais sur cette affaire sept jours sur sept, vingt-quatre heures sur vingt-quatre. Je me suis appliquée à respecter les moindres détails. À prendre mon temps. Et puis tout a basculé. Je n'y comprenais rien. Je me disais que ce salaud était trop malin, trop protégé. Mais tout de même… au fond de moi, je me doutais qu'on avait eu une taupe parmi nous. Ce n'était pas possible autrement. Je n'ai pas voulu voir.

— Mais à présent, il le faut.

Martinez but avec avidité, comme si sa gorge la brûlait.

— Pourquoi est-ce que je suis filée ?

— Vous avez remarqué ?

— Oui. Je me suis dit que j'allais être votre prochaine cible.

— Si j'apprends que vous couchez avec Ricker, oui. Pour l'heure, la surveillance, c'est plutôt pour votre protection.

— Je n'en veux pas. Si je marche avec vous, je ne veux pas être suivie du matin au soir. J'ai des copies personnelles de toutes les données, les notes, les étapes qui ont conduit à l'arrestation de Ricker. Après sa libération, j'ai repris le dossier, mais le cœur n'y était plus.

— J'aimerais en avoir une copie.

— C'est mon boulot.

— Et quand on l'arrêtera, je veillerai à ce que vous soyez récompensée de vos efforts.

— Ça m'est égal. Dans cette affaire… le capitaine m'a dit que j'avais perdu tout sens de l'objectivité. Elle avait raison, convint Martinez avec un sourire amer. C'est vrai. Je n'ai pas su prendre le recul nécessaire. Sans quoi j'aurais probablement anticipé la suite des événements. J'aurais vu que Mills s'insinuait sans en avoir l'air et prenait petit à petit le dessus. Je l'ai simplement considéré comme un macho sans intérêt.

— Nous sommes censés nous serrer les coudes. Vous n'aviez aucune raison de le soupçonner.

— Les obsèques de Kohli auront lieu après-demain. Je n'ai aucun doute sur le fait qu'il avait des contacts avec Ricker. Je cracherai sur sa tombe.

Après une légère hésitation, Eve se pencha de nouveau vers elle.

— Martinez, j'ai travaillé au corps l'un des sbires de Ricker, et il était prêt à parler. En échange, il aurait obtenu l'immunité. Il devait passer en audience ce matin. En se dirigeant vers la salle de tribunal, flanqué de deux agents, il est tombé. Comme ça. Il y a des fuites, mais je n'arrive pas à savoir d'où elles viennent. Sachez que je ne pourrai peut-être pas garder le silence. Je serai sans doute obligée de citer votre nom. Ça risque de vous mettre en point de mire.

Martinez repoussa son verre vide.

— Je suis flic. J'assume.

Eve passa le reste de la journée à relire ses documents jusqu'à ne plus y voir clair. Elle retourna chez Patsy Kohli, sous le prétexte de questions complémentaires. Au bout d'une vingtaine de minutes, elle eut la certitude que la jeune veuve n'était au courant de rien.

C'était ce que lui disait son cœur, songea Eve en remontant dans sa voiture, mais elle n'était pas certaine de pouvoir lui faire encore confiance.

McNab lui transmettait régulièrement des mises à jour. Il avait établi deux colonnes, une comprenant les policiers qui n'inspiraient aucune suspicion, et la seconde les autres.

Le Central étant plus près, elle regagna son bureau pour effectuer une recherche de probabilités en fonction des toutes dernières données.

Elle eut beau jongler dans tous les sens, aucune réponse ne lui parut satisfaisante. Ils allaient devoir creuser davantage, décortiquer la vie des collègues suspects, comme des vautours s'acharnant sur une charogne.

Elle savait ce que c'était qu'entreprendre une enquête interne, qu'avoir les loups du BAI sur ses talons. Même si l'on n'avait strictement rien à se reprocher, le processus était désagréable.

Cependant, elle ne pouvait pas poursuivre dans l'ombre. À moins de profiter du matériel non enregistré – et interdit – de Connors. Sans son aide, elle n'avancerait pas.

Mais comment le solliciter, après lui avoir clairement fait comprendre qu'il devait rester hors du coup ?

Un début de migraine commença à la tarauder, et elle cacha son visage dans ses mains. Tant mieux. Un bon mal de tête lui donnerait une excuse pour se plaindre.

Elle décida de rentrer à la maison. Sur le chemin, elle passa devant l'affiche de Mavis. Machinalement, elle engagea son communicateur et tenta de joindre son amie chez elle.

— Bonsoir ! Hé ! Dallas !

— Devine ce que j'ai sous les yeux ?

— Un Pygmée manchot tout nu.

— Zut ! Tu es trop douée pour moi. À plus tard.

— Attends ! Attends ! s'exclama Mavis en gloussant devant son écran... Qu'est-ce que c'est ?

— Toi. Agrandie dix mille fois, en plein milieu de Times Square.

— Ah ! Tu as vu ça, c'est génial, non ? J'y cours toutes les deux heures, rien que pour m'admirer. J'ai envie de sauter au cou de ton adorable mari. Leonardo est d'accord, vu les circonstances, mais je préfère t'en parler d'abord.

— Ce n'est pas moi qui dirai à Connors qui il a ou non le droit d'embrasser.

Les sourcils de Mavis – teints en magenta – se mirent en accent circonflexe.

— Aïe ! Aïe ! Aïe ! Vous vous êtes disputés ?

— Non. Oui. Enfin, je n'en sais rien. Il m'adresse à peine la parole. Est-ce que tu es… Non, laisse tomber.

— Si je suis quoi ?

Plaquant la main sur l'objectif de la caméra, Mavis chuchota quelques mots à la personne qui se trouvait avec elle dans la pièce.

— Désolée. C'est Leonardo qui essaie un nouveau costume de scène. Si tu passais ?

— Non, vous êtes occupés.

— Pas du tout ! Allez, Dallas, tu ne viens jamais ! Si tu es à Times Square, c'est à deux pas. À tout de suite.

— Non, je…

Mavis avait coupé la communication. Après tout… songea Eve en se remémorant le ton distant de Connors, ce matin-là.

— Pourquoi pas ? marmonna-t-elle. Je ne resterai que quelques minutes.

10

Mavis Freestone et son amant Leonardo cohabitaient dans l'ancien appartement d'Eve.

En un an, les lieux avaient bien changé !

Eve s'était contentée d'un deux pièces meublé sommairement et d'un autochef le plus souvent vide. Elle aimait penser qu'elle avait vécu une existence simple plutôt qu'ennuyeuse.

Évidemment, à côté de Mavis, un petit tour sur les anneaux de Saturne passait pour ennuyeux.

Dès que Mavis ouvrit la porte, Eve fut accueillie par un éclat de couleurs. Un véritable feu d'artifice de textures et de motifs, déclinant toutes les nuances possibles et imaginables de la palette.

C'était Mavis tout craché.

La salle de séjour était drapée de kilomètres d'étoffes. Le canapé plutôt usé qu'Eve avait laissé en allant s'installer chez Connors était désormais recouvert d'un tissu rose chatoyant. Comme si ça ne suffisait pas, il croulait sous une collection de coussins et soieries multicolores, qui semblaient dégouliner sur le sol, jonché lui aussi de bouts de chiffon faisant office de tapis.

Perles, paillettes et autres rubans pleuvaient le long des murs ainsi que du plafond repeint d'une couche argent parsemée d'étoiles écarlates.

Craignant vaguement de tomber dans les pommes si elle prolongeait sa visite, Eve ne put s'empêcher de songer que ce décor convenait à merveille à son amie.

L'ensemble évoquait un lever de soleil avant la tempête. Sur Vénus.

— Je suis si contente que tu sois passée ! s'exclama Mavis en entraînant Eve dans son kaléidoscope.

Elle tourna sur elle-même.

— Qu'est-ce que tu en penses ?

— De quoi, exactement ?

— De mon nouveau look !

Minuscule, mince, vive, Mavis pivota de nouveau pour montrer sa mini… difficile d'appeler ça une robe, décida Eve. C'était plutôt un costume, un camaïeu de rayures allant du violet foncé au rose bonbon. Le haut, au décolleté audacieux, dévoilait largement ses épaules ornées de tatouages. Une paire de cuissardes à talons aiguilles, rayées elles aussi, complétait la tenue.

— C'est… c'est étonnant.

— N'est-ce pas ? C'est trop génial ! Trina va me coiffer dans le même style. Leonardo est un véritable génie. Leonardo ! Dallas est arrivée ! Il est en train de préparer les cocktails. Tu ne pouvais pas mieux tomber. J'ai horreur de boire toute seule, et tu sais que Leonardo supporte mal l'alcool.

Sans cesser de bavarder, elle tira Eve vers le canapé rose. Elle ne la laisserait pas repartir avant de savoir ce qui la tracassait.

—Ah ! le voilà ! minauda-t-elle d'un ton attendri. Merci, mon chéri d'amour.

Leonardo, un géant à tresses blondes, aux yeux mordorés et au teint cuivré de métis, surgit dans un tourbillon. Vêtu d'une tunique longue bleu marine à capuche, il se déplaçait avec une grâce incroyable pour un homme de sa stature. Il gratifia Mavis d'un immense sourire, les rubis au-dessus de sa bouche et sous son sourcil gauche scintillant gaiement.

— Mais de rien, ma choupinette adorée, roucoula-t-il. Bonjour, Dallas. J'ai préparé un petit en-cas, au cas où vous n'auriez pas encore dîné.

— Il est vraiment trop, non ?

— Trop ! concéda Eve tandis que Mavis se blottissait contre lui. C'est gentil, Leonardo, mais il ne fallait pas vous déranger.

— Ça ne m'ennuie pas du tout. C'est gentil à vous de venir. Comme ça, Mavis ne passera pas sa soirée toute seule. J'ai des rendez-vous.

Mavis le couva des yeux. À l'origine, ils avaient décidé – pour une fois – de rester tranquillement chez eux en tête à tête. Mais quand elle lui avait annoncé la visite d'Eve, en précisant que celle-ci avait des soucis, il avait immédiatement accepté de s'éclipser.

Oui, décidément, pensa Mavis avec un soupir, il était parfait.

— Je ne peux pas rester longtemps, annonça Eve, mais Leonardo avait déjà saisi Mavis dans ses bras et l'embrassait avec fougue.

— Amuse-toi bien, mon trésor.

Il salua Eve d'un sourire charmeur et disparut.

— Il n'avait pas de rendez-vous.

Mavis voulut protester, puis elle rit, haussa les épaules, et s'assit pour verser leur première tournée de cocktails.

— Je lui ai dit qu'on voulait discuter un peu entre filles, expliqua-t-elle en tendant à Eve une coupe en cristal remplie d'un liquide vert émeraude. Tu veux attendre un peu ou tu plonges tout de suite ?

Eve pinça les lèvres. Il y avait belle lurette qu'elle n'avait pas bu un verre en compagnie de Mavis.

Elles se portèrent mutuellement un toast.

— Alors…

Mavis en était à son troisième verre, et les chips au soja, bâtonnets au fromage et autres crudités à tremper étaient consommés depuis un bon moment.

— Si j'ai bien compris… Tu es allée affronter un escroc qui faisait affaire autrefois avec Connors, sans le dire à Connors.

— C'était une initiative professionnelle.

— D'accord, d'accord. Je résume. Ensuite, l'escroc a envoyé quatre de ses sous-fifres à tes trousses.

— Je me suis occupée d'eux.

Mavis la dévisagea d'un air espiègle.

— Tu veux mon avis sur la question, oui ou non ?

— Je t'écoute, marmonna Eve en remplissant sa coupe.

— Quand tu es rentrée chez toi, l'escroc t'avait fait livrer une gerbe de fleurs accompagnée d'un mot obséquieux.

Mavis leva un doigt à l'ongle verni de mauve pour lui intimer le silence.

— Tu t'es dit qu'il cherchait à vous provoquer, toi et Connors, et tu as ordonné à Summerset d'éliminer le bouquet. Seulement, Connors les avait vues, et il t'en a parlé. Toi, tu as feint l'innocence : « Hein ? quelles fleurs ? »

— Je n'ai pas dit « hein ».

Les cocktails commençaient à faire leur effet.

— Je n'ai jamais dit ça. J'ai peut-être dit « euh... ». Ça n'a rien à voir !

— Bref. Tu... tu as menti, ou plutôt, tu as enrobé la vérité, parce que tu ne tenais pas à ce que Connors aille lui casser la figure, au risque d'en subir les conséquences.

— Plus ou moins.

— C'était stupide.

Eve ouvrit des yeux ronds.

— Stupide ? Tu dis que j'ai été stupide ? Tu es censée me dire que j'ai eu raison ! C'est comme ça que ça marche, entre nous.

— Dallas, murmura Mavis en se laissant glisser délicatement à terre... Tu n'as pas raisonné du point de vue masculin. Les hommes ont un pénis. Il ne faut jamais oublier ça.

— Qu'est-ce que tu racontes ? répliqua Eve en la rejoignant sur le sol. Je sais bien que Connors a un pénis. Il s'en sert chaque fois qu'il en a l'occasion.

— Le pénis est directement connecté à l'ego. C'est un fait scientifique. À moins que ce ne soit le contraire. Quoi qu'il en soit... ajouta Mavis en vidant la carafe, c'est un mystère pour nous autres, pauvres femmes. Tu as mis en cause sa virilité.

— Je ne suis pas d'...

— Dallas, Dallas ! soupira Mavis en secouant la tête. Si on s'en refaisait une carafe ? On va en avoir besoin pour franchir l'étape « Tous les hommes sont des porcs ».

Allongée par terre, Eve fixait le plafond argenté.

— Si les hommes sont des porcs, pourquoi est-ce qu'on rêve toutes d'en avoir un ?

— Parce que les femmes carburent à l'émotion, déclara Mavis, avec un léger hoquet. Même toi.

Eve se tourna sur le côté.

— Faux.

— Non. D'abord, il t'a eue par les hormones. Enfin quoi, regarde-le ! Cet homme est un… un… attends une seconde… cet homme est un festin sexuel ! Oui, c'est ça. Excellent ! Ensuite, il t'a plu parce qu'il est intelligent, intéressant, mystérieux, tout ce que tu aimes. Le problème, c'est qu'après ça, il a conquis ton cœur. Que faire ? Quand un type a accroché ton cœur, il n'a plus qu'à rembobiner son moulinet.

— Je ne suis pas un poisson !

— Dans l'océan de la vie, nous sommes tous des poissons, répondit Mavis, philosophe.

Eve avait suffisamment bu pour trouver ce commentaire hilarant.

— Tu es incorrigible ! lança-t-elle lorsqu'elle eut repris sa respiration.

— Ce n'est pas moi qui suis en pleine crise.

Mavis se mit à quatre pattes et vint déposer un baiser sur la joue de son amie.

— Mon pauvre bébé ! Maman va te consoler. Elle va te dire quoi faire pour arranger ça.

Elle s'empara de la carafe, remplit leurs coupes sans en mettre une seule goutte à côté.

— Quoi ?

— Tu vas lui faire l'amour comme une malade.

— Pardon ? C'est ça, ton super-conseil ?

— Le seul et unique. Prenant en compte le fait que les hommes sont des porcs et qu'ils ont un pénis, on ne peut que constater qu'ils oublient le plus souvent ce qui les a énervés après une bonne partie de jambes en l'air.

— La solution, c'est donc le sexe ?

La pensée que c'était raté d'avance traversa son cerveau embrumé par l'alcool.

— Ça pourrait marcher, décida-t-elle toutefois.

— Je te le garantis. Mais…

— Je savais qu'il y avait un « mais », je le sentais.

— C'est seulement une mesure comment dire… provisoire. Dallas, tu sais parfaitement que tu as des problèmes à régler avec ton passé. Il te reste à analyser pourquoi tu as agi dans son dos. Ce n'est pas que tu aies commis une erreur ; parfois, on n'a pas le choix. Ce qui se passe, c'est que vous êtes tous les deux de vraies têtes de mules.

— Moi ? Une tête de mule ?

— Absolument. C'est pour ça que je t'aime. Seulement, à force de vous cogner, vous finissez par vous faire mal.

— Il m'adresse à peine la parole.

— Qu'est-ce qu'il est méchant ! Tu veux de la glace ?

— Je crois que je vais être malade. Quel parfum ?

Elles finirent la soirée par terre, avec d'énormes bols de Décadence Triple Chocolat noyée de crème chantilly.

— J'avais raison, dit Eve, entre deux bouchées.

— Normal. Nous sommes des femmes. Nous avons toujours raison.

— Même Summerset m'a soutenue, alors qu'il me déteste.

— Il ne te déteste pas.

— Je l'aime à la folie, cet imbécile.

— Oh ! Comme c'est mignon ! murmura Mavis, le regard voilé. Si tu le lui avouais, vous vous entendriez nettement mieux.

Eve mit quelques secondes à réagir.

— Pas Summerset, bon sang ! Connors. Je l'aime à la folie. Il pourrait au moins se montrer indulgent : cette affaire est très pénible, et je ne sais plus du tout où j'en suis.

— Tu sais toujours où tu en es. C'est pour ça que tu t'appelles Dallas, lieutenant Eve.

— Je ne parle pas du boulot, Mavis. Là, je suis sûre de moi. Mais de Connors, du mariage, de l'amour… Je parie que tu es ivre.

— Plutôt ! Nous avons bu une carafe chacune du mélange spécial de Leonardo, n'est-ce pas qu'il est adorable ?

— Oui.

Eve posa son bol, pressa la main sur son estomac.

— Il faut que j'aille vomir, là, maintenant.

— D'accord. Ensuite, ce sera mon tour. Préviens-moi quand tu auras fini.

Tandis qu'Eve se redressait tant bien que mal et quittait la pièce en chancelant, Mavis se roula en boule, mit un coussin sous sa tête et s'endormit.

Eve se rafraîchit le visage et contempla son reflet dans la glace. Elle était pâle, épuisée, et complètement saoule. À regret, elle dévalisa le stock de Sober-Up. Puis, après réflexion, se contenta d'un seul cachet.

En découvrant Mavis endormie sur les coussins, comme une poupée au milieu d'un amas de jouets colorés, elle sourit.

— Qu'est-ce que je deviendrais sans toi ?

Elle se pencha, la secoua légèrement par l'épaule. En guise de réponse, elle eut droit à un ronronnement de chaton. Renonçant à son idée d'aider Mavis à se coucher, elle saisit une des mille et une soieries disposées sur le canapé et l'étala sur son amie.

En proie au vertige, elle se redressa très vite.

— Oooohhh... j'ai vraiment trop bu.

Elle sortit de l'appartement avec l'aplomb d'un boxeur s'apprêtant à monter sur le ring. Elle amadouerait Connors, elle était plus que prête.

L'air frais lui fouetta le visage, et elle s'immobilisa un instant sur le seuil de l'immeuble pour reprendre son souffle, avant de s'avancer – presque en ligne droite – jusqu'à sa voiture. Elle eut la lucidité de programmer le mode automatique pour se laisser ramener chez elle.

Elle allait résoudre le problème, se promit-elle. Sans doute. Et s'il fallait séduire Connors pour y arriver... elle se sacrifierait.

Cette pensée la fit rire, et elle se cala dans son siège pour profiter du trajet.

New York était une ville tellement gaie ! La circulation pédestre était dense, et les propriétaires de glissagrils se frottaient les mains. Quant aux voleurs à la tire, songea-t-elle avec une pointe d'affection, ils s'amusaient comme des fous à détrousser les touristes et les distraits.

Une fumée grasse empestant les hot-dogs au soja trop cuits et des morceaux d'oignons réhydratés voletaient devant son pare-brise. Deux compagnes sous licence se chamaillaient au carrefour de la Sixième Avenue et de la 62ᵉ Rue, sous les encouragements d'un badaud plein d'espoir. Un Rapid Taxi tenta de manœuvrer autour d'un concurrent, rata son coup et cabossa son pare-chocs. Les deux chauffeurs bondirent de leurs véhicules pour régler leurs comptes à coups de poing.

Ah ! New York ! Eve adorait New York.

Quelques membres au crâne chauve de la Pure Sect, loin de leur circonscription, se dirigeaient vers le nord. Un petit dirigeable publicitaire, défiant les lois du couvre-feu, vantait les plaisirs d'un voyage à Vegas II. Quatre jours, trois nuits, transport aller et retour, chambre de luxe pour deux, le tout pour le prix incroyable de 12 085 dollars.

L'affaire du siècle.

Elle poursuivit son chemin tranquillement. Les piétons étaient maintenant moins nombreux, les glissa-grils mieux entretenus.

« Bienvenue dans le monde de Connors ! » pensa-t-elle, amusée.

Tandis qu'elle s'approchait du portail, une silhouette surgit devant elle. Eve poussa un cri et, Dieu merci, le programme put jauger l'obstruction et freiner. L'irritation de la jeune femme se transforma en dégoût quand elle reconnut Webster.

Elle baissa sa vitre et le fusilla des yeux.

— Qu'est-ce qui te prend ? Tu essaies de te suicider ? Ceci est un véhicule de ville, et j'étais en mode automatique.

— Heureusement, parce que tu ne m'as pas l'air dans ton assiette.

Elle paraissait fatiguée, ivre et sexy.

— On a fait la fête ?

— Pince-moi, Webster. Qu'est-ce que tu veux ?

— Il faut que je te parle.

Il se tourna brièvement vers les grilles.

— Ce n'est pas facile d'accéder chez toi. Si tu me conduisais ?

— Je ne veux pas de toi chez moi.

Le sourire engageant qu'il affichait se dissipa.

— Dix minutes, Dallas. Je te promets que je ne volerai pas l'argenterie.

— J'ai un bureau au Central. Prends rendez-vous.

— Si ce n'était pas important, crois-tu que je ferais le pied de grue ici ?

Eve regretta de n'être pas assez saoule pour ne pas voir la logique de tout cela. Résistant à l'envie de remonter sa vitre et de le planter là, elle lui indiqua le siège côté passager. Pendant qu'il contournait la voiture, elle réalisa tout à coup qu'elle venait de passer plusieurs heures d'affilée sans penser à son travail.

— J'espère que c'est important, Webster. Sinon, gare à toi.

Elle s'engagea dans l'allée. Le système de sécurité vérifia l'identité de son véhicule, et le portail s'ouvrit.

— C'est drôlement bien protégé, pour un domicile.

Refusant de mordre à l'appât, elle se dit qu'elle aurait mieux fait d'avaler deux cachets de Sober-Up d'un coup, histoire d'y voir clair.

Après s'être garée, elle le mena vers l'escalier. Webster fit de son mieux pour ne pas s'émerveiller devant la demeure, mais il ne put retenir un sifflement d'admiration lorsqu'elle poussa la porte.

— J'ai une réunion, annonça-t-elle alors que Summerset se précipitait vers elle.

Les mains dans les poches, elle fonça vers l'étage. Webster resta un instant sur place et examina l'élégant majordome de bas en haut, tout en scrutant ce qu'il pouvait du décor.

— Très impressionnant, dit-il en la suivant enfin. J'ai du mal à t'imaginer dans ce palais. Tu n'es pas trop du genre princesse.

Cependant, en pénétrant dans le bureau d'Eve, que Connors avait conçu sur le modèle de son appartement, il hocha la tête.

— Ah ! j'aime mieux ça ! Rationnel, organisé.

— Maintenant que j'ai ton approbation, accouche. J'ai du boulot.

— Tu as pourtant eu le temps d'aller boire quelques verres.

Elle croisa les bras.

— Crois-tu vraiment avoir ton mot à dire sur la manière dont je m'occupe, que ce soit au travail ou ailleurs ?

— Ce n'était qu'une remarque.

Il arpenta la pièce, ramassant objets et bibelots au hasard, les remettant en place, puis sursauta en apercevant l'énorme chat qui l'observait en douce, enroulé sur un fauteuil.

— C'est ton garde personnel ?

— Parfaitement. Si je lui en donne l'ordre, il t'arrachera les yeux et la langue. Ne m'oblige pas à faire ça.

Il s'esclaffa, en s'ordonnant de rester calme.

— Tu as du café ?

— Oui.

Elle ne bougea pas d'un pouce.

Il rit de nouveau, résigné.

— J'allais dire qu'autrefois tu étais plus accueillante, mais tu ne l'étais pas. Ton côté méchant m'a toujours fasciné. Je dois être dérangé.

— Ou tu en viens au fait, ou tu t'en vas.

Bien qu'il continuât d'hésiter, il opina et s'avança jusqu'à la fenêtre.

— Ton enquête actuelle empiète sur une action du BAI.

— Oh ! Je suis vraiment désolée !

— Je les ai mis en garde. Ils n'ont pas voulu m'écouter. Ils pensaient pouvoir te manipuler.

Pivotant vers elle, il rencontra son regard.

— Je suis ici pour te donner l'ordre de laisser Ricker tranquille.

— Tu n'as aucune autorité sur moi.

— C'est une requête, rectifia-t-il. Je suis ici pour te demander de laisser Ricker tranquille.

— Requête refusée.

— Dallas, à force d'appuyer sur les mauvais boutons, tu risques de faire capoter une enquête sur laquelle ils bossent depuis des mois.

— Une enquête interne ?

— Je ne peux ni le confirmer ni le nier.

— Dans ce cas, va-t'en.

— J'essaie de te donner un coup de main. Si tu laisses tomber, nous finirons tous par obtenir ce après quoi nous courons.

Elle se percha sur le bord de sa table.

— Moi, je suis à la recherche d'un tueur de flics. Et vous ?

— Tu penses que je m'en fiche, rétorqua-t-il, les yeux brillants de colère… que je suis indifférent à leur sort ?

— Je n'en sais rien, Webster. Si tu me le disais ?

— Je fais mon métier, riposta-t-il. Je m'assure que les choses se font bien et proprement.

— Mills et Kohli étaient corrompus.

Il voulut répliquer, se ravisa, fourra les poings dans ses poches.

— Sans commentaires.

— Je n'ai pas besoin de tes commentaires. Le BAI a sans doute de bonnes raisons de préférer rester discret là-dessus pour le moment. Très bien. Entre nous, moi aussi. Mais ça finira forcément par se savoir. Le lien avec Ricker va exploser sous peu. Combien de flics morts vais-je encore devoir ramasser pendant que vous faites traîner votre enquête interne ? Vous saviez qu'ils étaient ripoux, vous les avez laissés faire.

— Ce n'est pas si simple que ça.

— Vous étiez au courant ! répéta-t-elle, enragée. Vous saviez aussi qu'ils étaient sous la coupe de Ricker, qu'ils l'ont aidé à nous filer entre les doigts alors qu'il aurait dû rester en prison jusqu'à la fin de ses jours. Depuis combien de temps ?

— Savoir, ce n'est pas prouver, lieutenant.

— Tais-toi, Webster. Épargne-moi tes conneries. Ce que j'ai rassemblé sur ces deux flics en quelques jours aurait suffi à leur coûter leur insigne et un séjour sous les verrous. Si vous les avez laissés où ils étaient, c'était dans un but précis. Et maintenant, tu veux que je fiche la paix à Ricker. Comment vais-je savoir s'il ne t'a pas pris sous son aile, toi aussi ?

— Là, tu exagères ! s'exclama-t-il en s'approchant d'elle, l'air furieux. Si j'agis ainsi, c'est parce que je n'ai pas le choix. Je n'ai pas à me justifier envers toi. Autrefois, tu jouais franc-jeu, Dallas. Quand est-ce que tout a basculé ? À peu près à l'époque où tu as connu Connors ?

— Recule. Immédiatement.

Il ne bougea pas.

— Mills était une ordure. Tu veux prendre le risque de ruiner une enquête sur laquelle nous travaillons depuis des mois dans le seul but de le défendre ? Il t'aurait vendue pour moins que rien.

— Il est mort. Est-ce ainsi que le BAI compte faire justice, en laissant nos hommes se faire étriper ? Si Ricker l'a éliminé, il s'est servi d'un autre flic pour l'achever. C'est comme ça que la balance s'équilibre, dans votre monde ?

— C'est un peu tiré par les cheveux.

— Pas du tout. Mon analyse est juste. Et tu le savais, à commencer par Kohli, c'est pour ça que tu...

Les mots moururent sur ses lèvres tandis que les pièces du puzzle s'imbriquaient pour former une nouvelle image. Une image qui lui donna la nausée.

— Kohli ! Tu ne l'as pas mentionné... Tu n'as parlé que de Mills. Parce que Kohli n'était pas un salaud, n'est-ce pas, Webster ? Il n'était qu'un outil. Vous lui avez tendu un piège. Vous vous êtes servis de lui.

— Laisse tomber.

— Pas de danger ! s'emporta-t-elle. Il travaillait pour vous. Il ne prenait rien, c'est vous qui donniez. Pour donner l'impression qu'il était dans son tort, pour qu'il puisse vous renseigner, se rapprocher des contacts de Ricker.

Les yeux clos, elle continua de réfléchir à voix haute.

— Vous l'avez sélectionné parce qu'il était droit comme un « i », et surtout, banal. Presque invisible. Un croqueur de données ayant un sens aigu du bien et du mal.

Elle rouvrit les yeux, fixa Webster.

— Son passé de militaire a penché en sa faveur. Il savait recevoir des ordres et les exécuter. Vous avez dû lui proposer un petit supplément, histoire de l'aider à offrir une plus jolie maison à sa femme et à ses enfants. Vous avez fait appel à son sens du devoir, de la famille... Ensuite, il y avait l'aspect Ricker. Il avait passé un temps fou sur ce dossier, et la tournure des événements a dû le décevoir. Vous l'avez piégé.

— Personne ne lui a mis un canon sur la tempe, protesta Webster, d'une voix empreinte de honte et de culpabilité. Il y a un sérieux problème au 128. Kohli correspondait au profil recherché. Il avait la possibilité de refuser.

— Vous saviez qu'il accepterait, à cause de son profil. Nom de nom, Webster, il a été tué justement parce que quelqu'un y a cru ! Quelqu'un l'a descendu parce qu'il était sûr d'avoir à faire à un ripou.

— Tu vas me dire qu'on aurait dû anticiper ? rétorqua-t-il, furieux lui aussi. On a été pris de court. Il était sur l'affaire, Dallas. Il connaissait les risques. Nous les connaissons tous.

— Oui, et nous vivons avec. Ou nous mourons avec.

Elle s'avança vers lui.

— Tu t'es servi de moi, Webster, de la même manière. Et personne ne t'a rien demandé. Tu t'es présenté devant moi gentiment, officieusement ; tu m'as tendu des perches pour que j'aille trouver l'argent que Kohli avait mis de côté, comme vous le lui aviez conseillé. Pour que je le classe dans la catégorie des salauds. Tu m'as incitée à traîner un bon officier dans la boue.

— Et tu crois que ça me fait plaisir ?

Elle se détourna, mais il la saisit par le bras.

— La vérité sera rétablie le moment venu. On lui offrira une promotion posthume. Sa famille sera soutenue.

Ravalant son envie de cogner, Eve opta pour le dédain glacial.

— Sors de ma maison.

— Pour l'amour du ciel, Dallas, personne ne s'attendait à ça !

— Ça ne vous a pas empêchés de sauter dessus tout de suite. Il n'était même pas refroidi !

— Ce n'est pas ma décision, répliqua-t-il en lui prenant l'autre bras et en la secouant légèrement. Je ne devrais pas être ici ce soir. Je n'aurais pas dû te raconter tout ça.

— Alors pourquoi l'as-tu fait ?

— Le Bureau trouvera le moyen de te retirer l'affaire, ou, si ça l'arrange, de te mettre sur le chemin de Ricker. D'une manière comme d'une autre, tu deviendras une cible. Je tiens à toi.

Il l'attira brusquement vers lui. En état de choc, Eve fut incapable de le repousser.

— Hé !

— Je tiens à toi. Depuis toujours.

Elle plaqua les deux mains sur sa poitrine, sentit les battements accélérés de son cœur.

— Ma parole, Webster, tu es complètement cinglé !

— J'aimerais autant que vous lâchiez ma femme avant que je vous casse la figure, lança Connors depuis le seuil de la pièce. Mais c'est comme vous voudrez.

11

La voix était posée, aimable, et Eve ne fut pas dupe un seul instant. Elle savait y déceler le moindre signe de violence, même parfaitement dissimulé. Le regard bleu de Connors était glacial.

Elle éprouva un sursaut de terreur, comme un coup de poing en plein plexus solaire. Aussi, elle s'exprima d'un ton sec, tout en se libérant de l'étreinte de Webster pour se placer entre lui et son mari.

— Connors, Webster et moi sommes en pleine réunion... Il s'agit d'un désaccord professionnel.

— Je ne le pense pas. Va t'occuper ailleurs, Eve.

L'insulte faillit dissiper sa colère sans toutefois y parvenir. Elle se mit à trembler et songea brièvement que la soirée risquait fort de se terminer par l'arrestation de son époux pour homicide.

— Calme-toi, rétorqua-t-elle, prête à réagir au moindre mouvement. Tu te méprends sur la situation.

— Pas du tout ! intervint Webster en s'avançant. Pas en ce qui me concerne, en tout cas. Et je n'ai pas l'habitude de me cacher derrière les femmes. Vous préférez qu'on se batte ici, ou dehors ? demanda-t-il à Connors.

Ce dernier ébaucha un sourire de loup sur le point de happer sa proie.

— Ici et maintenant.

Ils se jetèrent l'un sur l'autre, se foncèrent dessus comme deux béliers en rut. L'espace d'un instant, Eve fut trop stupéfaite pour réagir autrement qu'en arrondissant les yeux.

Elle regarda Webster voler, chuter lourdement sur une table, qui s'écroula sous son poids. Galahad bondit en crachant de colère et lui griffa l'épaule.

Il se releva très vite, en sang. Les coups de poing fusèrent. Une lampe valsa.

Eve criait, elle s'entendait hurler au loin. Ne sachant que faire, elle dégaina son pistolet hypodermique, vérifia qu'il était au niveau le plus faible, et tira entre eux.

Sous le choc, Webster se retourna, mais Connors ne tressaillit même pas. Au contraire, il profita de la distraction de son adversaire pour le frapper en plein visage.

Une autre table se fracassa. Cette fois, Webster resta à terre. Du moins, il le serait resté, si Connors ne l'avait pas saisi par le col de la chemise.

— Connors !

Eve pointa son pistolet sur lui.

— Ça suffit ! Lâche-le ou je te paralyse. Je n'hésiterai pas, je te le promets.

Leurs regards se rencontrèrent, étincelants. Il obéit, et Webster retomba sur le sol comme un sac de pommes de terre. Tandis que Connors se dirigeait vers Eve, Summerset surgit.

— Je raccompagne votre invité.

— Excellente initiative, répliqua Connors, sans quitter sa femme des yeux. Et fermez la porte. Ainsi, tu vas me paralyser… murmura-t-il, lorsqu'il fut presque devant elle.

Elle recula, les nerfs à fleur de peau.

— Si tu ne te calmes pas, oui. Je vais aller voir s'il est gravement blessé.

— Il n'en est pas question. Sous aucun prétexte. Eh bien, qu'est-ce que tu attends ? Paralyse-moi ! la défia-t-il avec sa pointe d'accent irlandais. Vas-y !

Eve entendit les portes se fermer. La peur lui étreignait la gorge, démultipliant sa fureur.

— Il ne se passait rien du tout entre nous. Je trouve ignoble que tu soupçonnes le contraire.

— Ma chère Eve, si j'avais cru qu'il se passait quoi que ce soit, il serait reparti les pieds devant.

Impassible, il tendit la main pour la désarmer avant d'ajouter :

— Pourtant, tu t'es immiscée entre nous.

— Justement. Pour éviter ça ! s'exclama-t-elle en agitant les bras. Ce feu d'artifice de testostérone. Tu as saccagé mon bureau et agressé un officier de police pour rien. Parce que j'étais en désaccord avec un collègue.

— Un collègue qui fut ton amant, et quand je suis arrivé, votre discussion était on ne peut plus personnelle.

— D'accord, c'est possible. Mais ce n'est pas une excuse. Si j'abattais chacune de tes ex-maîtresses, il n'y aurait plus une seule femme vivante à New York.

— C'est très différent.

— Je ne vois pas en quoi. Pourquoi est-ce que ce serait différent pour toi ?

— Parce que je n'invite pas mes ex-maîtresses dans ma maison et que je ne les laisse pas mettre la main sur moi.

— Ce n'est pas ce qui s'est passé. C'était...

— Et parce que...

Il la saisit par le devant de son chemisier et l'attira vers lui d'une poigne ferme.

— ... tu m'appartiens.

Elle écarquilla les yeux.

— Quoi ? Pardon ? Tu me considères comme ta propriété ? Comme un de tes hôtels ?

— Si tu veux.

— Ça ne me plaît pas du tout.

Elle voulut le repousser, mais ne réussit qu'à déchirer la couture de son chemisier. Un signal d'alarme retentit dans sa tête tandis qu'elle s'efforçait de lui échapper en exécutant une contre-manœuvre. Elle se retrouva le dos contre lui, les bras immobilisés.

— Tu as franchi les limites plusieurs fois en un temps record, lieutenant, chuchota-t-il à son oreille.

Le son était doux, dangereux. Terriblement érotique.

— Crois-tu que je me contenterai de satisfaire tes caprices ? Tu t'imagines peut-être que le fait de t'aimer m'a ôté tout mon mordant ?

Comme pour prouver le contraire, il enfonça légèrement les dents dans son cou.

Eve était incapable de réfléchir. Un brouillard épais enveloppait son esprit, elle avait du mal à respirer.

— Lâche-moi. Je suis trop fâchée pour régler ça avec toi maintenant.

— Non, tu n'es pas fâchée.

Il la fit pivoter vers lui, la poussa contre le mur, lui leva les bras au-dessus de la tête et la contempla, avec une expression d'ange condamné.

— Tu es intriguée et, malgré toi, excitée. Ton pouls bat à toute allure, tu trembles. Un peu par peur, ce qui ajoute du piment à l'histoire.

Il avait raison. Elle lui en voulait à mort, mais le désir l'envahissait inexorablement.

— Tu me fais mal. Lâche mes mains.

— Non, je ne te fais pas mal. Mais peut-être ai-je fait trop attention à ne pas te blesser… As-tu oublié ce que tu as accepté en m'épousant, Eve ?

— Non, marmonna-t-elle, le regard sur ses lèvres.

Elle fondait littéralement.

— Tu es à moi, tu le diras toi-même avant la fin de la nuit.

Sur ce, d'un geste preste, il déchira son chemisier.

— Et maintenant, je vais prendre ce qui est à moi.

Elle résista, mais c'était par fierté, et la fierté ne l'emportait jamais sur le désir. Elle se tortilla, accrocha un pied derrière celui de Connors dans l'espoir de le déséquilibrer. Il se contenta de changer de position, l'entraînant avec lui sur le sol.

Prise par surprise, elle en eut le souffle coupé, mais son genou remonta dans un mouvement machinal d'autodéfense. Connors esquiva, tout en la maintenant prisonnière. Elle se cabra, l'agonit d'injures, détourna la tête quand il voulut l'embrasser.

Il se contenta de lui mordiller la gorge. Il aurait pu s'arrêter là. Au fil des ans, il avait acquis un vernis qui lui permettait de se comporter en homme civilisé, mais elle avait réveillé la bête en lui. Il éprouvait le besoin de se venger. Et son odeur le rendait fou.

Elle était forte. Il s'était déjà battu avec elle, mais toujours en la respectant.

« Pas cette fois », se dit-il.

Pas cette fois.

Il couvrit l'un de ses seins. Elle avait la peau moite, brûlante. Elle émit une sorte de gémissement et, quand il réclama ses lèvres, elle le mordit.

L'élan de douleur ne fit qu'amplifier sa sauvagerie. Redressant la tête, il la fixa, une lueur féroce dans les prunelles.

— *Liomsa*.

Il le lui avait déjà dit une fois, dans la langue de sa jeunesse. *À moi*. Elle lutta encore, contre lui, contre elle-même, mais quand il reprit sa bouche, elle s'abandonna.

Elle avait envie de lui. Affreusement. Son corps tout entier s'arquait vers lui, et elle lui rendit son baiser avec fougue.

Il lâcha ses mains, le temps de la relever, avant de lui arracher les restes de son chemisier. La lanière de son holster s'emmêla, lui entravant les bras. La peur revint d'un seul coup ; elle était sans défense.

— Dis-le-moi, Eve. Dis-le !

Poussant un petit cri, elle renversa la tête en arrière. Le plaisir la dévorait, réduisant son amour-propre en lambeaux.

L'instant d'après, elle se roulait avec lui sur le sol jonché d'éclats de bois. Se libérant du holster, elle le déshabilla. Elle voulait sentir sa peau, la goûter.

Les mains de Connors s'emparaient, possédaient, exploraient. Ses longs doigts habiles avivaient impitoyablement ses sens. Il tira sur son pantalon, le jeta de côté.

Un flot de soulagement la submergea. Elle enfonça les ongles dans le tapis dans l'espoir de s'agripper à une ancre. Mais elle volait, catapultée, perdue.

Et il continuait, incapable de se maîtriser.

Ses gémissements l'enflammaient, éperonnaient son avidité. À chaque aspiration, il l'engloutissait. Elle. Sa femme.

Couvrant ses seins de baisers gourmands, il plongea les doigts dans son intimité.

Elle atteignit le paroxysme, et son cri le bouleversa tandis qu'elle lui lacérait le dos.

— Dis-le, répéta-t-il, haletant. Je veux te l'entendre dire.

Par miracle, elle comprit. Il ne lui demandait pas de se soumettre, mais d'accepter. S'offrant totalement à lui, elle bredouilla les mots qu'il attendait si désespérément.

— À moi. Tu es à moi aussi.

Elle gisait sous lui, affaiblie, en état de stupeur. Ses oreilles bourdonnaient, les pensées se bousculaient dans son esprit. Elle cherchait à se retrouver dans ce corps qui avait réagi d'une façon aussi primitive, mais elle voulait aussi, et surtout, savourer les échos des sensations qui continuaient de l'assaillir.

Quand Connors changea de position, elle se mit sur le ventre, comme elle le faisait quand l'épuisement prenait le dessus. Il la souleva dans ses bras.

— Nous n'avons pas encore fini.

Abandonnant le bureau saccagé, il l'emmena dans leur lit.

Quand Eve se réveilla, la lumière inondait la chambre, et son corps vibrait de mille et une douleurs vagues. Connors n'était plus là.

Allongée dans les draps entremêlés, partagée entre la honte et le plaisir, elle songea que rien n'était résolu. Ils n'avaient pas rétabli l'équilibre. Elle se leva et alla se doucher en se demandant s'ils avaient réglé quoi que ce soit ou, au contraire, envenimé la situation.

Elle parvint à s'habiller sans rencontrer son reflet dans la glace. Son holster et son arme étaient sur une table dans le coin salon. Quand les avait-il posés là ?

Une fois le pistolet dans son étui, elle se sentit mieux. Du moins, jusqu'au moment où elle entra dans son bureau et découvrit Peabody, sidérée devant le carnage.

— Eh bien dites donc !

— Il y a eu un petit incident, éluda Eve en poussant de côté la lampe brisée et en se précipitant vers sa console.

Pour l'heure, son unique dessein était de garder le contrôle.

— J'ai des renseignements qui pourraient être utiles pour notre enquête. Asseyez-vous.

Peabody s'éclaircit la gorge et s'installa sur une chaise. C'était la première fois qu'elle voyait le lieutenant démarrer sa journée sans une tasse de café à la main. Se gardant de tout commentaire, elle sortit son calepin.

— J'ai appris que le BAI menait une opération, attaqua-t-elle, avant d'expliquer à son assistante tout ce qu'elle avait besoin de savoir.

Quand elle eut terminé, Peabody posa son carnet sur ses genoux.

— Si je peux me permettre un avis, lieutenant, c'est ignoble.

— C'est noté. Je suis d'accord avec vous.

— Ils retardent deux enquêtes d'homicides en retenant des informations capitales. BAI ou pas, ils n'en ont pas le droit.

— En effet, et je vais m'en occuper. D'ici là, j'aimerais que vous preniez contact avec le Dr Mira. Demandez que notre consultant soit transféré ici. Je ne veux pas que le BAI flaire quoi que ce soit. Appelez McNab. Je veux qu'on examine de près cette liste du 128. Ici même. Avant d'avoir remonté la filière, officiellement, nous ne communiquerons rien au BAI.

— Vive la solidarité ! railla Peabody. Quelle bande de rats !

— Laissez de côté vos sentiments personnels. Les flics tombent comme des mouches. On n'a pas le temps de s'apitoyer… Je veux en parler de vive voix avec Whitney. Je serai de retour dans deux heures. En cas de contretemps, je vous préviendrai.

— Entendu, lieutenant. Voulez-vous que je fasse du ménage ?

— Ce n'est pas votre boulot ! trancha Eve, avant de fermer les yeux et de reprendre son souffle. Excusez-moi. Je suis un peu énervée. Ne vous inquiétez pas pour ça, à moins que quelque chose ne vous gêne. Dites à Mira que ce dossier est prioritaire. Rassemblez les fiches d'un maximum d'hommes du 128 avant de lancer la consultation.

Elle hésita, puis haussa les épaules et se dirigea vers la sortie.

— De plus, je vous serais reconnaissante d'avertir les bureaux de Connors que nous en aurons terminé au *Purgatoire* à la fin de la journée.

Il n'était absolument pas intéressé par *Le Purgatoire*, ni par le temps qu'il y passerait sans doute pour expier ses fautes. Il ne fut pas non plus surpris de découvrir Don Webster, qui le guettait dans la salle d'attente de ses bureaux du centre-ville.

L'assistante de Connors, une femme d'une efficacité remarquable, vint se placer stratégiquement entre les deux hommes.

— Votre emploi du temps est très chargé, ce matin. Ce monsieur souhaitait vous rencontrer et rechigne à prendre un rendez-vous pour la fin de la semaine.

— Je vais le recevoir maintenant. Merci, Caro. Webster...

D'un geste, Connors indiqua le couloir menant à son bureau. Il constata non sans plaisir que Webster arborait un œil au beurre noir et une lèvre fendue.

Lui-même avait très mal aux côtes, ce qu'il n'aurait admis pour rien au monde. Il alla se placer près de son fauteuil, mais ne s'assit pas. Les mains dans les poches, les pieds bien ancrés au sol, il mesura son adversaire.

— Vous voulez tenter un deuxième round ?

— Vous n'imaginez pas à quel point, rétorqua Webster, avant de secouer la tête. Malheureusement, je suis obligé d'y renoncer. Ça me déchire de l'avouer, mais vous aviez tous les droits de me casser la figure hier soir.

— Ah ! nous voilà d'accord sur un point ! répondit Connors d'un ton affable. Si jamais je vous reprends en train de toucher ma femme, je vous coupe les mains. C'est une promesse.

— Si vous étiez arrivé cinq minutes plus tard – non, cinq secondes –, elle aurait réglé le problème toute seule.

— Je n'ai jamais mis en doute la fidélité d'Eve.

— Très bien.

Le poids que Webster traînait depuis la veille s'allégea légèrement.

— Je ne voudrais pas que vous ayez l'impression que... qu'elle... Merde ! marmonna-t-il en passant la

main dans ses cheveux. Nous avons un souci professionnel, que j'ai transformé en dilemme personnel.
Voilà… je crois que je suis amoureux de votre femme.

— En effet, c'est grave. Vous avez du courage de m'en
parler.

Songeur, Connors s'assit, prit une cigarette. Accrochant le regard de Webster, il haussa un sourcil.

— Vous en voulez une ?

— Je n'ai pas fumé depuis cinq ans. Trois mois et…
et vingt-six jours. J'ai perdu le compte des heures. Et
puis zut !

Il en prit une, aspira longuement la fumée.

— Je ne vous connais pas, mais j'ai beaucoup entendu
parler de vous.

— C'est réciproque, répliqua Connors. Pensiez-vous
qu'Eve ne m'avait jamais parlé de la nuit que vous avez
passée ensemble ?

Affichant un air nonchalant, Webster s'assit à son
tour.

— Pour elle, ça ne signifiait rien. Je le savais à
l'époque, et je le sais aujourd'hui. Je connais votre
réputation, Connors. Si vous voulez vous débarrasser
de moi, vous le ferez. Je l'accepte. Simplement, je ne
voudrais pas que Dallas subisse les conséquences de
ma stupidité.

— Une telle tentative de protection l'inciterait plutôt
à vous aplatir.

Pour la première fois, Webster sourit, puis émit un
juron en portant la main à sa lèvre fendue.

— Oui, eh bien… Quand je merdoie, je n'accepte pas
que quelqu'un d'autre paie à ma place.

— Quoi que vous sachiez, ou pensiez savoir sur moi,
permettez-moi de préciser ceci : je ne m'attaque jamais
aux femmes, notamment quand elles n'ont rien à se
reprocher.

Il se souvint de la façon dont il avait traité Eve la veille,
puis chassa cette pensée de son esprit. Il verrait ça plus
tard.

— Et m'en prendre à vous rendrait Eve malheureuse,
enchaîna-t-il. Je pourrais prendre ce risque, mais je n'ai
aucune raison de le faire.

Webster fixa sa cigarette.

— Vous n'êtes pas ce que je croyais.

— J'aurais pu l'être.

Ravalant un soupir, Webster aspira une dernière bouffée de fumée.

— Avec des « si »... Ce qui compte, c'est ce qui est. Je ferais mieux de m'en souvenir, ajouta-t-il en se tapotant la joue.

Écrasant son mégot dans le cendrier, il se leva, rencontra le regard de Connors, tendit la main.

— Merci de m'avoir accordé ces quelques instants.

Connors se mit debout, lui aussi. Il éprouvait un mélange de pitié et de respect. Il serra la main de Webster et sourit.

— J'ai un bleu de la taille d'une assiette sous les côtes, et l'impression d'avoir reçu une brique sur le foie.

Webster eut un petit rire qui lui rappela douloureusement sa lèvre fendue.

— Merci.

Il s'éloigna, se retourna sur le seuil de la pièce.

— Vous allez bien ensemble, vous et Dallas. Vous formez un sacré couple.

Oui, se dit Connors quand la porte se referma. Mais ce n'était pas toujours facile.

Quand Eve lui relaya ce qu'elle avait appris, le commandant Whitney n'explosa pas, mais il s'en fallut de peu.

— Vous pouvez vérifier ?

— Non, commandant. Pas encore. Mais mes renseignements sont fiables. Ma source est fiable.

— Qui est la source ?

Elle réfléchit, décida qu'elle n'avait pas le choix.

— Je regrette, commandant, mais je ne suis pas en mesure de vous révéler son nom.

— Je ne suis pas un reporter, Dallas !

— Commandant, cette information m'a été transmise en toute confidentialité. Je n'hésiterai pas à m'en servir, mais je ne peux pas vous donner l'identité de la source.

— Vous ne me facilitez pas la tâche. Comment voulez-vous que je donne un coup de pied au BAI ?

— J'en suis navrée.

Il se mit à pianoter nerveusement sur son bureau.

— Je vais les affronter. Ils vont nier, éluder, tergiverser. Si, comme vous le prétendez, l'opération est en cours depuis plusieurs mois, ils seront réticents à en parler, même avec moi.

Il se balança sur son fauteuil, le regard concentré.

— La politique est un jeu de vilains. Et j'y excelle.

— Oui, commandant, murmura Eve en s'autorisant un mince sourire. C'est vrai.

— Préparez-vous à être convoquée à la Tour pour discuter de cette affaire, lieutenant, ordonna-t-il, faisant allusion aux bureaux du commissaire divisionnaire. Je lance la machine.

— Je suis à votre disposition, commandant. À partir de maintenant, et jusqu'à ce que cette affaire soit résolue, je travaillerai avec mon équipe de chez moi.

Il opina en pivotant vers son vidéocom.

— Vous pouvez disposer.

Tandis qu'elle regagnait son véhicule dans le parking, Carmichael l'interpella.

— J'ai un petit quelque chose qui pourrait vous intéresser. J'ai effectué des recherches sur la plupart des témoins de ma liste, et j'ai marqué un point avec une des serveuses.

— C'est-à-dire ?

— Il semble qu'elle ait fait un peu de prison pour escroquerie. Rien de dramatique mais, du coup, elle s'y connaît en matière de flics. Elle prétend avoir deviné que Kohli en était un, mais que ça ne l'a pas inquiétée outre mesure. Quant à l'autre, qui venait de temps en temps siroter un verre au bar, elle n'avait rien de spécial à en dire.

— Quel autre ?

— Justement, c'est la question que je lui ai posée, répondit Carmichael avec un large sourire. Et la réponse a été « la femme flic ». Une jolie blonde. Quand j'ai insisté, elle m'a donné une description assez fidèle du capitaine Roth.

— Pas possible !

— Oui, au début, ça aurait pu correspondre à plusieurs centaines de femmes, mais j'ai tiqué. Du coup, j'ai sorti des photos et je lui ai demandé de la reconnaître. Elle a pointé le doigt sur Roth du premier coup.

— Merci. Ça reste entre nous, d'accord ?

— Entendu. Je m'apprêtais à déposer le rapport de l'entretien sur votre bureau. Vous le voulez maintenant ? s'enquit Carmichael en sortant un disque de sa mallette.

— Oui. Merci encore.

Eve fourra le disque dans sa poche et se précipita vers sa voiture. En route, elle s'arrêterait au 128.

— Peabody ! ordonna-t-elle par le biais de son communicateur. Penchez-vous sur le cas de Roth et creusez. Inutile d'être discrète. Au contraire.

— Oui, lieutenant. Votre rendez-vous avec le Dr Mira est prévu pour 10 h 30 chez vous.

— Je m'efforcerai d'être à l'heure. Occupez-vous du dossier Roth et clamez-le haut et fort.

Eve ne s'attendait pas à ce qu'on lui déroule le tapis rouge à son arrivée au 128. Elle eut droit à des regards froids et à des commentaires désobligeants. Un officier particulièrement inventif imita le cri d'un cochon.

Plutôt que de l'ignorer, elle alla se planter devant son bureau.

— Quel talent, inspecteur ! On peut louer vos services pour une soirée ?

Il eut une moue.

— Je n'ai rien à vous dire.

— Tant mieux, car moi non plus, je n'ai rien à vous dire.

Elle le fixa jusqu'à ce qu'il détourne la tête, gêné. Satisfaite, elle repartit en direction du bureau du capitaine Roth.

La pièce était située en coin. Roth avait dû beaucoup manœuvrer pour obtenir ce local à deux fenêtres. La porte étant vitrée, Eve vit Roth bondir sur ses pieds. Leurs regards se rencontrèrent. Eve ne prit pas la peine de frapper.

— Comment osez-vous fouiller dans ma vie privée sans m'en avertir ? attaqua Roth. Vous dépassez les limites, lieutenant.

— Vous craignez que je découvre quelque chose ?

— Je ne suis pas inquiète. Je suis furieuse. Vous ignorez les principes mêmes de la courtoisie la plus élémentaire depuis que vous avez décidé, sur un coup de tête, de vous en prendre à mon équipe. J'ai l'intention d'en informer le commandant Whitney et de monter jusqu'à la Tour.

— C'est votre privilège, capitaine. Comme c'est le mien, en tant que responsable de deux enquêtes d'homicides, de vous demander pourquoi vous m'aviez caché vos visites au *Purgatoire*.

— Vous êtes mal renseignée.

— Je ne le pense pas. Nous pouvons en parler ici, capitaine, ou au Central. C'est à vous de choisir.

— Si vous croyez que je vais vous laisser me détruire, vous vous trompez.

— Si vous croyez que je vais vous laisser vous dérober derrière vos barrettes de capitaine, vous vous trompez aussi. Où étiez-vous la nuit du meurtre de l'inspecteur Kohli ?

— Je n'ai pas à vous répondre.

— Vous y serez obligée si je vous interroge officiellement. Ce que je ne manquerai pas de faire.

— Je n'étais pas au *Purgatoire* la nuit du meurtre de Kohli.

— Prouvez-le-moi.

— Oh ! J'espère que vous rôtirez en enfer ! grommela Roth en allant baisser les stores de son box... C'est personnel.

— Quand il s'agit d'un meurtre, rien n'est personnel.

— Je suis policier, lieutenant, et j'exerce bien mon métier. Je suis meilleure dans les bureaux que sur le terrain, mais je suis un bon flic. Le fait que j'aie bu un verre dans un club de temps en temps n'a rien à voir avec la mort de Kohli ni avec ma position de capitaine.

— Dans ce cas, pourquoi avez-vous tu cette information ?

— Parce que je ne suis pas censée boire.

Elle devint écarlate.

— J'ai un problème avec l'alcool, et j'ai déjà suivi une cure de désintoxication. Mais vous le savez, dit-elle en revenant à sa table. Je ne tiens pas à ce que cette rechute mette mon poste en péril. Je ne savais pas que Kohli travaillait au *Purgatoire* quand j'y suis allée la première fois. Si j'y suis retournée ensuite, c'est parce que j'éprouvais le besoin de voir un visage familier. Je n'en ai pas parlé, parce que cela ne me paraissait pas indispensable.

— Vous savez très bien qu'il n'en est rien, capitaine.

— D'accord, je me protégeais. C'est normal, non ?

Elles se firent face, Roth prête à se défendre bec et ongles pour sauver sa peau.

— Je sais très bien que vous essayez de démontrer que Kohli était corrompu, et Mills aussi. Vous n'en direz pas autant de moi.

— Nous avons constaté un nombre de dépôts substantiel sur les comptes épargne de votre mari.

— Cette fois, c'en est trop ! J'appelle mon avocat.

Elle tendit la main vers le vidéocom, ferma le poing. Dans le silence, Eve la regarda se ressaisir.

— Si je fais ça, ça deviendra officiel. Vous m'avez coincée.

Elle reprit son souffle, expira.

— Il y a quelques mois, j'ai commencé à soupçonner mon mari de me tromper. Tous les signes étaient là. Il était distrait, se désintéressait de moi, rentrait tard et me posait des lapins. Je l'ai affronté, il a nié. Les hommes ont le don de retourner ce genre d'accusations, de manière à vous faire passer pour la coupable. C'est simple, lieutenant, mon ménage battait de l'aile, et je n'y pouvais rien. Vous êtes flic, vous êtes femme, vous êtes mariée. Vous savez que ce n'est pas toujours facile.

Eve ne répondit pas.

— J'étais nerveuse, incapable de me concentrer. Je me suis dit qu'un petit verre me réconforterait. Ou deux. Et je me suis retrouvée au *Purgatoire*. Kohli était au bar. Nous avons tous deux fait comme si notre présence en ces lieux était normale. Pendant ce temps, mon mariage s'écroulait. J'ai découvert que non seulement mon mari avait une maîtresse, mais qu'en plus il transférait régulièrement des fonds de notre compte joint sur un autre, en son nom propre. Très vite, j'ai réalisé que j'étais ruinée et que je replongeais tout droit dans l'alcoolisme, ce qui affectait mes capacités au travail.

Elle marqua une pause.

— Il y a environ deux semaines, je me suis reprise en main. J'ai fichu mon mari dehors et entrepris une cure de désintoxication. Cependant, je n'ai pas signalé ce fait à ma direction, ce qui est une violation de la procédure. Mineure, certes, mais tout de même. Depuis, je n'ai jamais remis les pieds au *Purgatoire* et je n'ai pas vu l'inspecteur Kohli en dehors des heures de service.

— Capitaine Roth, je compatis avec vos problèmes, mais j'ai besoin de savoir où vous étiez la nuit du meurtre de Kohli.

— Jusqu'à minuit, j'étais à une réunion des Alcooliques anonymes qui se tenait dans le sous-sol d'une église à Brooklyn.

Elle eut un petit sourire.

— Là, j'étais à peu près certaine de ne pas tomber sur une connaissance. C'était le but du jeu. Ensuite, je suis allée boire un café avec plusieurs des participants. Nous avons échangé nos expériences. Je suis rentrée chez moi, seule, vers 2 heures, et je me suis couchée. Je n'ai aucun alibi.

Plus calme, à présent, Roth regarda Eve dans les yeux.

— Tout ce que je viens de vous dire est officieux et juridiquement irrecevable, puisque vous ne m'avez pas récité le Code Miranda révisé. Si vous me mettez en examen, lieutenant, je vous rendrai la tâche très difficile.

— Si je décide de vous mettre en examen, capitaine, je vous le promets, ce sera encore plus dur pour vous.

12

Eve avait besoin de temps pour absorber, trier, laisser les pièces du puzzle se mettre en place. Elle avait besoin de réfléchir : était-elle prête à ruiner la carrière d'un collègue avant d'avoir la certitude qu'il avait commis des fautes graves ?

Elle allait rencontrer Mira, insérer les nouvelles données, calculer les probabilités. Elle suivrait la procédure à la lettre.

En pénétrant dans son bureau de la maison, elle vit Mira assise dans un fauteuil, au milieu de la pièce remise en état. Peabody et McNab s'affairaient, dos à dos, sur leurs claviers respectifs.

— Je suis désolée de vous avoir fait attendre.

— Ce n'est rien, répondit Mira en posant sa tasse de thé. Peabody m'avait prévenue.

— Ça ne vous ennuie pas de passer à côté ?

— Pas du tout.

Élégante comme à son habitude, en tailleur vert printemps, Mira se leva.

— J'ai toujours plaisir à me promener dans votre demeure.

Tout en se disant que ça ne convenait guère pour une consultation, Eve la conduisit dans l'un des salons. Mira poussa un soupir d'admiration.

— Quel espace magnifique ! murmura-t-elle, fascinée par les couleurs douces, les lignes gracieuses du mobilier, les bois polis. Mon Dieu ! Eve, serait-ce un Monet ?

Eve jeta un coup d'œil sur le tableau.

— Je n'en ai pas la moindre idée.

— Bien sûr que si ! s'exclama Mira en s'approchant de la toile. Comme je vous envie votre collection !

— Ce n'est pas la mienne.

Mira se tourna vers elle en souriant.

— Je l'envie néanmoins. Puis-je m'asseoir ?

— Oui, bien sûr. Pardon. Je suis confuse aussi de vous avoir inondée de requêtes.

— Nous sommes toutes deux accoutumées à travailler sous pression. Ces homicides font des vagues à travers tout le département. Le fait de se trouver en plein milieu n'arrange rien.

— Ça aussi, j'en ai l'habitude.

— Oui.

« Quelque chose ne tourne pas rond », songea Mira. Elle connaissait trop bien Eve pour ne pas être sensible au moindre signe. Mais ça pouvait attendre.

— Je suis d'accord avec votre analyse selon laquelle les deux victimes ont le même assassin. Si la méthode diffère, on n'en note pas moins certaines similitudes. Les pièces de monnaie, les victimes elles-mêmes, la brutalité, la connaissance des systèmes de sécurité des lieux.

— C'est un flic, intervint Eve. Ou quelqu'un qui l'a été.

— Très probablement. Votre meurtrier est enragé mais se maîtrise suffisamment pour se protéger en éliminant les indices. La colère est personnelle, je dirais même, intime. Ce qui vient soutenir votre profil flic contre flic.

— Parce qu'il soupçonnait Mills et Kohli d'être corrompus, ou parce que lui-même l'est ?

— D'après moi, la première hypothèse. Ce sont des actes de vengeance. Votre agresseur agit de façon systématique, il se prend pour un justicier. Il veut faire passer ses victimes pour des Judas, il veut que leurs crimes soient révélés.

— Dans ce cas, pourquoi ne pas les exposer, tout simplement ? C'est très facile.

— Ce n'est pas assez spectaculaire. La perte du badge, l'humiliation. C'est trop facile. Il veut les punir lui-même. Il ou elle a été puni d'une manière ou d'une autre, sans doute dans le cadre de son travail, et l'a perçu comme une injustice. Peut-être l'assassin a-t-il

175

été accusé à tort d'une infraction. Le système l'a trahi, il ne lui fait plus confiance.

— Ils le ou la connaissaient.

— J'en suis sûre. Non seulement parce que les victimes semblent ne pas avoir anticipé l'attaque, mais aussi parce que, d'un point de vue psychologique, ce lien ne fait qu'accroître la rage. Il est très possible qu'ils aient travaillé avec le meurtrier. Peut-être ont-ils commis un acte qui, selon le tueur, a engendré l'injustice dont il a subi les frais. Quand vous le trouverez, Eve, tout s'expliquera.

— Pensez-vous qu'il ait une certaine autorité ?

— Le seul fait de porter l'insigne confère une certaine autorité.

— Est-ce que ce pourrait être un gradé ?

— C'est possible. Mais ce n'est pas quelqu'un qui croit en son pouvoir. C'est sa fureur qui le rassure, une fureur née en partie de ses désillusions par rapport au système qu'il a représenté. Ce système que ses victimes avaient juré de représenter.

— Le système s'est fichu de lui, ils se sont fichus du système. Pourquoi s'en prendre à eux ?

— Parce qu'ils ont profité des failles, alors que lui a perdu.

Eve opina.

— Vous savez qu'on soupçonne le 128 d'avoir un sérieux problème interne. Une connexion avec le crime organisé. Avec Max Ricker.

— Oui, cela apparaît clairement dans votre rapport.

— Je dois vous dire, docteur Mira, que l'inspecteur Kohli n'avait rien à se reprocher, et qu'une opération du BAI est en cours dans l'espoir de démasquer cette corruption.

— Je vois, marmonna Mira dont le regard se voila. Je vois.

— Je ne sais pas si notre assassin en était conscient, mais ça m'étonnerait. Comment va-t-il réagir en apprenant que Kohli était net ?

Mira se leva. Son métier l'obligeait à se mettre dans l'état d'esprit des meurtriers. Elle déambula jusqu'aux baies vitrées surplombant les jardins, où la brise caressait un océan de tulipes roses.

Décidément, pensa-t-elle, rien n'était plus réconfortant qu'un parc bien entretenu.

— Au début, il ne voudra pas le croire. Il ne se considère pas comme un tueur, mais comme un justicier. Quand il ne pourra plus le nier, il se dissimulera derrière sa rage. C'est sa bouée de sauvetage. Une fois de plus, le système l'a trahi, l'incitant à mettre un terme à la vie d'un innocent. Quelqu'un devra payer. Peut-être quelqu'un des Affaires internes, où tout a commencé. Peut-être vous, Eve... Car c'est vous qui, indirectement du moins, avez poussé toute cette horreur sous son nez. Désormais, il va redoubler de fureur. Pour lui, pour Kohli. Dès qu'il l'apprendra, dès qu'il l'acceptera, il tuera. Il continuera de tuer jusqu'à ce qu'on l'arrête, Eve.

— Comment m'arranger pour qu'il s'en prenne à moi ?

Mira revint s'asseoir.

— En admettant que je le puisse, croyez-vous vraiment que je vous aiderais en cela ?

— Mieux vaut connaître sa cible que de la deviner.

— En effet, convint Mira, impassible. Surtout si vous y arrivez. Mais vous ne pouvez pas le manipuler, Eve. Il a sa propre logique. Il a déjà sélectionné sa prochaine victime. Cette information, quand il en prendra connaissance, risque de modifier ses projets. Il faudra qu'il s'en remette, qu'il reprenne l'équilibre.

Eve fronça les sourcils.

— Il a une conscience.

— Oui, et Kohli va peser dessus. Kohli va lui coûter. Quant à la personne qu'il accusera ? Mystère.

— Pourquoi ne s'attaque-t-il pas à Ricker ?

— Il le fera peut-être mais, avant cela, il voudra faire le ménage chez lui.

— Comment enquêter sur chacun des membres d'une circonscription et les protéger en même temps ? murmura Eve. Comment réagir quand ils vous considèrent d'emblée comme un ennemi ?

— C'est ce qui vous tracasse ? Que vos collègues se méfient de vous ?

— Non, non. Je peux gérer ça.

— Dans ce cas, puisque je n'ai plus rien à ajouter sur ce sujet pour le moment, j'aimerais que vous me disiez ce qui vous préoccupe.

— Je suis débordée, éluda Eve en quittant son fauteuil. Merci d'avoir pris le temps de venir jusqu'ici.

Eve n'était pas forcément la plus têtue des deux.

— Asseyez-vous. Je n'ai pas terminé.

Un peu surprise par le ton autoritaire, Eve s'exécuta.

— Vous avez dit...

— Je vous ai demandé de me dire ce qui vous tracassait. Vous êtes malheureuse, vous semblez avoir du mal à vous concentrer, et je suis presque sûre que c'est pour des raisons personnelles.

— Justement, si c'est personnel, ce n'est ni le lieu ni...

— Les cauchemars ont repris ?

— Non, ça n'a aucun rapport avec mon père, mon passé. C'est mon problème.

— J'aimerais comprendre quelque chose. Je tiens énormément à vous.

— Docteur Mira...

— Taisez-vous, l'interrompit-elle d'un ton aimable, mais sans réplique. Je tiens à vous, je le répète. Cela a beau ne pas vous mettre à l'aise, Eve, je vous considère un peu comme ma fille. C'est dommage que cela vous déplaise... Vous ne connaissez pas mes enfants, mais je peux vous assurer qu'ils vous parleraient de mon impitoyable obstination lorsque leur bonheur est en jeu. Si je n'ai pas l'intention de m'immiscer dans vos affaires, je découvrirai néanmoins la cause de votre désarroi.

Stupéfaite, Eve la dévisagea. Sa gorge s'était nouée d'émotion. Elle n'avait aucun souvenir de sa mère et était impuissante à se défendre face à cette femme qui tenait tant à jouer ce rôle.

— Je ne peux pas en parler.

— Bien sûr que si ! S'il ne s'agit pas de votre passé, il s'agit de votre présent. Et si c'est personnel... c'est Connors. Vous vous êtes querellés ?

L'emploi de ce terme, si civilisé, eut sur Eve un effet inattendu. Elle éclata de rire, se plia en deux de rire, jusqu'au moment où elle se rendit compte, à son immense surprise, qu'elle était sur le point de sangloter.

— Je ne sais pas. Il m'adresse à peine la parole.

— Eve, dit Mira en lui prenant la main.

Ce geste d'amitié fit sauter le dernier verrou. Eve raconta tout, depuis l'instant où elle était entrée dans la chambre où Summerset se battait avec l'énorme bouquet de fleurs.

— Je suis allée voir Mavis, poursuivit Eve. J'ai bu. Ça paraît idiot.

— Au contraire, c'est tout à fait compréhensible. Vous vous êtes adressée à une amie qui vous connaît bien et qui vit de son côté une relation épanouie. Boire vous a permis de vous défouler.

— Elle m'a conseillé de... de le séduire.

— Excellent. Le sexe ouvre la porte à la communication et apaise les tensions. Ça n'a pas marché ?

— Je n'ai pas vraiment eu l'occasion d'essayer. Un individu, dont je ne peux pas vous révéler le nom, mais qui est impliqué dans cette affaire et avec lequel j'ai eu une aventure autrefois, m'attendait devant la maison. Je l'ai amené jusqu'à mon bureau pour discuter et... mon Dieu... je ne sais pas ce qui lui a pris. Je suppose qu'il a voulu m'embrasser. Je m'apprêtais à le repousser quand Connors...

— Ah ! J'imagine qu'il était très mécontent.

Eve la fixa, ahurie par cette expression. Elle craignit de se remettre à rire, sachant que, cette fois, elle ne s'arrêterait plus.

— On peut le dire. Ils ont échangé des mots, puis se sont jetés l'un sur l'autre. Le pire c'est que, l'espace d'une minute, je suis restée plantée là comme une imbécile. Les meubles volaient, le sang jaillissait, et moi, je ne bougeais pas.

— Vous avez fini par réagir, je suppose.

— Oui, mais tout de même... J'ai dégainé mon arme.

— Seigneur !

— Elle était en mode hypodermique, expliqua-t-elle en haussant les épaules. J'ai tiré un coup en l'air, pour les mettre en garde. Connors m'a ignorée. Malheureusement, l'autre a marqué une hésitation, et Connors en a profité pour l'assommer. Summerset l'a raccompagné à la sortie, pendant que j'ordonnais à Connors de se calmer s'il ne voulait pas que je le paralyse. J'étais sérieuse.

— Je n'en doute pas.

— Il avait l'air de s'en moquer. Il m'a poussée dans un coin, j'étais incapable de... Ensuite, euh... il a...

— Ah ! Je vois.

— Non, non, il ne m'a pas battue !

— Ce n'est pas ce que je pensais. Il... vous a fait l'amour.

— Pas exactement. Il m'a possédée. J'allais me refuser à lui, je me suis dit que je ne pouvais pas accepter ça, pourtant... J'étais excitée, il l'a senti, il a déchiré mes vêtements et m'a prise à même le sol. Nous étions comme deux bêtes sauvages. Je n'ai pas cherché à l'arrêter, parce que... mon Dieu ! J'avais tellement envie de lui que je me serais laissé dévorer toute crue.

— Eh bien ! souffla Mira.

— Je n'aurais pas dû vous dire ça, marmonna Eve en fermant les yeux. Je perds la tête.

— Pas du tout, ma chère, c'était une réaction peu professionnelle, et je vous prie de m'en excuser. Mais je suis une femme, moi aussi.

Elle ne put s'empêcher de penser que son propre mari allait être enchanté des effets secondaires de ce petit tête-à-tête avec Eve.

— Je ne me suis pas simplement abandonnée, je l'ai aidé. J'y ai pris beaucoup de plaisir.

Eve contempla ses mains, penaude.

— Je deviens folle.

— Mais non, au contraire, c'est très sain. Vous vous aimez, Eve. La passion...

— C'était plus que ça.

Cette fois, Mira s'esclaffa.

— Vous êtes deux êtres forts, têtus, physiques et vous vous aimez follement. Il était furieux parce que vous aviez cherché à le protéger à vos risques et périls. Comme vous l'auriez été, dans son cas.

— Mais...

— Vous savez que c'est vrai. Vous n'hésiteriez sans doute pas à recommencer, et lui non plus. Vous avez ébranlé son ego, ce qui est toujours délicat, surtout avec un homme tel que lui. Ensuite, avant qu'il ait pu s'en remettre, il vous surprend dans les bras d'un autre.

— Il devait savoir que je n'aurais jamais...

— Il le savait, assura Mira. Mais deux coups à la suite, c'est trop.

— Je… Vous avez probablement raison, admit-elle à contrecœur.

Tout à coup, Eve poussa un soupir, incroyablement soulagée.

— Oui, c'est vrai.

— Évidemment. Et il a voulu se réapproprier son bien. *Cette femme est à moi.*

— C'est exactement ce qu'il a dit.

— C'est naturel. Vous l'êtes. Et réciproquement. Et voilà que vous pointez votre arme sur lui. J'imagine la scène ! Conséquence : il a brandi la sienne.

— Docteur Mira ! protesta Eve en retenant un sourire.

— Vous avez choisi ce moyen d'évacuer vos tensions.

— On aurait pu le croire mais, au lieu d'en rester là, il m'a prise dans ses bras et nous avons recommencé au lit.

Mira la dévisagea.

— Il suit un régime particulier ? Il prend des vitamines ?

Eve sentit son sourire s'élargir.

— Merci. Et je n'éprouve même pas le besoin de vomir, comme ce fut le cas après tous ces cocktails et la glace chez Mavis.

— Tant mieux. Cet homme vous aime de toutes ses forces, Eve. Prenez le temps, allez lui parler.

— Oui.

— Je dois regagner mon bureau, annonça Mira en se levant. J'ai l'intention de finir tôt ce soir, et de rentrer ravir mon époux.

Amusée, Eve regarda Mira s'éloigner de sa démarche gracieuse.

Remontée à bloc, elle retourna dans son bureau et ordonna à Peabody et McNab de prendre une pause de vingt minutes. Toutefois, quand McNab se dirigea vers la kitchenette, elle lui barra le chemin.

— Non, descendez, montez, sortez, allez où vous voudrez, mais je veux être au calme. Et interdiction de visiter les chambres ! ajouta-t-elle en notant la lueur qui dansait dans ses prunelles.

Elle s'installa pour contacter Feeney. Si elle devait être convoquée à la Tour, elle tenait à ce qu'il l'accompagne.

— Ordinateur, calcul des probabilités d'après les données disponibles sur Roth, capitaine Eileen, en tant qu'auteur des homicides affichés.

— *Recherche en cours...*

Eve déambula dans la pièce, pendant que la machine effectuait ses pourcentages. Oui, elle était remontée à bloc, pleine d'énergie, prête à foncer.

Elle pensa à Roth, qui tentait désespérément de mêler ses vies professionnelle et personnelle. Elle échouait d'un côté et se mettait en danger de l'autre.

« Ça ne m'arrivera pas », décida-t-elle.

Quelle que soit la suite des événements, elle se débrouillerait pour que tout aille bien.

— *Résultat de l'analyse... selon les données disponibles, la probabilité que Roth, capitaine Eileen, soit l'auteur des homicides affichés est de 67,3 %.*

« C'est peu, songea Eve, mais ça ne suffit pas à l'innocenter. »

— Ordinateur, calcul en fonction des nouvelles données. À titre confidentiel. Penchant du capitaine Roth pour l'alcool ; mariage à la dérive ; soucis financiers. De plus, le sujet Roth savait que la victime était employée au *Purgatoire* et s'était rendue sur les lieux au cours des semaines précédant le crime.

— *Recherche en cours... Les données additionnelles augmentent le pourcentage de 12,8 %, pour un total de 80,1 %.*

— Oui, ça change tout. Ça vous met sur la liste des suspects, capitaine. Qu'est-ce qu'on a d'autre ?

À cet instant, son vidéocom bipa.

— Dallas.

— Ici Martinez.

Le fond sonore était bruyant. Martinez se trouvait dans la rue.

— Vous avez quelque chose pour moi ?

— Des trous dans les fichiers, qui ne correspondent pas à mes propres archives. J'ai relu et croisé toutes les informations, mais je n'arrive pas à mettre le doigt dessus. Quelqu'un a falsifié les rapports, discrètement, ici et là.

— Envoyez-moi une copie. Je demanderai à un ami du DDE de l'étudier. Il a du flair.

— Je ne veux pas passer par le Central.

— Je suis chez moi. Voici mon code.

— Entendu. Au fait, vous m'aviez dit que vous ne me feriez plus suivre.

— En effet.

— Pourtant, je suis filée. Par des flics. Je sais les reconnaître.

— Continuez comme si de rien n'était. N'utilisez pas la ligne du département pour me joindre.

— Oui, lieutenant.

— Ne prenez aucun risque. Voici mes numéros personnels. Et surtout, ne faites confiance à personne, ajouta-t-elle en coupant la communication.

Elle se détourna de son écran, parcourut les documents en cours de Peabody et y découvrit trois suspects supplémentaires appartenant au 128. Elle réclama les photos d'identité, ébaucha un sourire, se concentra sur l'une d'entre elles.

— Tiens, tiens ! Notre inspecteur qui fait si bien le cochon. Vernon, Jeremy K. Votre tête ne me revient pas, Jerry. Voyons ça de plus près.

Elle accéda à tous ses comptes en banque en se servant de variables de son nom, de sa date de naissance, de son numéro de badge...

Quand Peabody reparut, Eve était absorbée dans son travail.

— Vous saviez que vous aviez de la paella ? Avec de vrais crustacés ? Je n'avais jamais mangé de paella pour le déjeuner.

— Mmm, marmonna Eve, sans prendre la peine de lever les yeux. Mettez-vous devant l'autre console et copiez les données sur l'inspecteur Jeremy Vernon.

— Vous avez du nouveau ?

— Peut-être. Combien de flics ont des comptes en banque en dehors de la ville ?

— Pas moi. Le premier du mois, une fois le loyer et ma carte de transport payés, et de quoi manger, j'ai de la chance s'il me reste de quoi m'offrir un ensemble de lingerie fine. J'en aurais pourtant bien besoin. C'est formidable d'avoir une vie sexuelle, ça me change, mais...

— Un inspecteur gagne plus qu'un simple agent, dit Eve, mais à moins que les salaires n'aient considérablement augmenté depuis mes débuts, ce type n'a pas les moyens de mettre de côté 300 000 dollars et des poussières. Et ce n'est pas tout. Les parents décédés... Mills se servait des parents décédés. Où est passé McNab ?

— Occupé à se gaver. Vous aviez aussi un délicieux gâteau aux fraises. Ne m'obligez pas à aller le chercher. Je ne suis qu'une faible femme, et il avait l'air tellement bon...

Eve se tourna vers son vidéocom.

— McNab ! Revenez ici immédiatement !

— Vous voulez que j'entame une recherche sur les ancêtres ? proposa Peabody.

— McNab s'en chargera. Il est plus rapide que vous ou moi.

Elle se leva.

— Quand il aura obtenu la liste, divisez-la entre vous. Repérez les comptes courants. Si ça ne marche pas avec les noms, essayez les chiffres : carte d'identité, permis de conduire, dates de naissance, tout ce qui vous viendra à l'esprit. Toutes les combinaisons possibles. Je prends une heure de repos.

Elle sortit alors que McNab entrait.

— Dallas ! Vous m'avez fait une peur bleue !

— Vous avez un morceau de fraise sur le menton. Mettez-vous au boulot.

— Où va-t-elle ? demanda McNab à Peabody.

— Elle s'accorde une heure pour elle.

— Dallas ? Une heure pour elle ? C'est la fin du monde !

Peabody ricana en douce, mais refusa de rire franchement ; depuis quelque temps, elle était trop gentille avec lui.

— Elle a le droit de vivre, elle aussi. Et si tu ne bouges pas tes fesses, elle t'enverra balader à l'autre bout du New Jersey à son retour.

— Je n'ai pas eu mon café, gémit-il. Qu'est-ce qu'elle veut ?

— Une étude sur les relevés de comptes de ce type.

— Je le connais. C'est Vernon.

— Ah bon ?

— Oui, oui. Je me souviens de lui. J'étais encore en uniforme, à l'époque, il m'a appelé en renfort pour une affaire de drogue. C'est un con.

— Pourquoi ? Il n'a pas été impressionné par ta vivacité d'esprit ?

— C'est un coq. Il se pavanait, se moquait des compagnes sous licence qu'on avait arrêtées au cours du raid. Il était complètement imbu de lui-même, alors qu'on n'avait rien trouvé d'exceptionnel. Une bande de prostituées, quelques maquereaux et un ou deux kilos d'Exotica. À l'entendre, il venait de démanteler un cartel majeur. Et il traitait ses hommes comme des esclaves. Il paraît qu'une des filles l'a accusé de harcèlement sexuel. Il s'est fait taper sur les doigts.

— Sympa.

— D'après la rumeur, il aimait bien arrêter les dealers d'Exotica parce qu'il en profitait pour empocher sa dose personnelle. Eh bien, Jerry mon pote, la boucle est bouclée.

Oubliant son café, McNab s'assouplit les doigts et se mit à son clavier.

13

Les bureaux de Connors se trouvaient dans une élégante tour noire qui jaillissait de la rue comme une flèche vers le ciel. Ce magnifique monument avait la faveur des fabricants de cartes postales et d'holocubes touristiques.

L'intérieur était tout aussi pur, avec quelques touches luxueuses sous forme de bassins de fleurs somptueuses, d'arbres tropicaux, de points lumineux et un océan de marbre rutilant.

Toutes les sociétés abritées dans l'édifice ne lui appartenaient pas, mais il possédait des parts dans la plupart d'entre elles, y compris les boutiques, restaurants et autres salons chics.

Il travaillait au dernier étage, et Eve y accéda en empruntant un ascenseur privé. Elle arriva sans s'annoncer, à l'improviste, armée d'énergie et de courage.

La réceptionniste lui sourit. Intelligente, dotée d'une longue expérience, elle continua d'afficher son sourire même après avoir remarqué l'expression déterminée d'Eve.

— Lieutenant Dallas ! Quel plaisir de vous revoir. Malheureusement, Connors est en réunion et il ne veut pas être dérangé. Est-ce que je peux vous...

— Il est là-bas ?

— Oui, mais... Oh ! lieutenant !

Elle se leva précipitamment tandis qu'Eve passait devant elle.

— Je vous en prie. Vous ne pouvez pas...

— Si, je peux !

— C'est une réunion d'une importance capitale ! insista-t-elle en lui barrant le chemin. Si vous pouviez patienter une dizaine de minutes. Ils vont sûrement s'interrompre bientôt pour déjeuner. Voulez-vous un café ? Une pâtisserie ?

Eve la dévisagea.

— Comment vous appelez-vous ?

— Loreen, lieutenant.

— Eh bien, Loreen, non, merci, je ne veux ni de votre café ni de votre pâtisserie, mais merci tout de même. Et je ne manquerai pas de dire à Connors que vous avez tout tenté. À présent, écartez-vous.

— Mais je...

— Que vous avez vraiment tout essayé, ajouta Eve en la poussant de côté et en ouvrant la porte.

Connors était appuyé contre sa table, l'air décontracté, parfaitement maître de lui devant la vue spectaculaire qu'offraient ses baies vitrées. Il écoutait poliment le discours d'une des six personnes assises devant lui. Quand Eve surgit, elle eut le plaisir de noter une lueur de surprise dans ses prunelles.

Il se ressaisit instantanément.

— Mesdames, messieurs, murmura-t-il en se redressant, permettez-moi de vous présenter mon épouse, le lieutenant Dallas. Eve, voici les représentants, les avocats et les conseillers financiers du port agricole Green Space. Tu connais déjà Caro, mon assistante.

— Oui. Bonjour. Comment allez-vous ? Il faut qu'on parle.

— Je vous prie de m'excuser un instant.

Il alla vers elle, la prit fermement par le bras et l'entraîna dans le couloir.

— Je suis désolée, monsieur, balbutia Loreen. Je n'ai pas pu l'empêcher de...

— Ne vous inquiétez pas, Loreen. Personne n'y serait parvenu. Ce n'est pas grave. Remettez-vous au travail.

— Oui, monsieur. Merci.

Visiblement soulagée, Loreen s'éclipsa à la vitesse de l'éclair, comme si elle fuyait un immeuble en feu.

— Le moment est très mal choisi, Eve.

— Il va falloir t'en contenter, parce que j'ai des choses à te dire, et je vais te les dire maintenant. Veux-tu que je m'exprime devant les représentants, avocats et conseillers financiers du port agricole Green Space et ta charmante assistante Caro ?

Il lui en voulait de son agressivité et de la position dans laquelle elle le mettait. Sans la lâcher, il répondit :

— Nous parlerons à la maison.

— Ces temps-ci, c'est difficile. Je veux qu'on parle maintenant.

Elle avança le menton d'un geste peu gracieux.

— Et si tu crois qu'il te suffit d'appeler la sécurité et de me faire jeter dehors, tu te trompes. J'inventerai un prétexte pour te traîner au Central. Maintenant que j'y pense, ce n'est pas une mauvaise idée. J'ai pris le temps de venir te voir. Prends le temps de m'écouter.

Il la fixa longuement, comprit qu'elle n'était pas seulement en colère.

— Donne-moi dix minutes.

Il laissa courir sa main sur le bras d'Eve. C'était presque une caresse, et son cœur s'allégea.

— Caro, conduisez ma femme à la salle de conférences C, s'il vous plaît.

— Bien sûr. Par ici, lieutenant. Voulez-vous un café ?

— Loreen m'en a déjà proposé. Avec une pâtisserie en prime.

Avec un sourire poli, Caro guida Eve à travers un labyrinthe de couloirs, mais ses yeux pétillaient d'espièglerie.

— C'est noté. Ici, vous serez tranquille, ajouta-t-elle en poussant une porte à double battant donnant sur une pièce chaleureuse composée de coins salon et d'un bar en acajou, et dominant la ville.

— Ça ne ressemble pas à une salle de conférences.

— C'est incroyable le nombre d'affaires qu'on peut traiter dans un décor confortable. Quel genre de pâtisserie vous ferait plaisir, lieutenant ?

— Oh ! je n'en sais rien ! Comme vous voudrez. Avez-vous le droit de me révéler le sujet de la réunion ?

— Certainement, dit Caro en programmant l'autochef. Green Space est en difficulté, bien qu'ils prétendent le contraire. Les coûts de maintenance du port spatial dépassent allègrement les bénéfices depuis trois ans. Leur taux de production a baissé, bien que la qualité de leurs produits demeure élevée. Les coûts de transport, en particulier, deviennent insupportables.

Elle présenta à Eve une tasse de café brûlant et une assiette de gâteaux appétissants.

— Il va leur donner un coup de main ?

— Je suppose que oui. Il en profitera sans doute pour prendre le contrôle des parts, et, avec son équipe de choc, décider de la restructuration de l'entreprise, avant de vous rejoindre.

— Ils sont d'accord pour lui céder le contrôle ?

— Ils ne l'étaient pas, mais ils vont l'être. Avez-vous besoin d'autre chose, lieutenant ?

— Non, merci. Il gagne toujours ?

Caro continua de sourire. Elle ne cilla même pas.

— Bien sûr. Si vous avez un problème, appelez Loreen.

Elle se dirigea vers la sortie et se retourna, le regard amusé.

— Vous l'avez pris de court, lieutenant. C'est rare.

— Oui, eh bien… vous n'avez encore rien vu, grommela Eve tandis que Caro fermait discrètement la porte.

Elle était excitée, énervée, et n'avait aucune envie de manger. Cependant, elle finit par engloutir une pâtisserie en se disant que le sucre la réconforterait, puis en entama une seconde.

Elle se léchait les doigts quand Connors arriva.

« Il est furieux, songea-t-elle. Surpris, mais surtout fou de rage. » Quand on affrontait l'homme le plus riche et le plus puissant du monde, mieux valait profiter du moindre avantage.

— Je suis pressé par le temps, alors venons-en droit au fait, attaqua-t-il. Si tu attends des excuses pour hier soir, tu n'en auras pas. Avais-tu autre chose à discuter ? On m'attend.

C'était donc ainsi qu'il réussissait. En se montrant froid, impassible, impitoyable. Intimidant. Mais nombre de criminels sous les verrous auraient été prêts à affirmer qu'Eve était une véritable garce en cours d'interrogatoire.

— Nous y viendrons mais, puisque je suis moi-même pressée, commençons par le début. Si je suis allée rencontrer Max Ricker, c'est parce que c'est mon métier, et je ne te demanderai pas pardon d'avoir pris cette initiative.

— Un partout, répliqua-t-il en inclinant la tête.

— Très bien. Je ne sais pas si je t'ai raconté cet entretien ou pas. Probablement pas, dans la mesure où j'espérais que ça passerait inaperçu. D'autre part, je n'avais pas l'intention de te dire qu'il avait envoyé ses hommes à mes trousses parce que je me suis occupée d'eux.

Connors sentit la moutarde lui monter au nez, mais se garda de réagir. Il s'approcha du bar et se servit un café.

— Je ne mets pas en cause ton travail, Eve. Mais le fait est que Ricker et moi avons été associés. Tu le savais dès le départ. Nous avions évoqué cette question.

— C'est exact. Parfaitement exact. Et nous sommes convenus que je devais organiser un rendez-vous.

— Tu ne m'as pas précisé que tu avais l'intention de le faire tout de suite, sans préparation.

— Quand il s'agit de mon boulot, je n'ai rien à préciser. Je me contente d'intervenir. Et j'étais préparée. J'ai su au bout de cinq minutes en sa compagnie qu'il mourait d'envie de s'en prendre à toi. Qu'il se serve de moi à cet effet m'a profondément déplu.

Il étudia le délicat dessin sur sa tasse en porcelaine fine, se retenant de la jeter contre le mur.

— Je suis assez grand pour me défendre tout seul.

— Oui, eh bien moi aussi. Est-ce que tu m'as parlé de tes projets d'accaparer le marché du brocoli ?

— Pourquoi l'aurais-je fait ? Tu t'intéresses à la production de légumes frais, maintenant ?

— C'est une affaire énorme. Tu as l'habitude de ce genre de chose. Tu n'as pas jugé utile de me consulter. Je n'ai pas non plus à te consulter pour faire mon travail.

— C'est très différent.

— Je ne vois pas en quoi.

— Les représentants de Green Space ne vont pas mettre ma vie en péril.

— Ils en auront peut-être envie, vu ta façon d'agir. Mais tu as raison. D'un autre côté, moi, je traite avec des criminels. Tu as épousé un flic. Il serait temps que tu t'y fasses.

— C'est le cas. Mais là, c'est ma tête qu'il veut. La tienne ne serait qu'un bonus.

— Ça, je l'ai bien compris. Je l'ai su en voyant le bouquet. Pourquoi ai-je paniqué, à ton avis ?

Elle alla vers le bar, plaqua ses mains sur le comptoir.

— D'accord, j'ai paniqué, et je m'en veux. Quand j'ai lu la carte de visite, j'étais furieuse. Et puis, ça m'est tombé dessus d'un seul coup, j'ai eu peur de ta réaction. Il n'attendait que ça. J'ai donc voulu me débarrasser au plus vite des fleurs. Les éliminer, pour que tu ne te rendes compte de rien. Je n'ai pas réfléchi, c'était instinctif. J'avais peur pour toi. Pourquoi est-ce interdit ?

Ne sachant que répondre, il posa sa tasse.

— Tu m'as menti.

— Je sais, et je m'en suis excusée. Mais je n'hésiterais pas à recommencer. Je ne pourrais pas m'en empêcher. Peu importe que ça te vexe.

Il la contempla, partagé entre l'irritation et l'amusement.

— Tu crois vraiment que c'est un simple problème d'ego ?

— Tu es un homme, non ? D'après mes sources, j'ai eu le tort d'ébranler ton amour-propre, ce qui revient à donner un coup de genou dans tes parties.

— Quelles sont tes sources ?

— J'en ai parlé avec Mavis. Ce qu'elle disait avait du sens. Le discours de Mira aussi. J'avais le droit de me confier à quelqu'un, puisque tu refusais de m'adresser la parole.

Connors prit une minute pour se calmer. Il déambula devant la fenêtre, le regard lointain.

— Très bien. Tu avais tous les droits, toutes les raisons, de t'adresser à tes amies. Mais que ma réaction ait ou non un rapport avec mon ego n'est pas le plus important, Eve. Tu ne m'as pas fait confiance.

— Tu te trompes. Totalement. Si je crois en quelqu'un, c'est bien toi. Ne me tourne pas le dos, nom de nom ! J'étais terrifiée, reprit-elle quand il pivota vers elle. Tu sais bien que je me maîtrise mal quand j'ai peur. Je n'étais pas dans mon tort, et toi non plus. Simplement, nous n'étions pas sur la même longueur d'onde.

— Voilà une analyse aussi juste que fascinante. J'en étais presque arrivé à cette conclusion quand j'ai interrompu la petite scène d'hier soir.

Cette fois, il vint se planter devant elle.

— Crois-tu que je vais prendre deux coups de genou de suite dans les parties et rester là, dans mon coin, comme un chiot effarouché ?

En d'autres circonstances, Eve aurait ri aux éclats. Elle imaginait mal cet homme dans la peau d'un chiot effarouché.

— On discutait boulot.

Il lui prit le menton dans la main.

— Épargne-moi tes insultes.

— C'est comme ça que tout a démarré. Je ne sais pas comment la situation a dérapé. Webster avait des informations confidentielles à me communiquer. Il a pris un risque en venant me voir. Nous discutions et tout à coup, je... je ne sais pas quelle mouche l'a piqué.

— Non, murmura Connors, à peine étonné, je vois bien que tu es sincère.

Comment pouvait-elle être à ce point inconsciente de son pouvoir d'attraction ?

— Il m'a prise de court, enchaîna-t-elle, mais je l'ai remis à sa place. Et boum ! Te voilà dans le décor, et vous vous battez comme des loups affamés.

— Tu as pointé ton arme sur moi.

Ça, il n'en revenait pas. Il n'en reviendrait sans doute jamais.

— Oui, concéda-t-elle en repoussant sa main. Tu me crois assez stupide pour m'interposer entre deux malades qui s'étripent ? J'avais mis mon pistolet en mode hypodermique.

— Ah bon ! Et moi qui gémis comme un malheureux. Tu l'avais mis en mode hypodermique.

Cette fois, il rit.

— Je n'aurais pas tiré sur toi. En tout cas, je ne le pense pas. Et si je l'avais fait, je l'aurais terriblement regretté.

Elle ébaucha un sourire et eut l'impression qu'il en esquissait un en retour, ce qui la décida à aller jusqu'au bout.

— Ensuite, je t'ai vu devant moi, ruisselant de transpiration, les cheveux en bataille, furibond. Et tellement sexy. J'ai eu envie de te sauter dessus, de te mordre... là, murmura-t-elle en posant l'index sur sa nuque... Je ne m'y attendais pas du tout. Avant que je recouvre mes esprits, tu m'as plaquée contre le mur.

— Te frapper me paraissait la moins bonne de deux solutions.

— Pourquoi n'étais-tu pas là, ce matin, quand je me suis réveillée ? Pourquoi ne m'as-tu touchée que deux fois depuis mon arrivée ici ?

— Je t'ai prévenue que je ne te présenterai pas d'excuses pour l'incident d'hier soir. Ça m'est impossible. Cependant... cependant, répéta-t-il en caressant ses cheveux, je reconnais que j'ai abusé de toi. Sinon physiquement, du moins psychologiquement. C'était intentionnel. Depuis, je suis rongé de remords : je crains que ça t'ait rappelé ton enfance.

— Mon enfance ?

— Ton père, Eve.

Eve arrondit les yeux, stupéfaite.

— Non. Comment as-tu pu penser cela ? Je te désirais, tu en étais conscient. Toi et moi, ça n'a rien à voir avec... Mon père ne m'aimait pas. Il m'a violée parce qu'il en avait la possibilité. Il a violé une enfant, sa propre fille, parce que c'était un monstre. Quand je suis avec toi, il ne peut pas m'atteindre.

— Je ne te demande pas pardon, ce ne serait pas sincère ; mais je peux te dire que je t'aime, Eve. De toutes mes forces, de tout mon cœur.

Il l'attira contre lui, et elle se blottit contre son épaule.

— Si tu savais comme j'ai souffert !

— Moi aussi, avoua-t-il en effleurant son front du bout des lèvres. Tu m'as manqué, Eve.

— Je ne veux pas que mon métier nous sépare.

— Sois tranquille.

Elle poussa un soupir, s'écarta.

— C'est fini.

— Quoi ?

— J'avais la migraine depuis deux jours. C'est fini. Ce devait être toi, mon mal de tête.

— Ma chérie ! Tu es adorable.

— Oui, merveilleuse. Est-ce que j'ai fichu en l'air ta transaction avec Green Space ?

— Enfin, que représentent quelques centaines de millions de dollars dans la vie d'un homme ?

Il aurait continué à la taquiner, mais elle était si bouleversée qu'il eut pitié d'elle.

— Je plaisantais. Tout va bien.

— Je suis contente que tu aies retrouvé ton sens de l'humour. Bon ! J'ai du pain sur la planche. Si tu veux qu'on reparle brocolis et autres choux-fleurs, on peut remettre ça à plus tard.

— Je crois que nous avons épuisé le sujet.

— Tant mieux. Tu sais, même si on est réconciliés, c'est difficile pour moi de te le dire. Mais... j'aurais besoin de ton aide.

— Lieutenant, je m'en réjouis d'avance !

— Mouais...

Son communicateur bipa. Elle le sortit de sa poche. L'assistant de Whitney lui ordonnait de se rendre immédiatement à la Tour.

— C'est parti ! Le prochain round va commencer, annonça-t-elle à Connors.

— Je parie sur toi.

— Moi aussi.

Elle se hissa sur la pointe des pieds et l'embrassa avec fougue.

— Au fait, camarade, tu me dois une nouvelle lampe !

Elle pénétra dans le hall de la Tour, prête au combat. Ici régnait le grand chef Tibble, d'une main de fer.

Nombre de ses collègues le craignaient. Eve le respectait.

— Lieutenant Dallas.

194

Il se tenait devant son bureau. Son allure, sa position la firent penser à Connors. Le fait de rester debout lui donnait un sentiment de pouvoir sur ceux qui s'asseyaient en face de lui.

À son signal, elle prit place dans un fauteuil, entre Whitney et le capitaine Bayliss, du BAI. Le capitaine Roth se tenait droite comme un « i », de l'autre côté de Bayliss. Feeney, l'air faussement nonchalant, était près d'elle.

— Tout d'abord, j'ai eu vent d'une enquête interne concernant la division Produits illicites du 128.

— Monsieur, je tiens à vous faire part de mon indignation. Cette enquête a été initiée sans que je sois tenue au courant.

— C'est noté, concéda-t-il en hochant la tête en direction de Roth. Cependant, le Bureau des Affaires internes est autorisé à mener ce genre d'opération sans en informer le capitaine de la division.

Il s'adressa à Bayliss.

— D'un autre côté, en négligeant de prévenir le commandant et moi-même, vous avez enfreint le règlement.

— Monsieur...

Bayliss voulut se lever, mais Tibble lui intima d'un geste de se rasseoir.

« Bravo ! pensa Eve. Que cette vermine reste à sa place ! »

Bayliss s'exécuta, mais ses joues étaient devenues écarlates.

— Le BAI est en droit de contourner certaines procédures techniques. Après examen des renseignements, la suspicion de certaines fuites et la confirmation d'autres, il a été décidé que cette opération devait rester confidentielle.

— Je vois.

Tibble s'appuya contre son bureau, et Eve retint un petit sourire d'autosatisfaction.

— Puis-je savoir qui a pris part à ladite décision ?

— J'en ai discuté avec plusieurs membres haut placés de ma division.

— Je vois. Vous avez donc décidé entre vous d'ignorer la chaîne de commandement.

— En effet, répondit Bayliss d'un ton pincé. Nous avions des raisons de penser que les fuites remontaient jusque-là. En avertissant les autres, nous risquions de compromettre notre enquête avant même qu'elle ne démarre.

— Dois-je en déduire que le commandant Whitney figure parmi vos suspects ?

— Non, monsieur.

— Et moi ?

Bayliss ouvrit la bouche, se ravisa, marqua une pause.

— Non, monsieur.

— Non, plus maintenant ? railla Tibble. Cela me réconforte, capitaine. Pourtant, sachant que ni moi ni le commandant n'étions suspectés d'infractions ou de crimes nécessitant l'intervention du BAI, vous n'avez pas jugé utile de nous tenir informés.

— C'est une chasse aux sorcières, siffla Roth entre ses dents, ce qui lui valut un regard incendiaire de la part de Bayliss.

— Cela ne nous a pas semblé nécessaire, du moins pas avant la fin de l'opération.

— Voulez-vous que je vous explique en quoi vous faites fausse route, capitaine ?

Bayliss se laissa toiser sans ciller.

— Non, monsieur. Je vous prie de nous en excuser. Par ailleurs, suite à votre requête, toutes les archives, tous les documents et toutes les notes sont désormais en votre possession.

— Y compris, je présume, les données en rapport avec les affaires actuellement traitées par le lieutenant Dallas ?

Bayliss se ferma.

— Selon moi, il n'existe aucun lien entre les deux.

— Vraiment ? Lieutenant Dallas, avez-vous un avis sur la question ?

— Oui, monsieur. Je pense que le capitaine Bayliss a commis une erreur de jugement. Deux officiers de police appartenant au 128 ont été assassinés en moins d'une semaine par une seule et même personne. Je pense que l'un d'entre eux, le lieutenant Mills, poursuivi par le BAI, était coupable de corruption, de vol de scellés et de conspiration. Quant à l'inspecteur Kohli, une taupe du BAI, il a accepté de jouer le rôle d'un officier du NYPSD corrompu. Si cette part de l'opération est acceptable, l'enquête sur sa mort a été compromise dans la mesure où on a caché le statut de Kohli. Que je sache, rien ne permet au BAI de compromettre une enquête sur un homicide, dans le dessein de protéger l'un de ses membres.

— Capitaine ? Qu'avez-vous à répondre ?

— Nous étions dans une situation délicate, bredouilla Bayliss en se tournant vers Eve pour lui lancer un regard noir. Écoutez, Kohli a joué le jeu en toute connaissance de cause. Personne ne l'y a obligé. Il avait besoin d'argent. Nous n'avions aucune raison de penser que sa vie était en danger. En revanche, vu sa position au *Purgatoire*, il avait toutes les chances d'entrer en contact avec Ricker.

Eve aurait voulu lui demander en quoi *Le Purgatoire* pouvait intéresser Ricker, mais elle ne s'y risqua pas. Pas ici, pas maintenant.

— Et une fois mort, capitaine ?

— Nous ne pouvions rien y changer, mais nous avions le sentiment qu'en semant le doute sur ses activités, cela nous permettrait de découvrir d'autres fuites en provenance du 128.

— Vous avez utilisé un de mes hommes ! explosa Roth. Croyez-vous que je sois la seule à compter un Mills au sein de mes troupes ? Les flics ripoux ne sont pas une exclusivité de ma maison.

— Vous en avez plus qu'il n'en faut.

— On m'a transmis de fausses informations, intervint Eve. C'est une violation du Code. Et par-dessus tout, le fait de tenter de mener dans l'impasse une enquête sur le décès d'un policier est impardonnable. En ce qui me concerne, Kohli est mort en service. Il méritait un minimum de respect.

— Lieutenant, marmonna Whitney, ça suffit.

— Non, commandant, ça ne suffit pas.

Quand elle se mit debout, Tibble ne dit rien.

— Le BAI a sa raison d'être, parce qu'il suffit d'un flic corrompu pour nous salir tous. Mais quand un soldat de plomb prend l'initiative, et se sert de son rang pour imposer à ceux qui sont sous ses ordres de contourner la procédure, quand il cherche à détourner une enquête sur un homicide dans un but personnel, il est aussi ripou que ceux qu'il prétend pourchasser.

— Vous exagérez ! tonna Bayliss en se levant d'un bond. Vous vous en prenez à moi. Or, j'ai passé quinze ans à nettoyer le département. Vous n'êtes pas blanche comme neige, lieutenant. Votre mari n'est peut-être plus associé avec Ricker aujourd'hui, mais il suffirait de creuser un peu. Vous ne devriez pas être sur ce dossier.

— Reculez, ordonna Whitney calmement à Bayliss.

Feeney fit mine de se précipiter vers celui-ci, mais le commandant le retint d'un geste de la main.

— Vous êtes prié de garder pour vous tout commentaire sur la vie professionnelle ou les capacités professionnelles du lieutenant Dallas, Bayliss... Vous pourriez vous estimer heureux si vous n'étiez qu'à moitié aussi intègre qu'elle ! Monsieur, j'aimerais faire une déclaration.

— Je vous en prie, commandant, répondit Tibble.

— Après avoir étudié les documents tardivement fournis par le Bureau des Affaires internes, j'en ai déduit que le capitaine Bayliss a gravement abusé de son autorité et mérite une sanction disciplinaire. De plus, avant que ces données ne soient analysées et confirmées, et que la décision soit prise ou non de poursuivre l'enquête interne, je demande que le capitaine Bayliss se mette en congé.

— Ricker a des flics dans sa poche ! protesta Bayliss. Je suis sur le point de démanteler le réseau.

— Quoi qu'il en soit, capitaine, vous vous devez de respecter l'ordre public. Vous allez vous mettre en congé. Vous serez payé et ne subirez aucune suspension de prestations. Une sanction disciplinaire sera envisagée. Je vous conseille de consulter votre représentant syndical et/ou votre avocat. Vous pouvez disposer.

— Monsieur...

— Vous pouvez disposer, capitaine.

Bayliss serra les mâchoires et tourna les talons. Avant de sortir, il jeta un coup d'œil incendiaire à Eve.

— Capitaine Roth.

— Monsieur, si je peux prendre la parole, bredouilla-t-elle en se levant précipitamment, je souhaite que les documents sur l'enquête en cours me soient transmis. Mes hommes sont suspectés, ma division est menacée.

— Capitaine Roth, votre division est dans un état lamentable. Requête refusée. Vous avez jusqu'à demain midi pour rédiger un rapport complet sur le statut de votre brigade. Votre division est désormais ma préoccupation personnelle. Je vous attends ici à midi pile.

— Oui, monsieur. Monsieur ?

— Oui, capitaine.

— J'assume la responsabilité de mes actes. Mills était sous mes ordres, et de toute évidence, je n'ai pas su le contenir. Si vous voulez que je démissionne, une fois cette affaire résolue…

— Nous n'en sommes pas là, capitaine. À demain midi.

— Bien, monsieur.

Sur ce, elle sortit, et Tibble s'appuya de nouveau contre son bureau.

— Lieutenant, dites-moi où vous en êtes exactement, et qui est votre indic. Vous êtes tenue de me fournir un nom. C'est un ordre.

— Monsieur, je regrette infiniment, mais je suis dans l'impossibilité de vous communiquer l'identité de ma source.

Tibble observa Whitney à la dérobée.

— Bon, il semble que je vous doive cinquante dollars, Whitney. Votre commandant a parié – et j'ai été assez stupide pour accepter – que vous garderiez le silence. J'ai cru comprendre que vous aviez effectué une recherche approfondie sur le capitaine Roth.

— En effet, dans le cadre de mes investigations sur les homicides de Mills et de Kohli. Je suis à peu près sûre qu'ils ont été tués par l'un des nôtres.

— C'est bien ce qui me semblait. Vous marchez sur des œufs.

— C'est exact, monsieur.

— Vous soupçonnez Roth ?

— Elle est capitaine de la division. Je ne pouvais pas l'ignorer. Je l'ai interrogée, j'ai analysé ses fichiers, effectué des calculs de probabilité.

— Le résultat ?

— Dans les 60 %.

— C'est un taux assez bas, mais néanmoins inquiétant. Je ne vous ferai perdre ni votre temps ni le mien en vous demandant de m'énumérer toutes les étapes de votre enquête. Pour le moment. Cependant, je vous demande si votre mari a encore des liens avec Max Ricker, personnels ou professionnels, et si ces liens devraient éveiller notre attention.

— Mon mari n'est plus associé avec Max Ricker. Je crois savoir qu'à une époque, il y a plus de dix ans, ils ont traité plusieurs affaires ensemble.

— Et sur le plan personnel ?

Là, c'était plus dur.

— J'ai eu la sensation, au cours de mon entretien avec Ricker, que ce dernier en voulait encore à Connors. Il ne l'a pas spécifié, c'était sous-entendu. Connor a du succès, il est apprécié, connu. Forcément, il inspire l'envie et le ressentiment dans certains milieux. Mais je ne vois pas en quoi une éventuelle rancune de Ricker envers Connor pourrait concerner ce bureau.

— Vous êtes franche, Dallas. Prudente, aussi… Cela vous pose-t-il un problème de poursuivre un assassin qui pourrait être un collègue, même si les victimes étaient corrompues ou soupçonnées de l'être ?

— Absolument aucun. Notre rôle est de faire respecter la loi. Nous n'avons ni le droit ni les moyens de juger et de condamner.

— Excellente réponse. Vous devez être fier d'elle, Jack. Lieutenant, enchaîna-t-il, ignorant sa stupéfaction, vous transmettrez vos documents au commandant et le tiendrez au courant de la progression de votre enquête. Retournez au travail.

— Oui, monsieur. Merci.

— Ah ! Une dernière chose ! lança-t-il alors qu'elle s'apprêtait à sortir. Bayliss veut votre peau… de préférence en brochette.

— Oui, monsieur. J'en suis consciente. Il n'est pas le premier.

Une fois la porte fermée, Tibble regagna son bureau.

— C'est un bazar monstre, Jack. Il est grand temps de faire le ménage dans tout ce foutoir.

14

— Beau travail, Eve, commenta Feeney en redescendant avec elle au rez-de-chaussée. Maintenant, je vais te dire ce qu'ils ne t'ont pas dit. Si Bayliss reprend son poste, il te fera la peau.

— Je ne peux pas me permettre de craindre un couillon comme lui. J'ai deux flics et un témoin à la morgue. Jusqu'à ce que j'aie démêlé ce sac de nœuds, Bayliss soufflera tout l'air chaud qu'il voudra.

— S'il en souffle un peu trop dans ta direction, tu risques de te brûler. Fais gaffe à tes arrières. Je te raccompagne chez toi, travailler avec McNab, pour changer.

— Je vous y retrouve. Je veux passer chez les Kohli d'abord, pour avoir une petite conversation avec la veuve. Est-ce que tu connais l'inspecteur Jeremy Vernon, de la division Produits illicites ?

Avec une petite moue, Feeney réfléchit.

— Non. Ça ne me dit rien du tout.

— Il est arrogant et il a un compte en banque grassouillet. Je vais sans doute le convoquer d'ici demain au plus tard. Ça t'intéresse d'assister à l'entretien ?

— Assister à tes petites réunions est toujours un grand plaisir pour moi.

Ils se séparèrent, Eve se faufilant parmi les passants revenant d'un déjeuner tardif pour regagner sa voiture. En démarrant, elle appela Peabody.

— Je vais chez les Kohli. Retrouvez-moi là-bas. J'aimerais en savoir davantage sur la veuve.

— J'y vais tout de suite. Dallas, McNab a découvert trois autres comptes au nom de l'inspecteur Vernon.

Nous en sommes à deux millions six, et ce n'est pas fini.

— Tiens ! Tiens ! Écoutez, Feeney est en route. Je veux que McNab continue sur les états financiers de Vernon. Qu'il s'assure que ce salaud n'a pas gagné à la loterie ou qu'un de ses proches décédés ne lui a pas laissé un pactole. Qu'il définisse précisément ses revenus et ses dépenses. Je veux pouvoir le coincer quand je l'interrogerai.

— Oui, lieutenant. Je serai chez les Kohli dès que les transports en commun de cette ville merveilleuse me le permettront.

— Prenez un taxi. Mettez-le en frais de fonctionnement.

— J'y ai droit ?

— À mon nom. Bougez-vous, Peabody !

Elle coupa la communication et laissa vagabonder son esprit tout en roulant.

Le 128 était un repaire de corrompus. Ils œuvraient au sein de la division Produits illicites, et probablement ailleurs. Max Ricker comptait parmi les principaux suspects, et deux des inspecteurs appartenant à l'équipe qui l'avait arrêté étaient morts. L'un d'entre eux avait été complice de Ricker.

Le BAI menait une opération non autorisée et clandestine en impliquant un, qui avait servi d'appât.

Au *Purgatoire*. L'établissement dont Connors était le propriétaire. Qu'est-ce que Ricker avait à voir avec le club de Connors ?

Bayliss lui avait-il tendu une perche, dans l'espoir de faire remonter à la surface leur lointaine association ? Certes, il avait un côté fanatique, mais tout de même.

Néanmoins, le BAI avait envoyé Webster lui communiquer de fausses informations sur Kohli.

Soit le capitaine Roth avait perdu le contrôle de ses hommes, soit elle était dans le coup. Ou elle avait un problème, ou elle en était un. Quoi qu'il en soit, elle figurait sur la liste des suspects.

Ricker était une clé. Peut-être *la* clé. Il avait mené les flics en bateau et avait sans doute un certain nombre de membres du département dans sa poche. Ses affaires subsistaient en partie grâce à eux. Si elle en démasquait suffisamment, se dénoncerait-il ? Cherche-rait-il à l'éliminer ?

Mais tout d'abord, elle devait découvrir l'assassin.

Quelqu'un qui avait souffert d'une perte ou d'une trahison, avait dit Mira. Il ne s'agissait pas tant de vengeance, que de *revanche*. La différence représentait, selon Eve, la deuxième clé. Inonder les badges de sang pour les purifier.

« Un fanatique ? » se demanda-t-elle. Comme Bayliss. Un individu qui contournait les règles quand ça l'arrangeait.

Elle fut soulagée de trouver une place de parking à cinquante mètres à peine du domicile des Kohli.

Tandis qu'elle s'y glissait, un véhicule s'arrêta à ses côtés. Distraitement, elle jeta un coup d'œil dans cette direction. Quand les portières s'ouvrirent, son instinct prit le dessus. En un éclair, elle fut dehors, l'arme au poing.

Ils étaient quatre en tout, nettement mieux armés que les gars que Ricker lui avait collés aux trousses la dernière fois.

— Inutile de vous défendre, lieutenant, déclara l'homme sur sa gauche, d'un ton poli, en laissant appa-raître le canon de son pistolet laser sous le pan de sa veste.

Un autre vint vers elle, et elle faillit tirer sur lui une flèche hypodermique.

À cet instant précis, un gamin d'une dizaine d'années surgit derrière les quatre gorilles sur un vieux vélo. L'un d'entre eux le bouscula. La bicyclette vola. L'inconnu attrapa l'enfant et lui colla le canon de son arme sur la tempe.

— C'est lui ou vous.

C'était dit avec une nonchalance qui horripila la jeune femme.

— Lâchez-le.

Délibérément, elle augmenta la puissance de son pistolet.

Le petit garçon ouvrait des yeux ronds, terrifiés. Il poussait de petits gémissements de chat étranglé. Elle ne pouvait pas prendre le risque de le regarder.

— Montez, lieutenant. En vitesse, avant qu'un civil innocent ne soit blessé.

Eve avait un choix à faire. Elle n'hésita pas et tira, pile entre les yeux de l'homme qui menaçait le petit. Elle vit le gamin tomber, entendit ses hurlements d'horreur.

Plongeant à terre, elle tira de nouveau. Puis elle roula sous la voiture, saisit l'enfant par la cheville et l'amena vers elle.

— Reste ici. Tais-toi.

Comme elle changeait de position pour pouvoir le protéger, elle perçut le son d'une autre arme.

— Lâche ça ! Lâche ça, connard, ou je t'explose ce qui te reste de cervelle !

« Webster », songea-t-elle. Vive comme l'éclair, elle émergea en rampant de sa cachette, se jeta sur sa cible, la renversant brutalement. Elle lui souleva la tête, la fit rebondir douloureusement sur la chaussée, puis se redressa.

— Tu me filais encore, Webster ?

— Il faut que je te parle.

Elle se leva, grimaça, baissa les yeux sur son genou écorché.

— Tu es bien bavard, ces temps-ci. Tu as eu l'autre ?

— Oui, répondit-il avec un sourire en entendant les sirènes. Voilà les renforts. J'ai pris la liberté d'appeler.

En boitillant, Eve ramassa toutes les armes, contempla un instant les quatre victimes inertes. Puis elle retourna vers la voiture et s'accroupit.

Le môme s'était tu. Un bon point pour lui. De grosses larmes ruisselaient sur ses joues.

— Tu peux sortir. Tout va bien.

— Je veux ma maman.

— Je te comprends. Allez, viens.

Il obéit, se frotta le nez avec sa manche.

— Je veux rentrer à la maison.

— Pas de problème. Dans quelques minutes. Tu as mal ?

— Non... Mon vélo est fichu ? demanda-t-il, le menton tremblant.

— Je n'en sais rien. On va demander à quelqu'un de s'en occuper.

— Maman m'interdit de circuler dans la rue.

— Ah oui ? Eh bien la prochaine fois, tu obéiras à ta maman.

Elle fit signe à un uniforme de s'approcher.

— Envoyez un de vos collègues ramasser la bicyclette. Tu vas donner ton nom à ce policier, ajouta-t-elle à l'intention du petit. Il va te ramener chez toi. Si ta maman veut me parler...

Elle fouilla ses poches et fut surprise de constater qu'elle n'avait pas oublié ses cartes de visite.

— Dis-lui de me contacter à ce numéro.

— D'accord, renifla-t-il. Vous aussi, vous êtes policier ?

— Oui. Moi aussi.

Elle se pencha sur le premier homme, vérifia son pouls, souleva sa paupière. Celui-ci n'aurait pas besoin d'être menotté.

— Tu ne pouvais pas te contenter de le paralyser. Tu devais l'abattre pour assurer la sécurité d'un civil, dit Webster derrière elle.

— Je sais, merci, rétorqua-t-elle avec amertume.

— Si tu avais hésité, si tu avais été moins précise, cet enfant ne rentrerait pas chez sa mère.

— Je le sais aussi, merci. Merci d'être intervenu.

Il opina, puis se mit à l'écart pendant qu'elle organisait la scène de crime et ordonnait aux uniformes de disperser les curieux.

Les secouristes arrivèrent et, juste derrière eux, un taxi. Peabody en bondit et se rua vers son lieutenant. À la grande surprise de Webster, elle secoua la tête quand Eve fit mine de la pousser de côté. Une vive discussion s'ensuivit, du moins d'après ce qu'il pouvait en juger. Pour finir, Eve eut un geste d'impuissance et se dirigea en clopinant vers l'un des infirmiers pour qu'il soigne sa jambe.

Amusé, il s'approcha de Peabody.

— Comment avez-vous fait ?

Elle ne cacha pas son étonnement de le voir là, mais haussa les épaules.

— Je l'ai menacée.

— Comment ça ?

— Je lui ai dit que si elle rentrait chez elle dans cet état, Connors serait furieux et qu'il la soignerait lui-même. En la gavant d'antalgiques. Elle a horreur de ça.

— Il a donc un certain pouvoir sur elle.

— Et réciproquement. Ça marche.

— Je m'en suis rendu compte. Vous m'accordez une minute avec elle ?

— Ce n'est pas à moi d'en décider.

Cependant, Peabody s'éloigna pour surveiller le transport des suspects.

Webster se dirigea vers l'ambulance, s'accroupit et examina la plaie d'Eve.

— Ce n'est pas trop grave, mais ton pantalon est irrécupérable.

— C'est une égratignure.

— Pleine de gravillons, constata l'infirmier.

— Pleine de gravillons, minauda-t-elle, avant de s'exclamer : Je vous déteste tous !

— Oh ! nous le savons ! Mon coéquipier m'a refilé vingt dollars pour que je m'occupe de vous à sa place.

Quand il eut terminé, il se redressa.

— Là ! Vous voulez un bonbon ?

Elle préféra ignorer cette raillerie.

— Ça fait vingt dollars facilement gagnés, lança-t-elle en s'éloignant.

Webster lui emboîta le pas.

— Maintenant que la fête est finie, est-ce qu'on peut parler, tous les deux ?

— J'ai un constat à faire, ensuite je dois aller au Central tirer les vers du nez de ces types, rédiger un rapport...

Elle soupira.

— Qu'est-ce que tu veux ?

— Te demander pardon.

— Très bien. J'accepte tes excuses.

Avant qu'elle ne puisse lui tourner le dos, il la saisit par le bras.

— Webster !

— Une seconde.

Prudent, il fourra les mains dans ses poches.

— J'ai franchi les limites, hier soir, et j'en suis désolé. Je t'ai mise dans une situation délicate. J'étais furieux, plus contre moi que contre toi, d'ailleurs, mais ça m'a donné un prétexte pour… Bon, d'accord. La vérité, c'est que je ne t'ai jamais oubliée.

— Quoi ? s'exclama-t-elle, ahurie.

— Aïe… N'enfonce pas trop le clou, s'il te plaît. Disons que j'étais épris de toi. Ce n'est pas que j'aie pensé à toi du matin au soir ces dernières années, mais par moments… Et quand on s'est retrouvés l'hiver dernier en face à face, tout ça m'est revenu. C'est mon problème, pas le tien.

— Je ne sais pas quoi te répondre.

— Rien. Je tenais simplement à mettre les choses au point, à m'exprimer. Connors avait tous les droits de me casser la figure.

Webster humecta ses lèvres encore gonflées.

— Bref… je préférerais qu'on mette ça de côté, si tu le veux bien.

— Parfait. Il faut que je…

— Tant qu'à soulager ma conscience… quand je t'ai attaquée au sujet de Kohli, je suivais les ordres. Ça ne m'enchantait pas. Je sais que tu as été convoquée à la Tour avec Bayliss.

— Ton capitaine est un pauvre débile.

— Oui, c'est vrai. Écoute, si je suis entré au BAI, c'est parce que j'y croyais. Je ne vais pas te sermonner pour une histoire d'abus de pouvoir, mais…

— Tant mieux. Parce que je pourrais sonner les cloches de ton capitaine.

— Je sais. Si je suis venu te voir hier, ce n'était pas pour te faire une déclaration d'amour, mais parce que la tournure que prend cette opération me déplaît. Bayliss prétend qu'il faut regarder le tableau d'une façon globale, mais si on ne repère pas les détails, à quoi ça sert ?

Il jeta un coup d'œil vers les ambulances et les patrouilles, qui repartaient.

— Je suis en train d'additionner les détails, Dallas, et d'obtenir une tout autre image. Tu es à la poursuite d'un tueur de flics, et ça va te mener tout droit sur Ricker.

— Quoi de neuf ?

— Je veux participer à l'enquête.

— Pas question.

— Si tu n'as pas confiance en moi, tu as tort. Si tu crains que je te malmène, tu as tort aussi.

— Ce n'est pas ça qui m'inquiète. Quand bien même je te voudrais dans mon équipe, je n'en ai pas l'autorité.

— Tu es responsable de l'enquête. C'est toi qui choisis tes hommes.

Eve recula d'un pas, passa les pouces dans sa ceinture et l'observa de bas en haut d'un air méprisant.

— Depuis quand n'as-tu pas mis un pied sur le terrain, Webster ?

— Des lustres, mais c'est comme le sexe. Ça ne s'oublie pas. Je viens de te sauver la peau, non ?

— Je me serais débrouillée sans toi, merci. En quel honneur est-ce que j'accepterais ?

— J'ai des tuyaux. Je peux en avoir d'autres. C'est peut-être ma dernière mission au sein du BAI. J'envisage de demander ma mutation, de réintégrer la division Homicides et Crimes violents. Je suis un bon flic, Dallas. Nous avons déjà travaillé ensemble. Ce n'était pas si mal. Donne-moi une chance.

Eve avait toutes les raisons de refuser.

— Je vais y réfléchir.

— Merci. Tu sais où me joindre.

Il s'éloigna de quelques pas, se tourna vers elle, sourit.

— N'oublie pas. Je suis aussi impatient que toi de mettre un terme aux activités de ces salauds.

Elle resta clouée sur place, songeuse.

— Nous en avons terminé, lieutenant, annonça Peabody. Les uniformes emmènent le seul sujet resté debout au Central. Les armes ont été confisquées. Le mort est en route pour la morgue, les deux autres, pour les urgences sous escorte policière. J'ai les coordonnées du petit garçon. Dois-je notifier les faits aux services sociaux afin qu'une représentante assiste à votre entretien avec lui ?

— Attendez un peu. J'enverrai une collègue prendre sa déposition un peu plus tard dans la journée. Quand j'aurai interrogé ce crétin, j'irai faire mon rapport à Whitney. Allons chez Mme Kohli.

— Comment va votre genou ?

— Très bien.

Peabody ne la quittant pas des yeux, elle redoubla d'efforts pour marcher normalement.

— Quelle chance que Webster se soit trouvé dans les parages !

— Oui. Laissons ça pour l'instant.

— C'est vous le chef.

— Tâchez d'y penser, la prochaine fois, gronda Eve tandis qu'elles pénétraient dans l'immeuble des Kohli. Et épargnez-moi vos harangues devant une bande d'uniformes et de badauds.

« Je ne faisais que mon devoir », se dit Peabody, mais elle se garda bien de le formuler à voix haute.

Une femme qu'Eve ne reconnut pas leur ouvrit.

— Oui ?

— Lieutenant Dallas, du NYPSD, annonça Eve en agitant son insigne. Je souhaiterais parler à Mme Kohli.

— Elle est souffrante.

— Je regrette de la déranger en ces moments difficiles, mais c'est moi qui dirige l'enquête sur le décès de son mari. J'ai des questions à lui poser.

— Qui est-ce, Carla ?

Patsy apparut dans le vestibule.

— C'est vous... Comment osez-vous vous présenter ici ? Comment osez-vous vous montrer chez moi ? explosa-t-elle en bousculant Carla.

— Patsy, voyons, Patsy... Tu devrais t'allonger. Quant à vous, reprit-elle à l'intention d'Eve et de Peabody, allez-vous-en !

— Non, non, laisse-les entrer. J'ai des choses à dire.

Au même instant, le sergent Clooney surgit.

— Patsy, vous devez rester calme.

— Rester calme, quand j'enterre mon époux demain et que cette femme essaie de le salir ? De ruiner sa réputation ? Tout ce pour quoi il a travaillé !

Elle ne pleurait pas ; elle était dans une colère noire, ce qui rassura Eve.

— Vous vous méprenez, madame Kohli.

— Vous croyez que je n'ai pas entendu ? Que je ne suis au courant de rien ?

Voyant le regard d'Eve se poser sur Clooney, elle enchaîna.

— Non, ce n'est pas lui. Il m'assure que vous faites votre boulot. Mais moi, je sais ce que vous faites.

— Patsy, intervint Clooney en posant la main sur son épaule... Il ne faut pas effrayer les enfants.

Il y en avait toute une ribambelle, remarqua Eve. Deux nourrissons et un bébé un peu plus grand qui marchait à peine. Le petit garçon que Peabody avait emmené au parc lors de leur première visite jouait par terre avec une fillette de son âge. Ils la fixaient, apeurés.

Elle s'était sentie nettement plus à l'aise face aux quatre hommes armés dont elle venait de se débarrasser.

— Carla, dit Patsy en se tournant vers elle, si tu allais promener les petits ? Tu peux faire ça pour moi ?

— Ça m'ennuie de te laisser seule.

— Ne t'inquiète pas pour moi. Les enfants ont besoin de prendre l'air.

Fascinée, Eve assista à un spectacle parfaitement rodé : on installa les nourrissons dans une poussette double. Celui qui apprenait à marcher vacilla, tomba sur ses fesses, rit aux éclats, puis se laissa harnacher sans protester.

Aux plus grands, on donna l'ordre de se tenir par la main. Il y eut un bref moment de panique jusqu'à ce qu'on retrouve le blouson du petit garçon. Le volume sonore atteignit son paroxysme puis s'interrompit tout à coup, tandis que le cortège miniature s'ébranlait.

— Je ne vous invite pas à vous asseoir, dit Patsy d'un ton sec. Je ne vous offrirai rien à boire. Mon mari était un homme irréprochable.

Sa voix trembla, faillit se briser. Cependant, elle se ressaisit.

— Un homme honnête. Jamais il n'aurait fait quoi que ce soit qui puisse déshonorer son nom ou sa famille.

— J'en suis consciente, madame Kohli... Tout ce que j'ai appris au cours de mes investigations confirme que votre mari était un policier honnête.

— Dans ce cas, pourquoi propager tous ces mensonges à son sujet ? Comment pouvez-vous laisser croire aux gens – à ses propres collègues – qu'il était corrompu ?

— Patsy…

Avant qu'Eve ne puisse intervenir, Clooney la prit par le bras et la guida vers le canapé.

— … le lieutenant Dallas fait son métier, comme Taj faisait le sien. Asseyez-vous.

— Je veux des réponses. C'est la moindre des choses.

— Je comprends, madame. Pour l'heure, je ne peux que vous rapporter ce que je sais. L'inspecteur Kohli avait accepté de jouer le rôle d'un flic pourri, dans le cadre d'une opération destinée à mettre en lumière les méfaits de certains membres du département. Selon moi, madame, il est tombé en service. Et je ne manquerai pas de le signaler officiellement.

— Je ne comprends pas… Je n'y comprends plus rien.

— Il est encore trop tôt pour que je vous l'explique. Je suis fermement décidée à retrouver l'assassin de votre mari, madame Kohli. Vous pouvez peut-être m'y aider.

— Je ne vois pas comment ! Je suis désolée. Asseyez-vous, je vous en prie. Je vais préparer du café…

— C'est inutile.

— J'en boirais volontiers un, moi aussi… J'ai besoin de quelques instants pour me reprendre, ajouta-t-elle en quittant son siège. Excusez-moi.

— Elle tient bien le coup, murmura Clooney, dès qu'elle eut disparu. Presque trop bien. Pour les enfants, je suppose.

Eve resta debout et concentra toute son attention sur lui.

— Qu'est-ce que vous lui avez dit, Clooney ?

— Que son mari était irréprochable, rétorqua-t-il. Et que vous faisiez votre métier.

Il marqua une pause, levant la main le temps de se reprendre.

— J'ignore d'où elle tient cette information selon laquelle c'est vous qui le salissez. Elle refuse de me le dire. Tout ce que je sais, c'est qu'elle m'a appelé il y a quelques heures. Elle frisait la crise d'hystérie.

Il ramassa un petit camion sur les coussins du divan, le tripota distraitement.

— Les mômes ! murmura-t-il. Avec eux, on ne sait jamais sur quoi on va tomber quand on s'assoit.

— Que voulait-elle, sergent ?

— Elle avait besoin d'être rassurée. Pour les survivants, c'est tout ce qui compte. Je m'efforce de les soutenir. J'ai eu vent des rumeurs, ces jours-ci, mais je n'y ai guère prêté attention… Cela dit, je ne vous connais pas ; je ne pouvais donc pas les ignorer complètement, ajouta-t-il après un bref silence. Mon rôle est d'être là, de réconforter.

— Bien. Pour quelles raisons, d'après vous, aurais-je cherché à salir un flic honnête que je n'ai jamais rencontré ?

— Aucune, convint-il en soupirant. C'est ce que je ne cesse de lui répéter, ainsi qu'à moi-même.

Ce qu'il avait dit à son capitaine, aussi, mais il préféra garder ça pour lui.

— Il n'empêche que vous avez semé la zizanie au 128.

Patsy reparut avec un plateau, qu'elle posa sur la table basse.

— Taj m'aurait encouragée à coopérer. Je n'étais pas au courant de ce… de cette opération. Il ne m'en a jamais parlé. Quant à l'argent sur les comptes épargne, j'ai cru que c'était vous… Votre époux est riche. J'étais tellement en colère.

— Nous sommes deux, répondit Eve en prenant place en face d'elle. Je n'aime pas qu'on se serve de moi pour salir la réputation d'un homme que je me suis promis de défendre. Qui vous a dit que j'avais renfloué ses comptes épargne ?

— Personne, enfin… pas comme ça.

Elle parut soudain terriblement lasse, et vaguement gênée.

— Vous savez, dans le feu de l'action, les gens s'expriment. Il avait beaucoup d'amis parmi ses collègues. Je ne savais pas qu'il en avait autant. Ils ont tous été très gentils. Son capitaine s'est déplacé en personne, pour m'annoncer que Taj aurait droit à des obsèques officielles.

— C'est le capitaine Roth qui m'a accusée de vouloir déshonorer Taj ?

— Non, non, pas vraiment. Elle a simplement dit que je pouvais être fière de Taj, et que je ne devais pas m'occuper des ragots. J'ai été très touchée. Ils sont presque tous passés me présenter leurs condoléances et me proposer leur aide.

— Mais quelqu'un vous a contactée aujourd'hui ?

— Oui. Juste pour me dire que les collègues étaient derrière Taj à cent pour cent. Au début, ça m'a un peu étonnée, mais ensuite, il a ajouté que je ne devais pas me laisser impressionner par les médisances qui sortaient de votre bureau. C'était un piège. Il s'est même dérobé en constatant que je tombais des nues. Puis, il a lâché le morceau.

— Qui était-ce ?

— Je ne voudrais pas qu'il ait des problèmes à cause de moi, marmonna-t-elle en se tordant les mains… Jerry Vernon. L'inspecteur Vernon. Il voulait m'aider.

— Je vois. C'était un ami proche de votre mari ?

— Je ne crois pas. Pas spécialement. Taj ne fréquentait pas beaucoup ses coéquipiers. Quelques-uns d'entre eux sont venus dîner ici, avec leurs épouses.

— J'aimerais savoir qui étaient ses amis.

— Bien sûr…

Elle énuméra plusieurs noms, se décontracta légèrement.

— Vous allez me blesser, Patsy, intervint Clooney.

— Je ne vous oublie pas, Art.

Elle lui serra la main.

— Taj s'était lié d'amitié avec mon fils, expliqua Clooney. De temps en temps, ils autorisaient le vieux à les accompagner pour boire une bière, entre garçons. Mais le plus souvent, Taj préférait rentrer à la maison.

— Madame Kohli, vous m'avez dit que Taj vous avait appelée ce soir-là pour vous prévenir qu'il avait un rendez-vous après la fermeture du *Purgatoire*.

— Oui, mais il ne m'a pas dit avec qui, et je ne lui ai pas posé la question. Je crois que je commençais à en avoir assez de toutes ces heures supplémentaires qu'il consacrait au travail. J'ai été un peu brusque au début de la conversation, mais il a su m'amadouer. Comme toujours, murmura-t-elle avec un sourire. Il m'a promis que ce serait bientôt fini, qu'il avait pratiquement atteint son but. J'ai pensé qu'il faisait allusion à l'argent qu'il gagnait pour qu'on puisse s'acheter une nouvelle maison. Ensuite, il m'a demandé d'embrasser les petits de sa part, et il a conclu par : « Je t'aime, Patsy. » Ce sont les dernières paroles que j'ai entendues de sa bouche. Ça ne me surprend pas de sa part.

15

L'agresseur à la voix aimable et au pardessus élégant s'appelait Elmore Riggs. Une recherche rapide révéla que ce nom lui avait été attribué à sa naissance, trente-neuf ans plus tôt, à Vancouver, Canada.

Il avait eu maille à partir avec les autorités canadiennes en tentant de franchir la frontière avec des explosifs, ce qui lui valut de passer quelque temps derrière les barreaux avant d'obtenir le droit de s'installer à New York.

Son domicile était situé dans une enclave proprette et bourgeoise du nord de la ville, et il se disait « consultant en sécurité ».

« Un terme sophistiqué pour déguiser ses véritables activités », décida Eve.

Armée de ces renseignements, elle fonça vers la salle d'interrogatoire pour mettre Elmore Riggs au parfum.

Vernon surgit devant elle à la sortie de l'ascenseur.

— Vous êtes un peu loin de votre juridiction, il me semble, inspecteur.

— Vous croyez me faire peur ? riposta-t-il en la bousculant, ce qui attira l'attention de plusieurs policiers passant par là.

Eve se contenta d'agiter la main.

— Je n'en sais rien, Jerry. Vous m'avez l'air ébranlé.

— Tout le monde sait que vous essayez de jeter l'opprobre sur notre division. Le BAI suscite des réactions comme la vôtre. Si vous pensez pouvoir me salir comme Kohli et Mills, réfléchissez bien. J'ai contacté mon représentant syndical ; je ne me laisserai pas faire comme ça.

— Ma foi, Vernon, c'est vous qui me faites peur, là. Un représentant syndical !

Elle fit mine de frissonner.

— Vous rirez moins fort quand vous aurez un procès sur le dos et que je commencerai à saigner votre riche mari.

— Mon Dieu, Peabody ! Un procès ! Je me sens mal.

— Ne vous inquiétez pas, lieutenant, je suis là.

— Ils vous enlèveront votre badge, grogna Vernon. Comme autrefois, mais cette fois, ils ne vous le rendront pas. Avant que j'en aie fini avec vous, vous regretterez amèrement d'avoir croisé mon chemin.

— L'affaire est loin d'être terminée et je le regrette déjà, Jerry, rétorqua-t-elle avec un sourire. Je vous ai dans le collimateur, et quand Ricker l'apprendra, quand il s'inquiétera de savoir comment je suis tombée sur ces comptes que vous avez ouverts en douce, il sera furieux contre vous. Je crains que votre représentant syndical ne puisse vous aider beaucoup.

— Vous n'avez aucune preuve. Vous essayez simplement de me tendre un piège. Ce qui vous intéresse, c'est la place de Roth, au 128. En nous accusant, nous, vous espérez qu'elle en subira les conséquences. Elle en est convaincue, elle aussi.

— Surtout, n'oubliez pas d'ajouter ce fait à vos doléances. Comment j'ai tiré votre nom d'un chapeau et décidé de me consacrer entièrement à vous démolir, vous et votre équipe, dans le seul but de m'asseoir derrière un bureau. Je suis sûre que ça fera mouche.

Elle se rapprocha de lui en le regardant droit dans les yeux.

— Si je peux vous donner un petit conseil, songez à vous couvrir. L'argent que vous avez empoché ne vous servira pas à grand-chose, dans la mesure où ces comptes vont être gelés. Et dites-vous que je suis la seule de vos adversaires à ne pas souhaiter votre mort. Pendant que je vous attaquerai de front, Ricker sera sur vos talons. Sans compter qu'il y a un tueur de flics à la poursuite de ses collègues corrompus. Vous ne saurez pas d'où il arrive.

— Tout ça, c'est des foutaises !

Il brandit le poing, et elle tendit le menton.

217

— À votre place, je me maîtriserais, mais je vous en prie, allez-y.

— J'aurai votre peau, menaça-t-il en reculant d'un pas. Vous êtes fichue.

Sur ce, il s'engouffra dans l'ascenseur.

— Non, mais je suis sur la bonne voie, marmonna Eve… On va le faire filer. Je ne veux pas qu'il détale comme un lapin… Savez-vous ce dont j'ai envie ?

— De vous défouler, lieutenant ?

— Un point pour vous. Allons faire transpirer Riggs.

— Vous boitez de nouveau.

— Pas du tout. Et taisez-vous !

Elle atteignit la salle d'interrogatoire en tirant la jambe. Feeney l'attendait sur le seuil en dévorant des cacahuètes.

— Tu en as mis, du temps !

— Un petit tête-à-tête avec un ami proche, railla-t-elle. Riggs a réclamé la présence d'un avocat ?

— Non. Il a passé son unique coup de fil autorisé. Il prétend avoir parlé avec sa femme. Il n'a pas froid aux yeux. Et en plus, il est poli. Calme et bien élevé, notre homme.

— C'est un Canadien.

— Ah ! Je suppose que ça explique tout…

Ils entrèrent dans la pièce où Riggs attendait, assis sur un siège notoirement inconfortable.

— Bonjour, monsieur Riggs, dit Eve en s'avançant jusqu'à la table.

— Lieutenant, heureux de vous voir.

Il fixa la déchirure de son pantalon.

— Quel dommage, ce vêtement vous seyait tant !

— Oui, ça me désole. Enregistrement, ordonna-t-elle en s'installant. Pas d'avocat, Riggs ?

— Pas pour le moment, mais je vous remercie de me poser la question.

— Vous connaissez vos droits et obligations ?

— Parfaitement. Sachez que j'éprouve des remords pour mes actions.

« Un malin, songea-t-elle. Il a du plomb dans la cervelle. »

— Vraiment ?

— Absolument. Je regrette ce qui s'est passé aujourd'hui. Bien entendu, il n'a jamais été dans mes intentions de provoquer la moindre blessure. Je conçois combien il était imprudent et ridicule de tenter de vous approcher de cette manière. Je tiens à vous présenter mes excuses.

— C'est admirable. Comment vous êtes-vous retrouvé équipé d'armes interdites dans les rues de New York, dans le dessein d'enlever ou d'agresser un officier de police ?

— Je me suis laissé influencer par de mauvaises fréquentations, déclara-t-il avec un sourire. Je n'ai aucune excuse en ce qui concerne le transport d'armes interdites. Cependant, j'aimerais préciser que dans mon métier de consultant en sécurité, il m'arrive souvent d'être en relation avec des criminels et de me retrouver en possession d'armes interdites. Bien entendu, je les aurais remises aux autorités compétentes.

— Comment vous les êtes-vous procurées ?

— Par l'homme que vous avez tué. Voyez-vous, c'est lui qui m'a engagé, pas plus tard que ce matin.

— C'est le mort qui vous a engagé ?

— Oui. Naturellement, en acceptant cette mission, je ne savais pas que vous étiez officier de police. On m'a dit que vous étiez un dangereux individu, et que vous l'aviez menacé ainsi que sa famille. De toute évidence, j'ai été dupé. J'ai manqué de discernement.

— Si vous ne saviez pas que j'étais officier de police, pourquoi m'avez-vous appelée lieutenant sur la scène ?

— Je n'en ai pas le souvenir.

— Donc, vous avez accepté cette mission. Comment s'appelait celui qui vous a engagé ?

— Haggerty. Clarence Haggerty. Du moins, c'est ainsi qu'il s'est présenté. Imaginez ma stupéfaction en découvrant que, contrairement à ce qu'il m'avait assuré, son intention n'était pas seulement de vous faire peur.

— Mmm, murmura Eve. Prendre un enfant en otage, coller le canon d'un pistolet hypodermique sur sa tempe, au risque de le paralyser ou de le tuer, était un bon moyen de m'effrayer.

— Tout s'est passé tellement vite ! Quand il s'est emparé du petit, j'ai été choqué. Malheureusement, j'ai été lent à réagir. Haggerty – si c'est son véritable nom – n'était pas celui que je croyais. Pour être capable d'une telle initiative...

Les mots moururent sur ses lèvres, et il secoua tristement la tête.

— Je suis content que vous l'ayez abattu, lieutenant. Vous ne pouvez pas savoir à quel point.

— Je n'en doute pas.

Elle se pencha vers lui.

— Franchement, Riggs, vous pensez me convaincre ?

— Pourquoi pas ? Si vous le voulez, je peux vous fournir les documents corroborant mon engagement par M. Haggerty. Je conserve soigneusement toutes mes archives.

— Ça ne m'étonne pas de vous.

— Bien entendu, ça ne retire rien à ma responsabilité dans les événements. Je vais probablement perdre ma licence. Je risque une peine de prison, ou tout au moins une assignation à résidence. Je suis prêt à assumer les sanctions, comme la loi l'exige.

— Vous travaillez pour Max Ricker.

— Ce nom ne me dit rien. Si un dénommé M. Ricker m'a employé en tant que consultant, cela doit figurer dans mes fichiers. C'est très volontiers que je vous signerai l'autorisation d'accès à ceux-ci.

— Vous risquez vingt-cinq ans, Riggs. Au minimum.

— J'espère que le tribunal saura se montrer indulgent, puisque j'ignorais le véritable but de la mission pour laquelle on m'avait engagé. Quant au petit garçon, je ne l'ai pas touché. On m'a mené en bateau, ajouta-t-il, impassible. Mais je suis prêt à subir les conséquences de mes actes.

— Vous vous dites que ça vaut mieux que de finir comme Lewis.

— Pardon ? Devrais-je connaître ce Lewis ?

— Une vermine. Et vous savez comme moi que Ricker pourrait vous réserver le même sort.

— Je suis désolé, lieutenant, mais je ne comprends pas.

— Reprenons de zéro.

Elle le travailla au corps pendant plus d'une heure, cédant le terrain à Feeney de temps en temps, puis revenant à la charge.

Riggs ne manifesta pas le moindre signe de malaise, pas une goutte de transpiration, pas une hésitation. Eve avait l'impression d'interroger un droïde programmé à cet effet.

— Emmenez-le d'ici ! ordonna-t-elle, dégoûtée, en quittant la pièce.

Feeney la rejoignit rapidement.

— Ce type ne cédera pas, dit-elle. Cette fois-ci, Ricker a sélectionné quelqu'un d'intelligent. Mais Riggs ne maîtrisait pas complètement la situation. Il ne s'attendait pas à ce que l'autre s'empare du môme. Donc, si lui a une cervelle, rien ne dit que les autres en ont une. On va doubler le nombre de gardes chargés de surveiller ceux qui sont à l'hôpital et prendre de leurs nouvelles.

— Pour peu que Riggs s'adresse à un avocat convenable, et qu'il s'en tienne à cette version des faits, il ne fera même pas cinq ans.

— Je le sais, et lui aussi. Quel prétentieux ! Je propose qu'on se penche sur les fichiers des deux blessés.

— Pour moi, ce n'est pas un problème. Cependant, par mesure de précaution, j'éviterai de travailler à mon bureau.

— D'accord. Je rédige mon rapport et je rentre chez moi.

Une fois qu'elle eut terminé, elle libéra Peabody, puis descendit au parking. Elle avait mal au genou, ce qui l'irritait au plus haut point, et la migraine, aussi, ce qui n'arrangeait pas les choses.

Cependant, en découvrant l'état de son véhicule, elle explosa.

— Nom de Dieu de nom de Dieu !

Elle ne le possédait que depuis huit mois. Il était moche, un peu cabossé, mais il lui appartenait et il roulait.

À présent, le capot, le hayon, les portières étaient défoncés, les pneus lacérés, et le pare-brise arrière semblait avoir été attaqué au laser.

Le tout dans un parking de la police hautement sécurisé.

— Waouh ! s'exclama Baxter en arrivant derrière elle. J'ai su que vous aviez eu des problèmes, tout à l'heure, mais j'ignorais que c'était à ce point. La Maintenance va vous en vouloir.

— Ce n'est pas moi. Comment est-ce que quelqu'un a pu entrer ici et saccager ma voiture ? s'écria-t-elle.

Baxter la saisit par le bras.

— Restons à distance. Il faut appeler l'équipe de déminage. Vous avez un ennemi féroce, en ce moment. Il faut faire attention.

— Vous avez raison. Oui, vous avez raison. Si elle saute, ils ne m'en donneront pas d'autre. À la division Réquisitions, ils me détestent.

La voiture n'était pas piégée, et elle réussit à obtenir quatre pneus neufs. Grâce à Baxter, qui sut amadouer la Maintenance. Pendant qu'on changeait les roues et que deux mécaniciens réparaient les portières en maugréant, Eve prit contact avec la sécurité du parking.

On lui annonça une anomalie dans le disque.

— Alors ? Le verdict ? s'enquit Baxter quand elle revint vers lui.

— Anomalie dans le disque. Écran noir et son coupé pendant un quart d'heure. Uniquement à cet étage. Ils ne se sont rendu compte de rien.

Elle étrécit les yeux.

— Mais je peux vous garantir que la prochaine fois, ils s'en apercevront. Vous n'étiez pas obligé d'attendre, Baxter.

— C'est votre partie, Dallas, mais nous voulons tous y participer. Vous devriez soigner votre jambe. Vous boitez.

— Mais non !

Elle poussa un profond soupir et monta dans son véhicule.

— Merci.

— Je n'ai pas droit à un baiser d'adieu ?

— Mais si, mon chou, venez par ici !

Il s'esclaffa, s'écarta légèrement.

222

— Je n'oserais pas ! Vous rentrez chez vous ?

— Oui.

Il se dirigea vers sa propre voiture.

— Je monte vers le nord, moi aussi. Je vous suis.

— Je n'ai pas besoin d'un baby-sitter.

— Je vais par là de toute façon.

Malgré elle, Eve ne put se résoudre à lui en vouloir. Pendant le trajet, elle resta sur le qui-vive, guettant les filatures et les embuscades. Le parcours s'effectua sans incident, hormis les bruits bizarres du moteur dès qu'elle se risquait à dépasser les cinquante kilomètres à l'heure.

Elle salua Baxter de la main devant le portail de la propriété en se disant qu'elle le remercierait avec une bonne bouteille de whisky piquée dans le bar de Connors.

Un petit remontant serait le bienvenu, songea-t-elle en gravissant l'escalier du perron. Un verre de vin frais et, pourquoi pas, un saut dans la piscine, histoire de se défouler ?

La nuit promettait d'être longue.

Galahad se précipita à sa rencontre en se faufilant entre les jambes de Summerset.

— Je suppose que vous avez été impliquée dans un accident.

— Vous supposez mal. Ma voiture a été impliquée dans l'accident.

Elle se pencha, souleva le chat, frotta sa joue sur sa fourrure.

— Où est Connors ?

— Il n'est pas encore rentré. Si vous aviez consulté son emploi du temps, vous sauriez qu'il ne sera pas là avant au moins une heure. Ce pantalon est fichu.

— C'est ce que j'ai entendu dire.

Elle posa le chat par terre, enleva sa veste, la jeta sur la rampe d'escalier. Puis elle passa devant Summerset pour se rendre à la piscine.

— Vous boitez.

Elle continua d'avancer, mais se permit un petit cri de frustration.

La piscine lui fit le plus grand bien. Une fois seule et nue, elle en profita pour examiner attentivement sa blessure. L'infirmier s'était bien débrouillé : bien que la douleur fût aiguë, la plaie semblait déjà en voie de cicatrisation.

Elle avait aussi un certain nombre d'égratignures, dont certaines provenaient sans doute de ses frasques avec Connors. Se sentant nettement mieux, elle enfila un peignoir et s'octroya le luxe de prendre l'ascenseur jusqu'à la chambre.

En émergeant de la cabine, elle faillit heurter Connors qui s'apprêtait à y entrer.

— Bonsoir, lieutenant. J'allais te rejoindre.

— J'ai nagé un long moment, mais je veux bien m'asseoir au bord du bassin. À condition que tu te mettes tout nu.

— Et si on se baignait ensemble un peu plus tard ? suggéra-t-il en l'attirant dans la chambre. Qu'est-il arrivé à ta voiture ?

— Je ne peux rien prouver, mais je pense que c'est encore l'œuvre de Ricker. Je l'ai trouvée dans cet état en descendant au parking.

Elle se dirigea vers l'armoire.

— Pourquoi est-ce que tu boites ?

Levant les yeux au ciel, Eve résista à la tentation de se taper la tête contre le mur.

— Je me suis écorché le genou. Écoute, j'aimerais pouvoir m'habiller, boire un verre. Je te raconterai tout, promis. J'ai eu quelques mésaventures aujourd'hui, dans la rue. J'ai des bleus un peu partout. Je t'en prie, ne te jette pas sur moi.

— Je vais tenter de rester calme…

Il poussa seulement un soupir lorsqu'elle se déshabilla.

— Mmm… très coloré… allonge-toi.

— Non.

— Eve, allonge-toi, sinon je m'en charge moi-même. Je vais te soigner.

Elle décrocha un chemisier.

— Sache, camarade, que j'ai dû renoncer, à mon grand regret, à un important round de boxe. Je pourrais bien me venger sur toi.

Cependant, comme il s'approchait, elle laissa tomber le chemisier.

— D'accord, d'accord. Je ne suis pas d'humeur à me battre. Mais si tu veux jouer au docteur, moi, j'ai envie d'un verre.

Sur ce, elle fonça vers le lit et se laissa tomber dessus, à plat ventre.

— Du vin blanc. Très frais.

— À votre service, madame.

Subrepticement, Connors y ajouta un antalgique, tout en sachant qu'elle serait folle de rage dès qu'elle aurait compris le subterfuge.

— Allez ! Assieds-toi et pas de gémissements, ordonna-t-il.

— Je ne gémis jamais.

— Rarement, concéda-t-il. Mais quand tu t'y mets, tu compenses le manque de quantité par la qualité.

Elle savoura une gorgée de vin tandis qu'il la soignait.

— Pourquoi ne pas t'étendre près de moi, docteur ?

— C'est bien mon intention, mais plus tard. C'est ainsi que je récolte mon dû.

Elle vida pratiquement son verre avant de se sentir envahie par la somnolence.

— Qu'est-ce que tu as mis là-dedans ? Un antalgique, je parie ! Tu sais pourtant que j'ai horreur de ça !

— Oui, mais j'adore te voir en colère. Retourne-toi.

Forcée d'admettre que la douleur s'estompait déjà, elle obéit.

— Embrasse-moi, chuchota-t-elle.

— Plus tard. Quand tu n'auras plus mal du tout.

— Je me sens bien.

— J'ai envie de te faire l'amour, Eve. Lentement et longtemps. Je veux que tu te sentes mieux que bien.

Elle s'accrocha à son cou, mais il lui prit les mains et la redressa en position assise.

— Raconte-moi ce qui s'est passé.

— Si tu ne me sautes pas dessus, je préfère m'habiller.

— Le peignoir suffit amplement. Tu seras plus à l'aise. Et ça me facilitera la tâche, plus tard.

Comment réfuter une telle démonstration de logique ? Elle resserra la ceinture de la robe de chambre et alla se planter devant l'autochef.

— Tu as faim ?

— Choisis ce que tu veux.

Elle commanda des pâtes pour deux, assaisonnées d'une sauce épicée. Ils mangèrent côte à côte, Eve ayant besoin de reprendre des forces pour la nuit de travail à venir. Elle lui relata les événements de la journée.

Connors l'écouta attentivement, sans intervenir.

— Ça me rassure d'avoir le soutien du grand chef, enchaîna-t-elle. J'ai pris un malin plaisir à l'entendre clouer le bec de Bayliss. C'était admirable.

— Eve.

Elle rencontra son regard d'un bleu glacial. Curieusement, affronter quatre hommes de main l'impressionnait moins que de faire face à son propre mari.

— Ça fait trois fois qu'il s'en prend à toi. Que ça te plaise ou non, je vais m'occuper de lui.

— Deux fois, rectifia-t-elle. La troisième, ce n'était que ma voiture. Et je te ferai remarquer que j'ai eu le dessus à chaque fois. Cela dit, j'avais prévu ta réaction. Ça ne sert à rien, mais je me permets de te rappeler que, vu mon métier, ce n'est ni une première ni une dernière. Vos différends personnels ne doivent pas entrer en ligne de compte.

— Tu te trompes, dit-il d'un ton dangereusement calme.

— Je t'en prie, cesse de me regarder comme ça. Tu me coupes l'appétit, grommela-t-elle en jetant sa fourchette sur son assiette. Je vais avoir besoin de ton aide. Je t'ai déjà sollicité avant aujourd'hui, non ? Ce qui a changé, c'est qu'il a envoyé un autre de ses sbires à mes trousses. Je m'en suis débarrassée. Si nous travaillons ensemble, nous réussirons tous deux à obtenir satisfaction. Enfin, peut-être pas toi, car j'imagine que ce dont tu rêves, c'est de le mettre à rôtir à petit feu… Connors, dit-elle en posant la main sur la sienne… Je peux me débrouiller toute seule, mais ça irait moins vite et ce serait moins gratifiant pour toi. D'un autre côté, tu pourrais l'éliminer sans moi. Ce serait probablement plus rapide et ça te procurerait plus de satisfaction.

Mais réfléchis : tu ne préfères pas l'imaginer en train de pourrir dans une cage, plutôt que de l'abattre ?

— Non.

— Parfois, Connors, tu es un type effrayant.

— J'accepte ta proposition, lieutenant. J'essaierai de m'en contenter. Mais crois-moi, ça me coûte.

— Je le sais. Merci.

— Ne me remercie pas avant que ce soit terminé. Parce que si ça ne marche pas à ta manière, ça marchera à la mienne. Que veux-tu savoir ?

Elle poussa un soupir.

— Pour commencer, j'aimerais comprendre ce qui a incité le BAI à envoyer Kohli au *Purgatoire*. Que pouvaient-ils bien chercher là-bas ? Bayliss a évoqué certains liens entre Ricker et toi, mais tu m'as assuré que vous n'étiez plus associés depuis plus de dix ans.

— C'est exact. Quand nous nous sommes quittés, je suis parti avec certaines de ses affaires les plus lucratives. Je les ai revendues depuis, ou restructurées. Quant au *Purgatoire*, il n'a rien à y voir. Du moins, plus maintenant.

Eve laissa échapper un petit cri de surprise.

— Je lui ai racheté le club il y a cinq ans. Ou plutôt, mes représentants l'ont acheté aux siens.

— Il en était le propriétaire ? Et tu ne me l'as pas dit ?

— Tu ne m'as pas posé la question.

— Pour l'amour du ciel ! s'exclama-t-elle en se levant pour arpenter la pièce.

— D'ailleurs, ça ne m'est pas revenu tout de suite à l'esprit au moment de l'assassinat de Kohli.

— Si Ricker s'en servait comme couverture, peut-être que certains de ses hommes continuent d'y venir pour traiter leurs affaires.

— On ne m'a jamais rien signalé de tel. Si c'est le cas, il s'agissait d'affaires mineures.

— Un flic est mort là-bas. Ça n'a rien de mineur.

— Pardon.

— Pourquoi a-t-il vendu *Le Purgatoire* ?

— D'après mes renseignements, à l'époque l'endroit avait perdu de son intérêt. Il liquide souvent les entreprises et les propriétés qui ne lui sont plus d'aucune utilité. C'est une pratique courante, dans ce milieu.

— S'il t'en veut à ce point, pourquoi te l'a-t-il cédé ?

— Il ne l'a su qu'après. Il était sans doute furieux, mais la transaction était signée. Il est peut-être allé raconter qu'on y traitait certaines affaires, à moins qu'il n'y ait envoyé des gens à lui. Ç'aurait été une façon comme une autre de se venger. Il aurait attendu le bon moment pour ternir la réputation du lieu. Ricker est un homme patient. Quelques années de plus ou de moins, pour lui, ça ne compte pas.

— Et vu ses relations au sein du département, il avait amplement de quoi diffuser les rumeurs. Le BAI en a eu vent, a lancé une enquête, engagé Kohli. Ça tient debout. Et plus ça va, plus j'ai la sensation que ce pauvre homme est mort pour rien.

— Tu sauras lui rendre justice.

— Oui. J'aimerais consulter certaines archives auxquelles je n'ai pas accès, sans que personne le sache.

Cette fois, Connors sourit.

— Lieutenant, je crois pouvoir t'aider.

Dans la salle de séjour brillamment éclairée de son domaine du Connecticut, Max Ricker piétinait furieusement le visage d'une droïde domestique qu'il avait baptisée Marta.

Elle ne serait plus jamais la même.

Canarde l'observait à distance. Il avait déjà vu Ricker dans cet état, et savait qu'il ne s'en prenait pas toujours qu'aux droïdes.

Pendant un long moment, haletant, Ricker s'acharna sur le robot en plastique et métal. Non, ce n'était pas la première fois que Canarde assistait à ce type de scène. Ce qui l'inquiétait, c'est qu'elles se répétaient de plus en plus souvent et devenaient de plus en plus violentes.

Il commença à se dire qu'il serait temps de mettre en action son plan de retraite, et d'aller finir ses jours au soleil, dans l'élégante demeure qu'il avait acquise sous un faux nom à Paradise Colony.

Pour l'heure, cependant, il pensait encore pouvoir affronter la tempête.

— Une femme, une femme *seule*, et ils ont été incapables de la neutraliser ? Je vais m'occuper d'eux, je vous le garantis !

Il donna un magistral coup de pied dans ce qu'il restait de la tête de Marta. L'air empestait les fils court-circuités. Enfin calmé, comme après chaque… épisode de ce genre, il s'approcha du bar et remplit un verre d'un cocktail rose à base de rhum, agrémenté de barbituriques.

— Un mort, dites-vous ? demanda-t-il, d'un ton plus posé, en se tournant vers Canarde.

— Oui. Yawly. Ines et Murdock sont à l'hôpital. Riggs a été mis en examen. Il sait ce qu'il doit répondre et s'y tiendra. C'est un garçon intelligent.

— C'est un imbécile, comme les autres. Je veux qu'on les élimine.

Canarde, qui s'y attendait, fit un pas en avant.

— Pour ce qui est d'Ines et Murdock, cela me paraît prudent. En revanche, si vous vous en prenez à Riggs alors qu'il se révèle loyal, vous risquez de démoraliser les membres de votre organisation.

Ricker but, sans quitter Canarde des yeux.

— Qu'est-ce qui vous donne l'impression que je ne m'intéresse pas au moral de mes troupes ?

— Vous devriez le faire, rétorqua Canarde, conscient qu'il prenait un risque énorme. En faisant preuve d'une certaine indulgence envers un employé, compte tenu du contexte – comme vous avez, en d'autres circonstances, montré à Lewis ce qu'était la discipline –, vous transmettez un message clair et net à ceux qui travaillent pour vous. Et puis, ajouta-t-il, on pourra toujours s'occuper de Riggs un peu plus tard.

Ricker continuait de boire.

— Vous avez raison. Bien sûr, vous avez raison, répéta-t-il avec un sourire un peu trop éclatant. Merci. Je crains que cette histoire avec le lieutenant Dallas ne m'ait un peu fait perdre mon calme. La vengeance est un plat qui se mange froid.

Il pensa à Connors.

— Dites à M. Riggs que j'apprécie sa loyauté et qu'il en sera récompensé.

Il se tourna vers les baies vitrées, remarqua les débris de la droïde éparpillés sur le sol. L'espace d'un instant, il parut perplexe. Puis, reprenant ses esprits, il sortit sur la terrasse surplombant le parc.

— J'ai passé ma vie à bâtir tout ceci. Un jour, je le transmettrai à mon fils. Un homme doit pouvoir laisser un héritage à son fils, murmura-t-il, rêveur. Mais j'ai d'autres buts à atteindre avant. Notamment, écraser Connors. Le faire ramper. J'y parviendrai, Canarde. Croyez-moi.

Il sirota son cocktail rose, le regard au loin.

— J'y arriverai, insista-t-il. Et sa femme me demandera grâce.

16

Dans son bureau privé, Connors disposait d'un matériel important, hautement sophistiqué et non déclaré. L'œil scrutateur du CompuGuard l'ignorait. Aucune information générée par l'ordinateur n'était détectable.

Or, entre les mains expertes de Connors, toutes les données, même les plus secrètes, finissaient par être accessibles.

Seuls, Connors, Eve et Summerset franchissaient les portes sécurisées de cette pièce au décor à la fois sobre, chaleureux et élégant.

L'immense console en forme de U évoquait pour Eve le tableau de bord d'un engin spatial particulièrement bien conçu. Et lorsqu'il était aux commandes, Connors avait l'allure d'un capitaine de vaisseau.

Ici, elle acceptait d'enfreindre les règles. Ou laissait Connors les enfreindre pour elle.

— Commençons par Roth, dit-elle. Selon elle, son mari a vidé ses comptes en banque pour assurer son avenir et celui de sa maîtresse. Roth, capitaine Eileen. Domiciliée au…

— Ce n'est pas nécessaire.

Connors appréciait ce genre de travail presque autant que l'air irrité de sa femme quand il réussissait à surmonter des obstacles que les cerveaux et talents de la DDE ne parvenaient pas à contourner. Il afficha les résultats de ses recherches sur l'écran mural.

— Pas très impressionnant, comme pécule, constatat-il. Mais je suppose que ça devrait lui suffire pour s'installer confortablement avec sa dulcinée. C'est un écrivain sans emploi. Le genre « artiste » qui tire le diable par la queue, avec le teint pâle et le regard ténébreux, attire pas mal de femmes.

— Vraiment ? répliqua sèchement Eve.

— Certainement. Du moins, d'après mon expérience. Roth n'est pas la première, enchaîna-t-il en poursuivant sa lecture. Deux mariages, trois cohabitations. Chaque fois, vers la fin de l'histoire, il tape dans la bourse de sa partenaire.

— Ça m'étonne de la part de Roth. Je l'aurais crue plus maligne que ça. Après tout, elle est flic.

— L'amour est aveugle, murmura Connors.

— Tu parles ! Je vois clair en toi, non ?

Il esquissa un sourire de satisfaction.

— Ma foi, lieutenant, tu fais battre mon cœur !

Il lui saisit la main et la couvrit de baisers.

— Bas les pattes ! protesta-t-elle en le repoussant distraitement, ce qui le fit sourire de nouveau.

Il était tellement heureux de l'avoir retrouvée.

— Deux versements à l'ordre de Lucius Breck, nota Eve. Trois mille, chacun. Qui est Breck ?

Connors, lisant dans ses pensées, avait déjà demandé le renseignement. Eve sursauta quand la voix aimable de l'ordinateur lui répondit :

— *Breck, Lucius. Thérapeute. Cabinet privé situé au 523, Sixième Avenue, ville de New York. Domicile...*

— Laisse tomber. Ça correspond avec ce qu'elle m'a dit. Seigneur ! Elle est pratiquement ruinée, et elle continue de se payer des séances quand elle pourrait se faire soigner par les services du département sans débourser un sou. Le pire, c'est qu'elle court à sa perte de toute façon. Jamais elle ne conservera ses galons une fois la vérité connue.

« Dire qu'elle s'imagine que je rêve de prendre sa place ! songea Eve en secouant la tête. Jamais de la vie. » Si Eve devait porter les barrettes de capitaine un jour, pour rien au monde elle n'accepterait d'être reléguée dans un bureau.

— Elle n'a pas d'autres comptes ?

— Je ne peux pas trouver ce qui n'existe pas, répondit Connors. Comme tu l'as constaté toi-même, le capitaine

Roth est au bord de la faillite. Elle a puisé dans ses fonds de retraite pour payer Breck. À part ça, son train de vie est modeste, voire frugal.

— Donc, elle n'a rien à se reprocher, mais son équipe est corrompue, ce qui pourrait fournir un mobile. Les deux victimes travaillaient sous ses ordres, et elle avait rencontré Kohli à plusieurs reprises au *Purgatoire*. La concernant, le calcul de probabilités demeure faible. Mais tout ça pourrait changer si j'y ajoute son profil issu des archives du département et mes propres impressions.

— Et quelles sont-elles, tes impressions ?

— Elle est dure, a un sale caractère, et est tellement occupée à gravir les échelons de la hiérarchie qu'elle néglige les détails. Elle cherche à couvrir ses erreurs personnelles dans le seul but de garder sa place. Il se pourrait qu'elle ait protégé certains de ses équipiers, pour éviter d'être évincée par ses supérieurs. Ce premier meurtre a été commis dans un élan de violence inouïe. Encore une fois, elle peut se montrer féroce.

Eve se tourna vers Connors.

—Vernon, inspecteur Jeremy. J'ai déjà de quoi le mettre en examen, mais je préfère le laisser transpirer un peu dans son coin.

— En quoi puis-je me rendre utile ?

— Je veux établir le lien entre l'argent et Ricker. Je ne pourrai pas m'en servir comme preuve, mais je pourrais le lui faire croire. Il suffit que je déstabilise Vernon pour pouvoir tirer d'autres ficelles. Il a des liens avec les deux victimes, ainsi qu'avec Roth et Ricker.

— Ricker s'est forcément mis à l'abri. Tout l'argent qu'il a pu disperser de cette manière a été blanchi.

— Peux-tu remonter à la source ?

Il haussa les sourcils.

— C'est une question rhétorique, je présume ? Ça risque de prendre un certain temps.

— Pourquoi ne pas t'y mettre tout de suite, alors ? Est-ce que je peux me servir de l'autre ordinateur pour vérifier d'autres noms ?

— Une seconde…

Il donna des ordres auxquels Eve ne comprit rien et enfonça diverses touches du clavier. La machine se mit à ronronner.

— Ça permet d'effectuer un premier tri en mode automatique, expliqua-t-il à sa femme... Alors ? Les autres noms ?

Elle le dévisagea.

— Ruth MacLean.

Qu'il fût irrité ou surpris, il resta impassible.

— Tu la soupçonnes ?

— Elle gère *Le Purgatoire* ; elle sait ou du moins devrait savoir ce qui s'y passe. Tu m'as dit que Ricker a été propriétaire de l'établissement, et que le BAI suspecte ou a suspecté un lien possible. S'il y a traité des affaires, MacLean a dû être au courant. Quant à toi, conclut-elle, tu y as déjà pensé.

— En effet, j'ai procédé à une recherche approfondie, hier. Ordinateur, affiche les résultats de la recherche sur MacLean, Ruth, écran numéro trois. Tu peux commencer à lire le dossier, dit-il à Eve. Je n'ai rien trouvé d'inquiétant. Évidemment, si elle est dans le camp de Ricker, elle aura fait preuve de prudence. Elle me connaît.

— Tu crois qu'elle prendrait un risque pareil ?

— Ça m'étonnerait.

Eve s'attaqua tout d'abord aux relevés bancaires.

— Seigneur, Connors ! Tu la paies royalement !

— Ce qui, habituellement, inspire une certaine loyauté. Elle dirige la maison et mérite son salaire. Tu verras qu'elle en profite. Elle a pris des vacances à Saint Barthélemy, cet hiver. Il paraît que Ricker y a une propriété.

Il marqua une pause et alla jusqu'au bar pour se verser un cognac.

— J'ai l'intention de la questionner là-dessus dès demain.

— Comme ça ?

— Oui. Je saurai tout de suite si elle ment.

Eve contempla son visage grave, son regard impitoyable. Oui, il saurait tout de suite si MacLean disait la vérité ou pas. Dieu la protège, si par malheur elle lui mentait !

— Je préfère m'en occuper moi-même.

— Si elle a encore des relations avec Ricker, celles-ci sont ténues en ce qui concerne ton affaire. En revanche, elle est mon employée, et de ce fait, je…

— Si tu lui fais peur…

— Si elle a des raisons d'avoir peur, elle n'aura nulle part où aller. Tu pourras donc l'interroger à loisir. As-tu d'autres noms ?

— Tu ne coopères pas.

— Au contraire ! s'exclama-t-il en désignant d'un geste tout le matériel. Permets-moi de te demander ceci, lieutenant : après qui cours-tu, un assassin ou après Max Ricker ?

— Un assassin, aboya-t-elle. Et comme Ricker est plus ou moins impliqué, je compte bien les mettre tous les deux dans le même sac.

— Parce qu'il est impliqué dans l'affaire, ou parce que nous avons été associés à une époque ?

— Les deux. Pourquoi ?

— Rien. À moins que, le moment venu, tu ne t'interposes entre nous.

Il examina son verre d'alcool.

— Mais à quoi bon anticiper ? Les noms ?

— Webster, lieutenant Don.

Il ébaucha un sourire moqueur.

— Comme c'est intéressant ! railla-t-il. De quoi le soupçonnes-tu ? D'être le tueur ou d'être une cible ?

— Pour l'heure, ni l'un ni l'autre, ce qui revient au même. Il m'a filée aujourd'hui. Peut-être que c'était, comme il l'a prétendu, pour s'excuser de s'être comporté comme un idiot. Ou alors, c'était une mise en scène. Avant de lui faire confiance, je veux tous les faits.

Sans un mot, Connors s'attaqua à son clavier. Les données s'affichèrent.

— Tu avais déjà vérifié ?

— Ça t'étonne ? demanda calmement Connors. Webster semble propre comme un sou neuf. Ce qui signifie – si tu lui appliques les mêmes règles qu'à Roth – qu'il figure sur ta liste de suspects.

— À une différence près, marmonna-t-elle en se rapprochant, sourcils froncés. Il était au courant, pour Kohli. Il a participé à sa mise en place. Pourquoi s'en prendre à un flic sans histoires ? Si je m'appuie sur les preuves, mon instinct et le profil établi par Mira, je suis en quête d'un individu qui cherche à se venger. Quelqu'un qui tente d'éliminer les flics qui ont mal tourné. Webster était l'un des rares à savoir que Kohli n'avait rien à se reprocher. Ce n'est donc pas lui qui m'inquiète, du moins s'il n'est pas corrompu.

— Et s'il l'est ?

— Dans ce cas, je pourrais peut-être extrapoler : il s'est débarrassé de Kohli parce qu'il était blanc comme neige et savait que Webster ne l'était pas. Qu'est-ce que c'est que ces versements ? Une somme constante, payée chaque mois depuis deux ans à l'ordre de LaDonna Kirk ?

— Il a une sœur, divorcée. Elle suit des études de médecine. Il lui donne un coup de main.

— Mmm… ce pourrait être une couverture.

— C'est exact. Je m'en suis assuré. Entre nous, elle est dans les premiers 10 % de sa promotion. Il arrive à Webster de jouer de temps à autre, reprit Connors en sirotant son cognac. Il mise petit, c'est une simple distraction. Il s'offre chaque année une place au bal de l'Arena, et affectionne les costumes trop chers d'un tailleur sans grand talent, à mon humble avis. Il n'épargne pas énormément et vit selon ses moyens, ce qui n'est pas difficile. Il gagne deux fois plus que toi, alors que vous êtes à égalité de rang. À ta place, je m'en plaindrais.

— Les bureaucrates… grommela-t-elle avec dédain. C'est à n'y rien comprendre. Tu es allé au fond des choses.

— Je suis méticuleux.

Vu les circonstances, Eve préféra en rester là.

— Il veut participer.

— Pardon ?

— Il veut participer à l'enquête, Connors. Il pense qu'on s'est servi de lui. Je le crois volontiers.

— Tu me demandes mon avis ?

— Je te demande si tu vas t'opposer au fait que je l'intègre dans mon équipe.

— Et si je te réponds oui ?

— Je laisse tomber. Il pourrait m'être utile, mais je n'ai pas vraiment besoin de lui.

236

— Ma chère Eve, agis selon ton bon vouloir… Excuse-moi, mais l'ordinateur réclame mon attention, ajouta-t-il tandis que la machine signalait une pause… Tu as d'autres noms ?

— Quelques-uns.

— Je t'en prie, dit-il en lui indiquant le deuxième appareil.

Décidément, songea Eve en prenant place, le mariage demeurait un mystère. Un puzzle comprenant trop de pièces, aux formes changeantes. Connors semblait parfaitement d'accord pour qu'elle travaille avec Webster, dont il avait allègrement cassé la figure la veille…

Et si ce n'était qu'une ruse ?

Elle verrait ça plus tard, décida-t-elle en se mettant à l'ouvrage. Là, au moins, elle était sûre d'elle. Elle consulta les fichiers de toutes les personnes que lui avait citées Patsy Kohli. Les amis flics de son mari. Les inspecteurs Gaven et Pierce, l'officier Goodman, et le sergent Clooney.

De prime abord, tous semblaient parfaitement nets. Gaven, inspecteur Arnold, collectionnait les récompenses et comptait un nombre solide d'affaires résolues à son actif. Il était marié, père d'une fillette de cinq ans et jouait dans l'équipe de base-ball de sa division.

Pierce, inspecteur Jon, suivait une voie parallèle, sauf qu'il avait un fils de trois ans.

Goodman, officier Thomas, était plus jeune de deux ans, et obtiendrait bientôt ses galons d'inspecteur. Récemment marié, il était diacre dans sa paroisse.

« La religion, pensa-t-elle. Trente pièces d'argent. »

Clooney, vingt-six ans de carrière à son actif, était rattaché au 128 depuis douze ans. Il avait été le partenaire de Roth à une époque, puis Roth était montée en grade. Ce qui avait pu l'énerver.

Il avait une épouse, dont le domicile différait du sien, mais il n'existait nulle trace de séparation officielle ou de divorce. Son fils, Thadeus, était mort en service alors qu'il tentait d'empêcher un braquage.

D'après les déclarations des témoins, il avait dégainé son arme et s'était interposé pour protéger un civil, avant d'être attaqué par-derrière. Il avait succombé sur les lieux à une multitude de coups de poignard.

Ses agresseurs avaient dévalisé le magasin 24/7 avant de filer. Le dossier n'avait jamais été clos.

Thadeus Clooney laissait une femme et un bébé.

Un tel drame pouvait-il transformer un policier irréprochable en meurtrier ?

Mais pourquoi s'en prendre à ses collègues ?

Enfin, elle lut le fichier de Bayliss, capitaine Boyd.

Rien à dire ! À condition de s'en tenir à la surface. Fidèle paroissien, bénévole, il présidait plusieurs œuvres de charité. Ses deux enfants étaient inscrits dans des collèges privés. Marié depuis dix-huit ans avec une femme qui lui avait apporté de l'argent et un statut social.

Il n'avait jamais travaillé sur le terrain. Même en uniforme – et il s'en était rapidement débarrassé –, il était resté dans les bureaux : administration, gestion des scellés, assistant. Un tire-au-flanc-né, mais un tire-au-flanc malin. Il avait gravi les échelons, puis demandé sa mutation au BAI.

Eve nota qu'il n'en était pas à sa première sanction officielle. On l'avait déjà mis en garde contre ses méthodes. Quels que soient ses moyens, il avait remué du linge sale. Le département le lui avait reproché, mais sans jamais l'empêcher d'agir.

Il avait contourné les règles : incitation policière à commettre un délit justifiant l'arrestation de l'auteur, écoutes illégales, surveillance. Son jeu favori consistait à monter les flics les uns contre les autres.

De la destruction d'une carrière à l'assassinat, il n'y avait qu'un pas…

Un détail en particulier la frappa. Elle s'aperçut que peu après la débâcle de l'affaire Ricker, Bayliss s'était retrouvé mis en examen et avait écopé d'une sanction pour tentative de discrédit du sergent en charge des scellés.

Il n'avait pas hésité à harceler l'épouse et les enfants de cet homme, et à le convoquer à la salle d'interrogatoire du BAI, où il l'avait séquestré, sans lui accorder le bénéfice d'un conseil ou d'un représentant, pendant plus de quatre heures.

Le fisc avait reçu un message anonyme, et bien qu'il eût été impossible de l'imputer à Bayliss ou à son

équipe, le sergent avait eu droit à un contrôle approfondi. On n'avait rien découvert d'anormal, mais cette
mésaventure lui avait coûté plus de mille dollars en
frais.

Elle allait devoir s'intéresser de plus près à Bayliss,
et à ce pauvre sergent Matt Myers.

Malheureusement, il lui manquait les connaissances
techniques pour poursuivre sa recherche. Elle jeta un
coup d'œil en direction de Connors, mais comprit à son
expression concentrée que ce n'était pas le moment de
le déranger.

Plutôt que de s'humilier, elle opta pour une autre
solution et contacta Webster.

— Bayliss, annonça-t-elle sans préambule, parle-moi
de lui.

— Un fanatique déguisé en croisé. Et je suis tombé
dans le piège, pendant un bon moment, en plus. Dévoué
à sa mission, et charismatique, avec ça, comme un pro-
phète prêchant une nouvelle religion.

Eve se cala dans son fauteuil.

— Vraiment ?

— Oui, il a le don de vous énerver et, avant d'avoir
pu dire « ouf ! », on est pris dans ses filets. D'un autre
côté, il a mis au jour des corruptions et débarrassé le
système d'un bon nombre de flics pourris.

— À n'importe quel prix.

— D'accord, soupira Webster en se frottant la nuque.
C'est vrai, surtout depuis un an. Ses méthodes me mettent mal à l'aise. Je suis presque sûr qu'il possède des
fichiers, dont certains sont très précis, sur tous ses
collègues. Mais il ne m'en a jamais parlé. Il dépasse
souvent les limites. Je pensais que c'était justifié.

— Qu'est-ce qui t'a fait changer d'avis ?

— Le sergent Myers. Il était responsable des scellés
de l'affaire Ricker, qui ont mystérieusement disparu ou
subi des dommages irréversibles. Bayliss l'a enfoncé jusqu'au bout. Il était convaincu que Myers était un complice de Ricker, bien qu'il n'ait jamais pu le prouver.
D'après moi, il espérait se débarrasser de Myers d'une
façon ou d'une autre, mais le sergent lui a tenu tête. Il
refusait de céder. Quand le département l'a innocenté,
il a été muté dans le Queens. Mais Bayliss n'a jamais

oublié, et depuis qu'il s'est fait taper sur les doigts à la Tour, il ne décolère pas.

— Tibble lui est tombé dessus.

— Oui. Juste après ça, il a lancé l'opération avec Kohli. Peut-être qu'il espérait prendre sa revanche. Je n'en sais rien, Dallas. Il est difficile à cerner.

— Sais-tu si Myers est toujours bien vivant dans le Queens ?

— Je n'ai jamais entendu dire le contraire, répondit Webster en arrondissant les yeux. Non, Dallas, tu ne crois tout de même pas que Bayliss s'amuse à éliminer des flics ?

— C'est une façon comme une autre de s'en débarrasser, non ? riposta-t-elle. Tu as dit que tu voulais participer à l'enquête, Webster. Tu étais sincère ?

— On ne peut plus sincère.

— Dans ce cas, voici ta première mission. Recherche Myers, assure-toi qu'il n'a pas été récemment victime d'un accident. Et s'il respire encore, tâche de savoir s'il lui arrive de venir de temps en temps.

Webster n'avait pas travaillé à la division Homicides depuis des années, mais il pigeait vite. Il opina.

— Il aurait toutes les raisons d'en vouloir aux collègues corrompus.

— Bon. De mon côté, je vais demander un mandat pour accéder au fichier personnel de Bayliss.

— J'ai du mal à croire que tu y arriveras.

— Quand j'aurai les documents, tu m'aideras à les examiner. Je te rappelle.

Elle coupa la transmission et se tourna vers Connors, qui l'observait attentivement.

— Tu soupçonnes Bayliss ?

— Il n'est pas net, répliqua-t-elle en haussant les épaules. Webster va s'occuper de Myers, et nous verrons où ça nous mènera. Bayliss n'est pas mon premier choix. Ce n'est pas un sanguinaire, et Kohli est toujours aussi irréprochable. Mais le lien existe.

— Ce n'est pas compliqué d'accéder à son fichier personnel.

— Pour toi, non. Mais je veux faire ça officiellement. Si je dois convoquer Bayliss, et j'en ai la ferme intention, je veux que ce soit sans bavure.

— Profites-en pour demander un autre mandat, pendant que tu y es. Pour Vernon.

— J'ai déjà noté ça sur ma liste.

Elle se leva lentement.

— Tu as suivi l'argent.

— En effet, en empruntant des circuits alambiqués qui m'ont conduit droit à Max Ricker Unlimited. Ça ne veut pas dire que Ricker a remis le fric directement à Vernon, mais ça implique son entreprise. Il n'est plus aussi malin qu'il l'a été. Ni aussi prudent. Normalement, j'aurais dû mettre deux fois plus de temps pour remonter à la source.

— Peut-être que tu es plus malin que tu ne l'étais.

Elle s'approcha de lui, posa la main sur son épaule et se pencha pour lire l'écran. Elle vit surtout un amoncellement de comptes bancaires, de noms et de sociétés. Mais un nom en particulier lui sauta aux yeux, et elle sourit.

— Canarde... je lis bien ? Mandataire pour la Northeast Manufacturing, une filiale de la compagnie de Ricker ?

— Exact.

— Et ça ? Je rêve ? Canarde a autorisé le transfert électronique de fonds, de la maison mère à la Northeast puis à une autre société, jusqu'au casino de Vegas II, où Vernon a ramassé le pactole, soi-disant en gains de jeu.

Il lui embrassa la main.

— Je suis fier de toi.

— Merci, mais tu m'as mâché le travail. Il faudrait vraiment être idiote pour ne pas suivre. J'ai enfin de quoi coincer ce Canarde ! Malheureusement, je ne peux pas m'en servir.

Frustrée, elle fit quelques pas.

— Sauf si je réussis à faire parler Vernon.

Elle y parviendrait, se promit-elle en s'emparant de son communicateur pour contacter le commandant.

Connors resta où il était, à l'écouter défendre sa cause : précise, concise, sans passion. Il la connaissait par cœur, et savait d'avance les mesures qu'elle allait prendre.

Il ne fut donc nullement surpris quand elle fit pression sur Whitney, dès qu'il eut accepté d'appuyer sa requête pour le mandat.

— Commandant, j'aimerais avoir une confrontation avec le capitaine Bayliss ce soir.

— Lieutenant, le capitaine Bayliss est un officier de haut rang du NYPSD. Convaincre un juge d'accorder un mandat immédiat lui ordonnant de se soumettre à un interrogatoire concernant deux homicides est une opération délicate.

— J'en suis consciente, commandant. C'est pourquoi je m'adresse à vous, dans l'espoir que vous consulterez à votre tour le chef Tibble.

— Vous voulez que je joigne Tibble ?

— Selon mes renseignements, il est fort probable que le chef Tibble réagisse favorablement. Je ne peux pas encore, à ce stade, affirmer que le capitaine Bayliss est un suspect ou une cible. Cependant, je n'ai aucun doute sur le fait qu'il soit l'un ou l'autre. S'il est une cible, une intervention rapide pourrait lui sauver la vie. S'il est suspect, la même intervention rapide pourrait sauver celle d'un autre.

— Dallas, vos sentiments personnels…

— … n'ont rien à voir, commandant, et n'influencent en rien mes constatations actuelles.

— J'espère pour vous que c'est vrai, marmonna Whitney. J'essaie de joindre Tibble.

— Merci, commandant. Je vous demande par ailleurs un second mandat pour l'inspecteur Jeremy Vernon, du 128, le convoquant pour un entretien formel demain matin à 9 heures, pour la même affaire.

— Seigneur ! Vous n'avez pas perdu votre temps.

— Non, commandant.

Whitney ne put s'empêcher de rire.

— Je m'en occupe, lieutenant. Attendez-vous à ce que j'assiste, de même que le chef Tibble, aux interrogatoires, en tant qu'observateur.

— Entendu. J'attends la vérification et la réception desdits mandats.

— Bravo ! commenta Connors quand elle eut terminé.

— Ce n'est pas fini. Il faut que j'aille m'habiller. Merci pour ton aide.

— Un instant !

Il vint vers elle, lui prit le visage entre les mains et réclama ses lèvres en un baiser presque désespéré. Le cœur d'Eve fit un bond ; elle s'accrocha à sa taille.

— Connors...

— Deux secondes, insista-t-il en l'embrassant de nouveau.

Elle fondit dans ses bras, savourant la douceur et la promesse de cette étreinte. Quand il s'écarta, elle se surprit à sourire, tout en luttant contre le vertige.

— Je pourrais peut-être traîner encore un peu...

— Reviens vite, et nous prendrons tout le temps qu'il faudra.

— Excellente idée... Quand tu me prends par surprise, comme tu viens de le faire, je me sens toujours un peu grisée. Ce n'est pas désagréable.

Une heure plus tard, elle se tenait, en compagnie de Peabody, sur le seuil du domicile de Bayliss, dans un quartier huppé de la banlieue new-yorkaise. La demeure était gracieuse, sinon originale, nichée dans un lotissement impeccablement entretenu et éclairé.

Une plaque discrète à l'entrée avertissait le visiteur que les lieux étaient surveillés par la société Alarm Dogs Security.

Quand elle sonna, une voix aimable lui demanda de s'identifier.

— Police, annonça-t-elle en brandissant son badge. J'ai un mandat. Vous êtes prié d'ouvrir.

Une droïde en uniforme de femme de chambre l'accueillit.

— Je regrette, lieutenant, ni le capitaine ni Mme Bayliss ne sont là.

— Où sont-ils ?

— Mme Bayliss est à Paris avec sa sœur pour renouveler sa garde-robe de printemps. Elle est absente depuis trois jours. Je ne puis vous dire où se trouve le capitaine Bayliss. Il n'est pas chez lui.

— Ce mandat m'autorise à entrer afin de m'en assurer moi-même.

— Bien entendu, lieutenant. Je suis programmée pour connaître la loi. Mais vous constaterez que le capitaine n'est pas là.

Eve s'avança.

— Il n'est pas rentré de la journée ?

— Si. Il est arrivé peu après 16 heures, et il est ressorti environ cinquante-huit minutes plus tard. Je ne l'attends pas ce soir.

— Pourquoi ?

— Il est parti avec une valise.

— Où est sa chambre ?

— À l'étage, première porte à gauche. Voulez-vous que je vous accompagne ?

— Non.

Eve bondit vers l'escalier, fonça dans la pièce, émit un juron.

Il avait fait son sac dans la précipitation. La porte de l'armoire n'était pas fermée, les tiroirs non plus.

— Encore un maniaque des fringues. Impossible de savoir s'il en a emporté beaucoup. Peabody, retrouvez sa femme à Paris. Il a une résidence secondaire, il me semble. Dans les Hamptons. Il me faut l'adresse.

— Vous pensez qu'il se cache ?

— Il a détalé comme un lapin. Vite, les coordonnées. Il a sûrement un bureau quelque part. Je vais l'inspecter de ce pas.

Le bureau se trouvait au rez-de-chaussée. Le temps de l'atteindre, Eve put se forger une opinion sur le style de vie de son propriétaire. Un décor glacial, sans âme. Tout était à sa place.

Par ailleurs, elle avait remarqué que Bayliss et son épouse faisaient chambre à part. Le bureau était tout aussi bien rangé que le reste, et elle constata immédiatement qu'il y était passé. La chaise était poussée de côté, et le couvercle de la boîte à disques mal remis.

« Les nerfs, songea-t-elle. De quoi avez-vous peur, Bayliss ? »

Elle sortit son lien Palm et, se servant de son badge en guise d'identification, vérifia les départs pour Paris. Il n'y avait aucune réservation au nom de Bayliss, mais il avait très bien pu utiliser un nom d'emprunt.

Du bas des marches, elle appela Peabody, qui déboula aussitôt.

— J'ai les renseignements.

— Parfait. Nous allons profiter au maximum du mandat. Je veux que vous preniez contact avec Feeney. Cet ordinateur, ajouta-t-elle en le désignant d'un mouvement de la tête. Je veux qu'on le décortique de fond en comble. Il a emporté des fichiers avec lui, mais Feeney saura les récupérer sur le disque dur. Pendant ce temps, vous allez passer cette maison au peigne fin.

— Oui, lieutenant. Où allez-vous ?

— À la plage !

17

Eve ajusta sa ceinture de sécurité et résista à l'envie – de plus en plus irrépressible – de fermer les yeux.

— Au fond, je ne suis pas si pressée que ça.

Connors lui jeta un coup d'œil étonné, tout en pilotant l'Air-Land Sports Streamer dans un ciel crépusculaire.

— Ce n'est pas ce que tu disais quand tu m'as demandé de t'y emmener.

— Je ne savais pas que tu voulais inaugurer ton jouet flambant neuf. Mon Dieu !

Par le hublot, elle vit défiler la côte envahie de pavillons, d'hôtels et de stations balnéaires.

— On n'a pas besoin d'être si haut !

— On n'est pas si haut que ça.

Eve était sujette au vertige.

— On pourrait s'écraser, marmonna-t-elle.

Elle s'obligea à penser à autre chose. N'importe quoi. Elle aurait mis infiniment plus de temps à atteindre la demeure de Bayliss à bord de son véhicule de ville, d'autant qu'il fonctionnait assez mal.

Même à bord d'une des voitures sophistiquées de Connors, il lui aurait fallu plus longtemps.

La meilleure solution restait donc celle-ci. « À condition d'y survivre », pensa-t-elle.

— Bayliss manigance quelque chose, dit-elle, par-dessus le ronronnement des moteurs. Il a fait un aller et retour éclair chez lui, a omis de reprogrammer sa droïde domestique, et a emporté des fichiers.

— Tu pourras l'interroger là-dessus toi-même dans quelques minutes.

Testant les manettes de contrôle, Connors gagna encore un peu d'altitude, puis effectua un virage. Eve l'observa en train de manœuvrer.

— Qu'est-ce que tu fais ?

— J'essaie un ou deux trucs. Je crois que ce bébé est prêt pour la production.

— Comment ça, « prêt pour la production » ?

— C'est un prototype.

Eve se sentit blêmir.

— En d'autres termes, il s'agit d'un vol *expérimental* ?

Par la vitre baissée, le vent soulevait les cheveux noirs de Connors. Il la gratifia d'un large sourire.

— Plus maintenant. Nous descendons.

— Quoi ? s'écria-t-elle en s'accrochant aux bras de son fauteuil. Quoi ?

— C'est exprès, ma chérie.

S'il avait été seul, il aurait tenté un plongeon, histoire de vérifier les capacités de réaction de l'appareil. Par égard pour son épouse, il opta pour la raison.

— Mode atterrissage, ordonna-t-il.

— *Transfert en mode atterrissage confirmé. Abaissement des volets. Rétractation.*

— Atterrissage.

— *Atterrissage confirmé. Transfert en mode conduite terrienne.*

Le Streamer glissa sans heurt sur la chaussée. Eve ne put s'empêcher de remarquer qu'il ralentissait à peine.

— Moins vite, mon vieux ! Nous sommes en zone protégée.

— Nous sommes là pour affaires. Quand il fera plus chaud, on s'offrira un petit tour en décapotable.

Eve n'en avait pas la moindre intention, mais elle se garda de l'avouer. En consultant le plan du tableau de bord, elle fut impressionnée de constater qu'ils se trouvaient à moins d'un kilomètre de leur destination.

À présent, elle entendait le bruit des vagues, à l'est. Les maisons, en verre et en bois recyclé pour la plupart, se dressaient et s'étalaient, toutes tournées vers l'océan, plus grandioses les unes que les autres.

Des lumières scintillaient ici et là, mais nombre de ces résidences appartenaient à de riches citadins qui ne venaient ici que pendant les week-ends ou l'été.

— Je m'étonne que tu n'aies aucune propriété dans les parages.

— En fait, j'en ai plusieurs. Je les ai mises en location car je n'ai jamais eu envie d'y séjourner. Trop prétentieux. Cependant, ajouta-t-il en lui souriant, si tu souhaites...

— Non. On se croirait dans un lotissement de luxe. On viendrait se reposer, et on se verrait obligés de faire des mondanités.

— Beurk !

Amusé, il bifurqua dans une allée pour se garer derrière une magnifique berline noire.

— Est-ce qu'on suppose que c'est celle de Bayliss ?

— Oui.

Elle scruta l'édifice. Il ressemblait à tous les autres. D'immenses arches en verre surplombaient des terrasses croulant sous des urnes gigantesques pleines de fleurs et d'arbustes.

— Plutôt chic, pour un flic, commenta-t-elle. Sa femme est riche... Ça rend service de temps en temps, railla-t-elle.

— Il paraît, oui.

— S'il est là, il est dans le noir. Ça ne me plaît pas.

Au départ, Eve avait prévu de convaincre Connors de l'attendre dans le Streamer et savait que ce serait délicat. Maintenant, son instinct lui dictait de changer de tactique.

Ensemble, ils longèrent un étroit chemin en lattes de bois menant à la porte d'entrée. Celle-ci était flanquée de panneaux de verre gravés de coquillages stylisés. Derrière, on distinguait la salle de séjour, avec ses plafonds de cathédrale et ses murs pâles.

Malgré elle, Eve vérifia que son arme était à portée de sa main. Puis elle sonna.

— Si ce n'était la présence de la berline, on croirait qu'il n'y a personne.

— Il est peut-être allé se balader sur la plage. Ça se fait beaucoup, ici.

Elle secoua la tête.

— Il est trop préoccupé.

Prenant une décision, elle se pencha pour saisir son pistolet de secours, dans l'étui accroché à sa cheville.

— J'aimerais que tu fasses le tour. Ne te sers pas de ça, d'accord ? À moins d'être en danger, bien sûr.

— Je connais les règles, murmura-t-il en rangeant l'arme dans sa poche. Tu crois que Bayliss est dangereux ?

— Non. Pas vraiment. Mais quelqu'un l'est. Je vais inspecter le deuxième niveau. Je vais le parcourir dans le sens des aiguilles d'une montre. Fais attention à toi.

— Toi aussi.

Ils se séparèrent, chacun persuadé que l'autre saurait réagir selon les circonstances. Eve s'avança jusqu'à un escalier, traversa la terrasse. Les baies vitrées étaient fermées, les stores baissés. Elle continua à pas lents, sur le qui-vive.

Un éclair au niveau de ses pieds la fit s'immobiliser, s'accroupir. De l'eau. Quelqu'un avait répandu de l'eau sur la terrasse. Elle se redressa pour en suivre le cheminement.

Le grondement de la mer s'intensifia. Les étoiles commençaient à apparaître dans le ciel indigo. Tout à coup, elle perçut des pas dans l'escalier à sa droite. Elle dégaina.

Connors surgit devant elle.

— Il y a de l'eau sur les marches, annonça-t-il.

— Ici aussi.

Levant la main, elle lui montra une porte latérale ouverte. Connors opina, et ils se placèrent chacun d'un côté. Leurs regards se rencontrèrent, Eve reprit son souffle. Ils entrèrent.

— À droite, ordonna-t-elle. Lumières !... Capitaine Bayliss ! Ici le lieutenant Dallas. J'ai un mandat. Dites-moi où vous êtes.

Sa voix résonna contre les murs et les plafonds couleur de sable.

— J'ai un mauvais pressentiment, murmura-t-elle. Un très mauvais pressentiment.

Balayant la pièce avec son revolver, elle suivit les traces d'eau. Elle aperçut la valise ouverte de Bayliss sur un lit, une veste jetée négligemment dessus.

Connors inspectait un dressing ; elle en fit autant de l'autre côté, puis poursuivit son exploration jusqu'à une porte.

Elle fit signe à Connors de la rejoindre. De sa main libre, elle tourna la poignée, la poussa violemment, puis franchit le seuil.

Les haut-parleurs crachaient leur son à plein volume. Avec un tressaillement, Eve reconnut la voix de Mavis, qui se déversait à travers la splendide salle de bains. Tout ce blanc, cet or, ces miroirs étaient aveuglants.

Le ronronnement d'un moteur de jacuzzi perçait à travers la musique. Eve s'aventura dans la pièce en L jusqu'à la baignoire, d'une blancheur de neige, à part un filet de sang écarlate dégoulinant sous une main pendante. Les gouttes tombaient par terre, sur un badge.

— Merde ! Merde, merde, merde !

Elle se précipita vers le bassin et comprit tout de suite qu'il était trop tard.

Bayliss gisait au fond, la tête posée sur un coussin argent, le corps maintenu par de longues bandes de ruban adhésif.

Ses yeux grands ouverts, horrifiés, déjà voilés par la mort, la fixaient.

Éparpillées à ses pieds, des pièces. Elle sut qu'elle en compterait trente.

— Je n'ai pas été assez rapide.

Connors lui caressa brièvement le cou.

— Tu vas avoir besoin de ton kit de terrain.

— Oui, dit-elle, écœurée, l'agresseur a filé, mais sois prudent tout de même.

Elle sortit son communicateur de sa poche.

— Il faut que j'avertisse la police locale. Question de protocole. Ensuite, je préviendrai le Central. En attendant, je t'engage comme assistant. Mets du Seal-It avant de revenir, et ne...

— ... touche à rien, acheva-t-il à sa place. Je sais... C'est affreux de mourir comme ça. Prisonnier dans une baignoire qui se remplit d'eau. La pièce est parfaitement isolée. Personne ne pouvait l'entendre crier.

— L'assassin l'a entendu.

Elle eut le temps d'enregistrer la scène et d'effectuer une inspection préliminaire, avant l'arrivée de la police locale. Sachant qu'elle devait faire preuve à la fois d'autorité et de diplomatie, elle pria le shérif de bien vouloir demander à ses hommes de procéder à l'enquête de voisinage.

— Il n'y a pas grand monde en ce moment, répondit le shérif Reese. En juin, ce sera une autre histoire.

— J'en suis consciente, mais peut-être que la chance sera avec nous. Nous sommes dans votre juridiction, shérif, mais la victime provient de la mienne. Le meurtrier aussi. Ce crime ayant un lien direct avec l'enquête que je mène actuellement, l'affaire me revient. Mais j'ai besoin de vous tous.

— Vous pouvez compter sur nous, lieutenant.

Il la dévisagea un instant, avant d'enchaîner :

— Certaines personnes s'imaginent qu'on est dans un trou perdu. Mais nous ne sommes pas des ploucs. Nous savons gérer les situations.

— Merci, dit-elle en lui tendant sa bombe de Seal-It. Vous connaissiez le capitaine Bayliss ?

— Bien sûr !

Reese s'aspergea les mains, les chaussures.

— Lui et sa femme venaient régulièrement. Ils passaient ici tout le mois d'août, presque tous les ans, et environ un week-end par mois le reste de l'année. Ils organisaient des soirées, dépensaient de l'argent au village. Ils fréquentaient assez peu les autochtones, mais ils étaient aimables et ne nous causaient aucun souci.

— Bayliss venait parfois tout seul ?

— Rarement, mais ça lui arrivait. Du vendredi soir au dimanche. Il prenait son bateau, il pêchait. Sa femme n'aimait pas ça. Vous avez pu la joindre ?

Eve arrêta le jacuzzi.

— D'après mes informations, elle est à Paris. Nous la contacterons. Bayliss venait il avec quelqu'un d'autre que son épouse ?

— Pas que je sache. Certains le font, ils amènent un copain, ou une maîtresse. Idem pour les femmes. Bayliss était fidèle.

Ils s'approchèrent tous deux de la baignoire. Reese contempla la victime, souffla bruyamment.

— Mon Dieu ! c'est abominable !

Il se gratta le crâne.

— S'il voulait maquiller ça en suicide, pourquoi avoir laissé les rubans d'adhésif ?

— Il ne cherchait pas à maquiller ça en suicide. Il voulait que le sang coule sur le badge. C'est son mode opératoire. J'ai filmé la scène. Maintenant que vous en avez officiellement témoigné, je vais vider l'eau et examiner le corps.

— Je vous en prie.

Il s'écarta tandis que Connors revenait.

— Je sais qui vous êtes ! s'exclama le shérif. Je vous ai souvent vu à l'écran. Vous avez des propriétés dans les parages.

— En effet.

— Vous les entretenez parfaitement. Le voisinage apprécie. C'est votre voiture, devant ?

— Oui, répondit Connors avec un sourire. C'est un nouveau modèle.

— Superbe.

— Je vous le montrerai tout à l'heure.

— Avec plaisir.

— La victime est de sexe masculin, race blanche. Identification : Bayliss, capitaine Boyd, quarante-huit ans. Cause apparente du décès : noyade. L'unique lacération au poignet gauche a provoqué une abondante perte de sang.

Elle chaussa ses microlunettes.

— Pas de traces visibles trahissant une quelconque hésitation.

Elle les remonta.

— La victime porte une alliance et une montre en or. Des bandes d'adhésif ont servi à la maintenir dans la baignoire au niveau de la gorge, de l'avant-bras gauche, du torse, de la taille, des hanches, des deux cuisses et des deux chevilles. La victime ne semble pas avoir lutté pour se défendre.

L'eau se vidait pendant qu'elle parlait. Les poils et les parties génitales de Bayliss apparurent à la surface.

— Shérif, pouvez-vous continuer l'enregistrement, s'il vous plaît ?

En lui tendant l'appareil, elle enjamba le rebord. Elle imaginait parfaitement ce qui s'était passé. Bayliss devait être inconscient, sans quoi jamais l'assassin n'aurait réussi à le mettre dans la baignoire sans bagarre.

Un pied de part et d'autre du corps, comme l'avait sans doute fait le tueur, elle se pencha et commença à arracher l'adhésif.

— Du solide. Comme celui dont on se sert pour les emballages lourds. Il a utilisé un instrument à lame pour le découper. Il a pris son temps.

Elle déposa délicatement le premier ruban dans un sachet en plastique transparent. Ayant libéré la tête, elle la tourna d'un côté, puis de l'autre. Elle ne repéra aucune trace de coup.

Paralysé à l'aide d'une arme. Sans doute celle d'un policier.

Elle ôta toutes les bandes, les unes après les autres, les tendant à Connors au fur et à mesure.

Ses gestes étaient vifs, efficaces, songea-t-il, son regard vide. Elle prenait le plus possible de distance pour se concentrer uniquement sur son travail.

Il la trouva très courageuse.

— Microlunettes ! ordonna-t-elle à son mari, qui les lui passa.

Elle s'accroupit, examina la peau abrasée par les vaines tentatives de Bayliss d'arracher l'adhésif.

« Salaud, pensa-t-elle. Tu as voulu qu'il soit bien vivant pendant que l'eau montait, qu'il crie, qu'il sanglote, qu'il supplie. Est-ce que tu l'as appelé par son prénom ? Je parie que oui. »

Avec une douceur dont elle ne se rendait pas compte, elle le retourna sur le ventre. Sur sa hanche, elle repéra un petit tatouage noir et or, réplique de l'insigne qui baignait désormais dans son sang.

— Un flic dévoué. Du moins, c'est ainsi qu'il se voyait.

Elle rassembla les pièces d'argent.

— Trente ! annonça-t-elle en les faisant rebondir dans sa paume, avant de les laisser tomber dans le sachet que lui présentait Connors... La méthode change, pas la symbolique. Bayliss n'est pas mort depuis longtemps. Nous l'avons raté de peu. Il me faut la jauge pour affiner l'heure du décès.

— La voici... Lieutenant, l'équipe est là, annonça Connors.

— Hum ?

Elle entendit au loin un brouhaha de voix.

— Très bien. J'ai presque fini… Une heure ! conclut-elle en lisant le résultat sur le minuscule écran. On l'a raté d'une heure.

Elle ressortait de la baignoire à l'instant précis où Peabody surgissait.

— Lieutenant.

— Enregistrez. Organisez le transfert à la morgue, Peabody. Faites intervenir les scientifiques. Vous avez amené la DDE ?

— Feeney et McNab sont là.

— Qu'ils vérifient la sécurité, puis tous les communicateurs ! Merci, shérif, dit-elle en reprenant son matériel… Voici mon assistante, l'officier Peabody. Si vous n'y voyez pas d'objection, elle va prendre le relais.

— Très bien.

— J'aimerais passer la maison au peigne fin. Bayliss avait emporté des fichiers. Il faut que je les retrouve.

— Le bureau est au premier niveau, intervint Connors. Je peux te le montrer.

D'après le ton de sa voix, elle comprit qu'il tenait à ce qu'elle vienne seule. Ravalant son irritation à l'idée qu'il ait pris des initiatives sans l'en avertir, elle s'adressa à Reese.

— Pourriez-vous contacter les hommes qui interrogent le voisinage ? Je souhaiterais aussi savoir si vos patrouilles ont vu circuler un véhicule inconnu dans la soirée.

— Je m'y mets tout de suite. Dehors, si ça ne vous ennuie pas. J'ai besoin d'air.

— Merci.

Elle emboîta le pas à Connor. Ils durent marquer une pause pour laisser passer les techniciens qui avaient envahi l'escalier.

— De quel droit as-tu exploré les lieux ? Nous traitons une affaire officielle. Je ne peux pas autoriser un civil à faire comme chez lui.

— J'ai agi en tant qu'assistant temporaire, se défendit-il calmement. À propos, toutes les issues étaient fermées. Le système de sécurité est l'un de mes produits, le meilleur sur le marché. Il n'a pas été saboté.

L'assassin connaissait le code. Ah ! Et j'ai localisé le centre de contrôle. Là encore, il a été débranché. Nous ne verrons aucune image de ce qui s'est déroulé ici ce soir, à l'intérieur ou à l'extérieur, après 19 heures.

— Un rapide.

— Qui ? Moi ou l'assassin ?

— Très drôle. Il ne panique jamais, ne se presse pas, et prend le temps de couvrir toute trace de son passage. Tout ça, alors qu'il est rongé par la rage. Ce doit être un sacré bon flic.

Suivant la direction que lui indiquait Connors, elle entra dans un vaste bureau surplombant l'océan.

Ici, tout était en désordre. Sur la table, un verre renversé, le liquide répandu sur la surface en chrome. Des disques éparpillés et, par terre, un tas de vêtements. Elle reconnut le costume que Bayliss portait lors de la réunion.

— Il l'a surpris ici, commença-t-elle. En plein boulot. Bayliss s'était offert un remontant.

Elle souleva le verre en cristal, renifla.

— Du whisky. Il s'est installé pour étudier ses dossiers. Il entend un bruit, relève la tête, aperçoit quelqu'un sur le seuil. Il se lève d'un bond, renverse son verre. Peut-être même qu'il a eu le temps de prononcer le nom du nouvel arrivant. Ensuite, rideau.

Pendant quelques instants, elle déambula dans le bureau.

— Le tueur le déshabille ici. Il a tout prévu. Il est entré par le niveau supérieur, il connaît les lieux. Peut-être qu'il était déjà venu à une soirée. Bref... Il est sorti, a désarmé la caméra de sécurité, saisi les disques sur lesquels il risquait d'avoir été enregistré. Est-ce qu'il avait l'adhésif sur lui ?

Elle se mit à ouvrir les tiroirs.

— Non ! Regarde ! En voici un autre rouleau, tout neuf. Il a trouvé ce qu'il lui fallait ici même. Il se débarrassera du reste et de ce qu'il a utilisé pour le couper. Nous ne les retrouverons pas.

— Lieutenant... les disques, murmura Connors.

— J'y viens. Ensuite, il a transporté Bayliss jusqu'à la salle de bains. Il est fort : il ne l'a pas traîné. Il l'a posé dans la baignoire. Il ne l'y a pas jeté : je n'ai relevé aucune trace d'hématome. Il l'a scotché au fond du bassin. Pour cela, il a ôté ses chaussures, mais pas ses vêtements. Le fond de la baignoire ne porte aucune trace, et il a tout éclaboussé en ressortant.

Oui, songea-t-elle, il était aussi patient qu'enragé.

— Après, il a attendu que Bayliss reprenne conscience. Ils ont eu une petite conversation. Voici pourquoi tu vas mourir. Voici pourquoi tu mérites de mourir. D'avoir peur, d'être humilié. Et il fait couler l'eau, un jet brûlant ; il écoute Bayliss le supplier. L'eau monte, le moteur du jacuzzi se met en route. Il observe la scène sans broncher. Froidement. Il n'est ni triste ni excité. C'est une mission qu'il doit accomplir. Quand l'eau remplit les poumons de Bayliss, quand celui-ci cesse de se débattre et de crier, il jette les pièces d'argent sur le corps. Les pièces de Judas... Puis il sort de la baignoire, ruisselant, ramasse ses chaussures, ressort par où il est entré. Il laisse la porte latérale ouverte, parce qu'il ne veut pas que le meurtre passe inaperçu trop longtemps. Il veut que ça se sache. Que ce soit annoncé. Qu'on en parle. La mission n'est accomplie que lorsque le département apprend qu'il vient de perdre encore un flic.

— Admirable ! commenta Connors.

— Ce n'est pas compliqué.

— Tu as un talent fou, insista-t-il.

Combien de scènes avait-elle décrites ainsi ? Combien de victimes et d'assassins hantaient sa mémoire ?

— Consulte les disques, Eve.

— C'est fait.

Il y en avait des dizaines. Elle reconnaissait les noms de certains d'entre eux. Des flics. La collection de Bayliss.

— Au moins, il fait preuve de démocratie dans sa chasse aux sorcières, murmura-t-elle en voyant son propre nom sur l'une des étiquettes. On va sceller tout ça. Son ordinateur est encore allumé, ajouta-t-elle, sourcils froncés, en allant s'asseoir devant l'écran vide.

— Il contient un disque. Qui n'appartient pas à la victime, selon moi.

— Tu as touché à ça ? s'emporta-t-elle en pivotant vers lui. Je t'avais pourtant expressément de...

— Tais-toi, Eve, et lis.

— Affiche les données, ordonna-t-elle à la machine.

Un texte apparut, en lettres noires sur fond gris.

Lieutenant Dallas, en tant que responsable de l'enquête sur les décès de Kohli, Mills et maintenant Bayliss, c'est à vous que j'adresse ce message.

Je regrette profondément la mort de l'inspecteur Taj Kohli. J'ai été dupé par l'homme que je suis sur le point d'exécuter pour ses crimes. Des crimes contre le badge dont il s'est servi pour avancer dans sa carrière, car il a soif de pouvoir. Est-ce moins condamnable que Mills, qui a trahi son badge pour de l'argent ?

Que vous soyez d'accord ou pas avec moi, je me suis juré de faire ce que j'ai fait et ce que je vais continuer de faire.

J'ai pris le temps de lire le fichier que Bayliss a rédigé sur vous. Si les allégations, accusations et données compilées sont basées sur des faits réels, vous avez déshonoré votre badge. Je ne veux pas me fier aux paroles d'un menteur, d'un flic tordu, assoiffé de pouvoir. Cependant, je me dois de me pencher dessus.

Je vous accorde soixante-douze heures pour vous exonérer. Si vous êtes complice de Max Ricker par l'intermédiaire de votre mari, vous mourrez. Si ces allégations sont fausses, et dans la mesure où vous êtes aussi habile et dévouée que le laisse entendre votre réputation, vous trouverez un moyen de démanteler l'organisation de Ricker dans le délai proposé. Pour être juste – et la justice est mon dessein – je vous promets que je ne m'en prendrai ni à vous ni à quiconque pendant cette période.

Éliminez Max Ricker, lieutenant. Sans quoi, je vous éliminerai, vous.

18

Eve fit plusieurs copies du message, mit le disque et les fichiers sous scellés, puis confia l'ordinateur à Feeney. Il le transporterait à la DDE, le démonterait, effectuerait toutes les vérifications nécessaires. Pour la forme. L'assassin n'avait laissé aucun indice personnel, hormis la lettre anonyme.

Ricker figurait sur sa liste, et elle comptait bien le coincer, mais ce n'était pas une priorité. Quel que soit son lien avec le meurtrier, ce n'était pas Ricker qui tirait les ficelles.

Elle était à la poursuite d'un flic justicier, et s'il voulait l'attaquer de front, tant mieux. De toute façon, il ne réussirait pas à la déconcentrer. Il y avait une procédure à suivre, et elle la suivrait, pas à pas, méticuleusement.

Elle harcela les membres de la brigade scientifique, contacta personnellement le laboratoire et demanda qu'on s'occupe en urgence d'analyser les échantillons qu'elle leur envoyait, assaisonnant sa requête de quelques vagues menaces. En ce qui la concernait, si elle devait travailler vingt-quatre heures sur vingt-quatre, sept jours sur sept jusqu'à la clôture de l'affaire, elle le ferait. Les autres aussi.

Connors avait des soucis d'un tout autre genre. Il n'allait pas perdre un temps précieux à discuter avec Eve de ses projets et de ses éventuelles imprudences.

Il regagna New York seul. À son arrivée, son plan d'attaque était prêt.

Il se gara devant *Le Purgatoire*, décoda la porte. On avait débarrassé les détritus et entamé une première tranche de travaux de rénovation. Bientôt, cette arène du péché retrouverait toute son élégance. Très bientôt.

Les lumières étaient allumées, faisant scintiller les motifs miroitants incrustés dans le carrelage. Sur ses instructions, on avait remplacé les miroirs derrière le bar par une vitre bleu foncé, qui conférait à l'ensemble une atmosphère hors du temps.

Il versait deux cognacs quand Ruth MacLean descendit le vaste escalier en courbe.

— Je viens de vérifier les écrans de sécurité, dit-elle avec un sourire. Nous sommes presque prêts. Vous n'avez pas perdu de temps.

— Nous rouvrirons dans soixante-douze heures au maximum.

— Soixante…

Elle prit le verre qu'il lui tendait et soupira avant de demander :

— Comment ?

— Je me charge de tout. Vous préviendrez le personnel dès demain matin ; organisez les emplois du temps ce soir. On ouvrira vendredi soir, avec tambours et trompettes.

Il leva son ballon.

— C'est vous le patron.

— Exactement.

Connors sortit ses cigarettes, en alluma une, et posa le paquet sur le comptoir.

— Comment a-t-il réussi à vous embobiner ?

Une lueur de panique dansa dans les prunelles de Ruth, très vite remplacée par l'incompréhension.

— Pardon ?

— Il s'est servi de mon établissement pour traiter quelques affaires. Oh ! rien d'important ! Juste de quoi s'imaginer qu'il me doublait sur mon propre terrain. Il finira par commettre une erreur, si ce n'est déjà fait. C'est ainsi qu'il fonctionne. Sa négligence le rend dangereux. Il se pourrait bien que le flic tué l'autre soir ait flairé le coup. Mais il est mort avant d'avoir pu mener son enquête.

Elle était devenue si pâle que sa peau paraissait translucide.

— Vous pensez que Ricker a fait assassiner ce flic ?

Il avala une bouffée de fumée, la contempla en exhalant un nuage gris clair.

— Non, du moins pas directement. Mais le choix du moment est intéressant. Le flic a joué de malchance. Mais vous, Ruth…

— Je ne comprends rien à ce que vous racontez.

Elle eut un mouvement de recul. Connors posa la main sur son bras, un geste à la fois doux et ferme, lui intimant de ne pas bouger.

— Non…

Un frisson la parcourut.

— Ça pourrait m'énerver. Je vous demande comment il vous a eue. Je vous pose cette question car, depuis longtemps maintenant, nous sommes devenus des amis.

— Vous savez qu'il n'y a rien entre Ricker et moi.

— Je l'espérais, avoua-t-il en inclinant la tête. Vous tremblez. Vous avez peur que je m'en prenne à vous ? M'avez-vous jamais vu frapper une femme, Ruth ?

— Non.

Une grosse larme roula sur sa joue blanche.

— Non, ce n'est pas votre style.

— Mais c'est le sien. Qu'est-ce qu'il vous a fait subir, Ruth ?

Cette fois, la honte l'emporta, sa voix se brisa.

— Ô mon Dieu ! Connors… Je suis désolée ! Vraiment désolée ! Deux de ses hommes m'ont enlevée en pleine rue. Ils m'ont emmenée chez lui, et il… Seigneur ! Il était en train de déjeuner dans le solarium. Il m'a expliqué ce qui allait se passer, et ce que je deviendrais si je refusais d'obtempérer.

— Donc, vous avez obtempéré.

— Pas au début.

Elle prit une cigarette, tenta en vain de l'allumer. Connors lui tint la main.

— Vous avez été si bon avec moi. Vous m'avez toujours traitée correctement et respectée. Je sais que rien ne vous oblige à me croire, mais je l'ai envoyé promener. Je lui ai dit que, quand vous découvririez son manège, vous… bon, enfin, j'ai inventé toutes sortes de méchance-tés de votre part. Il m'a écoutée avec un petit sourire cruel, jusqu'à ce que je me taise. J'étais terrifiée. Je me sentais comme un insecte qu'il envisageait d'écraser sous son talon. Ensuite, il a prononcé un nom et une adresse. Le nom de ma mère. Son adresse.

Un sanglot lui étreignit la gorge. Elle avala une lampée d'alcool.

— Il m'a montré des vidéos. Il la faisait surveiller, dans la petite maison que je lui ai achetée – que vous m'avez aidée à lui acheter. Ses allers et retours à l'épice-rie, chez une amie, sa routine de tous les jours. J'aurais voulu exploser de rage, mais j'avais trop peur pour réagir. Il suffisait que j'obéisse aux ordres, m'a-t-il déclaré, pour que ma mère ne soit ni violée, ni tortu-rée, ni défigurée.

— Je l'aurais protégée, Ruth. Vous auriez pu m'en parler, j'aurais veillé à sa sécurité.

Elle secoua la tête.

— Il a le don de mettre le doigt sur les points faibles des gens. Chaque fois. Et il enfonce le clou jusqu'à ce qu'on accepte n'importe quoi pour que ça s'arrête. Donc, pour qu'il me fiche la paix, je vous ai trahi. Je le regrette tellement, conclut-elle en essuyant ses larmes.

— Il ne touchera pas à votre mère, je vous le pro-mets. Je connais un endroit où elle va pouvoir se réfu-gier en attendant que tout ça finisse.

Ruth le dévisagea, stupéfaite.

— Je ne comprends pas.

— Vous vous sentirez mieux quand elle sera en sécu-rité, et moi, j'ai besoin que vous vous concentriez entiè-rement sur le club pendant les quelques jours à venir.

— Vous ne me renvoyez pas ?

— Je n'ai pas de mère, mais je sais ce que c'est que d'aimer un proche au-delà de tout, et jusqu'où je serais capable d'aller pour sauver cette personne. Vous auriez dû vous confier à moi, Ruth. C'est dommage que vous ne l'ayez pas fait, mais je ne vous en veux pas.

Elle cacha son visage dans ses mains, anéantie. Pen-dant qu'elle pleurait, Connors en profita pour aller lui chercher une bouteille d'eau minérale.

— Allez, buvez, ça vous éclaircira les idées.

— C'est pour cela qu'il vous hait tellement, murmura-t-elle. Il hait ce que vous êtes, ce qu'il ne sera jamais. Il ne comprend pas ce qui vous anime. Alors, il choisit de haïr. Il ne veut pas seulement votre peau. Il veut votre ruine.

— Je compte là-dessus. Et maintenant, je vais vous expliquer comment nous allons procéder.

Eve se disait qu'elle jouait au jeu du mariage depuis bientôt un an et qu'en conséquence, elle en connaissait les règles. Le meilleur moyen d'esquiver un problème avec Connors quand elle travaillait sur une enquête consistait à lui en parler le moins possible.

Pour gagner du temps, elle appela chez elle de sa voiture. Se mettant en mode silencieux, elle canalisa la communication via la ligne de la chambre à coucher, en se disant que Connors était probablement dans son bureau. Ainsi, quand la lumière signalant la réception d'un message se mettrait à clignoter, il ne pourrait pas l'intercepter.

— Salut ! dit-elle en adressant un sourire distrait à l'objectif de la caméra. C'est juste pour te prévenir que je suis au Central. J'y dormirai peut-être quelques heures, mais je vais surtout travailler après être passée au labo chercher des résultats. Je t'appelle dès que j'en ai l'occasion.

Elle coupa la transmission et poussa un soupir de soulagement. Peabody la dévisagea, sidérée.

— Quoi ? demanda Eve.

— Vous voulez l'avis d'une célibataire sur la vie de couple ?

— Non.

— Vous savez bien qu'il va vous en vouloir d'ignorer la menace, insista Peabody, imperturbable. Donc, vous faites l'innocente. Trop de boulot, surtout ne m'attends pas… Comme si ça allait marcher ! ajouta-t-elle en ricanant.

— Taisez-vous ! s'exclama Eve en se calant dans son siège. Pourquoi ça ne marcherait pas ?

— Parce que vous êtes maligne, Dallas, mais qu'il l'est encore plus que vous. Il vous laissera peut-être même valser un peu puis, tout à coup… boum !

— Boum ? Comment ça, « boum » ?

— Je n'en sais rien encore, mais ça ne saurait tarder.

Peabody étouffa un bâillement tandis qu'elles atteignaient le laboratoire.

— Il y avait un moment que je n'étais pas montée à bord d'un véhicule de fonction, déclara-t-elle en tapotant le fauteuil usé et trop mince. Ça ne m'a pas manqué.

— On va me taper sur les doigts pour avoir réquisitionné cette bagnole sur la scène du crime, mais je n'avais pas le choix. La mienne est dans un état lamentable.

— Mais non ! assura Peabody en bâillant de nouveau et en se frottant les yeux. L'uniforme à qui vous l'avez piquée béait d'admiration en vous regardant. Je parie qu'il y fera poser une plaque : « Dallas s'est assise ici. »

Eve s'esclaffa.

— Contactez la Maintenance. Ils vous détestent moins que moi. Pour l'instant. Demandez-leur de réparer mon tas de ferraille.

— Ça ira plus vite si je mens en présentant un autre numéro de badge.

— Vous avez raison. Utilisez celui de Baxter. Vous êtes pleine d'énergie ! ajouta-t-elle quand Peabody bâilla pour la troisième fois d'affilée. Quand nous en aurons terminé ici, vous prendrez une heure de repos, ou vous avalerez un cachet pour vous réveiller.

— Ce n'est qu'un petit coup de barre.

À l'entrée, le gardien semblait complètement endormi. Les paupières mi-closes, le costume froissé, il avait un pli de sommeil sur la joue.

— C'est bon, vous pouvez y aller, marmonna-t-il avant de retourner à son poste.

— On se croirait dans une tombe, fit remarquer Peabody. C'est pire que la morgue.

— Ne vous inquiétez pas, on va arranger ça.

Elle ne s'attendait pas à ce que Dick l'accueille chaleureusement, et encore moins à entendre la voix de Mavis résonner dans le laboratoire principal.

Penché sur son ordinateur microscope, le technicien en chef Dick Berenski se trémoussait au rythme de la musique en chantonnant.

Eve comprit alors qu'elle pourrait lui demander n'importe quoi. Elle disposait d'une monnaie d'échange en or.

— Salut, Dick !

— Pour vous, c'est M. Dick, rétorqua-t-il en redressant la tête.

Comme Eve le pressentait, il était de mauvaise humeur. Les yeux bouffis, il semblait prêt à mordre. Par-dessus le marché, il avait enfilé sa chemise à l'envers.

— Me tirer du lit en plein milieu de la nuit ! Avec vous, tout est toujours urgent, Dallas. Tout est prioritaire. Vous aurez les résultats quand vous les aurez, pas une minute plus tôt. Allez voir ailleurs si j'y suis.

— Ça m'excite trop de rester près de vous.

L'air sceptique, il l'examina de bas en haut. En général, elle débarquait les deux pieds en avant pour lui botter les fesses. Quand elle se mettait à plaisanter, mieux valait se méfier.

— Je vous trouve bien enjouée, pour quelqu'un qui collectionne les cadavres.

— Que voulez-vous que je vous dise ? Cette musique me rend heureuse. Vous savez que Mavis passe en concert la semaine prochaine ? Elle joue à guichets fermés. Vous avez entendu que c'était complet, vous aussi, Peabody ?

— Oui. Et elle n'est là que pour une soirée. Elle a un succès fou.

— Elle est formidable, intervint Dick. J'ai réussi à obtenir deux billets. J'ai tiré quelques ficelles. Deuxième balcon.

Eve fit mine d'examiner ses ongles.

— Moi, je pourrais en avoir deux à l'orchestre, avec en prime un passe pour les coulisses après le spectacle. Je ferais volontiers ça pour un copain...

— C'est vrai ?

— Absolument. Pour un copain, répéta-t-elle, un copain qui se démène pour me fournir les renseignements dont j'ai besoin.

Le regard de Dick s'humidifia.

— Je suis votre nouveau meilleur copain.

— Comme c'est mignon ! Donnez-moi tout d'ici une heure, Dick, et les billets sont à vous. Et si vous trouvez ne serait-ce qu'un détail qui me mette sur la piste de cet assassin, je veillerai à ce que Mavis vous embrasse sur la bouche.

Elle lui tapota le crâne, se détourna. Une fois sur le seuil de la pièce, elle pivota vers lui.

— Cinquante-neuf minutes, Dick. Tic, tac, tic, tac...

Il fondit littéralement sur son microscope.

— Vous êtes diabolique, la félicita Peabody.

Lorsqu'elles revinrent au Central, Eve envoya Peabody rédiger le rapport préliminaire d'après les enregistrements et les notes pris sur la scène du crime. Quant à Eve, elle se chargea de prévenir la veuve.

La tâche lui prit plus de temps qu'elle ne l'aurait voulu et la déprima au plus haut point. La femme de Bayliss ne révéla rien d'intéressant. Refusant d'identifier le défunt par vidéo, elle piqua une crise d'hystérie, jusqu'à ce que sa sœur prenne le relais.

Eve l'entendit sangloter tandis qu'une jolie brune aux joues pâles apparaissait à l'écran.

— Il n'y a pas d'erreur possible ?

— Non. Je peux demander à un psychologue de la police locale de vous rejoindre à votre hôtel.

— Non, non, ce n'est pas la peine. Je suis là. Elle lui avait acheté des boutons de manchette cet après-midi. Mon Dieu !

Elle ferma les yeux et reprit son souffle, comme pour se ressaisir – ce qui rassura Eve.

— Nous allons revenir immédiatement. Je m'en charge. Je m'occupe de ma sœur.

— Contactez-moi dès que possible. Je vais devoir interroger Mme Bayliss. Toutes mes condoléances.

Eve coupa la communication.

Kohli, Mills, Bayliss. Mentalement, elle s'obligea à prendre du recul. Trois flics. S'ils avaient tous trois porté le badge, ils l'avaient porté différemment. Tous connaissaient leur assassin. Les deux premiers lui faisaient confiance.

Surtout Kohli. Une discussion autour d'un verre, après la fermeture du club. C'était le genre de rendez-vous que l'on réservait à un ami. Cela étant, il en avait parlé avec son épouse comme s'il s'agissait davantage d'un associé que d'un ami. Quelqu'un qu'il respectait. Quelqu'un à qui il voulait peut-être demander conseil. Dans une ambiance décontractée. En buvant une bière.

Quelqu'un de sa propre division. Quelqu'un qui entretenait des relations avec Ricker.

— Ordinateur, compilation, poste 128, New York. Y compris tout retraité depuis deux, non, trois ans. Recherche tout policier rattaché audit poste ayant travaillé sur une affaire ou une enquête impliquant Max Ricker. Deuxième tâche, en utilisant les mêmes paramètres, en prenant en compte... comment s'appelle-t-il, déjà ? Le fils. Alex. Alex Ricker. Enfin, recherche toute enquête au cours de laquelle Canarde est intervenu en tant que représentant durant les interrogatoires ou procès.

— *Recherche en cours... une commande multitâches de cette nature requiert un minimum de quatre heures vingt minutes...*

— Alors, bouge-toi !

— *Commande inconnue. Veuillez reformuler la commande...*

— Au secours !

Elle s'offrit un café et, pendant que la machine s'affairait, passa dans la salle de conférences. Sur l'ordinateur qui s'y trouvait, elle afficha toutes les données concernant Vernon. Elle aurait dû pouvoir faire ça sur son propre appareil pendant qu'il travaillait. Il était tout neuf et fonctionnait infiniment mieux que l'antiquité dont elle disposait auparavant, mais elle ne voulait pas prendre de risques.

Elle passa une heure à examiner le fichier de Vernon. D'ici peu, elle le convoquerait au Central, avec l'intention de frapper très fort.

L'effet du café s'amenuisait et les mots commençaient à se brouiller devant elle quand son communicateur bipa.

— Dallas.

— Je vais avoir droit à mon baiser.

— Qu'est-ce que vous avez, Dick ?

266

— De quoi faire battre votre cœur. Un échantillon de Seal-It, prélevé sur le bord de la baignoire.

— Dites-moi que vous avez une empreinte !

— Vous voulez toujours des miracles ! s'exclamat-il, déconfit. Ce que j'ai, c'est un échantillon de Seal-It. Il a dû s'en servir pour protéger ses mains et ses pieds, mais il y est allé un peu fort. Vous savez ce qui se passe, quand on en met trop ?

— Oui, ça colle. Nom de Dieu, Dick, qu'est-ce que vous voulez que j'en fasse, de votre échantillon de Seal-It ?

— Ce que j'ai à dire vous intéresse, oui ou non ? Il en a répandu un peu sur le bord de la baignoire, sans doute en voulant redresser votre défunt juste avant de le noyer. Voilà pourquoi il se pourrait bien que le bout d'ongle que j'ai trouvé, grâce à mon infaillible talent, appartienne à votre assassin.

Eve s'obligea à rester calme.

— Vous avez comparé l'ADN avec celui de Bayliss ?

— J'ai l'air d'un imbécile ?

Elle ouvrit la bouche, ravala une repartie un peu trop vive.

— Excusez-moi, Dick. J'ai eu une dure journée.

— Vous n'êtes pas la seule ! L'ADN ne correspond pas à celui de Bayliss – que j'ai pu analyser grâce à un minuscule bout de poil accroché à l'adhésif. D'après l'étiquette sur le sachet, ledit adhésif provient de son bras.

— C'est excellent, Dick ! Je crois que je suis en train de tomber amoureuse de vous.

— Elles finissent toutes par craquer. Ah ! Voilà l'imprimante qui crache les premiers rapports.

Il fonça de l'autre côté de la pièce sur son fauteuil à roulettes.

— Sexe masculin. Blanc. Pour le moment, je ne peux rien vous donner de plus, mais je ne désespère pas.

— Bravo et merci, Dick.

Un bout d'ongle. Il suffisait parfois d'un bout d'ongle pour pendre un homme.

Trente pièces d'argent. La symbolique religieuse. Si les victimes étaient Judas, qui était le Christ ? Pas le meurtrier, décida-t-elle en laissant vagabonder son esprit. Le Christ représentait le sacrifice, la pureté. Le Fils.

Le Fils unique.

Un message personnel adressé à la responsable de l'enquête. La conscience. Le tueur avait une conscience, et la faute qu'il avait commise en éliminant Kohli le tracassait suffisamment pour qu'il éprouve le besoin de se justifier. Et d'imposer un ultimatum.

Éliminer Ricker. La boucle était bouclée. On en revenait toujours à Ricker.

Ricker. Le Fils. *Le Purgatoire.*

Connors.

Une vieille affaire. Une vieille affaire non résolue.

Eve était couchée dans le noir, mais ne dormait pas. C'était dangereux de dormir, de se laisser aller aux rêves.

Il buvait, et il n'était pas seul.

Elle entendait leurs éclats de voix. Surtout celle de son père, car c'est lui qui viendrait la rejoindre dans la nuit, s'il n'était pas assez imbibé. Il surgirait sur le seuil, silhouette à contre-jour.

S'il était fâché contre l'autre homme, et pas tout à fait assez saoul, il s'en prendrait à elle. Des gifles, peut-être. Avec un peu de chance.

Sinon, il se jetterait sur elle, haletant. Le tee-shirt qu'elle portait pour dormir ne la protégerait en rien. Ses supplications ne serviraient qu'à accroître la rage. Il plaquerait une main sur sa bouche, l'empêchant de crier, de respirer, et plongerait en elle.

— Papa a quelque chose pour toi, fillette. Petite pute.

Dans son lit, elle tremblait et écoutait.

Elle n'avait pas encore huit ans.

— J'ai besoin de plus d'argent. C'est moi qui prends tous les risques.

Il avait la langue pâteuse, mais pas assez. Pas encore assez.

— On a fait un marché. Tu sais ce qui arrive aux gens qui me doublent ? Le dernier employé qui a essayé de... de renégocier les termes de son contrat n'a pas vécu assez longtemps pour le regretter. Ils n'ont pas fini de ramasser ses morceaux dans l'East River.

Cette voix-là était grave. Il n'était pas ivre. Non, non. Elle connaissait la voix d'un homme qui avait bu. Ce n'était pas celle-là.

— Ce n'est pas pour t'embêter, Ricker.

Elle grimaça. Il gémissait presque. S'il avait peur, il se vengerait sur elle. Il se servirait de ses poings.

— J'ai des frais. J'ai une fille à élever.

— Je me fiche de ta vie personnelle. Je veux ma marchandise. Veille à ce qu'elle soit livrée demain soir, au lieu et à l'heure prévus, et tu auras le reste.

— J'y serai.

Une chaise racla le sol.

— Pour ton bien – et celui de ta fille – sois au rendez-vous. Tu es saoul. J'ai horreur des ivrognes. Tâche d'être sobre demain.

Des pas, une porte qui s'ouvrait, se refermait. Le silence.

Un verre se fracassa contre le mur, accompagné d'un torrent d'injures. Dans son lit, elle se mit à trembler.

Le mur vibra. Il le frappait à coups de poing féroces. « Qu'il continue ! pria-t-elle. Qu'il débouche une autre bouteille ! Mon Dieu ! je vous en supplie, faites qu'il boive encore, qu'il punisse quelqu'un d'autre que moi. »

Mais la porte de sa chambre s'ouvrit. Sa silhouette se dressa dans la lumière crue du couloir.

— Qu'est-ce que tu as ? Tu écoutais notre conversation ? Tu te mêles de mes affaires, maintenant ?

Non, non. Elle ne pouvait que secouer la tête.

— Je devrais te livrer aux rats et aux flics. Les rats te dévoreront les orteils et les doigts. Ensuite, les flics arriveront. Tu veux savoir ce qu'ils font des petites filles qui s'occupent de ce qui ne les regarde pas ?

Il vint vers elle, lui empoigna les cheveux. Un cri lui échappa en dépit de ses efforts pour le retenir.

— Ils les mettent dans un trou pour que les bestioles leur rentrent dans les oreilles. Tu veux qu'on te mette dans un trou, fillette ?

Elle pleurait, maintenant. Elle ne pouvait pas s'en empêcher. Il la gifla. Une fois, deux fois, mais presque distraitement. Elle eut une lueur d'espoir.

— Sors de là et prépare tes affaires. J'ai des gens à voir. On part pour le Sud.

Il eut un sourire cruel.

— Ricker croit me faire peur. Tu parles ! J'ai la première moitié de ce qu'il me doit et son stock de drogues. Rira bien qui rira le dernier. Salopard de Max Ricker.

Tandis qu'elle fourrait ses maigres possessions pêle-mêle dans son sac, elle se dit qu'elle était sauvée, au moins pour une nuit. Grâce à un nommé Max Ricker.

Eve se réveilla en sursaut, le cœur battant la chamade, la gorge sèche.

Ricker. Mon Dieu ! Ricker et son père !

Elle s'agrippa aux bras du fauteuil. Était-ce la vérité, ou simplement le fruit de sa fatigue et de son imagination ?

C'était la vérité. Quand ces petits fragments du passé lui revenaient par éclairs, ils étaient toujours vrais. Elle se revoyait, hirsute, les yeux ronds, ses bras maigres serrés autour de sa poitrine.

Elle entendait les voix.

Se penchant en avant, elle appuya les doigts sur ses tempes. Max Ricker avait connu son père. À New York. Oui, elle en était certaine, cela s'était passé à New York. Combien de temps avant qu'ils n'atterrissent à Dallas ? Avant la nuit où elle s'était emparée d'un couteau pendant que son père la violait ?

Combien de temps avant qu'elle ne le tue ?

Suffisamment pour qu'ils manquent d'argent. Suffisamment pour que Ricker ait mis ses hommes sur la piste de celui qui l'avait volé.

Mais elle l'avait éliminé avant lui.

Elle se leva, arpenta la pièce. Ces événements appartenaient au passé. Elle ne pouvait pas se laisser influencer.

Et pourtant, le destin avait bouclé la boucle en liant Ricker à son père.

Puis Ricker à Connors.

Et enfin, Ricker à elle-même.

Elle n'avait d'autre choix que de mettre un terme à ce cercle infernal.

19

Eve avait besoin de café, besoin de sommeil. D'un sommeil sans rêves. Elle avait besoin aussi des résultats de la recherche.

Mais une petite graine s'était plantée dans son esprit, qui l'incitait à en cultiver une autre.

Elle venait de s'y mettre quand la Tour la convoqua.

— Je n'ai pas de temps pour ça, marmonna-t-elle, exaspérée. Politique de mes deux ! Je n'ai pas le temps de courir donner des informations à Tibble pour qu'il les transmette aux médias.

— Dallas, on vous attend là-haut. Je termine pour vous, dit Peabody.

Eve voulait s'en charger elle-même. C'était personnel. Justement, le problème résidait bien là. Elle s'était laissé entraîner dans une histoire personnelle.

— Vernon a rendez-vous dans une heure. S'il a trente secondes de retard, envoyez les uniformes le chercher. Familiarisez-vous avec son profil, ajouta-t-elle en s'emparant de sa veste. Contactez Feeney. Je veux qu'il assiste à l'interrogatoire, de même que McNab. Je veux des flics partout.

Elle hésita, jeta un coup d'œil sur son ordinateur. Inutile de tergiverser, songea-t-elle. Ça ne servirait à rien.

— Joignez ces données au dossier et faites un calcul de probabilités sur nos trois homicides.

— Oui, lieutenant. Sur qui ?

— Vous le saurez, décréta Eve en sortant au pas de charge. Sinon, changez de métier.

— J'adore être sous pression, grommela Peabody en prenant place.

Eve décida d'écourter la séance au maximum. Elle irait droit au but. Tibble se souciait peut-être de l'image du département, de la politique, de l'attitude du BAI. Pas elle.

Elle n'avait qu'un seul dessein : résoudre l'affaire en cours.

Sous aucun prétexte elle n'accepterait d'insérer une conférence de presse dans son emploi du temps. Et s'il s'imaginait qu'il suffirait de lui retirer le dossier, il pouvait aller se...

Aïe ! Aïe ! Aïe !

Ça n'arrangerait rien d'aborder Tibble dans cet état d'esprit.

Il ne la fit pas attendre, ce qui l'étonna un peu. Mais ce qui la surprit le plus, ce fut de découvrir Connors, confortablement installé dans un fauteuil, le regard calme.

— Lieutenant ! lança Tibble en l'invitant d'un geste à entrer. Asseyez-vous, je vous en prie. La nuit a été longue.

Il était impassible. Tout comme le commandant, qui se tenait assis, les mains posées sur les genoux.

Eve eut vaguement l'impression d'intervenir dans une partie de poker entre gros joueurs, sans connaître le montant de la mise.

— Monsieur, le rapport préliminaire sur Bayliss a été mis à jour d'après les premiers résultats de laboratoire. Je ne peux malheureusement pas m'étendre sur le sujet en présence d'un civil, ajouta-t-elle en observant Connors à la dérobée.

— Le civil en question vous a rendu un grand service, hier soir.

— En effet, concéda-t-elle. Il était vital de me rendre au plus vite à la résidence secondaire de Bayliss.

— Vous êtes arrivée un peu tard malgré tout.

— C'est exact, monsieur.

— Ce n'est pas une critique, lieutenant. Vos instincts concernant le capitaine Bayliss étaient fondés. Si vous ne les aviez pas suivis, nous ignorerions peut-être encore sa mort, à l'heure qu'il est. J'admire votre intuition, lieutenant, et m'apprête à y réagir moi-même. Je viens de désigner Connors en tant que civil provisoirement attaché à l'enquête sur Max Ricker, en parallèle avec votre propre enquête sur ces homicides.

— Monsieur…

— Vous y voyez une objection, lieutenant ? riposta-t-il.

— J'en vois plusieurs, monsieur, à commencer par le fait que Ricker n'est pas une priorité. Je suis sur le point d'étudier de nouvelles données qui, je crois, mèneront à une arrestation dans le cadre de mon affaire en cours. Le lien avec Ricker existe, enchaîna-t-elle, c'est une clé, mais sans rapport avec ces indices ni l'arrestation prévisible. Il me semble que la connexion est davantage émotionnelle que tangible. Du coup, poursuivre Ricker est secondaire, et je suis convaincue que nous pourrons le faire à la suite de l'interrogatoire du suspect. Je demande qu'on retarde toute initiative à l'égard de Ricker jusqu'à ce que j'aie clos ce dossier.

Tibble la contempla.

— Vous êtes désormais une cible.

— Tous les flics sont des cibles. L'assassin tente de me pousser à m'intéresser uniquement à Ricker. Je refuse de me plier à ses désirs. Sauf votre respect, monsieur, vous devriez en faire autant.

La véhémence contenue dans cette dernière phrase lui fit hausser les sourcils. Il retint un sourire amusé.

— Lieutenant Dallas, depuis que je vous connais, vous vous en êtes toujours tenue à ce que vous aviez décidé. Quelque chose a dû m'échapper. La situation est-elle devenue trop lourde pour vous toute seule ? Si c'est le cas, j'assignerai l'affaire Ricker à un autre policier.

— C'est le deuxième ultimatum que je reçois en quelques heures. Je déteste les ultimatums.

— Monsieur, intervint Connors d'un ton aimable, nous avons pris le lieutenant de court, après une nuit difficile. Ma présence ici n'arrange pas forcément les choses. Peut-être pourrions-nous lui en expliquer le but, avant de poursuivre ?

Eve ravala une riposte cinglante : elle était assez grande pour se défendre toute seule. Mais Whitney se leva en opinant.

— Je propose de marquer une courte pause. Je boirais volontiers un café, monsieur. Avec votre permission, je vais aller en chercher pour nous tous, pendant que Connors présente le plan au lieutenant Dallas.

Tibble approuva d'un bref signe de la tête.

— Comme je te l'ai dit, commença Connors – et j'en ai informé tes supérieurs –, j'ai été autrefois associé avec Max Ricker. J'ai mis un terme à ce partenariat en découvrant un certain nombre d'escroqueries. Nous ne nous sommes pas quittés en bons termes. Cette rupture a coûté à Max Ricker une somme considérable et lui a valu la perte de bon nombre de clients. C'est un rancunier, qui sait patienter avant de prendre sa revanche. Je ne peux pas dire que cela m'ait inquiété, jusqu'à ces derniers temps.

Il leva les yeux vers Whitney, qui lui présentait une tasse fumante.

— Comme vous le savez, j'ai acquis, par le biais d'un représentant, un établissement appartenant à Ricker. Je l'ai rénové, j'ai renouvelé tout le personnel, et je l'ai rebaptisé *Le Purgatoire*. C'est un club qui marche bien, en toute légalité. Mais depuis la mort de votre collègue, j'ai appris que Ricker se servait de ma propriété, et de certains de mes employés, pour traiter ses affaires.

« MacLean, pensa aussitôt Eve, j'en étais sûre. »

— Il s'agit principalement de trafic de drogues, reprit Connors. Son idée était d'agir sur mon terrain, pratiquement sous mon nez, pour donner l'impression que j'y étais mêlé.

— Elle t'a vendu ! s'exclama Eve, furieuse. Ruth MacLean.

— Au contraire, elle a découvert l'infiltration de Ricker et m'en a parlé pas plus tard qu'hier soir.

« Foutaises ! » se dit Eve, mais elle se garda d'insister.

— Le BAI en a eu vent – sans doute grâce à un complice de Ricker – et a envoyé Kohli sur place en éclaireur. Il avait du flair. Il a dû sentir quelque chose. Plus tôt que ne le souhaitait Ricker. Seulement voilà, tuer un flic, chez moi, ça change tout.

— Ce n'est pas Ricker, protesta-t-elle, presque sur la défensive, avant de se ressaisir. Il a mis le feu aux poudres, murmura-t-elle. Il a établi des liens au sein du département, du 128. Il savait sur quels boutons appuyer, dans quelles plaies enfoncer le couteau… Son arrestation, l'automne dernier, l'a mis en colère. Martinez l'avait dans le collimateur, elle avait toutes les preuves. Mais Mills a réussi à s'immiscer, à saper le raid et à subtiliser les scellés. Ricker l'a échappé belle, mais tout ça l'a beaucoup énervé.

— Et pour démontrer qu'il avait encore le pouvoir, il s'est défoulé en mettant un flic chez moi. Nous finirons par savoir pourquoi, mais au fond, quelle importance ? Je peux l'attraper pour toi. Ça ne te suffit pas ?

— Je peux le faire moi-même.

— Je n'en doute pas, convint Connors. Cela étant, je peux t'y aider afin que ça se passe rapidement, sans te distraire de ton enquête. *Le Purgatoire* rouvre ses portes vendredi soir. Ricker sera là à 22 heures.

— Pourquoi ?

— Pour discuter affaires avec moi. J'accepterai sa proposition, parce que je me soucie de la sécurité de ma femme. Eve, tu peux tout de même ravaler ta fierté, le temps que je lui tende un piège afin que tu puisses lui botter les fesses.

— Il ne te croira pas.

— Oh si ! D'abord parce que c'est vrai, ensuite, parce que je feindrai le contraire. Il s'attend à ce que je le double parce que lui-même est un menteur. Je m'ennuie, tu comprends. J'ai envie de m'amuser un peu. Et puis, il y a le fric. Un pactole…

— Tu possèdes déjà la moitié de l'univers.

— Pourquoi se contenter de la moitié quand on peut avoir le tout ?

Il but une gorgée de café, le trouva amer.

— Il me croira parce qu'il voudra me croire. Parce qu'il veut s'imaginer qu'il a gagné. Et parce qu'il est moins malin qu'autrefois, moins prudent aussi. Il rêve de me mettre en pièces. Nous lui laisserons entendre que c'est possible. Une fois la transaction aboutie, il sera à toi.

— Nous déploierons des hommes dans tout le club, dit Whitney. Connors va s'arranger pour que le système de sécurité enregistre toute la discussion. La gérante agira comme agent de liaison. C'est elle qui organisera le rendez-vous. J'aimerais que vous parliez de Kohli à Connors, de façon à ce qu'il puisse orienter la conversation dans ce sens. Si Ricker est impliqué, de quelque manière que ce soit, dans ce meurtre, je veux qu'il en paie le prix.

— Il saura tout de suite que c'est un piège, argua Eve. Pourquoi accepterait-il de discuter affaires ailleurs que sur son terrain ? Et puis, il exigera que ses hommes fouillent les lieux.

— Il parlera, répliqua Connors, parce qu'il ne saura pas résister à la tentation. Parce que au *Purgatoire*, il se sent chez lui. Et il pourra fouiller tout ce qu'il voudra. Il ne trouvera rien d'autre que ce que je voudrai.

Eve se détourna de son mari et se leva.

— Monsieur, Connors manque d'objectivité et d'entraînement. Dans ces conditions, il est fort probable que Ricker tentera de s'en prendre à lui physiquement. Un plan comme celui-ci ne peut que mettre en péril l'existence d'un civil et lui causer de graves problèmes avec la justice.

— Soyez certaine, lieutenant Dallas, que ledit civil sera parfaitement protégé du point de vue légal. Il bénéficiera d'une immunité pour toute information ou allégation issue des discussions passées, présentes ou à venir, concernant cette opération. Quant aux risques physiques, je pense qu'il sera tout aussi habile à se défendre. Sa collaboration nous permettra de gagner un temps et un argent précieux. Franchement, lieutenant, c'est une opportunité que nous ne pouvons pas laisser passer. Si la perspective de diriger l'équipe ou de participer au projet vous déplaît, vous n'avez qu'à le dire. Vu les circonstances, je ne vous en tiendrai pas rigueur.

— Je ferai mon boulot.

— Tant mieux. Le contraire m'aurait déçu. Prenez le temps de fournir à Connors un compte rendu détaillé sur Kohli. Mettez-vous au courant du système de sécurité dont dispose *Le Purgatoire*. Je veux que tout soit en place dans les vingt-quatre heures. Cette fois, Ricker ne passera pas entre les mailles du filet. Apportez-moi sa tête sur un plateau d'argent.

— Bien, monsieur.

— Je veux tous les rapports sur mon bureau à 16 heures précises. Vous pouvez disposer.

Quand Connors sortit avec elle, Eve ne dit rien. Elle n'osait pas prendre la parole, de peur d'exploser de colère.

— Midi, déclara-t-elle enfin. Mon bureau à la maison. Apporte-moi tous les plans, toutes les données concernant la sécurité. Une liste comprenant tous les renseignements sur les membres du personnel qui seront présents vendredi soir. Tu as déjà prévu de tendre une perche à Ricker ; je veux savoir laquelle. Et je ne veux plus de surprises. Ne me dis rien maintenant ! sifflat-elle. Pas un mot. Tu m'as tendu une embuscade !

Il la saisit par le bras avant qu'elle ne puisse s'éloigner et la fit pivoter vers lui.

— Vas-y, frappe-moi, si ça peut te faire du bien.

— Pas ici, marmonna-t-elle. J'ai déjà assez de soucis comme ça. Lâche-moi. J'ai un interrogatoire et je suis en retard.

Il la poussa dans l'ascenseur.

— Tu croyais vraiment que j'allais rester là sans bouger ?

Elle tremblait et en avait conscience. Que se passait-il ? Pourquoi ce soudain sentiment de panique ?

— Tu n'as pas à te mêler de mon boulot.

— Sauf quand ça t'arrange, c'est ça ? Sauf quand je peux te donner un coup de main. Là, j'ai le droit de mettre le nez dedans. Sur invitation uniquement.

— Bon, d'accord ! D'accord, d'accord ! s'exclamat-elle, furieuse parce qu'il avait raison et elle tort. Sais-tu ce que tu as fait ? Sais-tu ce que tu risques ?

— Pour toi, je suis prêt à tous les sacrifices.

— Je maîtrisais la situation. J'aurais été jusqu'au bout.

— Désormais, *nous* maîtrisons la situation et *nous* irons jusqu'au bout.

Sur ce, il ressortit de la cabine, la laissant fulminer toute seule.

Malheureusement pour Vernon, Eve était survoltée. Quand elle apparut sur le seuil de la pièce, il bondit sur ses pieds.

— Vous m'avez fait traîner jusqu'ici comme un vulgaire criminel !

— En effet, Vernon.

Elle le bouscula violemment, et il retomba sur sa chaise.

— Je veux un avocat !

Cette fois, elle le saisit par le col et le poussa jusqu'au mur, sous les regards plus ou moins intéressés de Feeney, McNab et Peabody.

— Je vais vous en trouver un, moi, d'avocat. Vous allez en avoir besoin. Mais vous savez quoi, Vernon ? L'entretien n'a pas encore débuté officiellement. Et vous constaterez que mes petits camarades ne cherchent pas à me retenir de vous casser la figure.

Il essaya de se dégager, mais elle planta un coude dans son estomac.

— Laissez-moi !

Il leva le bras, mais elle esquiva son coup, et il se plia en deux en hurlant de douleur, car elle en avait profité pour l'atteindre avec son genou dans les parties.

— J'ai trois témoins, ici, qui pourront déclarer que vous m'avez agressée. Ça, ça vous mènera tout droit dans une cellule, et vous savez comment les détenus s'amusent avec les flics en prison, n'est-ce pas, Vernon ? Ils sont capables de beaucoup de choses pendant les deux heures minimum qu'il me faudra, vu mon état de détresse suite à votre agression, pour contacter votre avocat.

Il avait de plus en plus de mal à respirer.

— Alors voilà, j'étais venue ici discuter gentiment avec vous, mais je ne suis plus tellement d'humeur. Si vous refusez de nous parler, à moi et à mes camarades, je vous inculpe pour agression sur un membre de la police, corruption, abus d'autorité, complicité avec certaines personnes suspectées de crime organisé, et conspiration de meurtre.

— C'est n'importe quoi ! protesta-t-il, pâle comme un linge et ruisselant de transpiration.

— Je ne le pense pas. Ricker ne le pensera pas non plus, d'ailleurs, quand il apprendra que vous hurlez comme un porc qu'on égorge. Et il l'apprendra forcément, car j'ai un mandat pour arrêter Canarde.

Elle ne l'avait pas encore, mais elle l'aurait bientôt.

— Si on vous relâche, vous le regretterez.

— Je suis venu ici pour négocier.

— Vous n'étiez pas à l'heure.

— J'ai été retardé.

— Votre attitude me déplaît, Vernon. La vérité, c'est que je n'ai plus besoin de vous. L'affaire sera close avant la fin de la journée, et je vais anéantir Ricker, pour mon plaisir personnel. Vous n'êtes que du superflu.

— Vous bluffez. Vous croyez que je ne sais pas comment ça marche ? Je suis flic, moi aussi !

— Vous déshonorez la profession, oui !

Si elle avait Canarde, songea-t-il, si elle était sur le point d'atteindre Ricker, il était fichu. Mieux valait sauver sa peau, tant qu'il le pouvait encore.

— Si vous voulez réussir votre coup, vous avez besoin des informations que je peux vous communiquer. Je sais beaucoup de choses. Vous n'avez fait qu'égratigner la surface du 128.

— C'est en creusant un peu que je suis tombée sur vous.

— Je peux vous en dire plus.

Il ébaucha un sourire désespéré.

— Une promotion. Des noms, Dallas, et pas que du 128. Des noms à la mairie, dans les médias, jusqu'à East Washington. Je veux l'immunité, une nouvelle identité et de quoi redémarrer ma vie de zéro.

Elle bâilla.

— Vernon, vous êtes ennuyeux à mourir.

— C'est ça ou rien.

— Voici ma proposition. Peabody, mettez-moi cette ordure en cellule.

— Attendez ! Pourquoi m'avez-vous fait venir, si ce n'est pour négocier ? Il faut que j'obtienne l'immunité. Si vous me mettez en taule, je n'en sortirai plus. Vous le savez comme moi. À quoi ça sert que je parle, si c'est pour finir derrière les barreaux ?

— Oh ! Vernon, vous me brisez le cœur ! railla-t-elle. L'immunité, d'accord, pour toutes les charges sauf conspiration de meurtre. Si vous en êtes, tant pis pour vous. Quant à la nouvelle identité et l'argent pour redémarrer de zéro, c'est votre problème.

— Ça ne suffit pas.

— C'est ça ou rien. Et encore, c'est trop.

— Je n'ai rien à voir avec les meurtres des collègues.

— Dans ce cas, vous n'avez pas à vous inquiéter, n'est-ce pas ?

— J'ai le droit d'exiger la présence de mon représentant syndical, geignit-il.

— Mais bien sûr ! répondit-elle en pivotant vers la sortie.

— Attendez ! Bon, d'accord, attendez ! Le représentant syndical, ça complique tout, c'est ça ? Très bien, allons droit au but. Promettez-moi l'immunité, officiellement, et je parlerai.

Elle revint vers la table. S'assit.

— Entretien avec Vernon, inspecteur Jeremy, conduit par Dallas, lieutenant Eve. Sont présents : Feeney, capitaine Ryan ; McNab, inspecteur Ian ; Peabody, officier Delia. Le sujet Vernon accepte de faire sa déclaration et de répondre aux questions en échange d'une immunité pour toute accusation de corruption ou d'abus d'autorité. Est-ce que vous vous exprimez de votre plein gré ?

— Oui. Je veux coopérer. Je veux remettre les choses à plat. Je sens que…

— Ça suffit, Vernon. Vous êtes inspecteur au NYPSD, c'est bien cela ?

— Je suis flic depuis seize ans. Je travaille à la division Produits illicites du 128 depuis six ans.

— Et vous acceptez aujourd'hui d'admettre que vous avez reçu de l'argent et d'autres faveurs, en échange d'informations pouvant aider les pratiques illégales de Max Ricker ?

— J'ai pris de l'argent. En fait, j'ai eu peur de refuser. J'ai honte, mais je craignais pour ma vie. Je ne suis pas le seul.

Une fois lancé, pensa Eve, il ne se tairait plus. En une heure, il lâcha un torrent de noms, d'activités et de connexions.

— Et le capitaine Roth ?

— Elle ? railla-t-il. Elle n'a rien vu. Si vous voulez mon avis, c'est parce qu'elle ne le voulait pas. Elle a ses propres buts et veut devenir commandant. Elle est très habile et diplomate, mais elle a un problème. Elle ne supporte pas de ne pas avoir un pénis. Elle ne cesse de se plaindre que les hommes la méprisent parce que c'est une femme. De plus, son mari, un bon à rien, la trompe tant qu'il peut. Et puis, elle boit. Elle s'est impliquée à fond dans cette enquête sur Ricker, à tel point qu'elle n'a rien vu. On s'est contentés de transmettre les infos, de subtiliser quelques scellés, saboter quelques rapports, et voilà !

— Et voilà.

— Écoutez, dit Vernon en se penchant en avant. Ricker est un malin. Il sait qu'il n'a pas besoin de toute la brigade. Il s'adresse aux hommes clés. On sait tout de suite qui va céder à la tentation.

— Pas Kohli.

— Droit comme un « i », ce Kohli. Disons qu'un gars du 128 entendait parler d'une opération menée par le 64, par exemple. On discutait boulot, mine de rien. Ensuite, il suffisait de demander à un collègue qui sait accéder aux dossiers de sortir les données. On filait la doc à Ricker, et on empochait une somme coquette.

Il leva les mains, sourit.

— Facile. Si c'était un complice de Ricker qui était visé, il avait le temps de se retourner, d'arrêter tout, et ça tournait court. Si c'était contre un concurrent, il attendait un peu, puis il récupérait les clients, parfois même la marchandise. Il a des copains aux Scellés, qui peuvent éventuellement se débarrasser des éléments compromettants. Ensuite, ses camarades des médias racontent l'histoire à sa façon, et ses amis politiciens couvrent le jeu. Le hic, c'est que depuis deux ans, il est de plus en plus imprévisible.

— Ricker ?

— Oui. Il a commencé à se servir un peu trop souvent dans son stock. L'alcool, les substances illicites, il est complètement accro, et il fait des bêtises. Mais là où il a vraiment franchi un pas, c'est en éliminant un flic.

Eve lui saisit le poignet.

— Savez-vous si Max Ricker a organisé le meurtre de Taj Kohli ?

Il aurait voulu lui répondre oui. Ça l'aurait mis en valeur. Mais s'il ne jouait pas le jeu, elle s'en rendrait compte et elle trouverait le moyen de le faire pendre.

— Je ne peux pas affirmer qu'il en a donné l'ordre, mais j'ai entendu des rumeurs.

— Lesquelles, Vernon ?

— De temps en temps, je buvais un verre ou je partageais une compagne sous licence avec l'un des gars de Ricker. Croyez-moi, je n'étais pas le seul à remarquer qu'il perdait la tête. Ce type, Jake Evans, m'a raconté il y a environ un mois que Ricker s'amusait avec le BAI, se débrouillait pour que les collègues se dénoncent les uns les autres. Il savait que le BAI avait placé un homme au *Purgatoire*, à l'affût de flics pourris. Seulement voilà, il n'y en avait pas. Vous me suivez ?

— Parfaitement.

— Bon. Ricker avait semé le doute. D'après Evans, il s'était mis dans le crâne de ruiner la réputation du club. C'est pour ça qu'il y envoyait ses trafiquants. Mais il semble qu'il ait eu une meilleure idée, pour monter un flic contre un autre. Un truc psychologique, m'a dit Evans. Ricker adore les jeux d'esprit. Il a filé de faux renseignements à un flic sur le premier. Le second… vous arrivez à me suivre ?

— Oui, oui, poursuivez.

— Bref, le second a des soucis. Des soucis personnels, je crois, et Ricker enfonce le clou pour lui faire croire que le premier – c'est Kohli – a les mains sales. Mais c'était pire que ça, parce qu'il s'arrangeait pour faire rebondir la balle dans l'autre sens. Evans a dit que c'était compliqué et risqué, et que Ricker n'en parlait pas trop, mais que lui, Evans, était dégoûté. Là-dessus, le complice de Ricker au BAI devait s'assurer que toutes ces infos biaisées atterrissent aussi sur les genoux du deuxième flic. Apparemment, ça a marché.

— Qui, au BAI ?

— Je n'en sais rien. Je vous le jure. On ne se connaît pas tous. Bayliss, probablement, non ? Bayliss est mort. Allons, Dallas, je vous ai cité plus de vingt noms. Interrogez les autres, si vous voulez en savoir plus.

— Je n'y manquerai pas, dit-elle en se levant. Mais vous, je ne supporte plus de vous voir. McNab, transférez-le en zone protégée. Deux gardes vingt-quatre heures sur vingt-quatre, en huit à huit. Feeney les sélectionnera.

— Entendu.

— Je vous ai filé de sacrés tuyaux, Dallas. Vous pourriez m'accorder un changement d'identité.

Elle ne daigna pas lui répondre.

— Peabody, suivez-moi.

— Dallas !

— Estimez-vous heureux, espèce d'idiot, marmonna Feeney tandis qu'Eve quittait la pièce. Vous vous en sortez avec quelques bleus.

— Je n'arrive même pas à éprouver de la colère, confia Peabody à Dallas quand elles furent dans le couloir. J'ai la nausée. J'adore mon métier, et il a réussi à m'en rendre honteuse.

— Vous faites fausse route. La honte, il ne sait pas ce que c'est. Vous n'avez absolument rien à vous reprocher. J'aimerais que vous transmettiez une copie de cette interview à Tibble. Maintenant, ce sera son problème. J'ai un autre rendez-vous à midi. Je vous mettrai au courant à mon retour.

— Oui, lieutenant. Et Canarde ?

— Je me le réserve pour plus tard.

— Vous voulez les résultats de la recherche et du calcul de probabilités que vous m'aviez demandé d'effectuer ?

— Est-ce que ça suffit pour l'arrêter ?

— Le pourcentage est de 76 % d'après les données actuelles. Mais...

— Mais, répéta Eve, l'ordinateur ne prend pas en compte la rancune ou les jeux d'esprit. Ni le fait que Ricker monte les flics les uns contre les autres. On va le convoquer. Discrètement. Quand je reviendrai.

— Il pourrait...

— Non. Il m'a donné sa parole. Il la tiendra.

20

Eve fonça dans la maison, poussa une sorte de grognement à l'intention de Summerset, qui rôdait dans le vestibule, et fila directement à l'étage. Elle avait beaucoup de choses à dire et comptait s'y mettre immédiatement.

Un deuxième grognement lui échappa quand elle entra dans son bureau désert. Toutefois, la porte menant à celui de Connors était ouverte. Elle bifurqua dans cette direction, perçut l'impatience dans sa voix en se rapprochant.

— Il m'est impossible de faire ce voyage pour le moment.

— Mais, monsieur, la situation requiert votre attention personnelle. Entre Tonaka qui traîne les pieds et les difficultés pour l'obtention des permis dans le secteur tropical, nous ne pourrons jamais respecter les délais sans votre intervention rapide. Les coûts supplémentaires et les pénalités vont…

— Vous êtes autorisé à vous en occuper. Je vous paie pour cela. Je ne peux pas me rendre à Olympus avant plusieurs jours, voire plusieurs semaines. Si les gens de Tonaka traînent les pieds, amputez-les à la hauteur des genoux ! Compris ?

— Oui, monsieur. Si je pouvais avoir une idée de la date à laquelle vous pensez pouvoir visiter le site, ce serait…

— Je vous préviendrai en temps voulu.

Connors coupa la communication, se cala dans son fauteuil et ferma les yeux.

Eve ne put que faire deux constatations.

La première : il menait une existence complexe et exigeante en dehors de la sienne, et elle le prenait trop souvent pour acquis.

La seconde, plus préoccupante : il paraissait épuisé.

Or, Connors n'avait jamais l'air fatigué.

Sa mauvaise humeur se dissipa comme par enchantement. Sentant sa présence, il ouvrit instantanément les yeux.

— Lieutenant.

— Connors, répondit-elle d'un ton aussi mesuré que le sien. J'ai plusieurs choses à te dire.

— Je n'en doute pas. Tu préfères qu'on en parle dans ton bureau ?

— Ce n'est pas la peine, on peut très bien rester ici. D'abord, à mon humble façon, j'ai réussi à réduire ma liste de suspects à un seul. Celui-ci sera mis en examen avant la fin de la journée.

— Félicitations.

— Elles sont prématurées. Une mise en examen ne signifie pas nécessairement une inculpation. Par ailleurs, par une autre source et en respectant la procédure, j'ai pu conclure que Ricker est impliqué – de loin, certes – dans les trois homicides en question. J'espère pouvoir l'accuser de complicité. C'est un peu tiré par les cheveux, mais ça peut marcher et, en tout cas, ça suffira pour l'obliger à venir s'expliquer au Central. J'ai réussi tout cela sans que tu agisses dans mon dos pour fomenter une opération avec mes supérieurs. Une opération risquée, non seulement sur le plan physique, mais sur d'autres plans que nous comprenons l'un et l'autre. Si cette opération aboutit, tout ce qui aura été dit entre Ricker et toi pourra être utilisé au tribunal.

— J'en suis conscient.

— Tu n'iras pas en prison, puisque tu bénéficies d'une immunité, mais ta réputation et tes affaires pourraient en souffrir.

Malgré sa lassitude, elle crut discerner une lueur d'arrogance dans ses prunelles.

— Lieutenant, ma réputation et mes affaires sont nées d'activités peu recommandables.

— C'est possible, mais aujourd'hui, tout a changé. Pour toi.

— Crois-tu vraiment que je sois incapable de surmonter cette épreuve ?

— Non, Connors, je te crois capable de surmonter n'importe quoi. Quand tu as pris une décision, tu ne recules jamais. C'en est presque effrayant. Tu m'as énervée, ajouta-t-elle.

— Je sais.

— Tu savais que je serais furieuse. Si seulement tu m'avais d'abord présenté ton projet…

— Le temps presse, et nous étions tous deux débordés. Que tu le veuilles ou non, Eve, je suis impliqué.

— Ça ne me plaît pas, mais pour d'autres raisons.

— Quoi qu'il en soit, j'ai agi pour le mieux. Je ne le regrette pas.

— Tu ne me présentes pas tes excuses ? Je pourrais t'y obliger, tu sais.

— Pas possible ?

— Si ! Parce que tu as un faible pour moi.

Elle s'approcha de lui, le regarda se lever.

— Et réciproquement, enchaîna-t-elle. Tu ne comprends donc pas que c'est pour ça que je t'en veux ? Je ne veux pas qu'il te touche.

Il poussa un soupir, se passa la main dans les cheveux.

— Par ailleurs, mon amour-propre en avait pris un coup. Je suis orgueilleuse, comme toi. Quand tu m'as reproché d'accepter ton aide uniquement dans la mesure où ça m'arrangeait… Je ne dis pas que ça va changer, mais tu avais raison. Je n'en suis pas fière. Enfin, tu ne me tournes le dos que quand tu meurs d'envie de me cogner.

— Je dois te tourner le dos très souvent, alors.

Elle ne rit pas comme il l'espérait.

— Justement, tu ne le fais pas.

Elle se planta devant lui, prit son visage dans ses mains.

— Eve…

Il laissa courir les doigts le long de ses bras.

— Je n'ai pas fini. C'est un bon plan. Il n'est pas parfait, mais on peut l'affiner. J'aimerais qu'on agisse autrement. J'aimerais que tu reprennes contact avec ton interlocuteur de tout à l'heure et que tu acceptes

287

ce voyage je ne sais où. Ça me conviendrait mieux, Connors, parce que tu es la personne à laquelle je tiens le plus au monde. Mais je sais que tu refuseras. S'il t'arrive quoi que ce soit vendredi soir...

— Ne t'inquiète pas.

— S'il t'arrive quoi que ce soit, insista-t-elle, je consacrerai le restant de mes jours à te faire une vie infernale.

— D'accord, murmura-t-il tandis qu'elle réclamait ses lèvres.

Elle s'accrocha à son cou.

— Une heure... Oublions tout ça pendant une heure. J'ai besoin d'être avec toi. J'ai besoin de redevenir celle que je suis quand je suis dans tes bras.

— Je connais l'endroit idéal.

Elle adorait la plage – la chaleur, l'eau, le sable fin. C'était un des seuls lieux où elle parvenait à se détendre complètement.

Il pouvait lui offrir ce plaisir pendant une heure, et en profiter aussi, dans la salle de loisirs virtuels, où il suffisait d'appuyer sur un bouton pour réaliser ses rêves.

Il choisit une île luxuriante, aux palmiers caressés par le vent. La brise de l'océan adoucissait la chaleur torride du soleil éclatant.

— Mmm, c'est divin ! murmura-t-elle en aspirant une grande bouffée d'air. C'est vraiment exquis !

Elle faillit lui demander s'il avait pensé à mettre la minuterie, puis se ravisa.

Elle enleva sa veste et ses chaussures.

L'eau était d'un bleu translucide, ourlée d'écume d'une blancheur immaculée, comme un ruban de dentelle. Pourquoi résister ?

Après s'être débarrassée de son arme, elle ôta son pantalon, inclina la tête vers lui.

— Tu n'as pas envie de nager ?

— Si, si, mais j'aime bien te regarder en train de te déshabiller. Tes gestes sont tellement... efficaces.

Elle rit aux éclats.

— Comme tu voudras !

Chemisier et bustier atterrirent sur le sol. Nue comme un ver, elle courut vers la mer et plongea dans les vagues.

Eve nageait comme un poisson, très vite. Quand il la rejoignit, il se plia à son rythme. Puis il se tourna sur le dos pour se laisser porter par le courant, savourer la douceur du moment, se relaxer.

Et l'attendre.

Elle revint vers lui.

— Tu te sens mieux ?

— Nettement.

— Tu paraissais très fatigué, tout à l'heure. C'est rare.

— Je l'étais.

Elle emmêla les doigts dans ses cheveux.

— Quand tu auras récupéré, on fera la course jusqu'à la plage.

— Qui te dit que je n'ai pas déjà récupéré ?

— Eh bien, tu te contentes de flotter comme un bois mort.

— D'aucuns affirmeraient que c'est un excellent moyen de se détendre. Mais, ajouta-t-il en la prenant par la taille, puisque tu as de l'énergie à revendre…

— Hé ! s'écria-t-elle tandis que leurs jambes s'entrelaçaient. On n'a pas pied, ici !

— C'est ce que je préfère.

Il l'embrassa avec fougue, la serrant contre lui.

Ils s'enfoncèrent.

Au-dessus de leurs têtes, les rayons du soleil dansaient à la surface de l'eau. Eve s'abandonna. Quand ils refirent surface, elle se remplit les poumons et pressa la joue contre la sienne.

Ils se laissèrent bercer tranquillement, ondulant au rythme qui reflétait leur humeur. Se tournant de nouveau vers lui, elle s'enivra d'un baiser tendre, puis ils regagnèrent le sable, côte à côte.

Lorsqu'elle sentit le sol sous ses pieds, elle se mit debout, face à lui.

— Tu es si belle, mon Eve chérie.

Il caressa ses petits seins fermes et ronds. L'eau scintillait sur sa peau comme des milliers de diamants étincelants.

— Fais l'amour avec moi.

Elle émit un soupir, qui se transforma en gémissement. Tous ses sens étaient en éveil. La lumière l'aveuglait, elle ne voyait plus que le bleu de l'océan. Grisée, elle se laissa aller complètement tandis qu'une vague les submergeait et les propulsait vers la plage.

— Connors, murmura-t-elle, fais-moi l'amour...

L'heure avait passé très vite. Séchée, rhabillée, debout dans son bureau, Eve s'apprêtait à mettre Connors au courant du dossier Kohli et à parcourir son topo sur le système de sécurité du *Purgatoire*.

Feeney l'examinerait de plus près et coordonnerait ses efforts avec ceux de Connors sur ce plan. Elle se réfugierait en régie, d'où elle pourrait surveiller tout l'établissement et diriger ses hommes.

Et, le cas échéant, maîtriser Connors.

— Il connaissait mon père, déclara-t-elle tout à coup.

Connors se tourna vers elle, stupéfait. Elle n'avait pas besoin de prononcer son nom : il avait compris.

— Tu en es sûre ?

— J'ai eu un flash-back cette nuit – ou plutôt ce matin. Je ne sais pas ce qui l'a provoqué, un détail dans les données que j'étudiais, peut-être. Toujours est-il que j'ai fait un bond dans le passé.

— Assieds-toi et raconte-moi tout.

— Je ne peux pas m'asseoir.

— Très bien. Raconte.

— J'étais dans un lit. Dans ma chambre. J'avais ma chambre. Je ne crois pas en avoir toujours eu une. Mais là, on devait avoir un peu d'argent devant nous. Je pense que c'était Ricker qui payait. J'étais dans l'obscurité, mais je restais aux aguets parce qu'il était en train de boire dans la pièce à côté. Je priais pour qu'il continue. Il discutait d'une affaire avec quelqu'un. Je n'y comprenais rien, je m'en fichais. Tant qu'il parlait, tant qu'il s'imbibait, il me laisserait tranquille. C'était Ricker. Il l'a appelé par son nom.

Elle marqua une pause. Elle avait du mal à s'exprimer, tant les images étaient nettes dans son esprit.

— Ricker lui expliquait ce qui se passerait s'il ratait son coup. Une histoire de drogues, je pense. Peu importe. J'ai reconnu sa voix. Je ne sais pas si je l'avais entendue avant ce soir-là. Je n'en ai aucun souvenir.

— Tu l'as vu ? Et lui, il t'a vue ?

— Non, mais il était au courant de mon existence. Mon père l'a mentionnée en essayant d'obtenir plus d'argent. Après son départ, mon père est venu me trouver. Il était furieux. Terrifié et furieux. Il m'a frappée, puis il m'a dit de préparer mes affaires. Il m'a dit qu'on partait pour le Sud. Qu'il avait du fric et de la marchandise. Je ne me rappelle rien d'autre, sinon que c'était à New York. J'en ai la certitude. Et il me semble qu'on a fini à Dallas. Quand il n'y a plus eu d'argent, on était à Dallas, dans ce taudis minable. On n'avait rien à manger, et il n'avait même plus de quoi se saouler. Mon Dieu...

— Eve, reste là, près de moi.

— Oui, oui... ça m'a ébranlée, c'est tout.

— Je comprends.

Il l'étreignit un moment, puis se rendit compte qu'elle émergeait à peine de ce flash-back quand elle avait dû se présenter à la Tour.

— Je suis désolé.

— La boucle est bouclée. De Ricker à mon père. De mon père à moi. De Ricker à toi. De toi à moi.

— Ils ne pourront pas t'atteindre à travers moi, promit Connors. Jamais ils ne te feront de mal tant que je serai là. Nous briserons le cercle infernal. Ensemble. Je suis plus enclin que toi à croire au Destin.

— C'est ton côté irlandais, murmura-t-elle en ébauchant un sourire. Est-ce qu'il a pu établir le lien avec la fillette que j'étais ?

— Je n'en ai aucune idée.

— S'il a tenté de retrouver mon père, il a peut-être découvert qui j'étais ? Est-ce qu'il a pu se renseigner sur mon passé ?

— Eve, tu me demandes de spéculer...

— Et toi ? l'interrompit-elle. Si tu voulais des informations, tu pourrais les déterrer ?

— Avec un minimum de temps, oui. Mais je démarrerais sur des bases nettement plus fournies que les siennes.

— Mais lui, en a-t-il la capacité ? Surtout s'il a voulu poursuivre mon père en se rendant compte qu'il avait été doublé.

— C'est possible. Ça m'étonnerait qu'il se soit intéressé à une gamine de huit ans happée par le système.

— Quand je suis allée le voir, il savait tout : où l'on m'avait ramassée, et dans quel état.

— Parce qu'il s'est penché sur le cas du lieutenant Eve Dallas. Pas parce qu'il a suivi l'évolution d'une fillette maltraitée.

— Tu as sans doute raison. De toute façon, ça n'a guère d'importance.

Elle s'arrêta devant son bureau, souleva la petite boîte sculptée que Connors lui avait offerte.

— Tu pourrais mettre le doigt sur ces archives ?

— Oui, si c'est ce que tu veux.

— Non, rétorqua-t-elle en reposant la boîte, ce n'est pas ce que je veux. Ce que je veux est ici. Le passé est passé. Je n'aurais jamais dû me laisser perturber comme ça. Je n'en étais pas consciente.

Elle sourit en pivotant vers lui.

— J'étais trop fâchée contre toi pour m'en rendre compte. Nous avons du pain sur la planche, camarade, et très peu de temps devant nous. Tu ferais mieux de m'accompagner.

— Je croyais que tu voulais discuter du système de sécurité.

— Oui, mais au Central. Je t'ai donné rendez-vous ici uniquement pour pouvoir te crier dessus en toute intimité.

— Comme c'est curieux ! J'ai accepté ce rendez-vous ici uniquement pour pouvoir te crier dessus en toute intimité.

— Ça prouve à quel point nous sommes tordus.

— Au contraire, riposta-t-il en lui prenant la main. Ça prouve combien nous sommes faits l'un pour l'autre.

Eve pouvait difficilement recevoir plus de deux personnes dans son bureau sans violer les lois élémentaires de la physique. Elle avait donc réquisitionné la salle de conférences.

— Le temps presse, attaqua-t-elle, une fois que tout le monde fut assis. Les trois homicides et l'affaire Max Ricker se rejoignant, nous allons poursuivre les enquêtes en parallèle. Les résultats de laboratoire, les recherches de données et les calculs de probabilités concernant les homicides sont dans vos dossiers. Je n'ai pas demandé de mandat, mais je le ferai, ainsi que le test d'ADN obligatoire, si le suspect refuse de venir de son propre gré. Peabody et moi irons le chercher discrètement après cette réunion.

— Le pourcentage est bas, fit remarquer Feeney en fronçant les sourcils.

— Il va grimper, et le test d'ADN révélera une correspondance avec le bout d'ongle prélevé sur la scène du crime Bayliss. Étant donné les services rendus par le sergent Clooney au département, sa réputation exemplaire, son état psychologique et les circonstances, je préfère l'amener ici moi-même et le convaincre d'avouer. Le Dr Mira sera là pour le soutenir.

— Les médias vont s'en donner à cœur joie.

Eve opina en direction de McNab.

— On va les faire patienter.

Elle avait déjà décidé de contacter Nadine Furst.

— Un officier vétéran à la carrière irréprochable dont le fils – le fils unique – suit les traces. La fierté d'un père. Le dévouement d'un fils. À cause de ce dévouement, de ce respect pour le badge dans une brigade où quelques flics – on taira le nombre au public – sont corrompus, le fils devient une cible.

— Ce qui prouve… commença Feeney.

— On n'a pas besoin de le prouver. Il suffit de le dire. Ricker était derrière, j'en ai la certitude. Clooney le savait aussi. Son fils était propre et comptait le rester. Il a gravi les échelons pour devenir inspecteur. Il a été rattaché très tôt à l'opération sur Ricker : je tiens cela des notes de Martinez. Un pion parmi d'autres, mais un bon flic. Le fils de son père. Imaginez…

Elle s'adossa contre la table.

— Il est droit, il est jeune, il est intelligent. Ambitieux, aussi. L'affaire Ricker représente une chance d'avancer, et il veut en profiter. Il creuse. Les complices de Ricker au sein de la brigade relaient l'information.

Ils sont nerveux. Ricker décide de faire un exemple. Un soir, le bon flic s'arrête à l'épicerie 24/7 de son quartier. Il y passe toujours quand il finit tard. Un braquage est en cours. Lisez le rapport : ce magasin n'a jamais été attaqué avant ni après, mais là, comme par hasard… Le bon flic intervient et on l'abat. Le propriétaire appelle les urgences, mais la patrouille met dix bonnes minutes avant d'arriver. Quant aux secouristes, à cause d'un prétendu problème technique, ils tardent encore plus. Le jeune flic meurt par terre. Sacrifié.

Elle se tut un bref instant, pour laisser à chacun le temps de visualiser la scène.

— À bord de la voiture de police, deux hommes, dont les noms figurent sur la liste fournie par Vernon ce matin. Des sbires de Ricker. Ils ne font rien pour sauver leur collègue. Le signal est donné : voilà ce qui vous arrivera si vous me doublez.

— Ça tient debout, concéda Feeney. Mais alors, pourquoi Clooney n'a-t-il pas éliminé les deux gars de la patrouille ?

— Il s'en est débarrassé. L'un d'entre eux a été muté à Philadelphie il y a trois mois. Il s'est pendu dans sa chambre. On a conclu à un suicide, mais je pense que la police de Philadelphie voudra réexaminer le dossier. Trente pièces d'argent étaient disséminées sur le lit. L'autre s'est noyé en glissant dans sa baignoire alors qu'il prenait des vacances en Floride. Un prétendu accident. Là encore, on a ramassé des pièces d'argent.

— Il les élimine depuis des mois, murmura Peabody. Il coche les cases au fur et à mesure.

— Jusqu'à Kohli. Là, il craque. Il appréciait Kohli, il connaissait bien la famille. Qui plus est, son fils et Kohli étaient amis. Quand Ricker, à travers le BAI, a placé Kohli au *Purgatoire* et répandu la rumeur selon laquelle il était corrompu, Clooney a eu l'impression de perdre son fils une deuxième fois. Les meurtres sont devenus plus violents, plus personnels et plus symboliques. Le sang sur le badge. Il ne peut plus s'arrêter. Ce qu'il fait, désormais, c'est en mémoire de son fils. En l'honneur de son fils. Mais le fait de savoir qu'il a tué un innocent, un bon flic, le bouleverse. C'est là que Ricker est très malin. Il n'a plus qu'à nous regarder nous détruire les uns les autres.

— Il n'est pas si malin que ça, plus maintenant, intervint Connors. Il ne peut pas comprendre un homme comme Clooney, ni l'intensité de son amour et de son chagrin. Il a eu de la chance. Il s'est contenté de disposer les objets sur le plateau et la chance, ou si vous préférez, l'amour, les a liés.

— C'est possible, mais disposer les objets sur le plateau suffit à l'impliquer. Ce qui nous amène à la seconde partie de cette enquête. Comme vous le savez tous, Connors a été désigné comme intervenant civil provisoire en liaison avec l'affaire Max Ricker. Peabody, savez-vous comment on surnomme les intervenants civils provisoires ?

Peabody tressaillit.

— Oui, lieutenant.

Comme Eve ne disait rien, elle grimaça.

— Euh… on emploie le terme de *fouine*, lieutenant.

— Je suppose que les fouines saignent les rats ? lança Connors.

— Ah ! s'esclaffa Feeney en lui tapant dans le dos, elle est bien bonne !

— Nous avons un gros rat pour toi, confirma Eve en fourrant les mains dans ses poches, avant d'exposer le plan au reste de l'équipe.

Connors l'observa en douce, admiratif. Elle était parfaite. Elle maîtrisait tout, au détail près. Elle avait dû arborer les galons de général dans une vie antérieure. Ou une armure.

Et cette femme, cette guerrière, avait tremblé dans ses bras.

— Connors ?

— Oui, lieutenant.

La lueur dans son regard la fit balbutier. Elle fronça les sourcils.

— Je te laisse régler les problèmes de sécurité avec Feeney et McNab. Soyez précis.

— Entendu.

— Je vais demander à Martinez de gérer le raid. Ça lui vaudra sa promotion. Des objections ?

Ne recevant aucune réponse, elle s'adressa à son assistante.

— Peabody, avec moi.

Elle se dirigea vers la sortie, jeta un coup d'œil derrière elle. Connors continuait de la contempler avec un petit sourire.

— Mon Dieu, il est vraiment craquant !

— Vous disiez, lieutenant ?

— Rien, aboya Eve, mortifiée d'avoir pensé à voix haute. Rien. Est-ce qu'on a réparé ou remplacé ma voiture ?

— Dallas, comme c'est mignon ! Je ne savais pas que vous croyiez aux contes de fées !

— Merde. On va en piquer une... Tiens ! Celle de Connors, par exemple.

— Oh ! J'espère que c'est l'XX. La 6000. C'est ma préférée.

— Comment voulez-vous qu'on ramène un suspect à bord d'un véhicule à deux places ? Non, aujourd'hui, il a pris une berline. J'ai le code. Il va avoir une drôle de surprise quand il va découvrir qu'elle a disparu. Je crois que...

Elle faillit heurter Webster de plein fouet.

— Lieutenant, une petite minute...

— Je suis pressée.

— Tu vas inculper Clooney.

Elle sursauta, s'assura que personne d'autre n'avait entendu.

— Qu'est-ce qui te fait croire ça ?

— J'ai mes sources, répondit-il, l'air grave. Tu as laissé traîner des miettes. Je peux encore en suivre les traces.

— Tu as fouillé dans mes archives ?

— Dallas, dit-il en posant la main sur son bras, je suis dedans jusqu'au cou. Une partie de ce que j'ai fait, sur ordre de mes supérieurs, a pu mettre le feu aux poudres. C'est moi qui ai mené l'enquête interne sur le fils de Clooney. Je me sens responsable. Laisse-moi t'accompagner.

— Ricker a un complice au sein du BAI. Et si c'était toi ?

Il s'écarta.

— Ah non ! pas ça. Tu ne peux pas... D'accord.

Il tourna les talons et commença à s'éloigner.

— Attends ! Peabody...

Tandis que Webster s'immobilisait, elle fit signe à son assistante.

— … ça ne vous ennuie pas d'assister à la fin de la réunion et de remplir la paperasserie ?

Peabody observa Webster à la dérobée. Les mains dans les poches, l'air misérable, il se balançait d'un pied sur l'autre.

— Non, lieutenant.

— Très bien. Réservez-moi une salle d'interrogatoire. Bloquez l'observation. Personne ne doit s'en mêler pendant que j'interroge Clooney. Laissons-lui un minimum de dignité.

— Je m'en occupe. Bonne chance.

— Oui, c'est ça. Webster, on y va !

Il cligna des yeux, reprit son souffle.

— Merci.

— Ne me remercie pas. Tu vas me servir de lest.

21

Peabody traîna. Elle tourna en rond, tergiversa. Enfin, parce que c'était inévitable, elle retourna dans la salle de conférences.

L'écran mural affichait un schéma complexe, et Feeney émit un sifflement, comme s'il découvrait l'image d'une femme nue.

— Salut, ma belle ! Quoi de neuf ? lança McNab.

— Changement de plan. J'assiste à la réunion sur la sécurité.

— Dallas ne va pas chercher Clooney ? demanda Feeney.

— Si, si, elle y va.

Comme s'il s'agissait d'une action vitale, Peabody sélectionna un siège, le dépoussiéra consciencieusement, s'y installa.

— Toute seule ? intervint Connors.

Elle tressaillit en entendant le son de sa voix, mais se contenta de hausser les épaules.

— Non, non, elle est accompagnée. Euh… vous allez devoir me traduire tout ça. Je ne parle pas du tout le high-tech.

— Qui est avec elle ? insista Connors.

— Avec elle ? Ah ! Euh… Webster.

Silence de mort.

Peabody fourra les mains dans ses poches et se prépara à une explosion de rage.

— Je vois, murmura tout simplement Connors en se concentrant de nouveau sur l'écran, comme si de rien n'était.

Peabody ne savait pas si elle devait en être soulagée ou terrifiée.

Webster ravala juste à temps un commentaire à propos de la luxueuse voiture et prit place, bien décidé à profiter de la promenade.

Toutefois, il avait les nerfs à vif.

— Bon, pour que ce soit clair : je ne suis pas le complice de Ricker au sein du BAI. Je suppose qu'il y en a un, mais je n'ai aucun tuyau là-dessus. J'en aurai bientôt. Je démasquerai ce salaud.

— Webster, si je te croyais associé avec Ricker, tu ne serais pas ici, mais en train de ramper dans une salle d'interrogatoire du Central.

Il ébaucha un sourire.

— Ça me touche beaucoup.

— Oui, bon, ça va.

— Donc... J'ai accédé à tes archives. Tu pourras me taper sur les doigts plus tard si ça t'amuse. J'avais ton code et ton mot de passe. Bayliss les a trouvés. Je n'avais pas le droit de faire ça et blablabla, pourtant, je l'ai fait. J'ai suivi ta piste sur Clooney. Excellent travail.

— Tu t'attends à ce que je rougisse et que je te remercie du compliment ?

— Tu n'as pas de mandat.

— En effet.

— Tu te bases sur peu de chose, mais ça aurait suffi à convaincre n'importe quel juge de t'en accorder un.

— Je n'en veux pas. Il mérite un minimum de considération.

— Bayliss détestait les flics comme toi, dit Webster en regardant défiler New York, encombré, bruyant, coloré, arrogant... J'avais oublié ce que c'était que de travailler comme ça, mais je ne l'oublierai plus.

— Voici comment nous allons procéder. Clooney habite dans le West Side. C'est un appartement. Il a quitté sa maison de banlieue quelques mois après le décès de son fils.

— Il est en service. Il ne sera pas chez lui.

— Tu n'as pas été jusqu'au bout du dossier. C'est son jour de congé. S'il n'est pas là, on frappera à toutes les portes jusqu'à ce que quelqu'un nous indique où il pourrait être. Ensuite, deux solutions : ou on va le chercher, ou on l'attend. C'est moi qui parlerai. Il viendra au Central de son propre gré. On va se débrouiller pour que ça se passe comme ça.

— Dallas, il a tué trois flics !

— Cinq. Tu n'as pas lu toutes mes notes non plus. Tu baisses, Webster. Un flic méthodique est un flic heureux.

Elle s'apprêtait à se garer en double file quand elle se rappela qu'elle conduisait la berline de son mari et que, du coup, elle n'était pas équipée de son signal lumineux « En service ».

Marmonnant un juron, elle continua de rouler jusqu'à ce qu'elle repère enfin une place de stationnement.

— L'immeuble est sécurisé, constata-t-elle en désignant d'un signe de la tête la caméra et le tableau digital. On l'ignore. Je ne veux pas qu'il ait le temps de se préparer à nous recevoir.

Webster ouvrit la bouche pour lui rappeler qu'elle n'avait pas de mandat. Puis il se ravisa. Après tout, c'était son affaire.

Elle se servit de son passe-partout, tapa son numéro de badge sur le clavier. Un système plus sophistiqué lui aurait réclamé des explications sur l'urgence de la situation. Celui-ci se contenta de déverrouiller la porte extérieure.

— Quatrième étage, murmura-t-elle en se dirigeant vers l'unique ascenseur. Tu es armé ?

— Oui.

— J'étais persuadée que les gars du BAI ne sortaient qu'avec leur carnet de notes. Inutile de dégainer.

— Zut ! Moi qui espérais exploser la serrure ! railla-t-il. Je ne suis pas un imbécile, Dallas.

— Employé du BAI, imbécile… Imbécile, employé du BAI… Je n'arrive jamais à faire la différence. Mais assez de frivolités. Recule, ordonna-t-elle lorsqu'ils atteignirent le palier. Je ne veux pas qu'il t'aperçoive par le judas.

— Il va peut-être refuser de t'ouvrir.

— Mais non. Je l'intrigue.

Elle enfonça le bouton de la sonnette. Patienta. Se sentit observée, mais resta impassible.

Un moment plus tard, Clooney ouvrit la porte.

— Lieutenant, je ne…

Il s'interrompit quand Webster s'avança.

— Je n'attendais pas de visites.

— Pouvons-nous entrer, sergent ?

— Bien sûr, bien sûr. Ne faites pas attention au désordre. J'étais en train de me préparer un sandwich.

Il s'écarta, l'allure décontractée. C'était un policier remarquable, intelligent, se dirait-elle plus tard. C'est pour cela qu'elle ne vit rien venir.

D'un geste preste il porta le couteau sur sa gorge. Eve était tout aussi remarquable et intelligente que lui ; elle aurait pu l'esquiver. Elle n'en serait jamais absolument certaine.

Webster la bouscula, suffisamment fort pour la faire tomber à genoux et, dans le mouvement, se trouva sur le trajet de la lame.

Un flot de sang jaillit, et Eve poussa un cri. Webster chuta lourdement. Elle se redressa aussi vite que possible, la main sur son pistolet tandis que Clooney piquait un sprint à travers la pièce. Si elle avait tiré d'instinct, sans l'avertir, elle l'aurait eu. L'hésitation, la loyauté lui coûtèrent un instant précieux.

Il passa par la fenêtre et dévala l'escalier de secours.

Eve se précipita vers Webster. Sa respiration était saccadée, et l'entaille qui courait de son épaule au milieu de son torse pissait le sang.

— Mon Dieu !

— Ça va. Poursuis-le.

— La ferme ! Tais-toi ! cria-t-elle en sortant son communicateur et en se propulsant vers la fenêtre. Homme à terre ! Homme à terre !

Elle donna l'adresse, tout en cherchant Clooney des yeux.

— Envoyez les secours immédiatement. Homme à terre. Le suspect s'est enfui à pied, il se dirige vers l'ouest. Il est armé et dangereux. Homme blanc, soixante ans.

Tout en parlant, elle ôta sa veste et partit à la recherche de serviettes-éponges.

— Un mètre soixante-quinze, quatre-vingts kilos. Cheveux gris, yeux bleus. L'individu est suspecté d'homicides multiples. Tiens bon, Webster ! Si tu meurs dans mes bras, tu vas sérieusement m'énerver !

— Désolé, gémit-il, pendant qu'elle lui arrachait sa chemise et pressait les serviettes sur sa plaie pour contenir l'hémorragie. Merde, ça fait mal ! C'était quoi, comme couteau ?

— Comment veux-tu que je le sache ? Un grand, bien aiguisé.

« Trop de sang, pensa-t-elle. Trop de sang ! » Les serviettes étaient déjà trempées. C'était grave.

— Ils vont te recoudre. Tu auras droit à une récompense. Tu pourras montrer ta cicatrice à toutes tes conquêtes, ça leur fera tourner la tête.

— Tu parles…

Il essaya de lui sourire, mais il ne la voyait plus.

— Il m'a ouvert comme une truite !

— Tais-toi, je te dis.

Il poussa un petit soupir et sombra dans l'inconscience. Eve le berça contre elle en guettant les sirènes.

Elle retrouva Whitney dans la salle d'attente de l'hôpital. Son chemisier et son pantalon étaient maculés de sang. Elle était blême comme un linge.

— J'ai merdé. J'étais persuadée de pouvoir le raisonner. Au lieu de quoi il est dans la nature, et j'ai encore un flic mourant sur les bras.

— Webster est entre de bonnes mains. Chacun d'entre nous est responsable de sa propre personne, Dallas.

— Je l'ai emmené avec moi.

« Ce pourrait être Peabody qui agonise sur la table d'opération », se dit-elle tout à coup. Décidément, tout allait mal.

— C'est lui qui a voulu vous accompagner. Quoi qu'il en soit, vous avez identifié le suspect grâce à un travail irréprochable. Le sergent Clooney ne courra pas longtemps. Nos hommes sont déployés partout. Il est connu. Il est parti sans rien et n'a pas d'argent.

— Un flic intelligent sait se planquer. Je l'ai laissé s'échapper, commandant. Je n'ai pas profité de l'occasion pour l'abattre ou le pourchasser.

— Si vous deviez de nouveau choisir entre rattraper un suspect ou sauver un collègue, que feriez-vous ?

— Ce que j'ai fait. Pour ce que ça vaut, ajouta-t-elle en lançant un regard vers la salle d'opération.

— J'aurais fait la même chose. Rentrez chez vous, lieutenant. Tâchez de dormir. Vous allez avoir besoin de toutes vos forces pour en terminer avec cette affaire.

— Je préférerais attendre d'avoir des nouvelles de Webster.

— Très bien. Allons chercher du café. Il ne peut pas être plus mauvais que celui du Central.

Quand elle arriva à la maison, malgré son épuisement, Eve fut incapable de se reposer. La scène lui revenait sans cesse à la mémoire. Aurait-elle pu deviner l'intention de Clooney ?

Si Webster ne s'était pas interposé, aurait-elle réussi à esquiver le coup ?

« À quoi bon ruminer ? » se demanda-t-elle. Ça ne servait à rien.

— Eve.

Connors sortit du salon, où il l'avait attendue. Ce n'était pas la première fois qu'elle rentrait harassée, couverte de sang et désespérée. Elle se planta devant lui, le regard fixe.

— Oh ! Connors !

— Je suis désolé, ma chérie, murmura-t-il en la prenant dans ses bras.

— Je crains qu'il ne s'en sorte pas. Ce n'est pas ce qu'ils prétendent, mais ça se lit sur leurs visages. Hémorragie massive, dommages internes extrêmes. La lame a entaillé le cœur et le poumon et Dieu sait quoi d'autre. Ils ont appelé la famille, en disant qu'il fallait se dépêcher.

C'était peut-être égoïste, mais Connors s'en fichait. Il n'avait qu'une seule pensée : « Ç'aurait pu être toi. Ç'aurait pu être toi, et c'est moi qu'on aurait contacté. Moi qui aurais dû me dépêcher… »

— Viens. Il faut que tu te laves et que tu dormes.

— Oui, je ne peux rien faire d'autre.

Arrivée à l'escalier, elle s'effondra sur les marches, le visage dans les mains.

— Qu'est-ce que j'avais dans la tête ? Pour qui est-ce que je me prends ? C'est Mira, la psy, pas moi. Qu'est-ce qui m'a poussée à croire que j'étais capable de comprendre le fonctionnement psychique de cet homme ?

— Tout le monde peut se tromper, la rassura-t-il en lui frottant le dos.

— Je n'en peux plus.

Elle se leva, tremblante, monta, et se déshabilla en traversant la chambre. Avant qu'elle ne puisse entrer dans la douche, Connors la saisit par la main.

— Non, un bain. Tu dormiras mieux ensuite.

Il le fit couler lui-même. Chaud, très chaud, agrémenté d'huiles essentielles. Il s'immergea dans l'eau avec elle, la serra contre lui.

— Il a fait ça pour moi. Clooney me visait, et Webster m'a repoussée.

Connors pressa les lèvres sur son crâne.

— Je ne pourrai jamais assez le remercier. Mais toi, tu le peux. En allant jusqu'au bout de ta mission.

— Oui.

— Pour le moment, repose-toi.

La fatigue l'enveloppa. Cessant de résister, elle s'endormit.

Elle fut réveillée par le soleil et un délicieux arôme de café. Connors se tenait près d'elle, une tasse à la main.

— Combien es-tu prête à me payer ?

— Ton prix sera le mien, répliqua-t-elle en s'asseyant. Mmm... c'est ce que je préfère dans le mariage. Bon, d'accord, le sexe, c'est pas mal, mais le petit café du matin... Merci.

— De rien.

Avant qu'il ne puisse s'éloigner, elle lui prit la main.

— Si tu n'avais pas été là, je n'aurais jamais pu m'endormir.

Elle se tourna vers le communicateur sur la table de chevet.

— Je vais prendre des nouvelles de Webster.

— Je m'en suis déjà chargé. Il a passé la nuit, ajouta-t-il, sachant qu'elle ne supporterait pas qu'on lui cache la vérité. Ils ont failli le perdre à deux reprises et ont dû le réopérer. Son état est toujours critique.

— Bien.

Elle se frotta le visage.

— Bien. Il éprouvait le besoin de se faire pardonner certaines actions. On va l'y aider.

— Tu n'as pas perdu de temps, marmonna Eve en déambulant à travers *Le Purgatoire* rénové.

Elle scruta le trio d'escaliers en courbe avec leurs marches éclairées de spots rouges. En les examinant de plus près, elle constata que les rampes se composaient d'une succession de serpents.

— Intéressant.

— Oui, renchérit Connors en caressant une tête de reptile. Je trouve aussi. Et très pratique. Allez, monte...

— Pourquoi ?

— Ne commence pas à me contrarier, s'il te plaît.

Elle haussa les épaules et gravit les premières marches.

— Alors ?

— Feeney ? Que voyez-vous ?

— Le scanner montre un laser standard de la police sur la première marche, et une deuxième arme sur la seconde.

Eve leva les yeux vers la régie et les haut-parleurs dissimulés diffusant la voix de Feeney. Esquissant un sourire, elle pivota vers son mari resté au pied de l'escalier.

— Tu montes avec moi, camarade ?

— Non, non. Des scanners de ce type sont installés à toutes les entrées et sorties, dans les toilettes et les salons privés. Sur ce plan-là, nous ne devrions pas avoir de surprises.

— Ils repèrent les explosifs ? Les couteaux ?

— Les explosifs, sans problème. En matière de couteaux, c'est plus délicat, mais les détecteurs de métaux s'en chargeront. Une heure avant l'ouverture, l'immeuble tout entier sera passé au peigne fin, par mesure de précaution.

— Où se tiendra la rencontre ?

— Nous avons divisé l'ensemble en vingt-deux secteurs. Chacun est équipé d'une sécurité individuelle, directement reliée à la régie centrale. Je serai dans le secteur douze.

Il désigna une table au bord de la scène.

— Là où il y a de l'action.

— Voyons, il faut bien que le spectacle continue. La table a été conçue spécialement. Les images et le son seront transmis à la régie.

— Tu parais très sûr de toi.

— Confiant, lieutenant. J'ai imaginé ce système moi-même et je l'ai déjà testé. Deux de mes gardes du corps présenteront un numéro sur scène, pendant l'entretien. S'il faut intervenir, ils interviendront.

— On n'avait pas prévu de civils. Il y aura des flics partout.

Connors opina aimablement.

— J'aurais pu prévoir mon équipe de sécurité personnelle sans t'en avertir. Mais en tant qu'attaché provisoire, je me sens obligé de relayer toute information pertinente au chef.

— Ne fais pas le malin.

— Moi aussi, je t'aime.

— Les toilettes sont magnifiques ! s'exclama Peabody en venant vers eux. Attendez un peu de voir ça, Dallas ! Les lavabos sont comme de petits lacs, et les comptoirs sont interminables. Les murs sont décorés de motifs très sexy. Il y a même des divans !

Elle se tut, s'éclaircit la gorge.

— McNab et moi avons complété notre inspection. Tout est opérationnel.

— Votre veste d'uniforme est mal boutonnée, officier Peabody.

— Ma...

Elle baissa les yeux, s'empourpra jusqu'à la racine des cheveux, et rajusta les boutons que McNab avait défaits un peu trop précipitamment.

— Pour l'amour du ciel, Peabody, vous vous prenez pour une lapine ? Allez vous arranger un peu et mettez vos hormones en mode repos.

— Oui, lieutenant. Excusez-moi.

Peabody s'éclipsa, et Eve se tourna en grognant vers Connors.

— Toi, je t'interdis de rigoler. Je t'avais bien dit que cette histoire avec McNab allait perturber mon assistante.

— En ma qualité d'officier de liaison provisoire du NYPSD, je suis choqué par sa conduite. C'est absolument honteux. Je pense que nous allons devoir inspecter nous-mêmes les salons privés. Tout de suite.

— Espèce de pervers !

Elle fourra les mains dans ses poches. Au même instant, Ruth MacLean apparut.

Comme Eve lui jetait un regard noir, elle hésita un instant puis redressa les épaules et traversa la salle. Ils se rejoignirent devant le bar où Kohli avait servi son dernier verre.

— Madame MacLean.

— Lieutenant. Je sais ce que vous pensez de moi, et je vous autorise à me le dire en face.

— Pourquoi me fatiguer ? J'ai vu le sang d'un collègue sur ce sol. Ça m'a suffi.

— Eve…

Connors lui toucha l'épaule, puis s'adressa à Ruth.

— Vous avez vu Ricker ?

— Oui. Il…

— Pas ici, l'interrompit-il.

Il leur indiqua un panneau représentant la chute d'Adam, dans lequel étaient dissimulés un panneau de contrôle et un ascenseur. Ils entrèrent dans la cabine et montèrent en silence jusqu'au bureau du propriétaire.

Connors ouvrit un réfrigérateur masqué par un miroir fumé et en sortit des bouteilles d'eau minérale.

— Asseyez-vous donc, Ruth. Les conversations avec Ricker ont tendance à ébranler les esprits.

— Merci.

— C'est bientôt fini, cet échange de politesses ? gronda Eve en refusant le verre que lui tendait son mari. Si tu as confiance en elle, camarade, c'est ton privilège. N'en attends pas autant de moi. Elle t'a trahi.

— C'est exact, concéda-t-il. Et maintenant, elle se rattrape. En prenant un sacré risque.

Connors saisit la main de Ruth. Elle tenta de se soustraire à son étreinte, mais il remonta calmement la manche de son chemisier.

Son avant-bras était couvert d'hématomes.

— Il vous a agressée. J'en suis navré.

— Ça lui plaît. Les bleus disparaissent. Votre femme sera sans doute d'accord avec moi pour dire que je mérite bien pire.

— Pourquoi vous a-t-il fait ça ? demanda Eve, émue malgré elle.

— Parce qu'il en avait la possibilité. S'il ne m'avait pas crue, j'aurais subi un sort infiniment plus désagréable. Le fait que je lui transmette des informations à votre sujet l'a mis de bonne humeur.

Elle but une gorgée d'eau.

— Ça s'est passé presque exactement comme vous le pensiez. Je suis allée le voir, je lui ai demandé de l'argent en échange d'un tuyau. Ça l'a agacé, je l'ai donc laissé me malmener un peu avant de le lui refiler gratuitement. Ça aussi, ça l'a mis de bonne humeur.

Elle reboutonna distraitement la manche de son chemisier.

— Je lui ai raconté que vous étiez déconcentré, excédé et que vous nous meniez au fouet pour que l'établissement rouvre ses portes. Que tout ça vous coûtait un maximum. Et que vous étiez dans tous vos états parce que vous aviez les flics sur les talons. Pour conclure, j'ai dit que je vous avais entendu vous disputer avec votre femme.

— Excellent, approuva Connors en se perchant sur le bras d'un fauteuil.

— À propos de l'enquête, poursuivit-elle. De ce que ça impliquait pour vous, de la position dans laquelle ça mettait votre épouse. J'ai précisé que vous la poussiez à donner sa démission, qu'elle a refusé et que là, vous avez complètement perdu la tête. J'espère que ça ne vous ennuie pas : je vous ai décrit comme un homme à bout de nerfs. Vous en aviez assez de marcher sur des œufs et de perdre de l'argent à cause d'elle. Vous l'avez menacée. Et vous, vous avez pleuré, dit-elle à Eve.

— De mieux en mieux, bougonna Eve.

— Ça, ça l'a beaucoup amusé. Bref, vous êtes partie comme une furie et moi, j'ai consolé Connors. Nous avons bu quelques verres… Vous, Connors, vous m'avez confié que vous en aviez assez de suivre le droit chemin, et que votre ménage battait de l'aile. Vous aimiez votre femme, mais vous aviez besoin de souffler. Après tout, elle n'était pas obligée de savoir que vous trempiez de nouveau dans des affaires louches. Ça vous distrairait. Et pourquoi ne pas faire d'une pierre deux coups en vous associant avec Ricker ? Un partenariat discret... Ricker récolterait les bénéfices à condition de laisser votre femme tranquille. Vous la persuaderiez de quitter la police. Vous êtes fou amoureux d'elle, mais ce n'est pas une raison pour vous laisser mener par le bout du nez. J'étais d'accord avec vous, et je vous ai proposé de soumettre votre projet à Ricker. C'est là qu'il a tiqué.

Du bout des doigts, elle effleura son bras douloureux.

— Je lui ai dit que vous n'étiez plus vous-même. Que vous deveniez négligent sur certains points. Je pense qu'il l'a avalé parce qu'il en avait envie, et parce qu'il n'imagine pas que j'aurais le culot de lui mentir.

Elle prit son verre, but.

— Ç'aurait pu être plus dur. Il a mordu à l'appât avant même que j'aie fini de l'accrocher. Quant à l'avocat, Canarde, ça ne lui plaisait pas du tout, mais Ricker lui a dit de la fermer. Comme il insistait, Ricker lui a lancé un presse-papiers à la figure. Il l'a raté de peu, mais il a défoncé le mur.

— Ah ! Si je pouvais être une petite souris... murmura Eve.

— Ça valait le coup, acquiesça Ruth. Bref, Canarde s'est tu, et Ricker sera au rendez-vous. Il ne ratera pas une occasion de vous humilier, d'enfoncer le clou. Et s'il flaire un piège, il vous descendra.

— C'est parfait ! décida Connors tandis qu'un flot d'adrénaline l'envahissait.

— Pas tout à fait, riposta Eve en accrochant les pouces dans les poches de son pantalon... Pourquoi n'avez-vous pas fait pleurer Connors ?

Ruth lui offrit un regard empli de gratitude, et Eve pria pour que tout se déroule comme prévu.

22

Le temps pressait. Mener de front deux opérations capitales doublait le travail et les soucis. Abandonnant *Le Purgatoire* aux mains – peut-être un peu trop expertes – de Connors, elle se précipita au domicile de banlieue de Clooney.

— Whitney a déjà envoyé Baxter interroger l'épouse, dit Peabody, ce qui lui valut un regard noir de la part de son chef.

— Je me tiens au courant, figurez-vous. Ça vous pose un problème, officier ?

— Non, lieutenant. Pas du tout.

Si pour Eve le temps semblait filer trop vite, Peabody avait l'impression que la trentaine d'heures à venir allait passer à une allure d'escargot. Elle décida qu'il valait mieux ne pas signaler la présence d'une patrouille de surveillance garée juste devant le pavillon.

Clooney ne manquerait pas de l'apercevoir, s'il tentait de rentrer chez lui. Peut-être était-ce justement le but de la manœuvre ?

Muette comme une carpe, elle suivit Eve le long de l'allée.

La femme qui leur ouvrit aurait pu être jolie, avec ses rondeurs chaleureuses. Pour le moment, elle paraissait malheureuse, harassée, apeurée. Eve s'identifia en présentant son badge.

— Vous l'avez retrouvé. Il est mort ?

— Non, madame, nous n'avons pas localisé votre mari. Pouvons-nous entrer ?

— Je ne peux rien vous dire de plus.

Toutefois, elle se détourna, les épaules voûtées sous le poids de son angoisse, et traversa le petit salon propret.

Du chintz et des dentelles. Des tapis délavés, de vieux fauteuils confortables. Un écran mural qui avait connu des jours meilleurs, et une statue de la Vierge sur un guéridon, le visage serein.

— Madame Clooney, votre époux vous a-t-il contactée ?

— Non. Il n'en fera rien. Je l'ai déjà expliqué à l'autre policier. Je pense que c'est un terrible malentendu.

D'un geste distrait, elle repoussa une mèche de ses cheveux châtains, aussi ternes que ses tapis.

— Art n'est pas dans son assiette, depuis un certain temps. Mais il ne peut pas avoir fait ce dont vous l'accusez.

— Pourquoi ne chercherait-il pas à vous joindre, madame Clooney ? Vous êtes sa femme. Cette maison est la sienne.

— Oui.

Elle s'assit, comme si ses jambes ne la soutenaient plus.

— En effet. Mais il a cessé d'y croire. Il est perdu. Il n'a plus la foi, plus d'espoir... Depuis la mort de Thad, rien n'est comme avant.

— Madame, je veux l'aider, murmura Eve en s'installant en face d'elle et en se penchant légèrement. Je veux l'aider. Je veux qu'il reçoive les soins médicaux dont il a besoin. Où a-t-il pu aller ?

— Je n'en ai pas la moindre idée. Autrefois, j'aurais su.

Elle sortit un mouchoir froissé de sa poche.

— Il ne me parle plus. Il ne se confie plus à moi. Au début, quand Thad est mort, nous nous sommes soutenus. Nous avons pleuré ensemble. C'était un jeune homme merveilleux, notre Thad.

Elle se tourna vers la photo encadrée d'un policier en uniforme.

— Nous étions tellement fiers de lui ! Quand il est parti, nous nous sommes accrochés à ça, à notre amour et à notre fierté. Nous l'avons partagé avec sa femme et son bébé. Ça nous a aidés de les avoir tout près de nous.

Elle se leva, prit une autre photo, sur laquelle Thad posait en compagnie de son épouse et d'un poupon aux joues roses.

— Et puis, quelques semaines après la disparition de Thad, Art a commencé à changer. Quand il ne se fermait pas comme une huître, il s'emportait. Il refusait d'aller à la messe. Nous nous sommes disputés, mais pour finir, même ça, ça s'est arrêté. Nous ne vivions plus, nous existions.

— Vous rappelez-vous quand s'est opéré ce changement, madame Clooney ?

— Oh ! il y a environ quatre mois ! Ça peut paraître court, après trente ans de vie commune. Mais pour moi, c'est une éternité.

La date correspondait, songea Eve en mettant la première pièce du puzzle en place.

— Certains soirs, il ne revenait pas du tout. Et quand il daignait rentrer, il dormait dans la chambre de notre fils. Ensuite, il a déménagé. Il m'a dit qu'il était désolé, qu'il avait besoin de prendre du recul. Je n'ai pas réussi à le faire changer d'avis. Dieu me pardonne, mais je lui en voulais tant, je me sentais si désemparée, si vide, que ça m'était égal qu'il s'en aille !

Elle pinça les lèvres, ravala un sanglot.

— Je ne sais ni où il est ni ce qu'il a fait. Mais je veux récupérer mon mari. Si je savais quoi que ce soit, je vous le dirais.

Eve repartit, interrogea quelques voisins, mais n'obtint aucune information intéressante. Clooney avait toujours été un bon mari, un ami attentionné, un membre respecté de la communauté.

Personne n'avait eu de ses nouvelles – ou du moins, personne n'avoua en avoir reçu.

— Vous les croyez ? demanda Peabody tandis qu'elles regagnaient le centre-ville.

— Je crois sa femme. Elle est trop perturbée pour mentir. Il savait que nous irions chez lui, que nous nous adresserions aux amis et aux proches. Mais je me devais de vérifier. Nous allons retourner au Central, relire son dossier. Avec un peu de chance, le déclic se produira.

Au bout de deux heures, elles en étaient au point mort. Eve appuya un instant les paumes de ses mains sur ses yeux, puis se leva pour aller chercher un autre café. En émergeant dans le couloir, elle tomba nez à nez avec Mira.

— Vous êtes surmenée, Eve.

— J'ai le dos au mur. Je suis désolée, nous avions rendez-vous ?

— Non, mais j'ai pensé que mon opinion professionnelle concernant Clooney pourrait vous être utile, à ce stade.

— En effet.

Eve jeta un coup d'œil derrière elle, poussa un profond soupir.

— Ce bureau est un taudis. Ces derniers jours, j'en ai refusé l'accès au personnel de nettoyage. Par sécurité.

— Ça ne me dérange pas du tout, répliqua Mira en entrant. Je ne pense pas qu'il ait modifié son agenda. Vous êtes toujours sa cible, ce qui signifie qu'il ne s'éloignera jamais beaucoup.

— Il avait affirmé qu'il ne tuerait plus aucun flic. Il n'a pourtant pas hésité à user de son couteau sur Webster.

— Il a agi sur une impulsion. Ce n'était pas calculé. C'est vous qu'il voulait, et il aurait considéré ça comme de l'autodéfense. Vous veniez l'arrêter, en compagnie d'un membre du Bureau des Affaires internes. D'après moi, il est encore en ville. Il observe, il se prépare.

— Oui, j'en ferais sans doute autant à sa place. Quitte à en mourir.

Elle y avait longuement réfléchi sur le trajet.

— Il veut mourir, n'est-ce pas, docteur ?

— Je pense que oui. Il respectera le délai qu'il vous a imposé, et s'il n'est pas satisfait de vous, il vous tuera. Il tentera peut-être aussi d'assassiner Ricker. Ensuite, il se donnera très probablement la mort. Il ne pourra plus faire face à son épouse, à ses collègues, au curé de sa paroisse. En revanche, il pourra faire face à son fils.

— Ça ne se passera pas comme ça.

Eve avait l'intention de rentrer directement chez elle. Elle appela l'hôpital pour prendre des nouvelles de Webster, dont l'état était stable. Cependant, comme pour l'épouse de Clooney, elle préférait s'en assurer elle-même.

Le cœur serré, elle s'enfonça dans l'interminable couloir. Elle détestait cette atmosphère, ces odeurs. Quand l'infirmière de service lui demanda si elle était de la famille, elle mentit.

Un instant plus tard, elle se retrouva dans un box étroit, encombré d'appareils. Webster était exsangue.

— Ah non ! vraiment, tu exagères ! Je t'avais prévenu que ça me mettrait d'une humeur de chien ! Tu sais ce que j'éprouve, à te voir là te la couler douce ? Nom de nom, Webster !

Sa voix se brisa tandis qu'elle posait la main sur la sienne. Il était glacé.

— Tu crois que j'ai du temps à perdre avec ça ? J'ai du boulot jusqu'aux amygdales, et toi, au lieu de m'aider, tu te réfugies dans le coma. Tu as intérêt à te bouger, je te le dis.

Elle se pencha sur lui.

— Tu m'entends, espèce de crétin ? Tu as intérêt à te bouger, parce que j'en ai assez de perdre des flics toutes les heures. Il n'est pas question que tu viennes te rajouter en fin de liste. Et si tu espères que je viendrai déposer une fleur sur ta tombe, tu te trompes, camarade.

Elle serra plus fort sa main, guettant une réaction qui ne vint pas.

— Seigneur ! murmura-t-elle avec une affection dont elle n'avait jamais pris conscience avant cela.

Elle se détourna et se figea en apercevant Connors, sur le seuil. Mille et une pensées se bousculèrent dans son esprit.

— Je me disais bien que tu passerais.

— Je voulais simplement...

Haussant les épaules, elle fourra les poings dans ses poches.

— Soutenir un ami, compléta-t-il en venant vers elle.

Avec une infinie tendresse, il l'embrassa sur le front.

— Tu as cru que je t'en voudrais ?

— Je suppose que non. C'est une situation un peu... bizarre, c'est tout.

— Tu veux rester encore un peu ?

— Non. J'ai dit tout ce que j'avais à dire. Quand il sortira de là, je peux te garantir qu'il aura un coup de pied dans les fesses.

— Tiens, mets ton manteau. Allons à la maison, lieutenant. La journée de demain sera longue.

Il y avait un monde fou, et tout se déroulait beaucoup trop vite. De son poste en régie, elle pouvait observer tous les secteurs du club.

Elle avait mis en cause les éclairages – trop diffus – mais il n'y avait rien de changé. Elle avait mis en cause la musique – trop forte – mais, là encore, Connors ne l'avait pas écoutée. À présent, elle se rendait compte qu'elle avait oublié un point important.

La foule.

Elle n'avait pas prévu cet afflux de clients qui se bousculaient pour entrer. Elle décida de se calmer : Connors, lui, y avait certainement pensé.

— On n'a pas assez de flics, confia-t-elle à Feeney. C'est ouvert depuis moins d'une heure, et ils se ruent là-dedans comme si on leur avait promis des boissons gratuites.

— C'est peut-être le cas. Il est doué pour les affaires. Tout va bien, Dallas. Il y a des caméras partout. Regarde, là, on a un farceur en secteur deux, table six, qui s'amuse à corser le cocktail de sa compagne. À mon avis, c'est de l'Exotica.

— Je laisse aux gardiens de Connors le soin de résoudre ce genre de problème.

Tandis que tous deux examinaient les écrans, elle posa la main sur l'épaule de Feeney.

— Je ne veux pas que la police intervienne.

Ce serait l'occasion ou jamais pour Connors de démontrer l'efficacité de son système interne.

Excellent, décida-t-elle, trente secondes plus tard, quand une armoire à glace en costume noir s'approcha de la table en question, confisqua la boisson et arracha sans façon le type de son siège.

— Impeccable, commenta Feeney.

— Ça ne me plaît pas. Toute cette mise en scène me met mal à l'aise. Les risques sont trop importants.

— Mais non, mais non ! Tu as le trac, c'est tout. Fais confiance à ton mari, Dallas. Il sait ce qu'il a à faire.

— C'est peut-être justement ce qui m'inquiète le plus, avoua-t-elle.

Sur un écran, elle aperçut Connors qui se faufilait parmi la foule, l'air parfaitement décontracté, alors qu'elle, deux étages au-dessus, suait à grosses gouttes.

Parce qu'elle était deux étages au-dessus, précisément. Si elle avait été en bas, elle se serait trouvée au cœur de l'action. Comme Peabody, songea-t-elle, qui traînait devant le bar, en civil.

— Peabody, vous m'entendez ?

Celle-ci lui répondit d'un signe de tête presque imperceptible.

— J'espère que c'est un soda que vous buvez.

Cette fois, Peabody ricana.

Eve se sentit aussitôt beaucoup mieux.

La sonnette de la porte retentit. La main sur son arme, Eve s'approcha pour vérifier le tableau de sécurité. Elle désengagea les verrous.

— Martinez, vous avez quitté votre poste.

— On a le temps. Vous pouvez m'accorder une minute ? Je n'ai pas eu l'occasion de vous le dire avant, enchaîna-t-elle en baissant la voix. Et si tout se passe comme nous l'espérons, je n'en aurai pas le temps après. Je tiens à vous remercier de m'avoir mise dans le coup.

— Vous l'avez mérité.

— Je le pense aussi, mais vous n'étiez pas obligée de m'impliquer. Si un jour vous avez besoin d'un service, vous pourrez compter sur moi.

— C'est noté et apprécié.

— Je me suis dit que ça vous intéresserait d'avoir les dernières nouvelles de Roth. Elle va se faire taper sur les doigts et devoir accepter de suivre une thérapie. Ils lui accorderont six mois d'essai avant de décider si elle conserve ses galons ou non.

Pour Roth, ce serait très dur. Mais...

— Ç'aurait pu être pire, murmura Eve.

— Oui. Certains avaient parié qu'elle jetterait l'éponge et présenterait sa démission. Pas du tout. Elle se battra jusqu'au bout.

— En effet, ça ne m'étonne pas d'elle. Et maintenant, regagnez votre poste.

Martinez eut un grand sourire.

— Oui, lieutenant.

Eve s'enferma soigneuscment à clé et revint vers le mur d'écrans. Elle commença à s'asseoir, se raidit.

— Mon Dieu ! Pourquoi n'y ai-je pas pensé ? Voilà Mavis ! Mavis et Leonardo.

Aussitôt, elle se mit sur la fréquence de Connors.

— Je m'en occupe, lui répondit-il calmement.

Elle ne put que patienter.

— Connors ! s'écria Mavis en se précipitant vers lui dans un tourbillon de plumes bleues sur une combinaison moulante or. C'est somptueux ! Encore plus somptueux qu'avant ! Où est Dallas ? Elle n'assiste pas à la fête ?

— Elle travaille.

— Oh ! quel dommage ! Bon, eh bien, nous te tiendrons compagnie. Écoute-moi cet orchestre ! Il est géant ! Vivement qu'on se mette à danser !

— Vous aurez une meilleure vue depuis le second niveau.

— Il y a de l'ambiance ici.

— Là-haut aussi.

Il ne réussirait jamais à les convaincre de monter, pas sans leur fournir un minimum d'explications. Cependant, s'il parvenait à les éloigner suffisamment, Eve s'en contenterait. Il fit signe à la gérante de s'approcher.

— Ruth ? Voici des amis à moi. Donnez-leur la meilleure table au niveau deux. C'est la maison qui régale.

— C'est très gentil à vous, intervint Leonardo. Mais ce n'est pas nécessaire.

— Cela me fait plaisir. J'ai des choses à voir. Dès que j'aurai terminé, je vous rejoindrai.

— Ah ! comme c'est adorable ! À tout à l'heure, alors !

Une fois certain qu'ils gravissaient l'escalier, Connors se dirigea vers McNab.

— Gardez un œil sur eux. Arrangez-vous pour qu'ils restent tranquilles jusqu'à ce qu'on en ait fini.

— Pas de problème.

Sur la scène, les danseuses se déhanchaient et se déshabillaient avec un naturel déconcertant. Tandis que les musiciens attaquaient un air endiablé, une nappe de fumée bleutée envahit le sol.

L'hologramme d'une panthère noire portant un collier clouté d'argent rôdait autour des danseurs. Chaque fois qu'elle rugissait, la foule lui répondait.

Connors pivota vers l'entrée, où venait d'apparaître Ricker.

Il n'était pas seul, mais cela n'avait rien de surprenant. Une douzaine d'hommes se déployèrent en éventail, scrutant la salle. La moitié d'entre eux commencèrent à circuler parmi les clients.

Ces « éclaireurs » étaient certainement équipés de miniscanners très puissants, destinés à repérer et enregistrer les caméras de sécurité et les alarmes.

Ils ne trouveraient que ce que Connors avait choisi de leur laisser trouver.

Les ignorant, il alla à la rencontre de Ricker.

— C'est parti ! lança Eve depuis la régie. Attention ! C'est le moment. Première position.

Son trac se volatilisa. Elle maîtrisait parfaitement la situation.

— Feeney, inspection des armes. Je veux savoir qui en porte et combien.

— Ça vient.

Sur l'écran, elle vit Connors.

— Ça fait un bail !

Ricker esquissa un sourire.

— Un bon moment, oui... Impressionnant, murmura-t-il avec une pointe d'ennui. Cela étant, un club de strip-tease reste un club de strip-tease, quel que soit le décor.

— Et les affaires sont les affaires.

— J'ai entendu dire que tu avais eu quelques soucis avec les tiennes.

— Rien qui ne se soit arrangé.

— Vraiment ? Tu as perdu plusieurs clients, l'an dernier.

— J'ai procédé à quelques... restructurations.

— Ah oui ! Un cadeau de mariage, peut-être, pour ta charmante épouse.

— Laisse ma femme en dehors de ça.

— C'est difficile, sinon impossible.

Ricker éprouvait une grande satisfaction à déceler une certaine tension chez Connors. À une autre époque, il ne se serait pas trahi.

— Mais nous pouvons discuter de ce que tu es prêt à échanger.

Connors reprit son souffle, sembla s'obliger à se calmer.

— On va s'installer à ma table. Je t'offre un verre.

Comme il se détournait, l'un des gorilles de Ricker le rattrapa par le bras afin de le palper, en quête d'armes. Connors esquiva et le repoussa brutalement.

Après tout, il ne fallait pas non plus basculer dans l'excès contraire. S'il se montrait trop faible, ça finirait par paraître louche.

— Recommence ça, et je t'arrache les yeux…

— Je suis heureux de constater que, sur ce plan-là, tu n'as pas changé, dit Ricker en faisant signe à son homme de reculer. Mais tu ne t'attends tout de même pas à ce que je boive un verre avec toi sans avoir pris un minimum de précautions.

— Je te rappelle que je suis ici chez moi.

Un muscle de la joue de Ricker tressaillit.

— Ton tempérament d'Irlandais ne m'a jamais plu. Mais tu as raison, tu es ici chez toi. Pour l'instant.

— Très bien, déclara Eve. Ils se dirigent vers la table. Feeney, rassure-moi. Dis-moi que le système de Connors va annuler leur scan.

— Il a annulé le mien. Je lui ai demandé de m'expliquer comment ça marche, mais il s'est contenté de rigoler… Regarde ! ajouta-t-il en s'intéressant à un autre écran. Leur scan n'a relevé que ce que Connors voulait, rien de plus. Et maintenant, profitons d'une petite boisson alcoolisée et de la conversation.

— Peabody ! lança Eve. Votre homme est du côté gauche du bar, métis, costume noir. Un mètre soixante-quinze, quatre-vingts kilos, cheveux noirs aux épaules. Il porte un laser de la police à la ceinture. Vous l'avez ?

Peabody opina.

— Ne quittez pas des yeux vos cibles individuelles, mais n'intervenez en *aucun cas* sans en avoir reçu l'ordre. Martinez, votre homme, c'est le…

— Ta brigade de droïdes reste à l'écart, déclara Connors. Je ne discute jamais affaires en public.

— Tout à fait d'accord, approuva Ricker en pénétrant dans la bulle derrière Connors.

Il avait enfin ce qu'il désirait, depuis tant d'années. Connors allait le supplier. Connors allait tomber. Et s'il luttait trop, trop longtemps, le scalpel laser dissimulé dans la manche gauche de Ricker lacérerait ce beau visage.

— Quelle vue ! s'exclama-t-il, devant les danseuses qui virevoltaient sur la scène. Tu as toujours eu très bon goût en matière de femmes. C'est ta faiblesse…

— C'est vrai. Si je ne m'abuse, toi, tu préfères les malmener. Mon épouse est revenue de votre rencontre avec des bleus.

— Pas possible ! s'exclama Ricker, innocemment. Quelle maladresse de ma part ! Est-ce qu'elle sait que nous nous voyons ce soir, ou est-ce qu'elle te laisse agir à ta guise de temps en temps ?

La cigarette que Connors sortait de son paquet lui échappa et tomba sur la table lorsqu'il rencontra le regard méprisant de Ricker. Ce dernier ricana en le voyant se ressaisir. Puis, Connors se concentra sur la carte.

— Whisky, commanda-t-il en lançant un coup d'œil à Ricker.

— Moi aussi. En souvenir du bon vieux temps.

— Deux Jameson. Doubles, sans glace.

Connors prit tout son temps pour allumer sa cigarette.

— En ce qui concerne mon mariage, reprit-il, c'est chasse gardée.

Il marqua une pause, comme s'il avait du mal à contenir sa fureur.

— Tu as déjà tenté de t'approprier ma femme, et elle t'a envoyé promener.

— Elle a eu de la chance… Mais la chance finit par vous abandonner, répliqua Ricker en prenant le verre qui venait d'apparaître par le passe-plat.

Connors brandit le poing, fit mine de se raviser juste à temps, jeta un coup d'œil sur le gorille qui s'était rapproché, une main sous sa veste.

— Qu'est-ce que tu veux en échange de sa sécurité ?

— Ah ! déclara Ricker, satisfait. Voilà une question raisonnable. Mais pourquoi, d'après toi, y apporterais-je une réponse raisonnable ?

— Tu ne le regretteras pas, répondit Connors, très vite, trop vite.

Surexcité, Ricker se pencha en avant.

— Ça risque d'être compliqué. Vois-tu, je prends grand plaisir à malmener ton épouse.

— Écoute...

— Non, c'est toi qui vas m'écouter. Tu vas la fermer, comme tu aurais dû le faire il y a des années, et tu vas m'écouter. Compris ?

— Ce type a envie de mourir, ou quoi ?

Connors, qui entendait clairement la voix de Feeney, fut sensible à la véracité de cette observation. Il crispa les poings sous la table, expira.

— Oui, je comprends. Donne-moi tes conditions. Nous sommes des hommes d'affaires, après tout. Dis-moi ce que tu veux.

— S'il te plaît.

« Espèce de salaud ! » pensa Connors. Il s'éclaircit la gorge, but une gorgée d'alcool.

— S'il te plaît. Dis-moi ce que tu veux.

— J'aime mieux ça ! Il y a quelques années, tu as mis brutalement fin à notre association, et de telle façon que cela m'a coûté un million deux en espèces et en marchandise, le double en réputation et en bonne volonté. Donc, pour commencer, je veux dix millions de dollars .

— Et que me vaudront précisément ces dix millions de dollars ?

— Précisément, Connors ? La vie de ta femme. Vire ce montant sur le compte dont je te donnerai le numéro avant minuit, sans quoi...

— J'ai besoin d'un minimum de temps pour...

— Minuit. Sinon, je la fais éliminer.

— Éliminer un flic, surtout de son acabit, c'est risqué, même pour toi.

— À toi de voir. Pas d'argent, plus de femme.

Il laissa courir ses ongles sur le verre.

— Non négociable, conclut-il.

— Déjà, là, c'est suffisant pour le mettre derrière les barreaux, marmonna Eve.

— Ce n'est que le début, dit Feeney. Il s'échauffe.

— À mes yeux, elle vaut bien dix millions, mais... Il me semble qu'on pourrait affiner la transaction, ajouta

Connors. J'ai des fonds que je souhaiterais investir en douce.

— Tu en as assez de jouer les citoyens modèles ?

— En fait, oui.

Connors haussa les épaules et scruta les alentours, laissant traîner son regard un instant de trop sur l'une des danseuses.

Ricker était aux anges.

— J'envisage de voyager plus souvent. De me lancer dans de nouvelles aventures financières. J'ai envie de mettre un peu de piment dans mon existence.

— Et c'est à moi que tu t'adresses ? Tu oses me demander ça, comme si on était à égalité ? Tu rampe-ras avant que je te cède quoi que ce soit.

— Dans ce cas, cette conversation ne mènera nulle part.

Connors vida son verre d'un trait.

— Autrefois, tu avais plus de couilles. Regarde un peu ce que tu es devenu ! Elle t'a sucé le sang. Tu n'as plus rien dans les tripes. Tu as oublié ce que c'était que de donner des ordres qui bouleversent une vie. Qui entraînent la mort. Je pourrais te tuer d'un claquement de doigts… D'ailleurs, je le ferai peut-être… en souve-nir du bon vieux temps, railla-t-il.

Connors eut un mal fou à se retenir de lui casser la figure.

— Dans ce cas, tu n'auras pas tes dix millions de dol-lars, ni quoi que ce soit d'autre. Au fond, tu es en droit de m'en vouloir parce que je t'ai laissé tomber.

— Laissé tomber ? Laissé tomber ? hurla Ricker en tapant sur la table. Tu m'as trahi, oui ! Tu m'as volé ! Tu m'as renvoyé ma générosité au visage. J'aurais dû te descendre. Je le ferai peut-être.

— Je suis prêt à me racheter, Ricker. J'en ai la volonté. Je sais de quoi tu es capable. Je le respecte.

Pour plus d'effet, Connors commanda une seconde tournée d'une main tremblante.

— J'ai encore mes sources et mes ressources. Nous pouvons nous aider l'un l'autre. Mon lien avec le NYPSD vaut de l'or.

Ricker émit un petit rire. Son cœur battait si fort qu'il en avait mal à la poitrine. Il n'avait pas envie d'un deuxième whisky. Il avait envie de son cocktail rose préféré. Mais il voulait d'abord en terminer avec Connors.

— Je n'ai pas besoin de ton flic, espèce d'imbécile ! J'en ai toute une brigade dans la poche.

— Pas comme elle, insista Connors. Je souhaite qu'elle démissionne, mais en attendant, elle peut nous être utile. Surtout à toi.

— Tu parles... Il paraît que votre ménage bat de l'aile.

— On a des hauts et des bas, comme tout le monde. Ça passera. Les dix millions devraient permettre d'atténuer la pression. Et d'ici peu, je parviendrai à la convaincre de rendre son badge. J'y travaille.

— Pourquoi ? Tu dis toi-même que c'est pratique d'avoir des relations dans la police.

— C'est une épouse que je veux, pas un flic. Je tiens à ce que mon épouse soit à ma disposition, au lieu de courir nuit et jour après des criminels... Après tout, ça peut se comprendre, non ? Si j'ai envie d'un flic, je n'ai qu'à en acheter un. Je ne suis pas obligé de l'épouser.

Ricker se dit que tout se déroulait nettement mieux que prévu. Il allait repartir avec le fric de Connors, son humiliation et son engagement. Il conserverait le tout jusqu'au jour où il le tuerait.

— Je peux t'arranger ça.

— Quoi ?

— La démission de Dallas. Elle sera dehors dans moins d'un mois.

— En échange de quoi ?

— Cet établissement. Je veux le récupérer. Par ailleurs, j'attends une petite livraison. Le client que je visais n'est pas solvable. Accepte la marchandise pour, disons, dix autres millions, transfère le bail de ce club à l'une de mes filiales, et c'est d'accord.

— Quel genre de marchandise ?

— Des produits pharmaceutiques.

— Tu sais très bien que je n'ai pas de contacts en ce domaine.

— Ne me dis pas ce que tu as ou n'as pas ! glapit Ricker. Qui es-tu, pour refuser mes propositions ?

Il se pencha par-dessus la table, saisit Connors par le col.

— Je veux ce que je veux !

— Il s'énerve. Il faut qu'on intervienne.

Déjà, Dallas était sur ses pieds. Feeney la rappela.

— Non ! Attends encore un peu.

— Je ne peux pas rester ici sans bouger.

— Je ne refuse pas ta proposition, répondit nerveusement Connors. Je te dis simplement que je n'ai développé aucun réseau de distribution de substances illicites.

— C'est ton problème. *Ton problème !* Ou tu fais ce que je te dis de faire ou c'est fini. Point.

— Laisse-moi au moins y réfléchir ! Et mets tes hommes au repos. Je ne veux pas de grabuge ici.

— Très bien. Pas de grabuge.

« Il est furieux, se dit Connors. Fou de rage. Il perd les pédales. »

— Vingt millions, c'est une sacrée somme. Mais je suis prêt à te les donner et à rembourser ma... ma dette envers toi. Seulement, j'ai besoin de savoir comment tu comptes la faire virer du NYPSD sans que ça me retombe dessus.

À présent, Ricker respirait par saccades. D'une main tremblante, il souleva son verre. Enfin ! Enfin, son souhait le plus cher se réalisait.

— Je peux détruire sa carrière en moins d'une semaine. C'est très facile. Je n'ai qu'à tirer quelques ficelles. L'affaire sur laquelle elle travaille en ce moment, par exemple... ça m'agace. Elle m'a insulté. Elle s'est moquée de moi.

— Elle te présentera ses excuses. J'y veillerai personnellement.

— Oui, j'y tiens. Il faudra qu'elle me demande pardon. Je ne supporte pas qu'on se moque de moi. Surtout une femme.

Il ne restait plus qu'à le pousser un tout petit peu plus loin dans ses retranchements, songea Connors.

— Elle le fera. Tu as le contrôle. Le pouvoir.

— Exactement. C'est vrai. J'ai le pouvoir. Si je la laisse vivre, pour toi, je prendrai une commission pour la faire virer du département. Désinformation, données truquées... il suffit d'envoyer ça sur le bon ordinateur. Ça marche.

Connors se frotta la bouche du revers de la main.

— Les flics qui sont tombés… Pour l'amour du ciel, Ricker, c'est toi qui es derrière tout ça ?

— Et ce n'est pas fini ! Ça m'amuse.

— Il n'est pas question pour moi d'être mêlé à ce genre de truc. Ils vont t'enterrer.

— Tu parles ! Ils ne m'approcheront même pas. Je n'ai tué personne. J'ai simplement semé l'idée dans la bonne tête, et mis l'arme dans la main la plus vulnérable. C'est un jeu. Tu sais combien j'aime les jeux. Et surtout combien j'aime gagner.

— Oui, je m'en souviens. Tu as toujours été champion en la matière. Comment y es-tu parvenu ?

— C'est une question d'imagination, Connors.

— Vraiment, je t'admire. Je t'avais sous-estimé. Tu as dû mettre des années à mettre ça sur pied.

— Des mois. Quelques mois seulement. Il suffisait de sélectionner la cible adéquate. Un jeune officier, trop coincé pour jouer le jeu. Se débarrasser de lui, c'est facile. Le clou du spectacle, c'est la façon dont ça prend de l'ampleur, une fois qu'on a semé le doute dans l'esprit du père terrassé par le chagrin. Et moi, je n'ai plus qu'à regarder un policier autrefois dévoué descendre un collègue après l'autre. Tout ça, sans débourser un sou !

— C'est brillant, murmura Connors.

— Oui, et très gratifiant. Le mieux, c'est que je peux recommencer quand je veux. Le meurtre par procuration. Personne n'est à l'abri, surtout pas toi. Transfère l'argent, et jusqu'à nouvel ordre, je te protégerai. Ainsi que ta femme.

— Vingt millions, c'est bien ça ?

— Pour le moment.

— Une affaire ! dit Connors en laissant reparaître la main qu'il venait de glisser sous la table… et le pistolet… Cependant, l'idée de traiter avec toi me donne la nausée. Ah ! Ordonne à ton gorille de rester tranquille, sans quoi, je me servirai de ceci. Tu le reconnais, Ricker ? C'est une des armes interdites que tu trafiquais, il y a des années. J'en ai toute une collection – ainsi qu'une licence de collectionneur. Ces revolvers du XXe siècle vous laissent un vilain trou dans le corps. Celui-ci est un Glock 9 mm, capable de t'exploser la cervelle.

Sous le choc, Ricker resta à court de mots. Jamais personne n'avait osé le défier de cette façon.

— Tu es fou ?

— Non, non. Je suis parfaitement lucide, au contraire, assura Connors en plaquant la main sur le poignet de Ricker, pour récupérer le scalpel caché dans sa manche. Tu as toujours eu un faible pour les objets tranchants.

— Tu ne vas pas t'en sortir comme ça… Tu ne repartiras pas d'ici vivant…

— Mais si, mais si ! Tiens, voilà justement ma charmante épouse. Ravissante, n'est-ce pas ? Et si je me fie au scanner que tes hommes et toi avez été incapables de repérer, ton équipe de marionnettes vient d'être arrêtée.

Il laissa Ricker scruter la salle.

— L'un de nous deux n'est plus dans le coup, Ricker, et d'après moi, c'est toi. Je t'ai tendu un piège, et tu es tombé en plein dedans.

Blême, Ricker se leva d'un bond.

— Pour un flic ! Tu m'as doublé pour un flic !

— Et avec un immense plaisir, en plus.

— Assez ! Connors, recule !

Eve entra, pointa son arme sur les côtes de Ricker.

— Vous êtes morts ! Tous les deux ! glapit-il.

Pivotant sur lui-même, il leva la main et gifla Eve, qui tira sur lui. Il s'écroula.

— Il est simplement neutralisé, annonça-t-elle en essuyant le filet de sang qui coulait le long de son menton.

Sur scène, les danseuses continuaient leur numéro, imperturbables. Connors tendit à Eve un mouchoir, puis s'accroupit. Il souleva la tête de Ricker.

— Ne…

— Laisse ! aboya-t-il tandis qu'Eve tentait de le retenir. Recule, je veux finir ce que j'ai commencé !

Il la défia du regard.

— Ne t'inquiète pas, je ne vais pas le tuer.

Pour le prouver, il lui tendit son Glock mais garda le scalpel. La pointe sur la gorge de Ricker, il imagina :

— Tu m'entends, n'est-ce pas, Ricker ? C'est moi qui t'ai descendu, et c'est à moi que tu penseras quand tu feras les cent pas dans ta cellule.

— … te tuer… bredouilla Ricker…

— Pour l'instant, c'est raté, mon vieux. Mais si ça t'amuse de tenter le coup de nouveau, à ta guise. Maintenant, écoute-moi attentivement. Si tu touches à ma femme, à quoi que ce soit qui m'appartienne, je te suivrai jusqu'en enfer et je t'écorcherai vif ! Je te ferai manger tes yeux. Je le jure. Souviens-toi de l'homme que j'étais, et tu sauras que j'en suis capable.

Il se redressa, le corps rigide.

— Sortez-moi ça d'ici. Je n'en veux pas chez moi.

23

Eve ne dormit pas longtemps, mais elle dormit d'un sommeil profond. Ricker était désormais derrière les barreaux. Une fois estompés les effets du tir paralysant, il avait exigé à grands cris la présence de son avocat.

Débarrassée de Ricker, elle s'était empressée de jeter Canarde en cage. L'avocat de Ricker allait être très occupé pendant un bon moment.

Elle avait fait deux copies de tous les disques de sécurité du *Purgatoire*, les avait mises sous scellés, et en avait conservé une chez elle.

Cette fois, personne ne pourrait endommager ou subtiliser les pièces à conviction.

Satisfaite de sa soirée, elle était littéralement tombée dans son lit. Elle se réveilla en sursaut un peu plus tard, quand Connors posa délicatement la main sur son épaule en chuchotant son prénom.

— Quoi ?

Instinctivement, elle chercha l'arme qu'elle aurait portée si elle n'avait été complètement nue.

— Tout doux, lieutenant ! Je ne suis pas armé. Toi non plus.

— J'étais… aïe !

Elle secoua la tête.

— … ailleurs, conclut-elle.

— Je l'ai remarqué. Désolé de t'avoir réveillée.

— Pourquoi es-tu levé ? Pourquoi es-tu habillé ? Quelle heure est-il ?

— Un peu plus de 7 heures. J'avais des coups de fil importants à passer. Et pendant que j'y étais, on a eu un appel. De l'hôpital.

— Webster, murmura-t-elle.

Elle n'avait pas pris de ses nouvelles, la veille, après la fin de l'opération. Et maintenant, pensa-t-elle, il est trop tard...

— Il s'est réveillé, enchaîna Connors. Apparemment, il aimerait te voir.

— Réveillé ? Il est vivant et réveillé ?

— Il semble que oui. Son état s'est amélioré cette nuit. Les médecins restent prudents, mais ils ont bon espoir. Je t'y emmène.

— Ce n'est pas la peine.

— Ça me ferait plaisir. D'ailleurs, s'il a l'impression que je veille sur mon bien, ça lui remontera le moral.

— Ton bien, tu parles !

Elle repoussa la couette et lui offrit, l'espace d'un éclair, le joli spectacle de son corps dénudé avant de courir sous la douche.

— Je serai prête dans dix minutes.

— Prends ton temps. Je ne pense pas qu'il ait de rendez-vous ce matin.

Elle en mit vingt, parce qu'il réussit à la convaincre de boire un café.

— Tu crois qu'on doit lui porter des fleurs ?

— Je ne pense pas que ce soit une bonne idée. Sous le choc, il risquerait de retomber dans le coma.

— Ce que tu es rigolo, et de bon matin, en plus ! Ce... euh... ta phrase, là... je t'arracherai les yeux et je te les ferai manger... c'est une malédiction irlandaise ?

— Pas que je sache.

— Alors tu l'as inventée, comme ça, d'un seul coup, hier soir ? Je te l'ai déjà dit, mais je te le répète : parfois, tu me fais peur.

— Si tu ne t'étais pas mise en travers, je l'aurais tué pour avoir tenté de te frapper.

— Je sais.

C'était bien pour ça qu'elle s'était mise en travers.

— Tu étais dans ton tort. Port d'une arme illégale dans un lieu public. Tu sais à quoi je vais devoir m'abaisser pour te sortir de là ?

— Qui te dit qu'elle était chargée ?

— Elle l'était ?

— Évidemment, mais qui peut l'affirmer ? Décontracte-toi, lieutenant. Tu l'as eu.

— Non. C'est toi.

— Optons pour un compromis, proposa-t-il. Ce qui ne nous arrive plus très souvent, ces temps derniers. *Nous* l'avons eu.

— D'accord. Une dernière chose. Toutes ces histoires sur les droits de l'homme sur la femme et blablabla… C'était pour la frime, n'est-ce pas ?

Il ne répondit pas.

— C'était pour la frime, oui ou non ?

— Voyons, que j'y réfléchisse. Ce n'est pas désagréable d'avoir sa petite femme à la maison qui vous attend le soir après une dure journée de labeur, et qui vous tend un verre en vous souriant.

Il se tourna vers elle et s'esclaffa.

— D'après moi, on ne tiendrait pas le coup longtemps, tous les deux. On s'ennuierait à mourir !

— Heureusement que tu as dit ça avant que je m'énerve.

Comme ils s'engageaient dans le parking de l'hôpital, elle se tourna vers lui.

— Il va me falloir plusieurs jours pour boucler le dossier Ricker et le remettre entre les mains des autorités compétentes. Le rapport médical va faire du bruit : il est complètement cinglé.

— Il va finir dans un centre de détention psychiatrique.

— Oh oui ! et crois-moi, ce n'est pas une partie de plaisir. Bref, nous avons une foule de personnes à interroger. Quant aux recherches sur ses entreprises et propriétés diverses, je n'ai aucune idée du temps que ça prendra. Martinez se chargera d'une grande partie, mais ça va m'occuper encore un moment. Si tu peux repousser ton voyage à Olympus, j'aimerais t'accompagner.

Il se gara, arrêta le moteur.

— Quoi ? Tu prendrais quelques jours de congé, de ton plein gré ? Et en plus, tu accepterais de faire un voyage interplanétaire sans que je sois obligé de te droguer ?

— J'ai dit que je souhaiterais y aller avec toi. Si ça présente un problème, on peut...

— Chut ! l'interrompit-il d'un baiser. Je retarde le départ jusqu'à ce que tu sois libre.

— Très bien. Tant mieux.

Elle descendit de la voiture, s'étira.

— Oh ! regarde ! Des je-ne-sais-plus-comment !

— Des jonquilles, ma chérie. Des jonquilles. Eve, nous sommes au printemps.

— Oui, l'air s'est considérablement radouci.

Main dans la main, ils se rendirent dans la chambre de Webster.

Son visage était moins cadavérique que lors de sa dernière visite. Il était blanc, comme les pansements qui s'étiraient de part et d'autre de sa poitrine.

Eve eut un sursaut de frayeur en le voyant si silencieux, si immobile.

— Tu m'as dit qu'il était réveillé !

Au même instant, les paupières de Webster clignèrent. Pendant quelques secondes, il eut ce regard vide, vulnérable des grands malades. Puis une lueur d'humour dansa dans ses prunelles.

— Salut !

Elle dut s'approcher pour l'entendre.

— Ce n'était pas la peine de venir avec ton chien de garde. Je suis trop faible pour te faire des avances.

— Sur ce plan-là, je ne me suis jamais inquiétée pour toi, Webster.

— Je sais, nom de nom. Merci d'être là.

— C'est normal.

Il émit une sorte de rire, perdit son souffle, dut se concentrer pour se reprendre.

— Espèce d'idiot ! ronchonna-t-elle avec assez de véhémence pour qu'il prenne un air surpris.

— Hein ?

— Tu crois que je suis incapable de me défendre toute seule ? Que j'ai besoin qu'un crétin du BAI me renverse et bombe le torse pour y recevoir un coup de couteau ?

— Je ne sais pas ce qui m'a pris.

— Si tu étais resté sur le terrain, au lieu d'engraisser derrière un bureau pendant toutes ces années, tu ne serais pas là aujourd'hui. Et quand tu seras guéri, je me chargerai personnellement de te renvoyer aussitôt à l'hôpital.

— Youpi ! Je trépigne d'impatience. Alors ? Tu l'as eu ? Ils refusent de me dire quoi que ce soit.

— Non. Non, je ne l'ai pas eu.

— Merde !

Il ferma les yeux.

— C'est à cause de moi.

— Oh ! ferme-la !

Elle alla se planter devant la minuscule fenêtre, et, les poings sur les hanches, s'efforça de rester calme.

Connors prit sa place près du lit.

— Merci.

— De rien.

C'était tout ce que les deux hommes avaient à se dire à ce sujet.

— Nous avons arrêté Ricker, annonça-t-elle enfin. Hier soir.

— Quoi ? Comment ?

Webster essaya de se redresser mais put à peine lever la tête. Il poussa un juron.

— C'est une longue histoire. Je te la raconterai en long et en large une autre fois. Mais on l'a, ainsi que son avocat et une douzaine de ses hommes.

Elle revint vers le lit.

— J'ai l'impression qu'il sera expédié en centre de soins spécialisés. Nous allons démanteler son organisation pièce par pièce.

— Je peux vous aider. Effectuer des recherches, des vérifications d'archives. Laisse-moi t'assister. Je vais devenir chèvre, ici, sans rien à faire.

— Mon pauvre, tu me brises le cœur ! railla-t-elle.

Puis elle haussa les épaules.

— J'y penserai.

— Allons, Dallas, tu sais très bien que tu accepteras. Tu es rongée de remords. Mais il faut que je te dise, que je vous dise, que je suis en bonne voie de t'oublier.

— Ça me rassure, Webster.

— Pas tant que moi. Il a suffi que je frôle la mort, ni plus ni moins. Rien de tel qu'un bon coma pour prendre du recul.

Il parut sur le point de s'assoupir, lutta contre la fatigue.

— Ces médicaments m'assomment complètement.

— Dors. Dès que tu iras mieux, les visiteurs vont affluer. Profites-en pour te reposer d'ici là.

— Oui, mais… attends… j'ai une question à te poser. Tu es venue, avant ?

— Avant quoi ?

— Avant aujourd'hui, Dallas. Tu es venue me parler ?

— Oh ! je suis peut-être passée voir ta tête d'imbécile ! Pourquoi ?

— Parce que j'ai fait un rêve bizarre. Enfin, c'était peut-être un rêve. Tu étais penchée sur moi. Je flottais, et tu étais là, à me sermonner. Tu sais que tu es vraiment sexy, quand tu me sermonnes ?

— Webster !

— Désolé… Tu as bien dit que tu ne viendrais pas déposer de fleurs sur ma tombe, c'est ça ?

— C'est ça, oui, si tu me refais un coup pareil.

Il laissa échapper un petit rire.

— Je me demande qui est le plus idiot de nous deux ! Je n'aurai jamais de tombe. De nos jours, il faut être riche ou croire en Dieu pour ça. La mode est au recyclage et à la crémation. Retour à l'état de cendres. Mais c'était drôlement sympa d'entendre ta voix. Ça m'a fait penser que j'en aurais sans doute vite assez de passer mon temps à flotter. Faut que je vous laisse. Fatigué.

— Oui, à bientôt.

Et comme il dormait déjà, et que Connors comprendrait, elle le gratifia d'une tape affectueuse sur le bras.

— Ça va aller, dit-elle.

— Je n'en doute pas.

— Je crois que ça lui a fait plaisir que tu viennes aussi.

Elle se recoiffa machinalement.

— Retour à l'état de cendres… N'importe quoi ! Mais il n'a probablement pas tort ; les tombes, c'est pour les riches ou les croyants. Sauf que… Oh non ! Quelle gourde je suis ! Les riches ou les croyants. Je sais où il finira par aller. Vite ! Tu conduis.

Déjà, elle se précipitait dans le couloir.

— La tombe de son fils, devina Connors.

— Oui, oui ! s'écria-t-elle en sortant son mini-ordinateur personnel. Où peut-elle être ? Des gens qui ont une madone dans leur salon enterrent forcément leurs proches dans un cimetière.

— Laisse, je vais chercher, dit Connors en s'emparant de son propre appareil. Toi, appelle du renfort.

— Non, pas de renfort. Pas encore. Il faut d'abord que je le trouve, que je sois sûre. Son fils s'appelait Thad. Thadeus Clooney.

— Je l'ai. Trois concessions, au Sunlight Memorial. New Rochelle.

— Près de leur maison. C'est logique.

En traversant le hall, elle contacta Peabody.

— Lieutenant ?

— Debout là-dedans ! Habillez-vous en vitesse. Vous êtes de service.

Elle monta dans le véhicule.

— Appelez une patrouille. Je suis sur la piste de Clooney. Si ça marche, je vous joins. Il faudra intervenir très vite.

— Où ça ? Où allez-vous ?

— J'ai rendez-vous avec les morts, répondit Eve. Plus vite que ça, Connors ! Il a peut-être déjà entendu la nouvelle, au sujet de Ricker.

— Attache ta ceinture.

Les morts reposaient à l'ombre des arbres, dans les collines verdoyantes. Comment les vivants pouvaient-ils trouver du réconfort dans ces lieux, se demanda Eve, face à une telle preuve de leur propre mortalité ?

Certains y venaient, pourtant, car nombre de tombes étaient recouvertes de fleurs. Ce symbole de la vie que l'on offre aux défunts.

— De quel côté ?

Le minuscule écran de Connors afficha un plan du cimetière.

— À gauche, de l'autre côté de ce monticule.

Ils s'avancèrent dans cette direction.

— Tiens… Il est là. Ton instinct ne t'a pas trompée.

Elle marqua une pause pour contempler l'homme assis sur la pelouse, devant une croix blanche et un bouquet coloré.

— Reste à l'écart.

— Non.

Sans un mot, elle s'accroupit, s'empara de son pistolet de rechange.

— Je te fais confiance : tu ne t'en sers que si tu n'as vraiment pas le choix. De ton côté, fais-moi confiance. Je vais d'abord essayer de lui parler. Laissons-lui au moins une chance. D'accord ?

— D'accord.

— Merci. Appelle Peabody. Donne-lui toutes les indications. Je vais avoir besoin d'elle.

Seule, Eve remonta la pente douce, entre les tombes. Il savait qu'elle venait. Il était assez professionnel pour patienter mine de rien, mais elle vit, d'après son tressaillement, qu'il l'avait repérée.

C'était aussi bien comme ça. Elle ne tenait pas à le prendre par surprise.

— Sergent.

— Lieutenant.

Il ne leva pas les yeux vers elle. Toute son attention était focalisée sur le nom gravé dans la pierre.

— Sachez que je suis armé. Je ne tiens pas à vous blesser.

— Je vous remercie de m'avertir. De mon côté, je suis armée aussi, et je ne tiens pas à vous blesser. J'aimerais discuter avec vous, sergent. Est-ce que je peux m'asseoir ?

Il la dévisagea. Ses yeux étaient secs, mais il avait pleuré. Il avait encore des traces de larmes sur les joues. Son pistolet reposait à plat sur ses genoux.

— Vous êtes venue me chercher, mais je n'ai pas l'intention de vous suivre.

— Est-ce que je peux m'asseoir ?

— Bien sûr. Je vous en prie. C'est un bel endroit. C'est pourquoi nous l'avons choisi. Mais j'ai toujours pensé que ce serait Thad qui viendrait nous parler, à sa mère et à moi. Pas le contraire. Il était le soleil de ma vie.

— J'ai lu ses fichiers. C'était un bon policier.

— Oui. J'étais très fier de lui. Il était né pour ce métier. Remarquez, dès qu'on me l'a mis entre les bras, à sa naissance, j'ai été fier de lui... Vous n'avez pas encore d'enfants, lieutenant ?

— Non.

— Vous verrez, l'amour qu'on porte à ses petits ne ressemble à rien d'autre. On ne peut pas le comprendre tant qu'on n'a pas eu cette expérience. Et ça ne change pas, au contraire, ça grandit en même temps qu'eux. C'est moi qui devrais être là-dessous, pas mon fils, pas mon Thad.

— Nous avons arrêté Ricker.

Elle le dit très vite, en voyant sa main se resserrer sur son arme.

— Je sais. Je l'ai entendu à la télévision, dans la petite chambre du motel où je suis descendu. Ma cachette. On a tous besoin d'une cachette, n'est-ce pas ?

— Il va payer pour votre fils, sergent. Conspiration d'homicides, meurtre d'un officier de police. Il finira ses jours en prison.

— Ça me console un peu. Je n'ai jamais pensé que vous étiez dans le coup. Pas réellement. C'est vrai que, ces derniers temps, j'ai un peu perdu les pédales. Après Taj...

— Sergent...

— Je l'ai tué. Un innocent, comme mon fils. À cause de moi, sa femme est veuve, ses enfants n'ont plus de papa. J'emporterai ce regret, cette honte, cette horreur dans ma propre tombe.

— Non, murmura-t-elle tandis qu'il pointait le canon de son revolver sur sa gorge. Attendez... Est-ce ainsi que vous voulez honorer votre fils, en vous supprimant sur sa tombe ? Qu'en penserait-il ?

Clooney était las. Ça se voyait sur son visage, ça s'entendait dans sa voix.

— Je n'ai pas d'autre solution.

— Je vous supplie de m'écouter ! Si vous êtes absolument décidé, je ne peux pas vous en empêcher. Mais vous me devez au moins quelques minutes.

— Peut-être. Le type qui était avec vous quand vous êtes venue à ma porte. C'est là que j'ai compris que vous aviez compris. J'ai paniqué. Je ne sais même pas qui c'était.

— Il s'appelle Webster. Lieutenant Don Webster. Il est vivant, sergent. Il va s'en sortir.

— J'en suis heureux. Ça me fait un poids en moins.

— Sergent... avez-vous déjà travaillé à la brigade Homicides ?

Elle savait très bien que non.

— Non. Mais quand on est flic, on sait ce que c'est.

— Moi, je travaille pour les morts. Je ne sais plus combien j'en ai vu. Je n'oserais pas les compter. Mais ils peuplent mes cauchemars, tous ces disparus. C'est dur.

Elle était étonnée de pouvoir en parler.

— Parfois, c'est si pénible que j'ai mal quand je me réveille. Mais je n'y peux rien. J'ai toujours rêvé d'être dans la police. Je ne sais rien faire d'autre.

— Êtes-vous un bon flic ? demanda-t-il, les larmes jaillissant de nouveau. Eve. C'est votre prénom, n'est-ce pas ? Êtes-vous un bon flic, Eve ?

— Oui. Excellent, même.

Il se mit à sangloter, et elle eut du mal à ne pas pleurer avec lui.

— Thad... il voulait ce que vous vouliez. Ils l'ont laissé mourir. Et pourquoi ? De l'argent ! Ça me déchire le cœur.

— Ils ont payé, sergent. Je ne peux pas vous dire que vous avez eu raison d'agir ainsi. Je ne sais pas non plus comment vous serez jugé. Mais ils ont payé pour leurs fautes. Ricker va devoir payer aussi. Il s'est servi de vous, parmi beaucoup d'autres. Il a joué de votre amour pour votre fils. Votre chagrin. Votre fierté. Allez-vous le laisser continuer de tirer toutes les ficelles ? Allez-vous déshonorer votre badge et celui de votre fils en le laissant gagner ?

— Qu'est-ce que je peux faire ? Je suis perdu ! Perdu !

— Vous pouvez faire ce que Thad aurait attendu de vous. Faire face.

— J'ai honte, chuchota-t-il. Je croyais que quand tout serait fini, je me sentirais mieux. Que je me sentirais libre. Mais j'ai honte.

— Vous pouvez vous rattraper, effacer la honte. Il suffit de venir avec moi, sergent.

— La prison ou la mort… Difficile de choisir.

— Très difficile, en effet. Laissez au système le soin de vous juger. C'est ce pourquoi nous nous battons. Je vous demande cela, sergent. Je ne veux pas que vous soyez l'un de ces visages qui hantent mes cauchemars.

Il inclina la tête, se balança d'avant en arrière, tendit la main, s'accrocha à celle d'Eve. Enfin, il se pencha en avant pour embrasser la tombe.

— Il me manque tellement ! Tenez… ajouta-t-il en remettant son arme à la jeune femme.

— Merci.

Elle se leva, attendit qu'il soit debout. Il essuya son visage du revers de sa manche, reprit son souffle.

— J'aimerais prévenir mon épouse.

— Elle sera heureuse d'avoir de vos nouvelles. Je ne veux pas vous menotter, sergent Clooney. Donnez-moi votre parole que vous nous accompagnerez, mon assistante et moi, jusqu'au Central, de votre plein gré.

— Vous avez ma parole, Eve. Joli prénom. Je suis content que ce soit vous qui m'arrêtiez. Je ne l'oublierai pas. C'est le printemps… J'espère que vous aurez le temps d'en profiter. L'hiver revient toujours trop vite, et dure toujours trop longtemps.

Il s'arrêta en voyant Peabody, aux côtés de Connors.

— Ces visages, dans vos cauchemars ? Et s'ils venaient vous dire merci ?

— Je n'y ai jamais pensé… L'officier Peabody va vous emmener à bord de la voiture de patrouille. Officier, le sergent Clooney se rend.

— Bien, lieutenant. Voulez-vous venir avec moi, sergent ?

Comme ils s'éloignaient, Eve glissa l'arme de Clooney dans sa poche.

— J'ai bien cru que j'allais le perdre.

— Non. Tu l'as convaincu dès l'instant où tu t'es assise.

— C'est possible. Franchement, c'est plus facile de les arrêter par la force. Il m'a bouleversée.

— Et réciproquement.

S'accroupissant, il souleva le bas du pantalon d'Eve et remit le pistolet de secours dans son étui, à sa cheville.

— C'est notre version personnelle de Cendrillon.

Eve ne put retenir un éclat de rire.

— Eh bien, mon prince charmant, je sais que je devrais te prier de m'emmener au bal, mais si tu te contentais de me déposer au bureau ?

— Avec plaisir.

AU NOM DU CRIME

Les squelettes saignent à l'approche du tueur.
Robert BURTON

Il y a parfois de l'honneur chez les voleurs.
Sir Walter SCOTT

Prologue

La mort allait frapper.

Dehors, quelque quarante-six étages plus bas, la vie – bruyante, éclatante, nerveuse – bouillonnait.

New York offrait son plus beau visage en ces soirées de mai. Les fleurs s'épanouissaient le long des avenues, débordaient des étals des marchands. Leur parfum réussissait presque à masquer la puanteur des gaz d'échappement des véhicules qui encombraient chaussées et voies de circulation aérienne.

Les piétons, selon leur état d'esprit, se hâtaient, déambulaient au pas de promenade, empruntaient les tapis roulants. La plupart étaient en manches de chemise ou en tee-shirts ornés des motifs lumineux qui étaient à la pointe de la mode en ce printemps 2059.

Les glissa-grils proposaient aux passants des boissons aux couleurs violentes, la vapeur des hot-dogs au soja s'élevait en panaches cocasses dans l'air embaumé.

Profitant du crépuscule, les jeunes dansaient et transpiraient à grosses gouttes sur les terrains de sport public. Dans les cabines vidéo de Times Square, le business était au point mort : les clients préféraient faire ça dans les rues. Les sex-shops et les lieux de drague, néanmoins, gardaient leurs habitués.

Au printemps, comme en toute saison, le porno se portait bien.

Les aérobus transportaient des hordes de passagers dans les centres commerciaux. Achetez, faites-vous plaisir ! Et demain ? Achetez encore.

Des couples dînaient à la terrasse des restaurants, buvaient un verre, parlaient de leurs projets, du temps magnifique, ou du train-train quotidien.

La vie palpitait, et une créature humaine allait en être arrachée.

Il ignorait son nom. Peu importait celui que sa mère lui avait donné lorsqu'elle était venue au monde, dans un cri. Il se fichait éperdument du nom qu'elle emporterait avec elle quand il la renverrait, hurlante, dans les limbes.

Elle était là, voilà tout ce qui comptait. Elle était là au bon endroit et au bon moment.

Elle était entrée dans la suite 4602 pour faire son inspection de chaque soir. Il avait attendu patiemment, heureusement pas trop longtemps.

Elle portait la tenue noire et le mignon petit tablier blanc qu'arboraient les femmes de chambre du Palace. Elle était bien coiffée, comme devaient l'être tous les employés du meilleur hôtel de la ville. Ses cheveux d'un brun luisant étaient retenus sur sa nuque par une simple barrette noire.

Elle était jeune, jolie, et il en fut satisfait. Même s'il se serait contenté d'une nonagénaire, d'une fée Carabosse. Mais celle-ci était plutôt attirante, avec ses yeux noirs et ses joues roses. Ça rendrait la tâche plus jouissive.

Elle avait d'abord sonné, bien sûr. Deux fois, avec une brève pause entre chaque coup de sonnette, selon la règle. Ce qui lui avait donné le temps de se faufiler dans la spacieuse penderie de la chambre.

En ouvrant la porte à l'aide de son passe, elle avait dit « Service de chambre ! » de cette voix chantante que prenaient invariablement ses collègues avant de pénétrer dans des pièces en général vides.

Elle se dirigea d'emblée vers la salle de bains, pour remplacer les serviettes de l'occupant des lieux – un certain James Priory.

Elle nettoya la baignoire en fredonnant un petit air entraînant. Sifflote, ma belle, pensa-t-il dans sa cachette. Il attendit qu'elle revienne. Elle laissa tomber les serviettes sur le sol. Il attendit qu'elle s'approche du lit et replie la courtepointe bleu roi.

346

Elle rabattit aussi le drap du côté gauche pour former un triangle. Elle était méticuleuse, elle aimait son travail.

Lui aussi.

Il fit très vite. Elle ne vit qu'une ombre, du coin de l'œil, avant qu'il se jette sur elle. Elle cria, un long cri strident, mais les chambres du Palace étaient insonorisées.

Il voulait qu'elle hurle. Ça l'aiderait pour la tâche qu'il avait à accomplir.

Elle se débattait, cherchait à saisir le bipeur dans la poche de son tablier. Il lui tordit cruellement l'avant-bras, jusqu'à ce que ses hurlements ne soient plus qu'un gémissement de douleur.

— Non, non... dit-il en saisissant le bipeur qu'il lança à travers la pièce. Tu ne vas pas aimer ça, mais moi si, et c'est l'essentiel.

Il lui passa un bras autour du cou, la souleva du sol – elle ne pesait pas plus de cinquante kilos. Il avait de quoi lui injecter un puissant sédatif, au besoin, mais avec une petite chose comme elle ce ne serait pas nécessaire.

Quand il la relâcha et qu'elle tomba à genoux, toute molle, il se frotta les mains avec un grand sourire.

— Musique, commanda-t-il, et l'aria de *Carmen* retentit, pareil à une vague déferlant dans la chambre.

Somptueux, songea-t-il, inspirant profondément pour mieux savourer l'instant, pour s'imprégner de chaque note.

— Et maintenant, au travail.

Il sifflotait en la rouant de coups. Il fredonnait quand il la viola.

Lorsqu'il l'eut étranglée, il chantait à pleine voix.

1

La mort comporte de nombreuses strates, surtout la mort violente. Passer cette horrible matière au crible, en comprendre le sens et les causes, puis faire triompher la justice : telle était sa mission.

Qu'un meurtre soit commis de sang-froid ou dans le feu de la passion, elle avait juré de le décortiquer jusqu'à ses racines. Et de défendre les victimes.

Mais ce soir, le lieutenant Eve Dallas de la police de New York n'arborait pas son badge. Il était, avec son arme de service et son communicateur, rangé dans une petite pochette en soie très élégante qu'elle jugeait affreusement frivole.

Elle n'avait plus rien d'un flic, dans le fourreau chatoyant, orange, qui moulait son corps élancé et s'agrémentait d'un décolleté vertigineux dans le dos. Une fine rivière de diamants ornait son cou. Des diamants étincelaient à ses oreilles que, dans un moment de faiblesse, récemment, elle s'était laissé convaincre de faire percer.

D'autres minuscules diamants, pareils à des gouttelettes d'eau, brillaient dans ses courts cheveux bruns. Bref, elle se sentait ridicule.

Malgré sa tenue de femme du monde, ses yeux restaient ceux d'un flic. Couleur d'ambre, perçants, ils scrutaient la magnifique salle de bal, les gens qui s'y pressaient… et le système de sécurité.

Les caméras encastrées dans les moulures du plafond ronronnaient. Les scanners repéreraient n'importe quel invité ou membre du personnel en possession d'objets illicites. Et parmi les serveurs zigzaguant dans la foule avec des plateaux chargés de verres, se trouvaient une demi-douzaine de vigiles aguerris.

On n'entrait ici qu'après avoir présenté son invitation, pourvue d'un sceau holographique qui était dûment numérisé.

Pourquoi toutes ces précautions ? Cinq cent soixante-dix-huit millions de dollars en joyaux, œuvres d'art et autres trésors étaient exposés précisément dans cette salle de bal. Chacune de ces merveilles était protégée par des capteurs qui enregistraient mouvements, pression, chaleur et lumière. Si quiconque avait la fâcheuse idée de déplacer ne fût-ce qu'une boucle d'oreille, toutes les issues seraient bloquées, les sirènes d'alarme se déclencheraient, et une équipe d'intervention – la crème de la police new-yorkaise – débarquerait illico.

Pour Eve, qui avait une propension au cynisme, tout ce tralala risquait d'inspirer à certains de regrettables tentations. C'était excessif. Mais il lui fallait reconnaître que l'organisation était parfaite.

— Alors, lieutenant ? demanda une voix masculine, douce et teintée d'un léger accent irlandais.

Elle tourna la tête vers Connors – et elle n'était pas la seule à le regarder. Son visage aurait pu être sculpté par des dieux particulièrement talentueux, ses yeux bleus auraient damné plus d'une sainte. Un sourire flottait sur sa bouche de poète, qu'elle eut envie de mordre, ses longs doigts serraient le bras nu de son épouse dans un geste possessif.

Ils étaient mariés depuis près d'un an, et l'intimité que traduisait ce geste-là avait encore le pouvoir de bouleverser Eve.

— Quel chichi ! marmonna-t-elle.

— Oui, n'est-ce pas ? répliqua-t-il, cette fois avec son sourire ravageur.

Ses cheveux noirs lui frôlaient les épaules, il avait l'air d'un guerrier irlandais, du moins tel qu'elle se l'imaginait. Ajoutez à ça un corps d'athlète, grand et musclé, d'une suprême élégance, et toutes les femmes de l'assistance en salivaient de convoitise. Heureusement qu'Eve n'était pas jalouse, sinon elle leur aurait flanqué une raclée.

— Le système de sécurité te satisfait ? interrogeat-il.

— Je persiste à penser qu'organiser une exposition dans un hôtel, même si l'hôtel t'appartient, c'est risqué. Ce bric-à-brac vaut des millions de dollars.

— Bric-à-brac... ce n'est pas tout à fait le terme adéquat pour la collection d'art et de joyaux de Magda Lane.

— Ouais, et la vente va lui rapporter une fortune.

— Je l'espère bien, dans la mesure où le groupe Connors Industries aura aussi une jolie part du gâteau. Le seul nom de Magda Lane suffira à faire grimper les enchères. Je pense pouvoir affirmer que l'ensemble partira pour le double de sa valeur réelle.

« Stupéfiant, se dit Eve. Absolument ahurissant. »

— Les gens claqueront un demi-milliard pour acheter ces machins ?

— C'est sentimental.

— Bonté divine ! grogna-t-elle en secouant la tête. Mais j'oublie que je parle au roi du sentimentalisme, dans ce domaine.

— Merci, ma chérie.

Il préféra ne pas mentionner qu'il avait des visées sur certains de ces *machins*, pour son épouse et pour lui.

Il fit signe à un serveur qui se précipita et leur offrit du champagne dans des flûtes en cristal. Connors en prit deux, et en tendit une à Eve.

— Maintenant, si tu as fini d'inspecter mon dispositif de sécurité, tu pourrais peut-être t'amuser un peu.

— Qui a dit que je ne m'amusais pas ?

Mais elle était là en tant qu'épouse de Connors, ce qui impliquait de se mêler aux invités et de papoter avec eux – la pire des tortures pour Eve. Comme il lisait en elle aussi aisément que dans ses propres pensées, il lui baisa la main.

— Tu es si gentille pour moi.

— Et tu as intérêt à ne pas l'oublier.

Elle but une gorgée afin de se donner du courage.

— Bon... À qui dois-je parler ?

— Je suggère de commencer par la reine de la soirée. Je vais te présenter Magda. Elle te plaira.

— Une actrice, marmonna-t-elle entre ses dents.

— C'est très vilain d'avoir des préjugés, rétorqua-t-il en l'entraînant à travers la salle. Magda Lane est infiniment plus qu'une actrice. Elle est une légende vivante. Cinquante ans de cinéma… Elle a survécu à toutes les modes, tous les styles, tous les bouleversements de l'industrie du film. Pour accomplir un pareil exploit, il faut plus que du talent. Il faut du courage et un sacré tempérament.

Ses yeux brillaient, et elle ne put s'empêcher de sourire.

— Tu es un vrai fan, n'est-ce pas ?

— Oui… Quand j'étais gosse à Dublin, un soir, j'ai eu besoin d'un refuge. J'avais sur moi quelques portefeuilles, de menus objets, et la police à mes trousses.

— Je vois…

— Bref, je me suis faufilé dans un cinéma. J'avais huit ans environ, je m'attendais à rester là et à regarder un film d'époque mortellement ennuyeux. Et puis, assis dans le noir, j'ai découvert pour la première fois Magda Lane.

Il désigna la vitrine où une droïde parée d'une extraordinaire robe de bal blanche virevoltait, s'inclinait dans de gracieuses révérences, tout en agitant un éventail scintillant.

— Comment diable arrivait-elle à bouger avec cette chose sur le dos ? s'étonna Eve. Ça doit peser une tonne.

Il éclata de rire. Eve et son sens pratique…

— Quinze kilos, je me suis renseigné, rectifia-t-il. Voilà le costume qu'elle portait le jour où j'ai posé les yeux sur elle pour la première fois. Pendant une heure, j'ai oublié où j'étais, qui j'étais. J'ai oublié que j'étais affamé et que j'allais recevoir une raclée quand je rentrerais à la maison, s'il n'y avait pas assez d'argent dans les portefeuilles. Grâce à elle, je me suis évadé. Cet été-là, j'ai revu ce film quatre fois, en payant ma place. Enfin… je l'ai payée une fois. Ensuite, dès que je ressentais le besoin d'échapper à ma vie, j'allais au cinéma.

Elle imaginait sans peine ce petit garçon transporté par les images qui défilaient sur un écran et lui permettaient de découvrir un monde où ne régnaient pas la misère et la violence qu'il subissait au quotidien. Pour sa part, à huit ans, Eve était trop meurtrie, brisée, pour se rappeler son passé. Elle n'en avait aucun souvenir.

Désormais, Connors n'allait plus au cinéma – il possédait des salles privées, des milliers de films. Eve en avait vu davantage en un an qu'en trente années d'existence. Aussi reconnut-elle immédiatement l'actrice.

Magda Lane était en rouge. Un vermillon éclatant qui modelait son corps voluptueux. À soixante-trois ans, elle entrait dans l'âge mûr et, d'après ce qu'Eve devinait, elle résistait. La vieillesse, ce n'était pas pour elle.

Ses cheveux avaient la couleur des blés et tombaient sur ses épaules dénudées en boucles serrées. Ses lèvres pulpeuses étaient du même rouge que sa robe. Sa peau laiteuse n'avait pas une ride, un grain de beauté était façonné à la pointe d'un sourcil parfaitement dessiné, d'un brun chaud qui formait un contraste saisissant avec le vert ardent de ses prunelles. Ses yeux se posèrent sur Eve, la jaugèrent, puis se fixèrent sur Connors et s'illuminèrent comme deux soleils.

Elle adressa un petit sourire indifférent aux admirateurs qui l'entouraient et s'approcha, les bras tendus.

— Mon Dieu, vous êtes superbe !

Connors lui baisa les deux mains.

— Je vous retourne le compliment. Vous êtes magnifique, Magda. Comme toujours.

— Oui, mais c'est mon job. Vous, vous êtes beau de naissance. Quel veinard et quelle injustice ! Votre femme, je présume ?

— Oui, je vous présente Eve.

— Le lieutenant Eve Dallas, dit Magda d'une voix un peu rauque, qui évoquait une brume peuplée de mystères. J'avais hâte de vous rencontrer. Je regrette tellement de n'avoir pu assister à votre mariage l'an dernier.

— Il a tenu le coup quand même.

Magda haussa les sourcils, une étincelle s'alluma dans son regard.

— Oui, effectivement. Laissez-nous, Connors. Je veux faire connaissance avec votre ravissante et fascinante épouse. Or vous m'empêchez de me concentrer.

Magda le chassa d'un geste de la main. Le diamant à son annulaire fulgura telle la queue d'une comète. Elle glissa doucement son bras sous celui d'Eve.

— Trouvons un endroit où l'on ne nous tombera pas dessus pour nous interrompre. Il n'y a rien de plus pénible que ces bavardages oiseux, n'est-ce pas ? Naturellement, vous devez penser que je vais vous infliger ça, moi aussi, mais je vous assure que je compte avoir avec vous une vraie conversation. D'abord, permettez-moi de vous confier ce qui me ronge : pourquoi votre si séduisant mari a-t-il l'âge d'être mon fils ?

Elles s'installèrent à une table dans un coin reculé de la salle.

— Ça n'aurait pas dû vous freiner, ni l'un ni l'autre, rétorqua Eve.

Magda éclata de rire, rafla deux flûtes de champagne sur le plateau d'un serveur qui passait.

— C'est ma faute. Je me suis donné pour principe de ne jamais prendre un amant qui ait vingt ans de plus ou de moins que moi.

Elle s'interrompit, scrutant le visage de son interlocutrice.

— Mais ce n'est pas de Connors que je veux vous parler. Vous êtes exactement la femme que j'imaginais pour lui, celle dont il s'éprendrait quand le moment viendrait.

— Vous êtes bien la première personne à dire ça, répliqua Eve.

Elle marqua une pause, s'efforçant de brider sa curiosité, mais ce fut plus fort qu'elle.

— D'ailleurs, pourquoi me le dites-vous ?

— Vous êtes très attirante, mais il ne se serait pas laissé aveugler par votre physique. Ça vous amuse ? Tant mieux. Avec les hommes, il faut avoir le sens de l'humour, surtout avec un personnage comme Connors.

Pourtant cette jeune femme était belle, songea Magda. Naturelle, saine, sensuelle. Et cette adorable fossette au menton…

Eve pencha la tête sur le côté.

— J'ai réussi l'examen ?

Magda rit de nouveau.

— Vous êtes intelligente, volontaire, bien droite dans vos bottes. Vous êtes une femme d'action et, quand vous observez une manifestation comme celle-ci, il y a dans vos yeux quelque chose qui dit : « Quelle bêtise ! Il n'y a donc rien de mieux à faire ? »

— Vous êtes psy ou actrice ?

— Les deux, sans doute. Je crois, poursuivit Magda, que sa fortune ne vous impressionne pas le moins du monde. Ce qui a dû beaucoup l'intriguer. Je ne vous imagine pas non plus en adoration devant lui. Dans ce cas, il n'aurait joué qu'un moment avec vous.

— Je ne suis pas un de ses fichus joujoux, effectivement.

— Effectivement, acquiesça Magda en levant son verre pour trinquer avec Eve. Il est follement amoureux de vous, et c'est un spectacle charmant. Maintenant, parlez-moi de votre métier de policier. Jamais je n'ai interprété ce genre de rôle. J'ai incarné des femmes qui transgressent la loi pour protéger des êtres chers, mais pas une qui défende la loi. Ça vous passionne ?

— C'est mon boulot. Il y a des hauts et des bas, comme dans toute profession.

— Je trouve la vôtre très particulière. Vous arrêtez des assassins. Pour nous, simples civils, un meurtre c'est… fascinant.

— Parce que vous n'êtes pas la victime.

Magda rejeta en arrière sa magnifique chevelure blonde et éclata d'un grand rire.

— Vous me plaisez décidément beaucoup ! Vous ne souhaitez pas parler de votre travail, je vous comprends. Les non-initiés jugent le mien extraordinaire, captivant. Alors que c'est… un boulot, avec des aléas.

— J'ai vu beaucoup de vos films. Connors les a tous. J'aime bien celui où vous êtes une intrigante qui tombe amoureuse de celui qu'elle cherche à capturer dans ses filets.

— *Retour de flamme*… Chase Conner était la vedette masculine et, comme l'héroïne de l'histoire, j'en suis tombée amoureuse. Ça m'a amusée, le temps que ça a tenu. Le costume que je portais dans la scène du cocktail sera mis aux enchères.

Magda balaya du regard la salle où étaient exposées des splendeurs qui lui avaient appartenu, qui avaient naguère eu pour elle une importance capitale. Elle esquissa un sourire.

— Ça devrait rapporter pas mal d'argent et aider la Fondation Magda Lane. Il y a là presque toute ma carrière et ma vie.

Elle désigna un espace aménagé en boudoir, avec une chemise de nuit moirée et, sur une coiffeuse, un coffret à bijoux ouvert où scintillaient des colliers et des pierres précieuses.

— Les armes de la féminité, n'est-ce pas ?

— Ouais… pour qui utilise ces trucs-là.

— À une époque, rétorqua Magda en souriant, je m'y cramponnais désespérément. Mais, pour durer, une actrice intelligente doit se réinventer en permanence.

— Et maintenant, qui êtes-vous ?

— Oui, décidément, vous me plaisez, murmura Magda. Les gens me demandent pourquoi je renonce à tout ça. Savez-vous ce que je réponds ? Que j'ai l'intention de continuer à travailler et que j'aurai tout le temps d'amasser d'autres trésors.

Elle regarda Eve droit dans les yeux.

— C'est vrai, mais ce n'est pas la seule raison. La Fondation est pour moi un rêve auquel je tiens par-dessus tout. Je veux transmettre mon art, le bonheur que m'a apporté mon métier, pendant que je suis encore de ce monde et assez jeune pour en profiter pleinement. Les subventions, les bourses aideront la nouvelle génération. La perspective de donner un coup de pouce à un jeune acteur ou réalisateur m'emplit de joie. J'agis par pure vanité.

— Je ne suis pas de cet avis. Pour moi, c'est de la sagesse.

— Alors là, vous me plaisez encore plus. Ah ! j'aperçois Vince qui me fusille des yeux ! C'est mon fils, précisa-t-elle. Il s'occupe des médias et collabore avec l'équipe de sécurité. Un garçon terriblement exigeant, ajouta Magda en agitant la main. Dieu sait d'où lui vient ce trait de caractère. Eh bien, je n'ai plus qu'à m'exécuter !

Magda se leva.

— Je serai à New York durant plusieurs semaines. J'espère que nous nous reverrons.

— J'en serais ravie.

À cet instant, Connors les rejoignit. Magda lui adressa un sourire éblouissant.

— Vous arrivez au bon moment, mon cher. Le devoir m'appelle, il me faut abandonner votre délicieuse épouse. J'attends que vous m'invitiez à dîner, très vite, pour me régaler de votre compagnie et des plats inouïs que mitonne votre majordome. Quel est son nom, déjà ?

— Summerset, répondit Eve en grimaçant.

— Oui, bien sûr, Summerset. À bientôt, conclut Magda qui embrassa Connors sur les deux joues et s'éloigna, tel un cygne flamboyant.

— Tu avais raison, dit Eve. Je l'aime bien.

— J'en étais certain, rétorqua-t-il en l'entraînant vers la sortie. Je suis navré d'interrompre ta soirée, mais nous avons un problème.

— Avec la sécurité ? Quelqu'un a tenté de s'enfuir avec une brassée de fanfreluches ?

— Non, il ne s'agit pas d'un vol mais d'un meurtre.

Dans les yeux d'Eve, il vit aussitôt reparaître le flic.

— Qui est la victime ?

— Une femme de chambre, je crois.

Sans lui lâcher le bras, il la conduisit vers les ascenseurs.

— Elle est dans la tour sud, quarante-sixième étage. Je ne connais pas les détails. Le responsable de la sécurité vient juste de m'avertir.

— Ils ont alerté la police ?

— Je t'ai alertée, n'est-ce pas ?

Ils entrèrent dans une cabine.

— Ceux de la sécurité savaient que j'étais là et que tu étais avec moi. Ils ont décidé de nous informer – toi et moi – avant toute chose.

— D'accord, ne sois pas désagréable. On ne sait même pas si c'est bien un homicide. Dès que quelqu'un décède brutalement, on crie à l'assassinat. La plupart du temps, il s'agit d'une mort naturelle ou d'un accident.

En sortant de l'ascenseur, Eve fronça les sourcils. Il y avait trop de monde dans le couloir, notamment une hystérique en uniforme, des hommes en costume et des clients de l'établissement réveillés par tout ce raffut.

Elle saisit son badge dans sa ridicule pochette en soie, le brandit pour fendre la cohue.

— Police, écartez-vous. Les membres du personnel restent là, les autres retournent dans leurs chambres. Que quelqu'un calme cette femme. Qui est le responsable de la sécurité ?

— C'est moi, répondit un homme grand et mince, au teint café au lait, dont le crâne rasé brillait comme un miroir. John Brigham.

— Suivez-moi, Brigham.

N'ayant pas de passe, elle montra la porte qu'il ouvrit. Elle franchit le seuil, se campa dans le salon, somptueusement meublé, équipé d'un bar. Les lumières étaient allumées, les larges fenêtres masquées par des écrans.

— Où est-elle ? demanda Eve à Brigham.

— Dans la chambre, à gauche.

— Quand vous êtes arrivé sur les lieux, la porte était-elle ouverte ?

— Fermée. Mais je ne peux pas affirmer qu'elle l'était avant. C'est Mme Hilo qui l'a trouvée.

— La femme dans le couloir ?

— Oui.

— Bon, allons-y.

Elle se dirigea vers la chambre, poussa le battant. Un flot de musique l'assaillit. La lumière éclairait crûment le corps étendu sur le lit, pareil à celui d'une poupée jetée là par un enfant trop gâté.

Un bras était cassé, le visage tuméfié par les coups, la jupe de l'uniforme retroussée jusqu'à la taille. Le mince fil d'argent, le fin et atroce collier qui l'avait étranglée, entaillait sa gorge.

— Je crois qu'on peut exclure la mort naturelle, murmura Connors.

— Oui… Brigham, qui a mis les pieds dans cette suite, à part vous et la femme de chambre, depuis qu'on a découvert le corps ?

— Personne.

— Avez-vous touché la victime ou quoi que ce soit, hormis les portes ?

— Je connais la chanson, lieutenant. J'ai fait partie de la police de Chicago pendant douze ans. Mme Hilo m'a prévenu, elle hurlait dans le communicateur. Deux minutes après, j'étais sur les lieux. Mme Hilo avait réintégré les quartiers du personnel, au quarantième étage. Je suis entré dans la suite, je me suis arrêté sur le seuil de la chambre pour constater *de visu* que la victime était bien décédée. Sachant que Connors était dans l'hôtel avec vous, je l'ai contacté immédiatement, ensuite j'ai sécurisé les lieux, j'ai demandé à Mme Hilo de remonter et je vous ai attendue.

— J'apprécie votre efficacité, Brigham. Vous connaissiez la victime ?

— Non. Mme Hilo l'appelle Darlene. La petite Darlene. C'est tout ce que j'ai pu tirer d'elle.

Eve étudiait la scène du crime.

— Rendez-moi service, emmenez Mme Hilo dans un endroit tranquille où elle ne pourra parler qu'à vous, avant que je l'interroge.

Brigham extirpa de sa poche un mini-aérosol de Seal-It.

— J'ai ordonné à un de mes hommes de vous apporter ça. Et un enregistreur, ajouta-t-il en lui tendant l'appareil. Je me doutais que vous n'auriez pas un kit de terrain sur vous.

— Excellente déduction. Ça ne vous ennuie pas de rester avec Mme Hilo un moment ?

— Je me charge d'elle. Lorsque vous souhaiterez me parler, je serai à votre disposition. Je vous laisse deux hommes en faction en attendant l'arrivée de votre équipe.

— Merci… Pourquoi avez-vous quitté la police ?

Pour la première fois, Brigham sourit.

— Mon employeur actuel m'a fait une proposition qui ne se refuse pas.

— Ça ne m'étonne pas de toi, dit Eve à Connors, lorsque Brigham se fut éloigné. Il a la tête froide, il est perspicace.

Elle commença à vaporiser du Seal-It sur ses escarpins, puis décida qu'elle serait bien plus à l'aise sans ces maudites chaussures. Elle les ôta et aspergea ses pieds, ses mains. Après quoi elle tendit l'aérosol et l'enregistreur à Connors.

— J'ai besoin de toi.

— Elle s'appelait Darlene French, déclara Connors, déchiffrant les données qui s'inscrivaient sur l'écran de son ordinateur de poche. Elle travaillait ici depuis un peu plus d'un an. Elle avait vingt-deux ans.

— Je vais m'occuper d'elle. Enregistre, tu veux ?

— D'accord, murmura-t-il.

— Identité de la victime : Darlene French, sexe féminin, vingt-deux ans, employée comme femme de chambre au Connors Palace. Assassinée dans la suite 4602 de l'établissement. Enquête menée par le lieutenant Eve Dallas assistée provisoirement par Connors.

Elle s'approcha du corps.

— Peu de traces de lutte, mais des hématomes et des lacérations dus à des coups violents, surtout au visage. Le sang répandu indique que les coups ont été assenés alors que la victime était sur le lit.

Elle balaya de nouveau la pièce des yeux, repéra le bipeur sur le sol tout près de la salle de bains.

— Le bras droit est fracturé, poursuivit-elle. On observe des meurtrissures sur les cuisses et le pubis. On peut donc en conclure que le viol a été perpétré avant la mort.

Avec douceur, elle souleva une main inerte de Darlene, l'examina attentivement. Dommage qu'elle n'ait pas ses microloupes !

— Il y a un petit fragment de peau, marmonna-t-elle. Tu as réussi à lui planter un ongle dans la couenne, hein, Darlene ? C'est bien. Nous avons de la peau, peut-être un cheveu et des fibres sous les ongles de la victime.

Méticuleusement, elle poursuivit son examen. Le corsage de l'uniforme n'était pas déboutonné.

— Il n'avait pas envie de s'amuser. Il ne lui a pas arraché ses vêtements, il ne l'a même pas déshabillée. Il s'est contenté de la frapper, de la casser, de la violer. Elle a été étranglée à l'aide d'une sorte de garrot, très fin, apparemment en argent. Les extrémités sont croisées sur le devant de la gorge, autrement dit le meurtrier l'a étranglée les yeux dans les yeux, alors qu'il était couché sur elle. Tu as filmé le visage sous tous les angles ? demanda-t-elle à Connors.

— Oui.

Elle redressa ensuite la tête de la victime, se pencha pour examiner la nuque.

— Filme ! ordonna-t-elle. Ça risque de se déplacer quand on la bougera. Le garrot, sur l'arrière, n'est pas rompu, il y a très peu de sang. Il a attendu pour s'en servir de l'avoir battue et violentée. Il l'a chevauchée, un genou de chaque côté du corps. À ce moment-là, elle ne se débat quasiment plus. Il n'a qu'à lui passer le garrot autour du cou et à serrer. Ça n'a pas dû durer très longtemps.

Mais Darlene s'était arc-boutée pour repousser le poids qui l'écrasait, sa gorge était en feu, ses cris de douleur et de terreur y restaient prisonniers, le manque d'oxygène emplissait son crâne d'un tumulte assourdissant. Des étoiles sanglantes explosaient sous ses paupières… puis les battements frénétiques de son cœur s'étaient arrêtés définitivement.

Eve recula. Sans son kit de terrain, elle ne pouvait plus faire grand-chose.

— Je veux savoir qui occupait cette suite et comment est organisé le travail des femmes de chambre. Il faudra que je m'entretienne avec Mme Hilo.

Elle ouvrit la penderie, y jeta un coup d'œil.

— Ça m'aiderait d'interroger tous les membres du personnel qui la connaissaient, ajouta-t-elle en ouvrant les tiroirs de la commode. Il n'y a pas de vêtements. Seulement ces serviettes qu'elle a peut-être laissées tomber en sortant de la salle de bains. Est-ce que cette suite était vraiment réservée ?

— Je me renseignerai. Je suppose que tu souhaites avoir les coordonnées de ses proches.

— Ouais… soupira Eve. Son mari, si elle en avait un. Les petits copains, les amants, les ex. Neuf fois sur dix, dans un crime sexuel, ils sont impliqués. Pourtant, j'ai l'impression qu'il n'y a rien de personnel dans ce meurtre, rien d'intime, de passionnel. Il n'était pas sous l'emprise de la folie, il a agi avec une relative indifférence.

— Il n'y a pas d'intimité dans un viol.

— Il peut y en avoir, corrigea-t-elle, et elle était mieux placée que quiconque pour le savoir. Quand l'agresseur et sa victime se connaissent, qu'il existe un semblant d'histoire entre eux – même si ce n'est qu'un fantasme de l'agresseur –, ça crée une forme d'intimité. Lui, il était aussi froid qu'un iceberg. Je cogne et je m'en vais. Je parie qu'il a beaucoup plus joui en la frappant qu'en la violant. C'est comme ça que certains types conçoivent les préliminaires.

Connors éteignit brusquement l'enregistreur.

— Eve, confie cette affaire à un autre flic.

Elle sursauta.

— Pour quelle raison ?

— Tu vas te faire du mal, dit-il en lui effleurant la joue.

Il se garda bien de mentionner le père d'Eve. Les brutalités, les viols, le calvaire qu'elle avait vécu jusqu'à sa huitième année.

— Toutes les victimes me font du mal, mais je suis blindée.

Elle pivota pour regarder Darlene French.

— Je ne confierai pas Darlene à quelqu'un d'autre, Connors. Je ne peux pas. Elle est déjà une part de moi.

2

La suite avait été réservée par un dénommé James Priory de Milwaukee, trois semaines plus tôt, pour deux nuits. Il avait signé le registre à 15 h 20.

La location de la suite et tous les suppléments seraient réglés par carte bancaire, laquelle avait été vérifiée. Tandis que l'équipe de l'Identité judiciaire passait la scène du crime au crible, Eve éplucha la vidéo que Brigham lui avait remise.

On y voyait un métis d'environ quarante-cinq ans, vêtu du sobre costume noir de l'homme d'affaires prospère qui peut s'offrir un séjour dans un palace. Il avait l'air de quelqu'un qui bénéficie de notes de frais.

Mais, sous l'apparence impeccable, Eve voyait la brute, le monstre.

Il était au moins deux fois plus lourd que sa victime, solidement bâti, le torse large. Les mains carrées, les doigts longs, aux extrémités aplaties. Ses yeux avaient la couleur des flaques d'eau sur les trottoirs en hiver. Un gris froid et sale.

Son visage aussi était carré, avec un gros nez et une bouche aux lèvres minces. Ses cheveux brun sombre, qui grisonnaient aux tempes, éveillèrent l'attention d'Eve. Une coiffure décidément trop soignée. Une perruque ?

Il n'essayait même pas de dissimuler sa figure, il souriait au réceptionniste puis suivait le groom qui se dirigeait vers les ascenseurs.

Il avait une seule valise.

Une autre vidéo de surveillance montrait le groom qui ouvrait la porte de la suite et s'effaçait pour laisser passer Priory. Celui-ci n'était apparemment pas ressorti avant le meurtre.

Il avait utilisé l'autochef de la kitchenette au lieu d'appeler le room-service pour son repas – un bon steak, une pomme de terre au four, du pain, du fromage, du café.

Il avait à peine touché au bar du salon, il n'avait pris qu'un soda, pas d'alcool. Il voulait garder les idées claires.

Sur une troisième vidéo, on voyait Darlene French qui poussait son chariot jusqu'à la porte 4602.

Une jolie fille en uniforme et chaussures confortables, aux grands yeux bruns et rêveurs. Menue. De sa main fine, elle tripotait la chaîne dorée qu'elle avait au cou, le petit pendentif en forme de cœur.

Elle sonnait, se massait distraitement les reins, sonnait de nouveau. Elle glissait la chaîne et le cœur sous son corsage avant d'extirper son passe magnétique de la poche de son tablier pour l'introduire dans la fente et appliquer son pouce droit sur la plaque d'identification. Elle ouvrait la porte, annonçait « Service de chambre ! » et prenait des serviettes propres sur son chariot.

À 20 h 26, elle refermait la porte derrière elle.

À 20 h 58, Priory émergeait de la suite, sa valise à la main, et s'éloignait tel un homme sans le moindre souci en direction de l'escalier.

Il ne lui avait fallu que vingt-deux minutes pour cogner, violer et assassiner Darlene French.

— Ouais, bougonna Eve, il a vraiment les idées claires, la tête froide.

— Lieutenant ?

Eve intima d'un geste à son assistante de rester à distance encore un instant.

Peabody attendit, muette. Elle travaillait avec Eve à la brigade criminelle depuis un an, et elle connaissait les manières du lieutenant.

Son regard, presque aussi noir que ses cheveux raides coupés au carré à hauteur du menton, se posa sur l'écran où était figée l'image d'un tueur, qu'Eve étudiait.

« Il semble mauvais comme la gale », pensa-t-elle, mais elle garda le silence.

— Qu'est-ce que vous avez comme renseignements ? demanda enfin Eve.

— James Priory, cadre commercial des Assurances Alliance à Milwaukee. Décédé le 5 janvier de cette année dans un accident de la route. On a d'autres Priory à Milwaukee, mais c'est le seul James.

— Continuez à vérifier. Ce type est fiché quelque part. Je le sais. Contactez Feeney chez lui. Transmettez-lui cette image et dites-lui de la communiquer au Centre international de lutte contre la criminalité. C'est un boulot pour la DDE, et le CILC est le chouchou de Feeney. Il nous fera sortir ce lapin de son chapeau plus vite que n'importe qui. Bon, ajouta Eve en consultant sa montre, je veux parler à Mme Hilo. Maintenant, elle a dû reprendre ses esprits. Où est Connors ?

Peabody redressa les épaules, fixant un point sur le mur.

— Je l'ignore.

— Merde.

Eve sortit à grands pas, alpagua le vigile qui montait la garde devant la porte.

— Mme Hilo.

— Elle est au 4020, lieutenant.

— Personne n'entre dans cette chambre sans badge. Personne.

Elle s'engouffra dans l'ascenseur, appuya rageusement sur le bouton. Le fait que Connors ait quitté la scène de crime signifiait à coup sûr qu'il mijotait quelque chose.

Mme Hilo était livide, les paupières rougies, mais sagement assise dans le salon d'une suite plus modeste de l'hôtel. Elle buvait du thé et posa sa tasse sur la table basse, devant elle, quand Eve apparut.

— Madame Hilo, je suis le lieutenant Dallas de la police new-yorkaise.

— Oui, je sais. M. Connors m'a priée de vous attendre ici avec M. Brigham.

Eve lança un regard à Brigham qui contemplait un tableau, au fond de la pièce. Il semblait fasciné.

— Connors ?

— Oui, il est resté avec moi un moment. C'est lui qui m'a fait apporter du thé. Il est tellement gentil.

— Eh oui ! Il est vraiment trognon. Madame Hilo, avez-vous parlé à d'autres personnes pendant que vous m'attendiez, en dehors de M. Brigham et de Connors ?

— Oh, non ! On m'a ordonné de ne pas le faire.

Elle fixait sur Eve ses yeux noisette, bouffis et pleins de confiance.

— Madame Connors…

— Dallas, rectifia Eve d'un ton plutôt brusque.

— Oh, oui ! Bien sûr. Excusez-moi, lieutenant Dallas. Et je tiens à m'excuser aussi d'avoir fait cette scène quand… enfin, tout à l'heure. Je ne pouvais plus m'arrêter. Quand j'ai trouvé cette pauvre Darlene… j'étais incapable de m'arrêter.

— Vous n'avez pas à vous excuser.

— Si, si, insista Mme Hilo en agitant les mains.

Elle était petite mais charpentée. Le genre de femme qui continue à marcher d'un bon pas alors que les coureurs de fond s'effondrent en gémissant.

— Je suis ressortie et je l'ai laissée là. Je suis responsable, vous comprenez. De 18 heures à 1 heure du matin, je suis responsable, et je me suis enfuie. Je ne l'ai même pas touchée, ni couverte.

— Madame Hilo…

— Hilo tout court.

Elle esquissa un sourire qui accentua encore la tristesse de son visage aux traits tirés.

— Natalie Hilo, en fait, mais tout le monde m'appelle simplement Hilo.

— D'accord. Vous avez agi comme il le fallait. Si vous l'aviez touchée, si vous l'aviez couverte, vous auriez contaminé la scène de crime. Trouver son assassin, le châtier, aurait été encore plus compliqué pour moi.

— C'est ce que M. Connors m'a affirmé.

Elle pleurait de nouveau. Extirpant un mouchoir de sa poche, elle s'essuya vivement les yeux.

— Il m'a assurée que vous retrouveriez ce monstre, que vous le chercheriez jusqu'à ce que vous l'ayez trouvé.

— C'est vrai. Et vous allez m'aider. Pour Darlene. Brigham, ça ne vous ennuie pas de nous laisser seules ?

— Du tout. Vous pouvez me joindre sur la ligne 90.

Dès qu'il eut quitté la pièce, Eve annonça :

— Je dois enregistrer notre entretien. Vous n'y voyez pas d'inconvénient ?

— Non, répondit Hilo qui renifla et se redressa sur son siège. Je suis prête.

Eve posa l'appareil sur la table, débita les préambules d'usage, puis :

— D'abord, racontez-moi ce qui s'est passé. Pourquoi vous êtes-vous rendue dans la suite 4602 ?

— Darlene avait pris du retard. Quand les tâches du soir sont terminées, chaque femme de chambre active le code 5 sur son bipeur. Ça nous permet de contrôler le travail des employés. C'est aussi une mesure de sécurité pour protéger nos clients et notre personnel.

Elle poussa un soupir, saisit sa tasse de thé.

— En principe, il faut entre dix et vingt minutes pour tout boucler, en fonction de l'efficacité de la femme de chambre. On ne chronomètre pas, évidemment. Souvent, les suites sont dans un tel état qu'il faut plus de temps pour tout ranger. Vous seriez surprise, lieutenant, sidérée, même, de voir comment les gens se comportent dans un hôtel. On se demande ce qu'ils font chez eux.

Hilo secoua la tête.

— Enfin ! En ce moment, l'hôtel est presque complet, alors on ne se tourne pas les pouces. Je n'avais pas remarqué que Darlene n'avait pas bipé. Quarante minutes pour la 4602, grosso modo. C'est long, mais la suite est grande et Darlene pas très rapide. Elle travaillait bien, mais elle avait tendance à ne pas se presser.

Hilo agita de nouveau les mains.

— Je n'aurais pas dû dire qu'elle était lente. Je n'aurais pas dû. Elle était consciencieuse. C'était une fille si gentille. Une petite adorable. Nous l'aimions tous. Il lui fallait un peu plus de temps qu'aux autres pour faire une chambre, voilà tout. Les suites luxueuses lui plaisaient, les belles choses lui plaisaient.

— Je comprends. Elle était fière de son travail et elle y mettait tout son cœur.

— Oui… balbutia Hilo. C'est exactement ça.

— Qu'avez-vous fait en vous apercevant qu'elle ne s'était pas manifestée ?

— Je… je l'ai bipée. D'après la procédure, la femme de chambre doit répondre. Quelquefois elle est retardée par un client, qui demande plus de serviettes ou je ne sais quoi. Nous sommes au service des clients, c'est la règle de la maison, même s'ils ont simplement envie de bavarder un peu parce qu'ils sont loin de chez eux et qu'ils se sentent seuls. Ça bouscule notre planning mais, ici, nous sommes dans un établissement de premier ordre.

Elle reposa sa tasse.

— J'ai accordé à Darlene cinq minutes supplémentaires avant de la contacter de nouveau. Toujours pas de réponse. Ça m'a agacée. J'étais fâchée contre elle, et maintenant…

— Hilo, vous avez eu une réaction normale, dit Eve – elle avait si souvent vu cette culpabilité. Darlene ne vous en voudrait pas. Vous n'auriez pas pu lui venir en aide à ce moment-là, maintenant vous en avez la possibilité. Essayez de vous remémorer les moindres détails.

— Oui, d'accord…

Hilo inspira profondément.

— Nous étions assez débordés, donc. Je suis moi-même allée la chercher dans la suite. J'espérais que son bipeur était en panne. Ça se produit rarement, mais… Son chariot était dans le couloir, ce qui m'a encore plus agacée. J'ai sonné, j'ai utilisé mon passe. Le salon était impeccable. Je me suis dirigée vers la chambre, j'ai ouvert la porte.

— Elle était fermée ?

— Oui, j'en suis certaine parce que je me souviens d'avoir demandé s'il y avait quelqu'un avant d'entrer. Et je l'ai vue, la pauvre petite, sur le lit. Avec la figure toute gonflée et du sang sur le col de son uniforme et sur le drap qu'elle avait bien replié en triangle. Elle avait fini son travail, elle…

— Elle avait préparé le lit pour la nuit, l'interrompit Eve. C'était la première tâche qu'elle avait à accomplir ?

— Ça dépend. Chacune a sa propre routine, plus ou moins. Je crois que Darlene préférait d'abord nettoyer la baignoire, remplacer les serviettes. Ensuite elle s'occupait du lit. Certains clients exigent qu'on change les draps s'ils ont fait la sieste ou… autre chose. Tout était noté sur son fichier. C'est obligatoire, dans un souci d'efficacité et pour éviter les vols.

— D'après ce que vous avez observé, elle venait de préparer le lit. Il y avait de la musique. C'est elle qui avait mis cette musique ?

— Peut-être, mais pas aussi fort. Si le client est absent, la femme de chambre programme l'unité de divertissement selon les ordres qu'il a donnés, ou de la musique classique s'il n'a pas exprimé d'exigence particulière. Mais toujours en sourdine.

— Elle comptait peut-être baisser le volume sonore avant de partir.

— Darlene aimait la musique moderne, objecta Hilo en s'arrachant un faible sourire. Comme la plupart des jeunes. Jamais elle n'aurait écouté ça – de l'opéra, n'est-ce pas ? – par plaisir.

— Bon...

Il a donc tué au son d'un opéra, pensa Eve. Pour son plaisir à lui.

— Je me suis pétrifiée, oui, pétrifiée. Ensuite, je me rappelle que je me suis enfuie en courant, j'ai claqué la porte derrière moi. Je hurlais. J'ai aussi claqué la porte de la suite. Mes jambes ne me portaient plus, j'étais clouée au sol. Je hurlais toujours quand j'ai alerté la sécurité.

Elle marqua une pause, se cacha la figure dans les mains.

— Les gens sortaient de leurs chambres, c'était la bousculade. M. Brigham est arrivé, il est entré. Tout s'embrouillait dans ma tête, il m'a conduite ici et m'a dit de m'allonger ; mais je ne pouvais pas. Alors je suis restée assise, à pleurer ; jusqu'à ce que M. Connors m'apporte du thé. Qui aurait pu vouloir faire du mal à cette petite si gentille ? Pourquoi ?

On ne répondrait jamais totalement à cette question. Eve attendit que Hilo se ressaisisse.

— Darlene s'occupait toujours de cette suite ?

— Non, pas toujours, mais très souvent. En principe, chaque femme de chambre a deux étages qui lui sont assignés. Depuis la fin de son stage de formation, Darlene nettoyait le quarante-cinquième et le quarante-sixième.

— Savez-vous si elle avait une relation amoureuse ?
Un petit ami ?

— Oui, je crois… Il y a tellement de jeunes gens
parmi le personnel que les histoires d'amour ne manquent pas. Je ne sais plus comment… Barry ! s'exclama
soudain Hilo qui poussa un soupir de soulagement.
Oui, je suis à peu près sûre qu'elle fréquentait le jeune
Barry. Je m'en souviens parce que, quand il réussissait
à être dans l'équipe de nuit, elle dansait sur un nuage.
Comme ça, ils passaient plus de temps ensemble.

— Vous connaissez son nom de famille ?

— Non, je suis désolée. Elle s'illuminait littéralement
quand elle parlait de lui.

— Ils ne s'étaient pas querellés, récemment ?

— Non, je l'aurais su, croyez-moi. À la moindre dispute avec le copain ou la copine, tout le monde est au
courant. Je suis certaine que… Oh…

Hilo blêmit soudain.

— Vous ne pensez quand même pas que… Lieutenant, d'après ce qu'en disait Darlene, c'est un garçon
vraiment adorable.

— Hilo, je pose simplement des questions, je n'ac-
cuse personne. Je voudrais m'entretenir avec lui, au cas
où il aurait quelque chose à m'apprendre.

À cet instant, Connors pénétra dans la pièce.

— Excusez-moi. Je vous dérange ?

— Non, nous avons terminé. Il me faudra peut-être
vous interroger encore, dit Eve à Hilo en se levant.
Mais dans l'immédiat, je vous laisse tranquille. Je peux
m'arranger pour qu'on vous…

— Je m'en suis chargé, dit Connors qui prit la main
de Hilo. Un chauffeur va vous reconduire chez vous.
Votre mari vous attend. Rentrez à la maison, c'est un
ordre, Hilo. Avalez un somnifère et mettez-vous au lit.
Ne pensez plus au travail jusqu'à ce que vous soyez
rétablie.

— Je vous remercie infiniment. Mais je crois que travailler m'aiderait.

— À vous de décider, rétorqua Connors qui la guida
vers la porte.

— Lieutenant, déclara Hilo en regardant Eve, c'était
une gamine inoffensive. Un agneau. Celui qui l'a tuée

doit être puni. Ça ne la ramènera pas, mais il doit payer. C'est tout ce qu'on peut faire.

C'était tout, effectivement, et ça ne suffisait jamais.

— Où avais-tu disparu ? demanda-t-elle à Connors dès qu'ils furent seuls.

— J'avais une foule de choses à régler, des dispositions à prendre. De toute manière, tu n'acceptes pas de civils sur une scène de crime. Je n'étais d'aucune utilité.

— Alors que tu étais indispensable ailleurs ?

— Tu veux un compte rendu de mes allées et venues, lieutenant ?

Il se dirigea vers le bar où il prit une demi-bouteille de vin blanc.

— Je me demandais juste où tu étais.

— Et ce que je mijotais. Cet hôtel m'appartient, lieutenant.

Elle passa une main impatiente dans ses cheveux, tandis qu'il sirotait tranquillement son vin.

— OK, résumons-nous. Un membre de ton personnel a été tué dans un lieu dont tu es propriétaire. Tu as du mal à l'avaler. Dans la mesure où tu possèdes la moitié de la ville…

— Seulement la moitié ? coupa-t-il avec une ombre de sourire. Il faudra que j'en parle à mon comptable.

— Je pourrais te répéter que tu ne devrais pas considérer ça comme une affaire personnelle, parce que ce n'est pas vrai, mais j'utiliserais ma salive pour rien. Je suis navrée pour toi.

— Moi aussi je suis navré. Cela dit, je te répète que j'avais des choses à régler. Surveiller la manifestation qui se déroule au rez-de-chaussée, notamment.

Il lui tendit un verre de vin, qu'elle refusa d'un geste.

— Le Palace et la vente aux enchères vont être la cible des médias. Les journalistes ont la bave aux lèvres quand un meurtre est perpétré dans un hôtel réputé et, si on ajoute à ça toutes les stars qui sont en bas, on a une sacrée histoire à raconter. Il fallait calmer le jeu le plus vite possible. Je voulais aussi qu'on s'occupe de Hilo.

— Tu as été très attentionné avec elle, ça lui facilitera les choses, rétorqua posément Eve.

— Elle travaille pour moi depuis dix ans.

Pour lui, ça justifiait tout.

— La nouvelle circulait déjà parmi le personnel, nous devions éviter la panique. Il y a un jeune homme dans l'équipe des grooms, Barry Collins, il...

— Le petit ami.

— Oui. Il est bouleversé, je l'ai fait reconduire chez lui. Et avant que tu me gifles, ajouta-t-il en la voyant sursauter, il était là au moment du meurtre avec deux de ses collègues. Ils transbahutaient les bagages des participants à un colloque médical.

— Comment connais-tu l'heure du meurtre ?

— Brigham m'a transmis les informations données par les vidéos de surveillance. Tu pensais qu'il s'en abstiendrait ?

— Non, je ne me leurrais pas. N'empêche que je dois parler au petit copain.

— Ce soir, tu n'en aurais rien tiré. Il a vingt-deux ans, Eve. Il l'aimait. Il est anéanti. Il voulait sa maman, poursuivit-il d'une voix sourde, vibrante de pitié. Alors je l'ai envoyé chez sa mère.

Elle capitula.

— J'aurais sans doute fait comme toi. Je l'interrogerai plus tard.

— Je suppose que tu t'es renseignée sur James Priory.

— Oui, et je suppose que tu as déjà les résultats. Donc, je me bornerai à te dire que je passe tout ça au CILC. Il est forcément fiché quelque part. Ce n'est pas son premier coup.

— Je peux t'obtenir ces données plus rapidement.

Il le pouvait, en effet, grâce à l'équipement illicite qu'il avait à la maison dans une pièce barricadée.

— Pour l'instant on procède à ma façon, dit-elle.

Il est sorti d'ici comme un homme qui sait où il va. Je découvrirai où il s'est rendu. La vraie question, c'est : pourquoi ? Il avait un plan bien ficelé. La fausse identité, la chambre réservée à l'avance pour deux nuits. Au cas où ça ne marcherait pas le premier soir. Il s'est installé dans sa suite et il l'a attendue. Est-ce que Darlene était sa cible ? Si oui, c'est un autre point d'interrogation. Ou bien peut-être que n'importe quelle femme de chambre aurait fait l'affaire.

Les sourcils froncés, elle continuait à réfléchir à voix haute.

— Il se fichait qu'on le voie. Ça, c'est bizarre. À moins que je ne sois complètement à côté de la plaque et qu'on ne trouve aucun renseignement sur lui, ne pas prendre certaines précautions était insensé.

— Il voulait te narguer ? Toi et moi aussi, éventuellement ?

— Oui, il arrive que ce soit aussi simple que ça. Je dois aller dans le New Jersey annoncer la mauvaise nouvelle à la famille, et ensuite au bureau. Tu m'emmènes ?

— Lieutenant, tu me surprends.

— Je veux simplement te tenir à l'œil.

— Tant mieux.

Il s'approcha, prit le visage d'Eve entre ses mains et lui baisa le front.

— Cette affaire sera difficile pour nous deux. Je te demande d'avance pardon pour les paroles blessantes que je pourrais prononcer avant que tout soit réglé.

— D'accord.

« Le mariage, quelle histoire ! » pensa-t-elle. À son tour, elle l'embrassa passionnément sur la bouche.

— Un baiser parce que mes paroles seront sans doute encore plus blessantes.

— Dis-moi quelque chose de méchant tout de suite, de très méchant, murmura-t-il en l'entourant de ses bras. Puisque nous sommes dans un hôtel, tu pourrais te racheter sans attendre.

— Pervers, rétorqua-t-elle, et elle l'écarta d'une bourrade en riant.

— Aïe ! Ça, à un moment ou un autre, tu t'en repentiras.

La tâche la plus pénible d'un policier de la criminelle, c'est la visite à la famille. En quelques mots, vous amputez des vies qui, même si elles se réparent, ne seront plus jamais les mêmes.

Eve s'efforçait de ne pas y songer en revenant du New Jersey, où elle avait laissé la mère et la sœur cadette de Darlene anéanties. Au lieu de ça, elle s'élançait sur le chemin qui leur apporterait, sinon la consolation, du moins le châtiment rendu par la justice.

— S'il y avait eu des crimes similaires dans mon district ou un autre, j'en aurais entendu parler, dit-elle en consultant l'ordinateur de bord de Connors. Coups, viol, strangulation...

— J'adore New York.

— Moi aussi, on est tous timbrés. Au cours des six derniers mois, ici et là, on a l'un des éléments du schéma, mais jamais les trois ensemble. Pas de fil d'argent utilisé comme garrot. Aucun meurtre dans un hôtel. Note qu'il aurait pu agir dans d'autres villes, d'autres pays, voire sur une autre planète. J'élargirai la recherche dès que...

Le bourdonnement de son communicateur l'interrompit.

— Dallas.

— Tu ne peux vraiment pas t'accorder une nuit de congé ?

Elle considéra, sur l'écran, la mine maussade de Feeney.

— Ce soir, justement, j'essayais.

— Eh bien, fais encore un petit effort ! Prends-la, cette nuit de repos, et peut-être que nous aussi, on aura l'occasion de se détendre. J'étais bien tranquille avec une bonne bouteille, des chips au fromage, je regardais le match des Yankees quand Peabody m'a prévenu.

— Désolée.

— Ouais, figure-toi que ces bourriques ont perdu contre les Tijuana Tacos. Ça me flanque des boutons.

Il poussa un soupir à fendre l'âme, fourragea dans ses cheveux roux, striés de gris et raides comme des baguettes de tambour.

— Enfin... J'ai examiné l'image que m'a transmise Peabody, et ton type m'a rappelé quelque chose. Mais je n'arrivais pas à mettre le doigt dessus. J'ai passé les vidéos au CILC. Aucune empreinte, les collègues de l'Identité judiciaire n'en ont pas trouvé. On a quand même des échantillons d'ADN, il a laissé du sang, des fragments de peau et du sperme. Il nous faudra quelques heures pour avoir les résultats.

— Et au CILC, ils n'ont rien ?

— J'y viens. On a bricolé ensemble avec le système morphométrique, on s'est bien amusés, et j'ai obtenu une chouette image. Ça plus l'arme du crime… le déclic. Yost l'Anguille. Sylvester Yost, mais il a une flopée de pseudonymes.

— Priory figure sur la liste ?

— Pas jusqu'à présent. Il faut que je l'ajoute aux autres. Tout ça pour dire qu'il y a environ quinze ans, j'ai travaillé sur une affaire – une série de meurtres par strangulation avec un fil d'argent. Cinq victimes disséminées d'un bout à l'autre de la planète. Une à New York, une femme. Une prostituée de seconde zone qui avait des liens avec le marché noir. Comme les quatre autres. Elles n'appartenaient pas à la même organisation, mais chacune jouait un rôle clé dans une saleté quelconque. On n'a jamais pincé Yost. Cette série de meurtres s'est arrêtée et l'on a fourré le dossier dans un tiroir.

— Un tueur à gages ?

— On l'a pensé, mais qui avait engagé ce salaud ? Il s'en est pris à chacun des grands cartels. Avant ça et depuis, il a probablement étranglé une vingtaine de personnes. Et il a purgé une peine de prison dans les années trente pour agression.

— J'étais sûre qu'il savait ce qu'est une cellule. On ne l'a écroué qu'une fois ?

— Oui, il avait vingt ans quand la police de Miami l'a harponné. Apparemment, il est devenu de plus en plus doué au fil des ans.

— Je vais au Central. Envoie-moi tout ce que tu as sur lui.

— C'est déjà fait. Je continue et je te tiens au courant demain matin. J'aimerais bien avoir une deuxième chance avec ce gars.

— Tu l'as.

— À demain, alors. Dis, Dallas ?

— Oui ?

— C'est quoi, ces bidules que tu as sur la tête ?

— Quels bidules ?

Elle toucha ses cheveux, sentit les petits diamants pareils à des gouttelettes d'eau.

— Il y avait cette soirée et je…

Mortifiée, elle s'éclaircit la gorge.

— Occupe-toi de tes oignons, grogna-t-elle et elle interrompit la communication.

L'homme qui à sa naissance s'appelait Sylvester Yost, alias James Priory, et avait étranglé une jeune femme de chambre, sirotait à présent sous le nom de Giorgio Masini son deuxième scotch, tout en regardant l'enregistrement du match des Yankees.

S'il avait été du genre à tuer sous l'emprise de la colère ou d'une quelconque émotion, il aurait étripé le lanceur des Yankees. Comme il était un assassin professionnel, il ne bronchait pas et se contentait de jurer tout bas, d'une voix étonnamment féminine.

Certains se moquaient de cette voix haut perchée. Quand il était en mission, il ne leur prêtait pas attention. Sinon, il les démolissait.

Mais ce n'était qu'une question de principe. Il n'avait rien d'un passionné, il n'était même pas à cheval sur les règles. Cette indifférence, précisément, faisait de lui une parfaite machine à tuer.

Sa rétribution pour le travail de ce soir avait déjà été déposée sur un compte bancaire. Il ignorait pourquoi il fallait liquider cette gamine – elle était vraiment très jeune. Il s'était borné à accepter le contrat, à l'exécuter et à empocher l'argent.

Cette nouvelle mission ne faisait que commencer et promettait de lui rapporter des gains considérables. Comme il envisageait de se retirer, il y songeait même sérieusement, ça lui procurerait un joli petit matelas de billets.

Au cours des années, ses gages lui avaient permis de développer et d'assouvir des goûts de luxe. Ayant les moyens de s'offrir ce qu'il y avait de mieux, il avait étudié, expérimenté, savouré le meilleur.

Gastronomie, vins et alcools, art, musique, mode… Il avait voyagé, découvert le monde entier ainsi que les autres planètes. À cinquante-six ans, il parlait couramment trois langues, ce qui s'avérait très utile dans son métier. Quand l'envie le prenait, il était capable de mitonner un repas succulent. Et il jouait du piano comme un ange.

Il n'était pas né avec une cuillère d'argent dans la bouche, mais maintenant son fil d'argent compensait la médiocrité de ses débuts.

À vingt ans, il n'était que la petite brute qu'Eve avait devinée sous le vernis. Il avait tué parce qu'il en avait la capacité et que ça payait bien.

À présent, il était un virtuose du meurtre, un artiste qui n'avait jamais déçu ses commanditaires et qui laissait sa signature personnelle sur chaque cible.

La souffrance, les coups. L'humiliation, le viol. Le fil d'argent. Une pièce en trois actes, où seuls le décor et le personnage secondaire changeaient.

Il était toujours la vedette du spectacle.

Il collectionnait les photographies, souvenirs de ses voyages, il en avait plusieurs albums qu'il feuilletait parfois en souriant.

Le dîner à Paris, cet été, après qu'il eut liquidé la directrice d'une usine de matériel électronique, la vue de Prague sous la pluie, photo prise depuis sa chambre d'hôtel, avant qu'il étranglât l'envoyée diplomatique américaine.

De très bons souvenirs.

Il était persuadé que New York, où son mandat actuel le retiendrait un moment, lui offrirait d'autres moments mémorables.

3

Dans son bureau du Central, après quelques heures de sommeil et trois tasses de café, Eve consultait toutes les données transmises la veille par Feeney et s'efforçait de cerner la personnalité de Sylvester Yost.

Un professionnel du crime. Un tueur dans l'âme, engendré par un petit trafiquant d'armes apparemment mort à l'époque de la Guerre Urbaine. Sa mère, une malade mentale, avait une fâcheuse tendance à voler des voitures et à poignarder les propriétaires qui avaient le malheur de se plaindre. Elle était décédée d'une overdose, dans un asile, alors que son fils avait treize ans.

L'Anguille avait manifestement décidé de perpétuer la tradition familiale en y apportant sa note personnelle.

Eve avait à présent le dossier concernant ses années d'adolescence. Le système judiciaire l'avait récupéré, et deux semaines après il tranchait l'oreille de son éducateur – il aimait jouer avec les couteaux. Il avait également frappé et violé une fille du foyer.

Mais il avait trouvé sa véritable vocation avec la strangulation. Il s'était d'abord entraîné sur de petits chiens et des chats avant de passer aux humains.

À quinze ans, il s'était échappé du foyer pour jeunes délinquants. Il avait aujourd'hui cinquante-six ans. Durant ces quarante et une années, il n'avait été écroué qu'une seule fois. On le suspectait d'avoir commis une quarantaine de meurtres.

Les renseignements qu'on possédait sur lui étaient maigres, malgré les dossiers accumulés par le FBI, Interpol, le CILC et le Bureau interplanétaire d'investigation – ou BII.

On avait là, *a priori*, un tueur à gages qui n'avait pas de famille, pas d'amis ou d'associés connus, pas d'adresse. Son arme de prédilection était un garrot constitué d'un fil d'argent. Mais certaines des victimes qu'on lui attribuait avaient aussi été étranglées à mains nues, avec des écharpes en soie et une cordelette dorée.

Au début, pensa Eve. Avant qu'il eût opté pour une signature.

On comptait parmi les victimes des hommes et des femmes, de toutes les tranches d'âge, de races et de catégories sociales diverses. Pour la plupart torturés et violentés.

— Tu fais bien ton boulot, pas vrai ? Et je parie que tu n'es pas bon marché.

Elle scruta l'image de Yost, lors de son arrivée au Connors Palace.

— Qui t'engagerait pour tuer une jeune femme de chambre qui vivait avec sa mère et sa sœur à Hoboken ?

Elle se leva, arpenta le cagibi encombré qui lui servait de bureau. Il était peu probable que ce type ait commis une erreur.

On ne se trompe pas de cible quand on a quarante ans d'expérience. Selon toute vraisemblance, Yost avait fait ce pour quoi il était payé.

Par conséquent, qui était Darlene French et avec qui avait-elle un lien ?

Avec Connors, certes, cependant si ce crime le touchait sur un plan personnel et avait un certain retentissement – infime – sur le plan professionnel, ce n'était objectivement qu'une vaguelette sur l'océan.

Revenons à la victime, se dit Eve. Darlene avait-elle entendu ou vu quelque chose, sans même en avoir conscience ? Il y avait beaucoup d'animation dans l'hôtel, des affaires très importantes s'y traitaient.

Pourtant, si la jeune femme avait été témoin de quelque chose qu'on aurait préféré garder secret, pourquoi la tuer de cette façon spectaculaire ? On aurait pu se débarrasser d'elle discrètement, et le problème aurait été réglé.

Un accident, par exemple, un vol à main armée qui tourne mal. Les flics auraient jeté un coup d'œil, présenté leurs condoléances à la famille. Terminé.

Bien que cette théorie ne lui parût pas convaincante, Eve décida de retourner à l'hôtel et de vérifier qui avait occupé la suite durant les dernières semaines.

Elle s'immobilisa devant la petite fenêtre, contemplant l'agitation matinale. Dans la rue et le ciel, la circulation était dense. Un aérobus se traînait d'un arrêt à l'autre, bondé de passagers qui n'avaient pas la chance de travailler à domicile. Une caméra filmait afin d'analyser les embouteillages et de les annoncer sur les ondes à ceux qui y étaient coincés.

Il fallait bien que les médias aient quelque chose à raconter. Eve avait envoyé à la pêche les journalistes qui appelaient pour quémander un commentaire sur le meurtre. Tant que le commandant ne lui demanderait pas de faire une déclaration officielle, elle laisserait les reporters bourdonner autour de Connors comme des mouches.

Elle entendit le bruit reconnaissable entre mille de chaussures réglementaires sur le linoléum usé, mais ne se retourna pas.

— Lieutenant ?

— Il y a une bonne femme dans l'aérotram qui a les bras chargés de fleurs. Qu'est-ce qu'elle fabrique avec un bouquet pareil ?

— La fête des Mères approche, lieutenant. Peut-être qu'elle est simplement prévoyante.

— Mmm… Peabody, je veux qu'on se penche sur le petit ami, Barry Collins. Si on a affaire à un tueur à gages, quelqu'un paie l'addition. Je doute qu'un groom ait les moyens nécessaires pour assurer les honoraires de Yost, mais il pourrait être le lien avec le commanditaire.

— Yost ?

— Oh, pardon ! Je ne vous ai pas transmis les informations que m'a fournies Feeney.

— Le capitaine prend part à l'enquête ? McNab sera sur le coup, lui aussi ?

Eve tourna la tête vers son assistante. Peabody s'évertuait à paraître indifférente, cependant elle n'était pas douée pour le bluff.

— Il n'y a pas si longtemps, si j'avais prononcé le nom de McNab, vous auriez débité tout un chapelet de jurons.

— Non, lieutenant. J'aurais ouvert la bouche pour protester, vous m'auriez fermé mon clapet, et j'aurais rouspété en silence. Les temps changent, ajouta Peabody avec un sourire malicieux. McNab et moi, nous nous entendons mieux, surtout depuis que nous avons des relations plus...

— Stop, je ne veux rien savoir.

— J'allais juste dire qu'il est un peu bizarre.

— Cherchez McNab dans le dictionnaire et lisez la définition : bizarre.

— Différent, rectifia Peabody qui se promit toutefois de ressortir la boutade du lieutenant à la première occasion. Il est... gentil. Vraiment, je vous assure. Il est doux et attentionné. Il m'offre des fleurs. Je crois qu'il les vole dans le parc, mais quand même. Et l'autre jour, il m'a emmenée au cinéma. Un film sentimental que je voulais absolument voir. Lui, il a détesté et ne s'est pas gêné pour le critiquer, n'empêche qu'il m'a accompagnée.

— Seigneur !

— Bref, je crois que...

Peabody s'interrompit et éclata de rire. Son intrépide lieutenant se bouchait les oreilles.

— Je ne vous entends plus. Je refuse de vous écouter. Cherchez-moi des informations sur Barry Collins. Immédiatement. C'est un ordre.

Les lèvres de Peabody remuaient.

— Quoi ?

— Je disais : oui, lieutenant, répondit Peabody quand Eve baissa les mains. Mais je crois qu'il me mijote quelque chose, conclut-elle avant de sortir au pas de gymnastique.

— Je vais leur botter les fesses, à ces deux-là, grommela Eve en se rasseyant à sa table.

Elle contacta le labo et, pour se défouler, tomba à bras raccourcis sur le technicien qui analysait les échantillons d'ADN.

Lorsque Feeney la rejoignit, elle avait la preuve, grâce à l'ADN, que le violeur et le meurtrier de Darlene French était bien Sylvester Yost.

Le capitaine se percha sur le bord de la table et, comme à son habitude, extirpa de la poche avachie de son costume un sachet d'amandes.

— Je n'avais aucun doute là-dessus, déclara-t-il. J'ai mené une recherche sur les crimes similaires. Rien depuis sept ou huit mois. Notre bonhomme était en vacances.

— Ou quelqu'un ne tenait pas à ce qu'on découvre les corps, et on les a bien planqués. Il a déjà opéré pour son compte, pour des raisons personnelles ?

— Non… C'est l'argent qui le motive. McNab s'occupe de la recherche interplanétaire.

— Tu le mets sur l'enquête ?

Il haussa les sourcils, surpris.

— Ben, oui. Tu as un problème avec lui ?

— Non… Professionnellement, je n'ai rien à lui reprocher, répliqua-t-elle en tambourinant sur la table. Seulement, il y a cette histoire entre Peabody et lui.

— Alors ça, je ne veux même pas y penser.

— Moi non plus. Il l'a emmenée voir un film sentimental.

— Quoi ? bafouilla Feeney qui pâlit et faillit recracher une amande. Il est allé voir un film sentimental ? Avec elle ?

— Tu as bien entendu.

— Oh, nom d'une pipe !

Feeney tournicota dans la pièce, sur ses courtes jambes arquées.

— C'est la fin des haricots, tu sais. Il est fichu. Bientôt il lui offrira des fleurs.

— C'est déjà fait.

— Arrête, Dallas, rétorqua-t-il, fixant sur elle ses yeux implorants de bon gros toutou. Ne me mets pas ce poids sur les épaules. Savoir que… comment dire…

ils sont tout nus dans un lit, ça me perturbe suffisamment.

Elle acquiesça, ravie d'avoir un interlocuteur qui partage son opinion.

— Personne ne me comprend. Figure-toi que Connors trouve ça charmant.

— Évidemment, ce n'est pas lui qui travaille avec eux ! s'exclama Feeney. Ils se font de l'œil, du pied, et Dieu sait quoi encore... C'est insupportable ! Je croyais qu'elle fricotait avec ce prostitué, Monroe, celui à la gueule d'ange.

— Il est tombé aux oubliettes.

— Ah, les femmes !

— Ouais, on se demande ce qu'elles ont dans le crâne.

Eve, qui se sentait bien mieux, puisa une poignée d'amandes dans le sachet que Feeney lui tendait.

— J'ai demandé à Peabody de se renseigner sur le petit ami de Darlene French. Ça m'étonnerait qu'on trouve quelque chose mais, dès que j'aurai son dossier, je l'interrogerai. Pour l'instant, je m'emploie à éviter les médias. Connors se débrouillera avec eux. Je vais retourner sur la scène du crime, fureter un peu dans l'hôtel. Je devrais avoir le rapport de toxicologie concernant French dans une heure. Il n'y aura rien, à mon avis, mais on ne sait jamais.

— Surtout avec les femmes, ronchonna Feeney.

— Mmm... Les parents de French ont divorcé il y a environ huit ans. Le père, Harry D. French, vit dans le Bronx avec sa seconde épouse. Tu as le temps de suivre cette piste ? Quelqu'un aurait pu vouloir se venger de lui et embaucher un professionnel.

— Je m'en occupe tout de suite. Et la mère ?

— Sherry Tides French. Elle dirige un de ces fichus magasins de bonbons au Newark Center. Blanche comme neige, apparemment. Je ne vois pas comment elle serait impliquée là-dedans.

Eve se leva et saisit sa veste.

— Puisqu'on a McNab dans l'équipe, ce serait bien qu'il essaie de trouver où notre tueur a acheté son garrot en argent. On aura les analyses du labo avant midi.

— Je vais le mettre là-dessus, ça l'empêchera de penser à la gaudriole.

— Eh bien, c'est parti !

Eve s'adressa d'abord au directeur de l'hôtel, à qui elle demanda les copies sur disquette des registres, les dossiers des membres du personnel et de tous les employés licenciés ou qui avaient démissionné depuis un an.

Elle n'eut même pas à insister sur la nécessité de collaborer avec la police, ni à mentionner un éventuel mandat de perquisition, on lui remit aussitôt, dans une chemise scellée, tous les renseignements qu'elle exigeait.

Connors avait donné l'ordre à ses subalternes de se tenir à sa disposition.

— Ça marche comme sur des roulettes, commenta Peabody dans l'ascenseur qui les menait au quarante-sixième étage.

— Ouais, il n'a pas perdu de temps, rétorqua Eve.

Elle décoda les scellés sur la porte de la suite, franchit le seuil.

— Quand on a quelques heures à passer dans un hôtel, avant d'assassiner quelqu'un, que fait-on ? On admire le panorama, on regarde la télé, on mange. Il n'a reçu aucun appel sur le communicateur de la chambre, pas de fax ni de mail. Il s'est peut-être servi de son portable.

Elle se dirigea vers la kitchenette, examina le comptoir recouvert de la poudre utilisée par l'équipe de l'Identité judiciaire pour relever les empreintes. Des assiettes étaient soigneusement posées dans l'évier.

— Il a utilisé l'autochef à 18 heures. Une bonne heure avant la tournée des femmes de chambre. Il connaît sans doute leur planning, il sait qu'en principe elles font cette suite vers 20 heures. Il a consulté le calendrier des manifestations qui se déroulent dans l'hôtel, donc il n'ignore pas qu'une grande réception a lieu au rez-de-chaussée, qu'un colloque va débuter. L'établissement étant presque complet, les femmes de chambre ne risquaient pas d'être en avance. Alors, il s'offre un steak.

Eve s'approcha de l'évier.

— Il l'a probablement dégusté devant l'écran vidéo, sur le canapé, ou à la table. Dans un décor aussi luxueux, on n'aurait pas le mauvais goût de manger debout dans la cuisine. Ensuite il a pris son dessert, du café, il a rapporté les assiettes sales dans la kitchenette, les a soigneusement rangées dans l'évier.

Elle étudia la manière dont il avait disposé le couteau et la fourchette près de l'assiette sur laquelle l'assiette à dessert, la soucoupe et la tasse formaient une petite pyramide.

— Il s'occupe beaucoup de lui, il est maniaque. Il vit probablement seul. Peut-être même sans droïde pour le servir. Il ne loge pas dans un hôtel, en tout cas pas en permanence. Quand on est habitué à avoir des femmes de chambre, on ne débarrasse pas la table après le repas.

Peabody acquiesça.

— J'ai remarqué quelque chose hier soir, j'ai oublié de vous en parler.

— Quoi donc ?

— Eh bien... tous les grands hôtels comme celui-là procurent à leurs clients une ribambelle de savonnettes, shampooings, crèmes, huiles pour le bain... Il n'y a plus rien, il a tout emporté. Beaucoup de gens le font, ajouta Peabody avec un sourire, mais la plupart ne se préparent pas à tuer quelqu'un ou ne viennent pas de commettre un meurtre.

— Excellente observation. Soit il est radin, soit il aime les souvenirs. Qu'en est-il des serviettes, des peignoirs et des chaussons ?

— On fournit des chaussons ? s'étonna Peabody. Je n'ai jamais dormi dans un palace, je... les peignoirs sont là, enchaîna-t-elle, comme Eve fronçait les sourcils. Il y en a deux dans la penderie de la chambre, intacts. Quant aux serviettes, il y en a assez pour une famille de six personnes. Elles n'ont pas servi non plus.

— Il a dû pourtant les utiliser avant la tournée des chambres. Prendre une douche à son arrivée. Un garçon bien sage qui débarrasse la table se lave les mains après avoir fait pipi. Or sa vessie n'a pas tenu des heures.

Eve s'immobilisa sur le seuil du cabinet de toilette ouvrant dans le vestibule – une cabine de douche protégée par des parois vitrées bleues, un lavabo, une cuvette de W-C derrière des portes en verre bleu.

— Ici aussi, les produits de toilette ont disparu. Pourquoi gaspiller de l'argent en savon et shampooing, quand on peut les avoir gratuitement ?

Eve se dirigea vers la chambre, qu'elle balaya d'un bref regard, avant de pénétrer dans la salle de bains, équipée d'une baignoire gigantesque, d'une douche hypersophistiquée et d'une cabine séchante. Elle avait déjà séjourné dans les hôtels de Connors et savait que, normalement, de multiples et précieux flacons étaient artistiquement disposés de chaque côté du lavabo. Ici, il n'y avait plus rien.

Elle s'approcha du support en bronze sur lequel étaient drapées trois épaisses serviettes ornées d'un monogramme.

— Il s'est servi de celle-là.

— Ah, bon ?

— Oui, regardez : le monogramme n'est pas centré comme celui des autres. Il s'en est servi. Quand il en a eu fini avec elle, il s'est lavé, il s'est essuyé les mains et puis, parce qu'il est très ordonné, il a remis cette serviette à sa place. En entrant, Darlene a dû se diriger droit vers la salle de bains pour changer le linge de toilette. Il était là quelque part à attendre, à la guetter, à calculer.

Eve s'interrompit.

— Peut-être dans la penderie. Elle revient dans la chambre, elle porte les serviettes, elle les laisse tomber sur le sol. Elle se tourne vers le lit, elle fait son travail avec cœur. Et il lui saute dessus. Il lui arrache son bipeur avant qu'elle puisse alerter la sécurité.

Eve marqua une nouvelle pause.

— Elle n'a pas eu la possibilité de réagir, de se débattre. Il n'y a aucun signe de lutte, elle était impuissante face à ce type. Les draps sont froissés et souillés, mais tout le reste est en ordre, donc il lui a réglé son compte sur ce lit. En musique.

— Je trouve que c'est le plus horrible, murmura Peabody. Ça me donne la chair de poule.

— Il en termine avec elle, il regarde l'heure. Ça n'a pas pris beaucoup de temps. Il se lave les mains, il rouspète un peu parce qu'elle a réussi à l'égratigner, il se change, il met tous les produits de toilette dans sa valise. Il range. Il n'enlève pas les draps, bien sûr, mais il ne veut pas laisser trop de désordre.

— Quel sang-froid !

— Oh, oui ! Un boulot facile. Quelques heures dans un palace, un bon repas, un stock de produits de toilette et un gros salaire. Je me le représente parfaitement, Peabody, par contre je ne vois pas qui l'a rétribué et je ne comprends pas pourquoi.

Eve se tut un instant, composant mentalement l'image de Darlene French. Soudain, elle entendit la porte d'entrée s'ouvrir. D'un signe, elle ordonna à Peabody de reculer, dégaina son arme et, d'un pas vif et silencieux, passa dans le couloir.

— Connors ! Bon sang… Qu'est-ce que tu fiches ici ?

— Je te cherchais, dit-il en refermant la porte.

— Cette pièce est sous scellés. Il s'agit d'une scène de crime.

Elle savait bien, pourtant, qu'avec ses doigts habiles il avait mis moins de temps à décoder les scellés qu'elle avec son passe.

— C'est justement pour cette raison que je suis venu te chercher ici, quand on m'a informé que tu étais dans l'hôtel. Bonjour, Peabody.

— Qu'est-ce que tu veux ? grommela Eve avant que son assistante ne réponde. Je travaille.

— Évidemment, j'en suis conscient. J'ai supposé que tu souhaitais interroger les personnes que tu as mentionnées hier. Barry Collins est chez lui, mais son supérieur se tient à ta disposition, de même que Sheila Walker, une autre femme de chambre qui était une amie proche de la victime. La famille l'a chargée de vider le vestiaire de Darlene.

— Elle n'a pas l'autorisation de toucher à…

— Je le lui ai dit. Pas avant que tu aies donné le feu vert. Mais je lui ai demandé d'attendre jusqu'à ce que tu sois disponible pour lui parler.

Eve était furieuse.

— Je pourrais te dire que je n'ai pas besoin d'aide pour organiser les interrogatoires.

— En effet, tu pourrais, rétorqua-t-il si aimablement qu'elle en eut le souffle coupé.

— Bon... tu m'as fait gagner du temps, marmonna-t-elle. Mais je ne veux personne dans cette suite tant que je n'aurai pas terminé.

— Compris. Tu n'auras qu'à me joindre au 001.

— Dans l'immédiat, on sort d'ici. Je vais d'abord parler à Sheila Walker.

— J'ai mis un bureau à ta disposition.

— Je préfère la rencontrer sur son lieu de travail. Ce sera moins intimidant pour elle.

— À ta guise. Elle est dans la salle de repos réservée aux employés. Je vais te montrer le chemin.

— D'accord. Tu n'auras qu'à rester dans les parages, ta présence la rassurera.

Eve constata vite qu'elle avait eu raison. Sheila, une grande fille noire très mince aux yeux immenses, ne cessait de jeter à Connors des regards anxieux, quêtant son aide, son soutien.

Elle avait l'accent des îles, charmant et musical, malheureusement gâté par les sanglots. Eve sentait poindre une migraine carabinée.

— Elle était tellement gentille. Jamais elle ne disait du mal de personne. Elle était... lumineuse. Si un client bavardait avec elle, il lui donnait un gros pourboire. Ça ne loupait jamais. Et maintenant... je ne la reverrai plus...

— Je sais que c'est dur de perdre une amie, Sheila. Pouvez-vous me dire si elle avait des soucis, des problèmes ?

— Oh, non ! Elle était heureuse. Dans deux jours, on était en congé et on devait faire du shopping. Acheter des chaussures. Elle adorait les chaussures. Juste avant notre tournée, on en avait discuté. On avait décidé de se lever de bonne heure et d'aller au centre esthétique de Sky Mall pour une séance de maquillage gratuite.

Son visage se crispa.

— Oh, monsieur Connors !

Il lui prit la main, la tint serrée entre les siennes. L'interrogatoire continua ainsi une demi-heure. Des propos décousus de Sheila émergea cependant le portrait d'une jeune femme insouciante et joyeuse qui vivait sa première histoire d'amour.

Tous les matins, à la pause, elle prenait le petit déjeuner avec son ami, dans la salle de repos, hormis les jours de paye où ils allaient dépenser leur argent dans un café non loin de l'hôtel. Il la raccompagnait quotidiennement à sa station de métro. Ils envisageaient de louer ensemble un appartement, peut-être à l'automne.

Elle n'avait pas vu, entendu ou découvert quoi que ce soit d'anormal ou d'inquiétant. Sinon elle en aurait parlé à sa meilleure amie – car Sheila affirmait être sa meilleure amie. Quand elle s'était éloignée en poussant son chariot, juste avant de mourir, elle avait le sourire.

Le responsable des grooms lui brossa un portrait tout aussi riant de Barry. Jeune, enthousiaste et très amoureux d'une femme de chambre brune prénommée Darlene.

Il avait obtenu une augmentation le mois précédent et montré à quiconque le croisait le petit cœur en or qu'il avait acheté pour l'anniversaire de leur rencontre – ils se fréquentaient depuis six mois.

Eve se rappelait avoir vu, sur la vidéo, Darlene qui jouait avec le pendentif avant d'entrer dans la suite 4602.

— Peabody, une question de fille, dit Eve tandis qu'elle quittait la salle, flanquée de son assistante et de Connors.

— Ça tombe bien, je suis une fille.

— Exact. Donc, vous vous querellez avec votre petit ami ou vous n'êtes plus convaincue que ce soit le bon. Un truc dans ce genre. Vous porteriez le cadeau qu'il vous a offert ?

— Absolument pas. Si c'est une grosse dispute, on le lui jette à la figure. Si on envisage de le plaquer, on verse quelques larmes sur le bijou, ensuite on le fourre dans un tiroir jusqu'à la rupture. En cas de prise de bec mineure, on le met dans un coin en attendant de voir comment les choses vont tourner. On n'exhibe un cadeau que si on veut montrer à la terre entière qu'on a un jules.

— Tout ça est d'un compliqué ! Mais vous confirmez mon opinion.

Eve assena une tape sur la main de Connors qui tripotait la chaîne qu'elle portait au cou, et le diamant en forme de goutte d'eau caché sous sa chemise.

— Simple vérification, dit-il. Apparemment, je suis toujours ton jules.

— Je ne l'exhibe pas, rétorqua-t-elle, perfide.

— Presque, répliqua-t-il avec un sourire angélique.

Elle le foudroya du regard.

— Essaie de m'embrasser, et je t'assomme. Peabody, on va rencontrer Barry. Quant à toi, ajouta-t-elle en enfonçant l'index dans la poitrine de Connors, il faudra qu'on discute un peu plus tard.

— Je serai à ta disposition. Tu sais que rien ne me plaît davantage.

Soudain, le sourire de Connors s'évanouit, son regard se durcit. Derrière lui, quelqu'un fredonnait à mi-voix une vieille ballade irlandaise.

Avant qu'il ait pu se retourner, un bras lui enserra le cou. Un rire sonna à son oreille, le renvoyant brusquement dans les ruelles de Dublin.

Puis on le fit pivoter, et il se retrouva face à un mort.

— Tu n'es plus aussi rapide que tu l'étais, hein, mon pote ?

— Peut-être pas.

Vive comme l'éclair, Eve dégaina son arme et appuya le canon contre la gorge de l'homme.

— Moi, je suis rapide. Reculez ou vous êtes mort.

— Trop tard, il l'est déjà, murmura Connors. Mick Connelly, qu'est-ce que tu fabriques ici ? Tu n'es donc pas en enfer ?

— Ah ! on ne peut pas tuer le diable ! Mais toi aussi, tu as l'air d'aller très bien. Pas vrai ?

Eve, éberluée, les observait.

— Du calme, chérie, lui dit Connors en détournant doucement le canon du laser. Cet individu est un vieil ami.

— Et comment ! ricana Mick. Dis donc, tu t'es pris un garde du corps de sexe féminin ?

— C'est un flic, rétorqua Connors avec un large sourire. Et c'est ma femme.

Hilare, Mick pressa une main sur son cœur.

— Eh ben ! Elle n'aura pas besoin de me buter. Cette fois, je meurs pour de bon. J'avais entendu dire... Oh ! on raconte des tas de choses sur le célébrissime Connors, mais je n'y croyais pas.

Il s'inclina, plutôt galamment, devant Eve et lui baisa la main qui tenait le pistolet.

— Je suis enchanté de vous connaître, madame, vraiment ravi. Je m'appelle Michael Connelly, Mick pour les intimes, dont vous ferez partie, je l'espère. Votre mari et moi, nous avons été jeunes ensemble. Des chenapans, hélas.

— Lieutenant Dallas, répliqua-t-elle, séduite toutefois par les yeux rieurs de son interlocuteur, aussi verts que de la mousse. Eve.

— Excusez mes manières... exubérantes, mais j'étais tellement excité de retrouver mon vieux copain...

— Il faut que j'y aille, dit-elle à Connors. Enchantée d'avoir fait votre connaissance, ajouta-t-elle en tendant la main à Mick.

— À bientôt ?

— Oui, sans doute.

Mick la regarda s'éloigner en compagnie de Peabody.

— Elle se méfie de moi, pas vrai ? Elle en a le droit. Nom d'un chien, c'est bon de te revoir !

— Qu'est-ce que tu fais à New York ? Et dans mon hôtel ?

— Les affaires. On a toujours une casserole sur le feu. Je comptais justement en discuter avec toi. Tu as un peu de temps à consacrer à un ami d'enfance ?

4

Pour un mort, Mick Connelly avait vraiment l'air en pleine forme dans son costume vert. Il avait toujours aimé les couleurs vives, Connors s'en souvenait. La coupe et l'étoffe dissimulaient les kilos qu'il avait pris au cours des dix dernières années.

Dans leur jeunesse, aucun d'eux n'avait de graisse superflue, la faim les gardait minces.

Ses courts cheveux sable encadraient une figure qui, comme le corps, s'était arrondie avec l'âge. Ses incisives étaient devenues proéminentes et évoquaient des dents de castor. Il avait rasé la moustache à laquelle il tenait tant, et qui n'avait jamais été qu'une ridicule touffe de poils.

Mais il avait toujours son nez camus typiquement irlandais, son sourire canaille et son regard malicieux.

Naguère, nul n'aurait qualifié de séduisant ce garçon maigrichon, plutôt petit et couvert de taches de rousseur. Mais il avait des mains habiles, la langue bien pendue, et l'accent de Dublin, rude et musical, qui convenait aux bagarres à coups de poing.

Quand il entra dans le bureau de Connors, dans la luxueuse aile centrale de l'hôtel, il s'immobilisa, les mains sur les hanches. Un sourire de gargouille fendait son visage.

— Tu as bien réussi, hein, mon pote ? On me l'avait dit, bien sûr, mais le voir de mes yeux, ça m'épate.

— Te voir m'épate aussi, répondit Connors d'un ton chaleureux.

Il s'était remis de sa stupeur. Une part de lui prenait du recul, s'interrogeait : que lui voulait ce fantôme surgi du passé ?

— Assieds-toi, Mick, et raconte.

— D'accord.

Mick prit place dans l'un des fauteuils rembourrés, étendit les jambes et balaya la pièce du regard – l'équipement électronique ultrasophistiqué, l'élégant mobilier, les boiseries, les portes-fenêtres ouvrant sur un balcon en pierre. Sans doute calculait-il la valeur de tout ça, songea Connors.

— Oui, tu as réussi, soupira-t-il en fixant de nouveau son ami avec son irrésistible sourire. Si je promets de ne rien te piquer, tu offrirais une bière à un vieux copain ?

Connors fit coulisser un panneau mural qui dissimulait l'autochef et commanda deux Guinness.

— J'ai programmé de la vraie bière pression, il faut une minute pour qu'elle soit bien mousseuse.

— Il y a un moment qu'on n'en a pas sifflé une ensemble. Combien de temps ? Quinze ans ?

— À peu près.

« Et avant ça, pendant quinze ans, nous étions des voleurs », pensa Connors en s'appuyant à la table, tandis que les chopes se remplissaient. Il se détendait, mais ne baissait pas complètement la garde.

— Je croyais que tu avais rendu l'âme dans un pub de Liverpool. Un coup de couteau. En principe, mes informateurs sont fiables. Alors explique-moi ce que tu fais là.

— Je vais t'expliquer. Tu te souviens peut-être que ma mère – Dieu bénisse son âme froide et noire – me répétait que j'étais destiné à mourir dans un bouge, avec un poignard dans le ventre. Elle disait ça chaque fois qu'elle avait un coup dans le nez.

— Elle est toujours vivante ?

— Aux dernières nouvelles, oui. J'ai quitté Dublin quelque temps avant toi, tu te rappelles. J'ai voyagé ici et là, je cherchais fortune. J'ai fait des affaires. En gros, je déplaçais des marchandises, je les prenais à un endroit pour les mettre ailleurs, histoire de les laisser refroidir avant de les replacer. Voilà pourquoi j'étais à Liverpool lors de cette nuit fatidique.

Machinalement, Mick ouvrit le coffret en bois sculpté posé sur la table à côté de lui et écarquilla les yeux en découvrant qu'il contenait des cigarettes françaises – interdites quasiment dans tout l'univers et d'un prix hallucinant.

— Je peux ?

— Sers-toi.

Par amitié, Mick n'en prit qu'une au lieu d'une demi-douzaine, comme il l'aurait fait dans d'autres circonstances.

— Où j'en étais ? dit-il en extirpant un mince briquet en or de sa poche. Ah, oui ! J'avais la moitié de l'argent sur moi, et je devais rencontrer mon… client pour le reste. Ça a mal tourné. Les autorités du port ont eu vent de la chose, l'entrepôt a été fouillé. Les flics me cherchaient, ainsi que le client. Il s'était mis dans la tête que je l'avais roulé.

Devant la mine soupçonneuse de Connors, Mick éclata de rire.

— Non, je t'assure. Je n'avais que la moitié du fric, pourquoi l'aurais-je roulé ? Bref, je me suis faufilé dans le pub pour essayer de régler ça et d'organiser un transport rapide et discret. Je voulais d'abord me tirer de ce pétrin. Et figure-toi que, là-dessus, une bagarre éclate.

— Une bagarre dans un pub du port de Liverpool, murmura Connors en saisissant les deux chopes de Guinness, incroyable !

— Et une sacrée bagarre, je te le garantis.

Mick prit sa bière.

— Aux vieux amis. Santé !

— Santé.

— Les coups pleuvaient, enchaîna Mick. Moi, comment dire, je faisais profil bas. Le barman tapait sur tout le monde avec une batte, les clients commençaient à s'énerver, à prendre parti pour les uns ou les autres. Et puis les deux types qui avaient déclenché tout ça – je n'ai jamais su pourquoi – ont sorti des couteaux. Je ne pouvais plus me carapater sans me faire découper en tranches, or je n'y tenais pas du tout, tu comprends. Il m'a donc paru plus raisonnable d'accompagner le mouvement, d'autant que les spectateurs s'échauffaient et se cognaient dessus juste pour le plaisir.

Connors n'avait aucun mal à se représenter la scène. Ils avaient eux-mêmes souvent participé à ce genre de réjouissances.

— Combien de poches tu as vidées pendant le spectacle ?

— Je ne les ai pas comptées, répondit Mick avec un grand sourire. Mais j'ai récupéré une petite partie de l'argent qui m'était dû. Bref… les chaises volaient, les types aussi. Je me suis retrouvé dans la mêlée, fatalement. Là-dessus, voilà que les deux qui avaient commencé se flanquent des coups de couteau. J'ai vu tout de suite qu'ils n'y survivraient pas. Le sang était trop noir. Et ça puait. Tu la connais, l'odeur de la mort.

— Oui, je la connais.

— Les autres ont détalé à toute allure comme des rats quittent le navire. Et le barman a appelé les flics. Alors il m'est venu une idée lumineuse : un des morts avait ma couleur de cheveux et ma corpulence. C'est le destin qui décide, pas vrai ? Mick Connelly avait besoin de disparaître. Être raide mort sur le plancher d'un pub de Liverpool… l'idéal. J'ai échangé nos papiers d'identité et j'ai pris la fuite. Ainsi Michael Joseph Connelly mourut-il poignardé dans un bouge, comme sa mère l'avait prédit, tandis que Bobby Pike filait à Londres. Et voilà mon histoire.

Mick but une lampée de bière, poussa un soupir de satisfaction.

— Nom d'un chien, ça fait plaisir de te revoir. On a eu du bon temps, pas vrai ? Toi, moi, Brian et les autres.

— Oui, en effet.

— J'ai appris ce qui était arrivé à Jenny, à Tommy et à Shawn. Mourir de cette façon… Ça m'a brisé le cœur. De notre gang de Dublin, il ne reste plus que toi, moi et Brian.

— Il est toujours à Dublin. Il a un bar, *La Tirelire*, dont il s'occupe personnellement.

— On me l'a raconté. J'y retournerai un jour pour le saluer. Et toi, tu y vas souvent ?

— Non.

Mick hocha la tête.

— On n'y a pas que de bons souvenirs, je te l'accorde. Mais tu as sacrément bien réussi, pas vrai ? Tu disais toujours que tu t'en sortirais.

Il se leva, sa chope à la main, et s'approcha de la porte-fenêtre.

— Tu te rends compte ? Tu possèdes cet endroit, et Dieu sait quoi encore. Ces dernières années, j'ai parcouru le monde et d'autres planètes. Partout j'ai entendu chanter les louanges de mon vieux copain.

Il pivota, souriant.

— Je suis drôlement fier de toi, Connors.

Celui-ci tressaillit : parmi ceux qui l'avaient connu jeune, personne n'avait dit ces mots à l'homme qu'il était devenu.

— Quelles sont tes activités, Mick ?

— Oh, les affaires ! Encore et toujours. Comme elles m'ont amené à New York, je me suis décidé : « Mick, tu vas prendre une chambre chez Connors, au Palace. » Je voyage de nouveau sous mon vrai nom. Il a coulé suffisamment d'eau sous les ponts depuis Liverpool. Et il y a trop longtemps que je n'ai pas bu une bière avec des vieux copains.

— Maintenant que nous avons bu cette bière, voudrais-tu m'expliquer les véritables raisons de ta présence ici ?

Mick s'adossa à la porte-fenêtre, porta la chope à ses lèvres tout en scrutant Connors de son regard pétillant.

— On ne te la fait pas, tu as toujours possédé une espèce de radar pour détecter les emmerdes. Mais je ne t'ai pas menti. J'ai pensé que tu serais peut-être intéressé par une des affaires que j'ai en cours. Des pierres. Des jolies pierres colorées qui moisissent dans une boîte.

— Ce n'est plus pour moi.

Mick émit un rire bref, appuyé d'un clin d'œil à Connors qui, impassible, l'observait.

— Allons, c'est Mick que tu as en face de toi. Ne me raconte pas que tu as mis tes mains magiques à la retraite.

— Disons que je les utilise autrement. Légalement. Je n'ai plus besoin, depuis longtemps, de jouer les pick-pockets ou les cambrioleurs.

— Qui parle de « besoin » ? se récria Mick. Dieu t'a donné un talent formidable. Non seulement tu as des mains en or, mais tu as aussi une cervelle prodigieuse. Jamais de ma vie je n'ai rencontré quelqu'un qui ait un cerveau comme le tien. Et il a été créé pour la corruption.

Souriant de nouveau, Mick se rassit.

— Ne me raconte pas que tu diriges ton empire de façon réglo, je ne te croirai pas.

— C'est pourtant vrai.

« Maintenant », rectifia Connors *in petto*.

— Et c'est justement un challenge qui me plaît, ajouta-t-il.

— Mon cœur, se plaignit Mick en se tenant la poitrine. Je ne suis plus aussi jeune que je l'étais, mon organisme ne supporte pas des chocs aussi violents.

— Tu t'en remettras, et tu devras te trouver un autre complice pour tes pierres.

— Quelle honte ! Un péché, franchement, mais c'est comme ça, soupira Mick. Figure-toi que, moi aussi, je fais dans l'honnête et le sérieux. J'ai fondé une petite entreprise avec deux associés. On est des avortons, comparés à un caïd comme toi. On est dans les parfums, et l'on a l'idée de vendre nos produits dans des flacons tarabiscotés, à l'ancienne mode. Du romantique, tu vois. Tu serais prêt à investir ?

— Éventuellement.

— Alors on en discutera pendant que je suis à New York.

Mick se releva.

— Pour l'instant, je vais m'installer dans ma chambre et te laisser à tes occupations.

— Tu n'es pas le bienvenu au Palace. En revanche, tu l'es chez moi, dans ma résidence.

— C'est gentil de ta part, mais je ne voudrais pas te déranger.

— Je pensais que tu étais mort. Jenny et les autres, excepté Brian, sont morts. Ils ne sont jamais venus chez moi. Je demanderai qu'on apporte tes bagages.

On disposait déjà de rapports psychiatriques et d'analyses de personnalité émanant de divers organismes d'un bout à l'autre de la planète. Eve comptait les transmettre, ainsi que ses notes, au Dr Mira, la psychiatre et profileuse de la police new-yorkaise, pour une étude approfondie.

Toutefois un tueur professionnel n'était, par essence, qu'un instrument. Elle voulait l'épingler, certes, mais elle voulait surtout trouver son commanditaire.

— D'après le FBI, le salaire de Yost par contrat avoisine les deux millions de dollars. Les frais ne sont pas compris dans cette somme qui peut augmenter en fonction de la cible et de la difficulté du travail.

— Que possède une femme de chambre de vingt-deux ans qui vaille deux millions de dollars ? marmonna Eve, les yeux rivés sur l'écran et le visage souriant de Darlene.

— Des informations, suggéra McNab.

On lui avait ordonné, pour son plus grand plaisir, de rejoindre l'équipe en tant que consultant de la Division de détection électronique. Il était à présent au côté d'Eve, ses longs cheveux blonds retenus par trois barrettes rondes, rouges, une expression grave sur son visage séduisant.

— Possible. Admettons que la victime détenait ou était supposée détenir des informations importantes. Dans ce cas, pourquoi ne pas organiser, pour un prix beaucoup moins élevé, une agression ? Elle se rendait à son travail et en repartait toujours à la même heure, elle empruntait les transports en commun. Il suffisait de la suivre dans la rue et de la tabasser. L'affaire était réglée, sans tapage.

— Oui. Mais dans la rue, il y a un risque, rétorqua McNab, jouant l'avocat du diable pour justifier sa présence. Elle aurait pu avoir de la chance, s'enfuir ou être secourue par un bon samaritain. Tandis qu'à l'hôtel, dans une chambre, il était impossible de la louper.

— Et l'affaire se retrouve sous le feu des projecteurs, avec pour la résoudre les meilleurs limiers de la police, sans compter Connors. Parce que le commanditaire sait à quoi il s'expose en mettant un meurtre dans les pattes de Connors, ajouta Eve à contrecœur. Et cet individu a les finances nécessaires pour se payer un tueur de premier ordre.

Une ombre de sourire étira les lèvres de McNab.

— Il est peut-être stupide.

— Vous l'êtes peut-être aussi, riposta Peabody. La personne qui a engagé Yost voulait que ça fasse du bruit. Par conséquent, elle cherche à attirer l'attention. Sans doute qu'elle paie également pour ça.

— Oui, je suis d'accord, répliqua McNab, vexé. Mais pourquoi ? Le tueur et la victime sont au centre de l'attention générale. Pas lui. Alors à quoi bon ? Nous n'avons pas de vrai mobile. En réalité, nous ne pouvons même pas affirmer que French était bien la cible visée. Il s'agit peut-être d'un hasard.

— C'est elle qui est morte, contra Peabody.

— Mais si elle avait fait les chambres attribuées à une de ses collègues, pour lui rendre service par exemple, elle serait toujours vivante.

— McNab, vous m'étonnez, intervint Eve d'une voix où perçait une note ironique. Vous raisonnez quasiment comme un inspecteur. D'après les registres de l'hôtel, James Priory, alias Sylvester Yost, n'a pas demandé cette suite en particulier, ni même cet étage.

McNab et Peabody sursautèrent.

— Cela m'indique une chose, que confirme le calcul de probabilités que j'ai fait faire avant cette réunion – c'est l'une des tâches assommantes dont nous devons nous charger, à la criminelle.

Les deux jeunes gens baissèrent le nez.

— Ça m'indique donc que Darlene French n'était pas spécialement visée. Elle est morte simplement parce qu'elle se trouvait là au mauvais moment.

— Lieutenant, pourquoi débourserait-on deux millions de dollars pour tuer quelqu'un au hasard ?

— Il y a une autre question, rétorqua Eve. Pourquoi a-t-on choisi pour ce travail un tueur connu de toutes les polices de l'univers ? Et pourquoi a-t-on choisi pour commettre ce meurtre un lieu autour duquel les médias bourdonnent comme des guêpes autour d'un pot de confiture ?

Comme McNab et Peabody demeuraient silencieux, Feeney soupira.

— Tu as du mérite, Dallas. Tu essaies de bien les éduquer, de leur transmettre ton expérience, et ils restent la mâchoire pendante. Réfléchissez un peu, vous deux.

Il marqua une pause.

— Connors. C'est lui, la cible.

Pourquoi ? Voilà ce qui la tracassait. Que signifiait cet avertissement qu'on donnait à Connors ? Tiens, regarde ce que je suis capable de faire, ce que je peux te balancer à la figure.

Pour quelle raison ?

Les médias s'agiteraient, et il apaiserait les remous. L'hôtel déplorerait quelques annulations, mais aurait deux fois plus de réservations dues à la curiosité morbide du public.

Il n'était pas impossible que quelques employés démissionnent. D'autres se précipiteraient pour les remplacer.

Au bout du compte, ça ne coûterait rien à Connors. Ça lui ferait même une publicité dont il savait parfaitement tirer profit.

À moins que le commanditaire de Yost ne connaisse la manière dont Connors fonctionnait. Peut-être savait-il que Connors ne supporterait pas qu'une jeune femme innocente soit tuée alors qu'elle travaillait pour lui.

Il allait en faire une affaire personnelle. Et si c'était bien lui qu'on visait… Oui, ça la tracassait énormément.

Sa volonté d'arrêter Yost n'en était que plus farouche. Elle vengerait Darlene. Elle apporterait des réponses à Connors.

Elle étudia de nouveau le dossier de Yost. Pas de famille, pas d'associés, pas d'adresse. Rien. Pour la première fois de sa carrière, elle avait l'identité de l'assassin, des preuves solides, tout cela vingt-quatre heures après le crime. Mais pas une seule direction à suivre pour lui mettre la main dessus.

Aucune piste.

— Où est-ce que tu dors, espèce de salaud ? Où est-ce que tu manges ? Qu'est-ce que tu fabriques quand tu es en congé ?

Elle ferma les yeux.

La discrétion, songea-t-elle en se représentant le visage, la bouche, le regard de l'assassin. Rien qui retienne l'attention.

Tu es un solitaire. Des quartiers agréables et paisibles, des maisons élégantes. Tu dois en avoir plus d'une. Tu voyages beaucoup. Un véhicule privé ? Oui, sans doute. Mais pas trop voyant. Solide, fiable, classique. Comme la musique que tu écoutais pendant que tu la tuais. Seulement... si tu es venu en voiture à New York, tu n'as pas utilisé le parking de l'hôtel.

Steak et pommes de terre au four. Un repas simple et coûteux. Les vêtements qu'il portait, lors de son arrivée et de son départ, répondaient aux mêmes critères. Ainsi que sa valise.

La valise.

Elle se redressa brusquement, afficha sur l'écran un plan enregistré par la caméra de la réception.

— Oui, oui... une valise à roulettes. Simple et coûteuse. Et toute neuve, apparemment. Ordinateur, agrandis la section douze.

— *En cours...*

Ce fragment de l'image montrait la valise de Yost, debout à ses pieds. On ne distinguait aucun signe d'usure sur l'épais cuir noir, pas le moindre défaut.

— Continue à agrandir, de six à dix.

— *En cours...*

Cette fois, elle put déchiffrer l'élégante plaque en laiton du fabricant.

— Select... D'accord, qu'est-ce que ça nous donne ? Identifie le modèle.

— *En cours... Modèle 345/92-C, commercialisé sous la dénomination Business Elite, disponible en cuir ou en tissu, répondant aux normes de sécurité pour les voyages aériens et interplanétaires. Mis sur le marché en janvier de cette année. Select est une filiale de Solar, société appartenant au groupe Connors Industries.*

— Ce qui n'étonnera personne, marmotta Eve. Sur le marché depuis janvier. Ordinateur... non, laisse tomber.

Elle enfonça une touche de l'interphone pour appeler McNab.

— La valise. Modèle 345/92-C, baptisé Business Elite, fabriqué par Select. Établissez-moi la liste des magasins où ce modèle a été vendu, en version cuir noir, depuis janvier de cette année. Je veux les adresses et aussi, bien sûr, les noms des clients.

— Ça va prendre…

— … du temps. Vous n'en avez plus ?

— Si, lieutenant. Je m'y mets.

— Moi aussi, murmura-t-elle en se levant.

Elle prit sa veste, ses dossiers, et se dirigea vers le box de Peabody.

— Je vais travailler à la maison. Vous, vous vérifiez les cheveux.

— Les cheveux, lieutenant ?

— Ceux de Yost. Ce ne sont pas les siens. Cette coiffure ne le flatte pas, or il est extrêmement coquet. C'est donc une perruque, et d'excellente qualité. Je le soupçonne d'en avoir une collection. Commencez par celle-là, contactez les salons et les magasins de beauté des grandes villes. Il n'est pas du genre à se payer des produits de deuxième catégorie. Concentrez-vous sur les perruques en cheveux naturels, qui ne risquent pas de provoquer des allergies, etc. Il aime que tout soit bien net. Il trimbale une valise en cuir, plutôt qu'une en tissu qui serait plus légère.

Sur quoi Eve s'éloigna à grands pas, avant que Peabody ait pu lui demander quel rapport existait entre une valise en cuir et une perruque.

Elle franchissait la porte quand Connors apparut dans l'escalier.

— Qu'est-ce que tu fiches ici ? bougonna-t-elle.

— J'habite ici.

— Ne joue pas les malins.

— Et toi, pourquoi es-tu rentrée ? Tu n'as pas terminé ta journée.

— J'ai des trucs à faire.

— Ah !

— Oui, ah ! Et puisque tu es là, je vais gagner du temps. J'ai des questions à te poser et…

— J'étais en haut, coupa-t-il en lui posant la main sur le bras. J'ai installé Mick dans une des chambres d'amis.

— Mick. Ah !

— Ça t'ennuie qu'il passe quelques jours à la maison ?

— Non.

« Ça tombe mal, songea-t-elle. Très mal. »

— C'est ta maison, ajouta-t-elle.

— Et aussi la tienne. Il vient d'une époque de ma vie dont tu ne penses pas beaucoup de bien, je ne l'ignore pas, lieutenant. Mais cette époque, je l'ai vécue.

— J'ai rencontré certains de tes amis de Dublin. J'apprécie Brian.

— Je sais.

Il la saisit par les épaules, l'attira contre lui.

— Mick était important pour moi, Eve. Aussi proche, peut-être même plus, qu'un frère aurait pu l'être. Dans les bons et les mauvais moments. Je le croyais mort, je m'étais résigné à cette idée.

— Et tu es heureux qu'il soit vivant.

Elle comprenait l'amitié, ses exigences.

— Tu veux bien lui demander de ne rien faire d'illégal pendant qu'il est ici ?

Il lui baisa doucement les lèvres.

— Je pense qu'il te plaira.

— Ouais.

Il n'avait pas répondu à sa question, et tous deux en étaient conscients.

— Vous autres, les Irlandais, vous êtes plutôt charmants. Écoute, je dis seulement que tu n'as pas besoin de problèmes supplémentaires pour l'instant, vu la direction que prend cette enquête.

Il hocha la tête.

— Cette pauvre petite femme de chambre n'était pas la cible, n'est-ce pas ?

— J'en doute fort. Il nous faut réfléchir, chercher qui pourrait s'en prendre à toi de cette façon, et pourquoi.

— D'accord, dès que j'aurai organisé le dîner de ce soir.

— Ce soir ? Connors…

— Si tu ne peux pas, je te signerai un mot d'excuse. Magda et son fils seront là, ainsi que quelques personnalités influentes. Il est important de lisser les plumes que le drame de cette nuit a ébouriffées, et de persuader tout le monde que la vente aux enchères se déroulera sans anicroche.

— Inutile de te demander de reporter ce fichu dîner.

— Inutile, répliqua-t-il avec un grand sourire. Je ne compromettrai ni les activités de l'hôtel ni aucun de mes projets, parce qu'on estime que quelqu'un me cherche des crosses.

— La prochaine fois, on pourrait s'attaquer directement à toi.

Le sourire de Connors s'élargit encore.

— Je préférerais ça. Je ne veux pas avoir une autre mort sur la conscience. Et, de toute manière, j'ai près de moi le plus efficace des gardes du corps.

— À quelle heure, ta soirée ?

— Vingt heures.

— Alors je vais travailler. Je suppose que je suis obligée de mettre un truc élégant sur le dos ?

— Laisse-moi me charger de ça, répliqua-t-il en lui plantant un baiser sur le front. Merci.

— Pas de simagrées, s'il te plaît. J'exige que tu m'accordes un peu de ton précieux temps avant demain, ajouta-t-elle en grimpant l'escalier quatre à quatre.

— Et moi, Eve chérie, j'exige tout ton temps.

Elle haussa les épaules, continua de monter. Sur le palier du premier, elle avisa Mick qui émergeait d'une des innombrables chambres d'amis. Il avait ôté sa veste et paraissait chez lui.

— Lieutenant ! s'exclama-t-il d'un ton enjôleur. Rien de plus agaçant qu'un invité inattendu, pas vrai ? Et, par-dessus le marché, un vieux copain de votre mari que vous ne connaissiez pas. J'espère que je ne vous dérange pas trop ?

— La maison est grande, rétorqua-t-elle, réalisant à l'instant où elle prononçait ces mots qu'ils n'étaient pas très courtois.

Il répondit par un rire jovial et communicatif.

— Excusez-moi, j'ai la tête ailleurs, grommela-t-elle. Connors vous a invité, par conséquent vous ne me dérangez pas.

— Merci. J'essaierai de ne pas vous abrutir avec le récit de nos frasques de jeunesse.

— Figurez-vous que j'aime bien ce genre d'histoire.

— Attention, vous ouvrez la boîte de Pandore, répliqua-t-il en lui adressant un clin d'œil. Sacrée maison, enchaîna-t-il. Un palais, plutôt. Vous arrivez à retrouver votre chemin dans ce labyrinthe ?

— Pas toujours. Un problème ? ajouta-t-elle, comme il contemplait pensivement l'arme qu'elle portait dans son holster d'épaule.

— Non, mais je ne suis pas fou de ces pistolets.

— Vraiment. Et quelle est votre arme favorite ?

Il plia le bras, crispa le poing.

— Celle-là. Mais dans votre boulot, évidemment… À ce propos, je n'ai pas souvent eu l'occasion d'avoir une discussion agréable avec un membre de la police. Connors et un flic. Excusez-moi, lieutenant, mais je n'en reviens pas. Vous accepterez peut-être de me raconter tout ça, un de ces jours. Dieu sait que ça m'intéresse.

— Demandez à Connors. C'est un bien meilleur conteur que moi.

— J'aimerais entendre aussi votre version.

Il hésita un instant, s'approcha.

— Connors n'aurait pas choisi quelqu'un d'idiot, donc vous devez être un bon flic, lieutenant. Et par conséquent vous reconnaissez les types de mon acabit quand vous en croisez un. Mais vous ignorez peut-être que Connors est mon plus vieil ami sur cette terre. J'espère pouvoir conclure un pacte avec la femme de mon ami.

Il tendit la main. Elle n'eut qu'une brève hésitation avant de la prendre et de la serrer.

— J'accepte de conclure un pacte avec l'ami de mon mari. Tant que vous êtes à New York, Mick, tenez-vous tranquille. Je ne veux pas qu'il ait le moindre problème.

— Moi non plus. Et je ne tiens pas à en avoir. Vous êtes de la criminelle, pas vrai ?

— Exact.

— Je vous donne ma parole que je n'ai jamais eu l'occasion de tuer quelqu'un, et que je n'ai pas l'intention de commencer.

— Je ne vous le conseille pas.

5

Eve s'enferma dans son bureau et entreprit d'éplucher la longue liste de meurtres attribués à Yost.

Elle classa les dossiers, les reprit un par un, cherchant des failles dans les enquêtes, des pistes qu'on n'aurait pas suivies jusqu'au bout ou qu'on aurait négligées.

Chaque fois qu'elle trouvait quelque chose de ce style, elle mettait le dossier à part. Elle donna un nom à la pile : les loupés. Car, selon ses propres critères, il y avait eu des ratages. Des témoins qu'on n'avait pas interrogés à fond, ou qu'on avait harcelés durant l'interrogatoire. Des pièces à conviction qu'on n'avait pas suffisamment analysées.

Elle découvrit que, dans plusieurs affaires, un petit objet personnel avait été pris sur le corps de la victime. Une bague, une pince à cheveux, un bracelet. Des objets sans grande valeur, preuve que le vol n'était pas le mobile.

Mais il n'y avait pas assez d'éléments pour conclure que les crimes obéissaient à un schéma précis.

— S'il a pris quelque chose à une victime, il l'a fait pour toutes.

Il était ordonné, routinier.

Des souvenirs. Des trophées. Qu'a-t-il dérobé à Darlene French ?

Elle afficha sur l'écran de son ordinateur la vidéo de surveillance, arrêta l'image sur le plan de Darlene devant la porte de la suite 4602, l'agrandit.

— Les boucles d'oreilles.

Darlene portait de petits anneaux d'or, dissimulés par ses boucles noires. Eve était certaine qu'on ne les avait pas retrouvées sur le corps. Elle vérifia cependant, étudia les images de Darlene gisant sur le lit.

— Il t'a piqué tes boucles d'oreilles.

Un collectionneur. Parce qu'il aime son boulot ? Il veut pouvoir se remémorer ses contrats, en garder une trace tangible.

Donc, il ne tue pas que pour l'argent. Non...

Le bourdonnement du communicateur interrompit sa réflexion.

— Dallas.

— J'ai des informations sur le fil d'argent, déclara McNab. Il est vendu au mètre ou au poids, surtout à des bijoutiers – professionnels ou amateurs – et à des artistes. On peut s'en procurer chez des détaillants, mais c'est beaucoup plus cher. La plupart des clients qui l'achètent au détail s'en servent pour agrémenter leur coiffure ou confectionner vite fait un bracelet à porter au poignet ou à la cheville. Un achat impulsif.

— Voyez les grossistes. Ce n'est pas un impulsif, et il n'aime pas gaspiller son argent, rétorqua Eve, pensant aux produits de toilette qu'il avait chipés à l'hôtel.

— J'avais abouti à la même conclusion. On a plus d'une centaine de grossistes. Pour passer par eux, il faut avoir une licence d'artisan ou de détaillant. À partir de là, on n'a plus qu'à passer sa commande.

— D'accord, contrôlez tous les grossistes.

Elle prit sa liste des pièces à conviction.

— Pour French, il a utilisé un fil de soixante centimètres. Oui, ajouta-t-elle après avoir jeté un coup d'œil aux autres dossiers, pour les autres aussi. Cherchez les commandes de soixante centimètres, ainsi que les longueurs équivalentes à un multiple de soixante. Dites-moi... l'argent se ternit, n'est-ce pas ?

— Il faut le nettoyer, sauf s'il est traité au départ. D'après le labo, celui-ci ne l'est pas, et ils n'y ont relevé aucune trace de produits chimiques.

— Concentrez-vous sur les commandes aux grossistes. Établissez une liste chronologique, en partant de la date du meurtre. À mon avis, il tient à avoir un outil tout neuf, rutilant, pour chaque contrat.

Elle interrompit la communication, se replongea dans les dossiers en se focalisant cette fois sur le fil d'argent.

D'autres enquêteurs avaient suivi cette piste, mais ils s'étaient très souvent bornés à contrôler les fournisseurs de la ville où le meurtre avait été perpétré, sans aller plus loin.

Que de négligences…

Un bruit de pas lui fit lever la tête. Connors entrait dans la pièce.

— Quand on fait briller de l'argent, il se passe quoi ?

— Eh bien, il brille !

— Ha, ha ! Est-ce que le produit laisse des traces ?

Il s'assit sur le bord du bureau, sourit à Eve.

— Comment veux-tu que je réponde à cette question ?

— Tu sais tout.

— Je suis flatté, lieutenant, mais l'entretien de l'argenterie ne relève pas de mes compétences. Demande à Summerset.

— Je n'y tiens pas. Il faudrait que je lui parle sans y être forcée. J'interrogerai un technicien du labo.

Comme elle tendait la main vers son communicateur, Connors l'écarta doucement et appela le majordome par l'interphone.

— Summerset, est-ce que les produits pour l'argenterie laissent des traces ?

Le visage pâle et émacié du majordome s'inscrivit sur l'écran.

— Au contraire, si on astique correctement, tout le produit est enlevé, de même qu'une infime pellicule du métal.

— Merci. Tu as ta réponse ? dit Connors à Eve.

— Mmm… Tu vends du fil d'argent ?

— Oh, je suppose.

— Ouais, évidemment.

— Si tu veux que je t'aide pour l'arme du crime…

— McNab s'en charge. On verra jusqu'où l'on peut aller dans ce domaine sans tomber sur toi.

— Je comprends. Tu souhaitais, je crois, que nous discutions ?

— Effectivement. Où est ton copain ?

— Mick profite de la piscine. Et nous avons encore deux heures avant l'arrivée de nos invités.

— Parfait.

Elle se leva et alla fermer la porte. Puis elle pivota, contemplant l'homme qu'elle aimait, qu'elle avait épousé, son compagnon.

— Le meurtre, si l'on admet qu'il s'agit bien d'un contrat, coûte au commanditaire deux millions de dollars minimum, sans compter les frais. Qui dépenserait une telle somme pour t'attirer des ennuis, te mettre dans une situation difficile ?

— Je l'ignore. Je ne manque pas de concurrents ou d'ennemis qui me haïssent et qui ont suffisamment de moyens.

— Combien, parmi eux, ne reculeraient pas devant un meurtre ?

— Dans le domaine des affaires ? Je me suis fait beaucoup d'ennemis, je te le répète, mais les batailles se livrent en principe dans une salle de réunion. Il n'est pas inenvisageable que l'un d'eux décide de m'éliminer, néanmoins de là à tuer une femme de chambre dans l'un de mes hôtels... ça me paraît totalement aberrant.

— Tu n'as pas livré toutes tes batailles dans des salles de réunion.

— Certes, mais l'affrontement était toujours direct. S'il s'agissait d'une vengeance, on s'en serait pris directement à moi. Je ne connaissais même pas cette jeune fille.

— Justement.

Elle s'approcha, le regarda droit dans les yeux.

— Ça te fait mal, ça te ronge.

— Tuer une gamine innocente...

— Qui pourrait aller jusque-là ? Quelles affaires importantes, dont tu t'occupes en ce moment, seraient compromises si tu avais la tête ailleurs, si tu n'étais pas au top ? Olympus ? La semaine dernière, nous y avons passé quelques jours, et tu avais quantité de choses à régler.

— Rien d'extraordinaire pour un projet de cette ampleur. Tout est sous contrôle.

— Qu'arriverait-il si tu n'étais pas au gouvernail ?

Il réfléchit un instant.

— Il y aurait éventuellement des retards, quelques complications, mais j'ai une équipe solide. Je ne suis pas indispensable, Eve.

— Des nèfles ! rétorqua-t-elle avec une telle véhémence qu'il en fut surpris. Tu tiens tous les leviers. L'empire que tu as construit continuerait à tourner sans toi, d'accord, mais pas de la même manière. Tu es unique en ton genre.

Il lui prit doucement le menton.

— En tout cas, si quelqu'un voulait me faire perdre le nord, il aurait dû s'attaquer à toi. Là, il aurait réussi son coup.

— Je te demande de réfléchir sérieusement. De sonder le présent et le passé. Malgré tous les remparts qu'on bâtit, le passé revient parfois nous assiéger. En ce moment même, le tien barbote dans ta piscine.

— C'est vrai.

— Connors...

Elle hésita, puis se lança.

— Tu ne l'as pas vu depuis très longtemps. Tu ignores qui il est maintenant, ce qu'il a fait pendant toutes ces années. Et voilà qu'il débarque dans ton hôtel quelques heures après le crime.

— Tu soupçonnes Mick ?

Il s'arracha un sourire, secoua la tête.

— C'est un voleur, un escroc, un menteur qui n'est pas toujours digne de confiance, je te l'accorde. Mais ce n'est pas un assassin. Il faut un tempérament très particulier pour tuer avec un pareil sang-froid. Reconnais-le.

— Peut-être, mais les gens changent.

— Non, pas Mick.

Sur ce point, au moins, il n'avait aucun doute.

— Il a peut-être changé, ça aussi je te l'accorde. Mais pas de façon aussi fondamentale. Il piquerait volontiers à une grand-mère, y compris la sienne, toutes ses économies. En revanche, il ne tuerait pas un chien galeux, il ne paierait pas quelqu'un pour s'en charger, même s'il y avait un tas d'or à la clé. Quand il voyait une goutte de sang, il tournait de l'œil.

— Bon...

Elle surveillerait néanmoins Mick Connelly.

— Cherche toutes les personnes dont tu aurais pu écraser les orteils. Donne-moi une piste.

— J'y penserai, promis.

— Très bien. Et tu renforceras les mesures de sécurité en ce qui te concerne.

— Pourquoi, je te prie ?

— Tu es la cible. Il est possible que Darlene French ne soit qu'un avertissement. Du style « Regarde ce que je suis capable de faire ». La prochaine fois, tu pourrais être sur la sellette.

— Ou toi. Tu renforces ta sécurité personnelle ?

— Je n'en ai pas.

— Je ne te le fais pas dire.

— Je n'en ai pas besoin, je suis un flic.

— Et moi, je dors avec un flic. J'en ai, de la chance, non ? ajouta-t-il en l'enlaçant.

— Arrête, il n'y a pas de quoi plaisanter.

— Non, en effet. Mais je préfère en rire pour ne pas me fâcher avec ma femme avant l'arrivée de nos invités. Tais-toi, murmura-t-il en la bâillonnant de sa bouche.

Leur baiser fut long et fougueux. Quand leurs lèvres se désunirent, Eve plissa les paupières d'un air mauvais.

— Je peux mettre toute une bande de flics sur tes talons.

— Certes. Et je pourrais les semer en une seconde, comme tu ne l'ignores pas. Tu es le seul flic que je veuille auprès de moi, lieutenant. De fait...

Il n'acheva pas sa phrase, déboutonnant la chemise d'Eve. Elle lui tapa sur les doigts.

— Bas les pattes, je n'ai pas de temps pour la bagatelle.

— Alors je serai rapide, rétorqua-t-il avec un sourire canaille.

— Je te dis que...

Elle s'interrompit. Il lui mordillait le cou, et une décharge électrique parcourut tout son corps.

— Arrête !

— Impossible, il faut que je me dépêche.

Il lui dégrafa son pantalon en riant. Il l'embrassa, en riant encore. Elle n'avait plus trop envie de se débattre.

Le cri qu'elle poussa lorsqu'il la coucha sur le bureau était à peine une protestation.

À moitié nue, déjà haletante, elle bredouilla :

— D'accord, finissons-en...

— Scrait-ce un gémissement que j'entends ?

— Non, un grognement.

— Je n'ai jamais su faire la différence. Et ça, c'est quoi ?

D'un coup de reins, il la pénétra. Une plainte fusa de la gorge d'Eve.

— Ça, mon lieutenant chéri, c'est bien un gémissement.

— De résignation, dit-elle d'une voix hachée.

— Ça ne suffit pas, rétorqua-t-il, perfide, en faisant mine de se retirer.

— Je crois que j'ai besoin de m'exercer à la résignation.

Elle plongea les doigts dans ses cheveux noirs, l'attira au plus profond d'elle, chercha ses lèvres.

Il ne fut pas aussi rapide qu'il l'avait promis, bien au contraire. Pantelante, elle dut s'assurer que ses jambes ne se déroberaient pas sous elle avant de reposer les pieds par terre. Elle resta là un instant, vacillante, avec sa chemise ouverte, son holster à l'épaule, ses bottes.

Elle était incroyablement sexy.

— J'aimerais te photographier dans cette tenue, mais j'imagine que tu vas refuser.

Elle se regarda, grimaça.

— Fin de la récréation, marmonna-t-elle en ramassant son pantalon. Bon sang, tu m'as embrouillé les idées.

— Merci, chérie. Je peux faire beaucoup mieux, quand j'ai tout mon temps.

Elle le dévisagea. Il était ébouriffé, la jouissance avait assombri le bleu de ses yeux.

— Je t'accorderai peut-être un nouvel essai un peu plus tard.

— Tu es trop bonne avec moi, rétorqua-t-il en lui donnant une tape affectueuse sur les fesses. Maintenant, il vaudrait mieux nous pomponner pour le dîner.

Une réception était une affaire complexe, Eve s'en était rendu compte depuis son mariage. On ne pouvait pas se contenter de s'asseoir à une table et demander à son voisin de vous passer les pommes de terre. Il y avait tout un rituel à respecter. Il fallait avoir la toilette et les bijoux qui convenaient, échanger des amabilités même si on était de mauvais poil, ingurgiter d'abord de l'alcool et des petits canapés avant de passer aux choses sérieuses, dans la salle à manger.

Bref, tout ça traînait en longueur.

Eve estimait être devenue une hôtesse acceptable – pas aussi douée que Connors, mais il n'avait pas son pareil dans ce domaine. Il ne fallait pas être un génie pour accueillir des gens, même si son esprit avait tendance à vagabonder pour retourner à ses préoccupations du moment.

Si elle réussissait à trouver une piste solide pour la valise et le fil d'argent, elle découvrirait où Yost faisait ses achats et de quelle manière. Ce qui l'amènerait peut-être à circonscrire la région où il vivait et à découvrir quel genre d'existence il menait au quotidien.

Il aimait le steak. La viande de bœuf de premier choix n'était pas bon marché. L'achetait-il dans un magasin ou allait-il au restaurant ?

La qualité en toutes choses : telle était, semblait-il, sa devise.

S'offrait-il ces fantaisies seulement quand il travaillait, était-ce chez lui une habitude ? Quelles étaient ses autres dépenses ? Il avait beaucoup d'argent. Si elle pouvait...

— Vous paraissez complètement ailleurs.

— Que...

Eve secoua la tête, reportant son attention sur Magda.

— Excusez-moi.

— Non, ne vous excusez pas.

Elles étaient assises sur les coussins en soie d'un des canapés anciens du grand salon. Des diamants, aussi étincelants et ronds que des planètes, brillaient aux oreilles et au cou de l'actrice. Elle sirotait un breuvage rosé, pareil à de l'écume, dans une flûte.

— Vous avez des soucis infiniment plus importants que nos futilités. Vous pensiez à cette pauvre fille qu'on a assassinée. Savez-vous que ma suite se trouve juste au-dessus de celle où on l'a tuée ?

— Je l'ignorais.

— Quelle horreur… Ce n'était encore qu'une enfant, n'est-ce pas ? La veille du drame, je crois l'avoir vue dans le couloir alors que je quittais ma chambre. Elle m'a souhaité une bonne soirée, elle m'a appelée par mon nom. Je ne lui ai adressé qu'un sourire distrait, j'étais pressée. Je le regrette, murmura Magda.

— Était-elle seule ? Y avait-il quelqu'un avec elle ? Vous vous souvenez de l'heure qu'il était ? Oh, pardonnez-moi ! se reprit Eve, gênée. Déformation professionnelle.

— C'est normal. Je n'ai remarqué personne, mais je sais qu'il était 19 h 45, parce que j'avais rendez-vous au bar à 19 h 30 et que je m'en voulais d'être en retard. Ça fait tellement diva. J'avais discuté trop longtemps avec mon agent, à propos d'un nouveau projet.

Arrête de te comporter en flic, se tança Eve.

— Un film ?

— Vous êtes gentille de me poser la question, alors que ça ne vous intéresse pas le moins du monde. Oui, un excellent rôle. Mais j'attendrai que la vente aux enchères soit passée pour y réfléchir et prendre ma décision. Bien… dois-je vous parler de vos invités de ce soir, ou Connors vous a-t-il brossé leur portrait ?

— Il n'en a pas eu le temps, répondit Eve.

Elle se remémora leur étreinte passionnée sur le bureau, réprima un sourire.

— Tant mieux, ça me donne l'occasion d'exercer ma langue de vipère. D'abord, mon fils…

Elle jeta un regard affectueux à l'homme blond, debout près de la cheminée, dont le visage assez séduisant arborait une expression sérieuse.

— Mon fils unique, précisa-t-elle avec fierté. Il est en train de devenir un homme d'affaires avisé. Je ne sais pas ce que je ferais sans lui. Il n'est pas encore disposé à me donner les petits-enfants que je souhaite tant, mais je ne perds pas espoir. Quoique je ne voie guère Liza Trent dans le rôle d'une mère de famille.

Magda observa la blonde sculpturale qui se tenait auprès de Vince, une main sur son bras, et semblait boire ses paroles.

— Une actrice plutôt talentueuse, en tout cas extrêmement ambitieuse. Mais ce n'est pas celle qu'il faut à Vince. Elle n'est pas très intelligente. En revanche, elle flatte son ego. Regardez comme elle est suspendue à ses lèvres.

— Vous ne l'aimez pas.

— Je ne la déteste pas. Simplement, je m'impatiente : j'ai hâte d'être grand-mère.

Elle risquait d'attendre encore un moment, songea Eve qui observait Vince. Ce garçon n'avait pas un menton volontaire, ce devait être un faible. Et une victime de la mode, à en juger par ses vêtements luxueux. Par rapport à l'élégance discrète de Connors, la sienne paraissait tape-à-l'œil.

Mais, sur ce chapitre, elle n'était certainement pas une spécialiste...

— Passons à Carlton Mince, poursuivit Magda. Il ressemble à une taupe, vous ne trouvez pas ? Dieu le bénisse. Il gère mes affaires depuis un nombre incalculable d'années et il m'a été d'un immense secours pour la création de la Fondation. Mon cher Carlton est solide comme un roc et ennuyeux comme la pluie. Il a épousé Minnie, cette femme, là-bas, dans ce fourreau incroyablement moche et qui lui va si mal. Minnie Mince est la preuve vivante que la minceur et la chirurgie esthétique ne sont pas synonymes de beauté.

Eve ne put s'empêcher de pouffer. La dénommée Minnie avait effectivement l'allure d'un échalas surmonté d'une chevelure d'un rouge éclatant.

— Il y a vingt ans de ça, elle était sa comptable, enchaîna Magda. Elle avait des cheveux horribles et des dents qui rayaient le parquet. Elle s'appelle Mme Mince depuis douze ans. Elle a décroché le gros lot qu'elle visait, en l'occurrence Carlton, hélas elle a toujours des cheveux aussi horribles.

Eve se mit à rire.

— Nous sommes odieuses, non ?

— Oh, sans doute ! Mais parler des gens pour ne dire que des amabilités ne serait pas amusant du tout. Par ailleurs, Minnie rend Carlton heureux et, comme j'ai une grande affection pour lui, j'en ai également pour elle à cause de ça. Enfin, nous avons le charmant ami de Connors, l'Irlandais. Racontez-moi ce que vous savez de lui.

— Pas grand-chose. Ils étaient jeunes ensemble à Dublin, ils ne s'étaient pas revus depuis des lustres.

— Et vous le surveillez attentivement.

— Vraiment ? rétorqua Eve, penaude – elle avait oublié que les grands comédiens sont forcément d'excellents observateurs. Je regarde tout le monde de la même manière. Déformation professionnelle…

— Il n'y a que lui qui échappe à votre regard de flic, rétorqua Magda, tandis que Connors s'approchait d'elles.

— Mesdames…

D'un geste à la fois machinal et intime, il effleura de ses doigts l'épaule d'Eve. À cet instant, Summerset apparut sur le seuil et annonça que le dîner était servi.

Durant le repas, Eve put vérifier que Magda était en effet une fine observatrice de l'espèce humaine. Dès que Vince prononçait un mot, Liza Trent gloussait ou écarquillait des yeux émerveillés. Les propos de Vince n'ayant rien de fracassant, elle faisait là un numéro d'actrice assez remarquable.

Magda n'avait pas tort de comparer Carlton Mince à une taupe. Il était aussi discret que ce petit animal, s'exprimait poliment et posément, et s'employait surtout à manger. Sa femme, quant à elle, examinait subrepticement l'argenterie qui semblait lui inspirer de la convoitise.

La conversation roulait sur la vente aux enchères. Dans ce domaine, au moins, Vince connaissait apparemment son affaire.

— Les souvenirs de Magda Lane sont inestimables, surtout sa collection de costumes de scène, dit-il en découpant méticuleusement son canard. Je souhaitais pour ma part que la vente se limite à ces costumes.

— Quand on s'ampute d'une part de soi, il vaut mieux y aller carrément, rétorqua Magda en riant. C'est moins douloureux.

— Certes, admit son fils en lui décochant un regard attendri où perçait néanmoins une lueur exaspérée.

Quoi qu'il en soit, vendre en dernier la tenue de bal de *L'Humiliation* sera une véritable apothéose.

— Ah ! je me rappelle très bien ! intervint Mick avec un soupir énamouré. La capricieuse Pamela entre dans la salle de bal de Carlyle Hall parée de cette toilette chatoyante digne d'une déesse de glace. Elle défie les hommes de lui résister... Les rêves que j'ai eus ce soir-là après vous avoir vue dans cette robe vous feraient rougir, mademoiselle Lane.

— Je ne rougis pas facilement, monsieur Connelly, répliqua-t-elle, ravie.

— Moi, si. Vous séparer de vos souvenirs ne vous attriste pas trop ?

— Ils seront toujours dans mon cœur. Et tout ce que la Fondation pourra entreprendre grâce aux bénéfices de la vente me tiendra chaud la nuit.

— Conserver et entretenir tous ces costumes coûte une fortune, remarqua Minnie.

— Attendez la fin des enchères, riposta Magda d'une voix douce. Vous qui êtes une ancienne comptable, vous conviendrez alors que le jeu en valait la chandelle.

— Indiscutablement, approuva Carlton, les yeux rivés sur son canard. Sur un plan fiscal, par exemple...

— Pitié, Carlton, gémit Magda en joignant les mains. Ne parlez pas du fisc, vous allez me donner une indigestion. Ce vin, Connors, est une pure merveille. C'est vous qui le produisez ?

— Mmm... Montcart 49. Subtil, dit-il en levant son verre. Moelleux, avec une pointe de mordant. Il m'a semblé qu'il était fait pour vous.

— Eve, je dois vous l'avouer, je suis désespérément amoureuse de votre mari. J'espère que vous ne m'arrêterez pas pour ça.

— Dans cet État, ce n'est pas un crime. Sinon, les trois quarts de la population féminine de New York seraient derrière les barreaux.

— Chérie, tu me flattes.

— Ce n'est pas un compliment.

Liza gloussa, comme si elle était incapable de réagir autrement.

— Quand on aime un homme séduisant et qui a du pouvoir, c'est difficile de ne pas être jalouse. Dès que les femmes s'approchent de mon Vinnie, ajouta-t-elle en pinçant le bras de Vince, j'ai envie de leur arracher les yeux.

— Ah oui ? dit Eve qui sirotait son vin. Moi, je leur flanque un bon coup de poing dans la figure.

Mick se tamponna les lèvres avec sa serviette pour étouffer un petit rire.

— D'après ce que j'ai vu et entendu, Connors ne collectionne plus les conquêtes. Il a trouvé la perle rare. Quand on était jeunes, il ne pouvait pas faire un pas sans que les filles se jettent à son cou.

— Vous devez avoir une foule d'histoires à raconter, susurra Magda en frôlant la main de Mick. Connors est toujours si mystérieux en ce qui concerne son passé.

— Des histoires, j'en ai à la pelle. La jolie rousse et son père cousu d'or qui arrivaient de Paris. La brune qui était faite au moule et qui lui offrait des sconses deux fois par semaine pour le séduire. Je crois qu'elle s'appelait Bridget. Je ne me trompe pas, Connors ?

— Non, et elle a épousé Tim Farrell, le fils du pâtissier.

Connors se rappelait tout aussi clairement que ses copains avaient détroussé la flamboyante Parisienne pendant que lui l'emmenait au septième ciel.

Tout le monde y avait trouvé son compte.

— C'était le bon temps, soupira Mick. Mais comme je suis un ami et un gentleman, je n'en dirai pas plus. Si Connors ne collectionne plus les dames, il reste un collectionneur acharné, à ce qu'il paraît. D'armes, notamment.

— J'en ai rassemblé quelques-unes au fil des ans.

— Des armes à feu ? interrogea Vince, les yeux brillants.

Sa mère secoua la tête.

— Vince a toujours été fasciné par ces choses-là. Chaque fois qu'il venait me rejoindre sur un plateau, les accessoiristes devenaient fous.

— J'en ai plusieurs dans ma collection. Peut-être aimeriez-vous les voir ? suggéra Connors.

— Avec grand plaisir !

Il régnait dans cette salle une atmosphère de violence. Le raffinement du décor ne parvenait pas à faire oublier le caractère redoutable des piques, lances, mousquets, colts et automatiques datant de la

Guerre Urbaine. On avait là une manifestation tangible du penchant viscéral de l'humanité pour l'autodestruction.

— Seigneur, murmura Vince en faisant le tour des vitrines. Je n'avais jamais rien vu de pareil en dehors d'un musée. Il a dû vous falloir des années pour constituer une telle collection.

— En effet.

Captant le regard gourmand que Vince dardait sur une paire de pistolets de duel, Connors déverrouilla courtoisement la vitrine en verre blindé. Il tendit l'un des pistolets au fils de Magda.

— Magnifique…

Liza frissonna ostensiblement, mais l'éclair d'avidité qui flamba dans ses yeux violets frangés de cils dorés n'échappa pas à Eve.

— Oooh ! ce n'est pas dangereux ?

— Non, il n'est pas chargé, répondit Connors avec un bref sourire. Ce petit revolver à la crosse de nacre, enchaîna-t-il en s'immobilisant devant une autre vitrine, était réservé aux dames. Celui-ci a appartenu à une riche veuve qui, au début du siècle, le prenait dans son sac tous les matins lorsqu'elle allait promener son loulou de Poméranie. On raconte qu'elle a tiré sur un voleur malchanceux, deux pillards – il y en avait beaucoup en ces temps troublés –, un portier qui en avait après sa vertu, et un gros chien qui en avait après la vertu de son toutou.

— Mon Dieu ! s'exclama Liza. Elle a tiré sur un chien ?

— C'est ce qu'on raconte.

— Quelle époque ! commenta Mick qui étudiait un semi-automatique. Dire que, quand on en avait les moyens et l'envie, on pouvait acheter ça dans un magasin… Sidérant, non ? ajouta-t-il en s'adressant à Eve.

— J'ai toujours pensé que c'était surtout consternant.

— Vous êtes contre le droit de porter des armes pour se défendre, lieutenant ? interrogea Vince qui tenait encore le pistolet de duel.

Avec ça dans la main, il se trouvait manifestement superbe.

— J'estime que la vie est le bien le plus précieux que nous ayons, or ces armes sont conçues pour tuer.

— Sans elles, vous seriez au chômage.

— Vince, tu es grossier ! lança Magda.

— Il n'a pas tort, rétorqua Eve. Rassurez-vous, Vince, les criminels se débrouillent toujours pour s'en procurer. Ce n'est pas demain que je serai chômeuse. Toutefois on voit moins de gamins massacrer leurs camarades dans les cours des écoles, d'épouses à moitié endormies tirer sur leur conjoint parce qu'elles l'ont pris pour un cambrioleur, de gangs mitrailler les passants à l'aveuglette. Et cela parce qu'on a banni les armes.

— Je suis d'accord avec vous, intervint Mick. J'ai toujours eu horreur de ces engins. Un couteau, à la limite... On est face à face, il faut plus de courage. Personnellement, je me contente de mes poings. On se bagarre, tout le monde s'en sort, et on va boire une bière. On en a cassé des nez dans notre jeunesse, pas vrai, Connors ?

— Effectivement, répondit celui-ci en refermant la vitrine. Et maintenant, que diriez-vous d'un bon café ?

6

Tout en bouclant son holster d'épaule, Eve observait son mari. Il prenait un petit déjeuner léger dans le salon de leur chambre, suivait les informations télévisées sur l'écran mural et les derniers cours de la Bourse – une série de codes et de chiffres cabalistiques.

Le chat Galahad se frottait contre lui, ses yeux vairons, pleins d'espoir, braqués sur une tranche de bacon irlandais abandonnée dans l'assiette de son maître.

— Comment fais-tu pour avoir cette mine-là ? bougonna Eve. On croirait que tu rentres d'une semaine de vacances.

— J'ai une bonne hygiène de vie.

— Des clous ! Tu t'es couché à 3 heures du matin, tu as picolé du whisky et débité des âneries avec ton copain. Je l'ai entendu rire comme un crétin pendant que vous titubiez dans l'escalier.

— Je t'accorde qu'à la fin il était peut-être un peu vacillant, rétorqua-t-il, tournant vers elle son regard d'un bleu limpide. Mais en ce qui me concerne, quelques gorgées de whisky ne suffisent pas à me faire perdre l'équilibre. Je suis navré que nous t'ayons réveillée.

— Mon insomnie n'a pas duré. Je ne t'ai pas entendu te coucher.

— J'ai d'abord dû escorter Mick jusqu'à sa chambre.

— Qu'est-ce que vous avez prévu pour aujourd'hui ?

— Mick a ses propres occupations. Éventuellement, Summerset lui dira où me trouver.

— Je pensais que tu travaillerais ici.

— Non. Arrête de t'inquiéter pour moi, lieutenant, ajouta-t-il en la regardant par-dessus le rebord de sa tasse. Tu as déjà assez de soucis.

— Tu arrives en tête de liste, imagine-toi.

Il se mit à rire, se leva pour l'embrasser.

— Je suis très touché.

— Ça, je m'en fiche. Sois surtout prudent, murmura-t-elle en l'agrippant fermement par les bras.

— D'accord.

— Tu prendras au moins la limousine et un chauffeur ?

La limousine blindée pouvait résister à une pluie de bombes.

— Oui, pour te rassurer.

— Merci. Bon, il faut que j'y aille.

— Lieutenant ?

— Mmm ?

Il prit le visage d'Eve entre ses mains, baisa ses lèvres, ses joues et le bout de son nez.

— Je t'aime.

Elle eut la sensation que tout son être s'emplissait d'une lumière apaisante.

— Je sais. Pourtant, je ne suis pas une rouquine de Paris avec un papa richissime. Qu'est-ce que tu lui as pris, à cette fille ?

— Dans quel domaine ?

Elle secoua la tête en riant.

— Incurable… il est irrécupérable.

Elle se dirigea vers la porte, pivota.

— Je t'aime aussi. Oh ! Galahad vient de te chiper ton bacon !

Puis elle s'éloigna dans le couloir, le sourire aux lèvres, tandis que Connors, dans la chambre, sermonnait le chat : « Il me semblait t'avoir appris les bonnes manières. » Haussant les épaules d'un air supérieur, elle accéléra l'allure et descendit l'escalier quatre à quatre.

Ainsi qu'elle s'y attendait, Summerset apparut, comme surgi de nulle part. Il lui tendit sa veste en cuir, qu'il tenait entre le pouce et l'index.

— Je présume que, sauf contrordre de votre part, vous serez là pour le dîner.

423

— Présumez ce qui vous chante. J'ai besoin de vous une minute.

— Je vous demande pardon ?

— Arrêtez de jouer les snobinards, grogna-t-elle à voix basse. Suivez-moi dehors.

— Je dois vaquer à mes tâches matinales et je...

— Silence.

Quand ils furent sur le perron, elle referma la porte, huma l'air printanier.

— Vous vivez avec lui depuis longtemps, vous êtes au courant de tout. Dites-moi ce que vous pensez de Mick Connelly.

— Je n'ai pas pour habitude de colporter des ragots sur les invités de cette demeure.

— Bon sang, grommela-t-elle en lui enfonçant un poing impatient dans la poitrine. Vous croyez que j'ai du temps à perdre ? Quelqu'un veut créer des ennuis à Connors, et j'ignore complètement pourquoi. Parlez-moi de Mick Connelly.

Les yeux de Summerset, aussi noirs que de l'onyx, s'étrécirent. Il la dévisagea attentivement.

— Il était violent, comme tous les autres. L'époque était violente. Si je ne m'abuse, il avait une vie familiale très difficile. Là aussi, comme les autres. Quand Connors s'est installé chez moi, il venait souvent. Plutôt poli, mais mal dégrossi. Et affamé, comme les autres.

— Il lui est arrivé de se battre avec Connors ?

— Il leur arrivait à tous d'avoir des mots et d'échanger des coups. Cependant, ils se seraient jetés dans les flammes pour Connors. Mick le vénérait. Il s'était fait pincer alors qu'il détroussait un quidam, et Connors avait affronté la police à sa place.

— Bon, d'accord.

— Il s'agit de la femme de chambre, je suppose ?

— Oui. Je vous demande d'utiliser votre long nez pointu pour renifler alentour. Si vous captez la moindre odeur suspecte, quoi que ce soit d'anormal, contactez-moi aussitôt. Et débrouillez-vous pour suivre Connors à la trace. Il a l'habitude que vous sachiez en permanence où il est, ça ne lui mettra pas la puce à l'oreille.

Elle allait se détourner quand le majordome la retint par la manche.

— Il est physiquement en danger ?

— Si je le craignais, il ne sortirait pas de cette maison, même si je devais pour ça le droguer ou le ligoter.

Obligé de se satisfaire de cette réponse, Summerset la regarda pensivement descendre les marches et rejoindre sa voiture de service qui ressemblait de plus en plus à une poubelle.

Lorsqu'elle eut traversé la salle des inspecteurs et gagné son bureau, Eve avait la sensation que de la fumée s'échappait de ses narines. Le voyant de son communicateur clignotait frénétiquement, son ordinateur émettait des bips insistants. Elle ignora le tout et entreprit de fouiller dans ses tiroirs.

— Lieutenant ? McNab...

— Il me faut un laser antiémeute, déclara-t-elle à Peabody. L'attirail au grand complet.

Elle extirpa un poignard de combat de sa gaine en cuir, observa avec un plaisir sadique la lame acérée qui étincelait dans la lumière.

— Lieutenant ? bredouilla Peabody, sidérée.

— Je projette de descendre à la maintenance armée jusqu'aux dents. Je vais régler leur compte à ces abrutis, un par un. Je les découperai en morceaux, je les mettrai dans ma voiture et je les ferai flamber.

— Je croyais qu'elle était réparée.

— C'est ce qu'ils m'avaient dit. Bande de menteurs, de traîtres. Ah ! Vous voulez que je vous raconte ce que je viens de subir ?

— Très volontiers, lieutenant, à condition que vous rangiez ce poignard.

Avec un grognement de dégoût, Eve s'exécuta.

— Figurez-vous que j'étais au feu rouge quand cette bagnole de malheur a commencé à brouter, à renâcler comme une... comme une...

— Mule ?

— À peu près. Je demande le diagnostic à l'ordinateur de bord, et vous savez ce que j'obtiens ? Un plan, l'itinéraire le plus court pour la morgue. C'est une mauvaise blague ou quoi ?

Les lèvres de Peabody frémissaient. Elle se mordit férocement l'intérieur de la joue.

— Je l'ignore, lieutenant.

— Et ce n'est pas fini. Elle se met à tousser, elle cale. Je réussis à redémarrer. Cent mètres plus loin, elle tangue. Vous savez, comme... comme...

— Le monstre de Frankenstein ?

Eve s'écroula dans son fauteuil.

— Je suis lieutenant, un officier de police gradé. Pourquoi je ne peux pas avoir un véhicule décent ?

— C'est tout à fait déplorable. Lieutenant, si je puis me permettre une suggestion, au lieu de descendre à la maintenance avec un laser, vous devriez peut-être essayer quelques canettes de bière. Pour amadouer un ou deux membres de l'équipe. Les prendre dans le sens du poil.

— Les prendre dans le sens du poil ? Je préférerais avaler un serpent vivant. Allez-y, vous, expliquez-leur que j'ai besoin de ma voiture, en état de marche, d'ici une heure.

— Moi ? s'exclama Peabody avec un regard traqué. Ô mon Dieu ! À propos, avant de me déshonorer définitivement, il faut que je vous dise : nous avons bien avancé en ce qui concerne le fil d'argent et la valise.

— Pourquoi vous ne m'avez pas prévenue plus tôt ? rétorqua Eve en se jetant sur son ordinateur.

— Je ne sais pas, lieutenant. Je bavarde, je bavarde...

Comme Eve ne réagissait pas, Peabody poussa un soupir à fendre l'âme et regagna son box pour parlementer avec la maintenance.

— Bon, bon... marmotta Eve. Qu'est-ce qu'on a ?

Elle afficha les données sur l'écran. Pour le fil d'argent, les pistes étaient nombreuses. Cependant, si on prenait pour critère de recherche une longueur équivalant à soixante centimètres ou un multiple de soixante, l'éventail se réduisait à dix-huit sources possibles, dont six sur le territoire national. Un seul grossiste, à Manhattan même, avait vendu quatre longueurs, payées en liquide.

— Tu aurais donc acheté ça ici, à quelques centaines de mètres du lieu du crime.

Puis elle passa à la valise, et un petit sourire mauvais étira ses lèvres. Depuis janvier, des milliers de consommateurs avaient choisi ce modèle en cuir noir, mais si

426

on se concentrait sur les quatre dernières semaines, il en restait moins d'une centaine. Une dizaine de valises avaient été vendues à New York, dont deux le jour où l'on avait acheté le fil d'argent. Et une seule avait été payée en liquide.

— Les coïncidences n'existent pas, murmura-t-elle. C'est bien ici que tu as trouvé ton matériel. Par conséquent, tu n'arrivais pas du diable vauvert, tu étais déjà à New York.

Maintenant, les perruques, se dit-elle en étudiant le rapport de Peabody sur ce point.

— Nom d'une pipe... Pourquoi les gens ne se laissent-ils pas tout simplement pousser les cheveux ?

Au cours des six derniers mois, des millions de perruques, moumoutes, extensions capillaires et autres artifices étaient sortis des salons de coiffure, centres d'esthétique, etc.

Sans compter tous ceux qui avaient été loués.

Avec la patience d'un chat devant un trou de souris, Eve afficha sur l'écran l'image de Yost devant la porte de la suite, grossit la tête et les épaules, effaça le visage, puis copia le résultat dans la banque de données.

— Ordinateur, liste les achats de perruques en cheveux naturels correspondant à cette image et réglés en liquide.

— *En cours... Cinq cent vingt-six opérations, payées en liquide, durant la période définie. Liste...*

La machine commença à crachoter dates et coordonnées.

— *Salon Paradis, Cinquième Avenue, New York. 3 mai.*

— Bingo. Eh bien ! on a été très occupé, ce jour-là ! On en a fait, des emplettes. Ordinateur, liste les autres achats effectués dans ce magasin.

— *En cours... Outre la perruque en cheveux naturels, modèle Gentleman, la facture comprend une autre perruque en cheveux naturels, modèle Captain... Deux flacons de cinquante centilitres de lotion pour perruques, de marque Samson. Un flacon d'un litre d'élixir au collagène pour le visage, de marque Jouvence. Trois flacons de teinture oculaire, de marque Prunelle, en bleu des mers du Sud, gris tourterelle et caramel. Un produit diététique pour hommes, de marque Fat-Zap. Deux bougies parfumées au bois de santal. Total : huit mille quatre cent vingt-six dollars.*

— C'est beaucoup d'argent, marmonna Eve. Mais pourquoi laisser une trace écrite, même fausse, si on n'y est pas forcé ? Ordinateur, enregistre l'image de la perruque Captain dans le dossier. Télécharge les adresses des maroquiniers, du salon et du grossiste en joaillerie sur mon unité privée.

Tandis que la machine s'exécutait, Eve se tourna vers son communicateur. Trente-deux appels depuis la veille. Sans doute des journalistes qui quémandaient une déclaration ou quelques miettes d'informations à se mettre sous la dent.

La tentation de les envoyer balader était forte, mais en attendant que sa voiture soit en état de rouler, elle pouvait consacrer un petit moment à cette corvée.

Elle écouta donc les messages, transmit les habituelles doléances des reporters au service de presse. Tant que le commandant ne lui donnerait pas le feu vert, elle ne parlerait pas aux médias.

Elle s'arrêta cependant sur l'appel de Nadine Furst, la star de Channel 75 qui était aussi une amie.

— Pas encore, ma grande, marmonna-t-elle.

Elle répondit toutefois au message.

— Inutile de m'asticoter, déclara-t-elle. Dans l'immédiat, je n'ai rien pour vous. Nous menons l'enquête, toutes les pistes sont explorées avec diligence, et cetera. Vous connaissez ça par cœur. Ne vous avisez pas de surcharger ma boîte vocale de messages, sinon je vais m'énerver.

Satisfaite, elle programma l'envoi de cette réponse en sorte qu'elle parvienne à Nadine une heure plus tard. Ainsi, serait-elle déjà sur le terrain lorsque la journaliste la recevrait. Puis elle consacra vingt minutes à la rédaction de son rapport au commandant.

Elle attrapait sa veste, quand Whitney la convoqua dans son bureau. Elle sortit en trombe, récupéra Peabody au passage.

— Alors, la maintenance ?

— Eh bien ! vous savez qu'ils sont très à cheval sur la procédure réglementaire !

Reniflant de mépris, Eve emprunta l'escalier mécanique.

— Vous avez mentionné le laser antiémeute ?

— J'ai pensé qu'il valait mieux garder cette possibilité en réserve, lieutenant.

Peabody jugeait également préférable de ne pas rapporter les commentaires désobligeants à propos d'un certain lieutenant qui bousillait les véhicules municipaux et autres équipements financés par les deniers publics.

— Mais j'ai mis l'accent sur votre enquête présente, en précisant que le commandant Whitney n'appréciait guère que ses officiers supérieurs se déplacent dans des poubelles.

— Ça, c'est bien dit.

— À condition qu'ils ne l'appellent pas pour vérifier. Dallas, vous pourriez demander au commandant qu'il les mette au pas.

— Je n'ai pas l'habitude de me plaindre auprès de mon supérieur, sous prétexte que je suis gradée.

— M'obliger à régler vos problèmes ne vous dérange pas tellement, maugréa Peabody.

— Exact, rétorqua Eve, plus guillerette. Vous communiquerez le résultat actuel de vos recherches à Whitney pendant que je lui ferai mon rapport oral. Je pense que notre homme a un gentil petit nid ici à New York.

— Vraiment ?

— Oui.

En haut de l'escalier, elles s'engouffrèrent dans l'ascenseur menant à l'étage du commandant. Là, Eve frappa à la porte et entra sans attendre de réponse.

Assis derrière son bureau, Whitney ne se leva pas pour l'accueillir. Grand et massif, il avait une large figure noire, des cheveux de plus en plus grisonnants et un regard qui n'avait rien perdu de son acuité.

Deux autres personnes se trouvaient dans la pièce, un homme et une femme. Ils ne se levèrent pas non plus, étudièrent attentivement Eve qui les observa à son tour avec suspicion.

Des costumes d'un noir terne, des cravates nouées sans souci d'élégance, des chaussures confortables impeccablement astiquées…

Des fédéraux. Merde.

— Je vous présente les agents spéciaux James Jacoby et Karen Stowe du FBI, déclara Whitney, les mains jointes devant lui. Le lieutenant Dallas conduit l'enquête avec l'aide de son assistante, l'officier Peabody. Lieutenant, le FBI s'intéresse à votre affaire.

Eve, immobile, garda le silence.

— Le Bureau, ainsi que d'autres organismes gouvernementaux, traque le dénommé Sylvester Yost depuis plusieurs années. Il est impliqué dans divers crimes, notamment des assassinats.

— J'en suis arrivée à la même conclusion, répondit Eve à Jacoby.

— Nous comptons sur la coopération de la police new-yorkaise. L'agent Stowe et moi-même dirigerons cette affaire depuis notre antenne new-yorkaise.

— L'agent Stowe et vous êtes libres de travailler où bon vous semble. Mais il s'agit de mon affaire et vous ne dirigerez rien du tout.

— Les activités de Yost tombent sous le coup de la loi fédérale, objecta Jacoby, fixant sur elle son regard brun et arrogant.

— Yost n'est pas la propriété exclusive du FBI, d'Interpol ou de la police new-yorkaise. Mais c'est moi qui enquête sur le meurtre de Darlene French, et j'ai l'intention de continuer.

— Si vous ne voulez pas qu'on vous retire le dossier, lieutenant, vous auriez intérêt à changer de ton.

— Vous aussi, agent Jacoby, si vous ne voulez pas que je vous prie de sortir d'ici, intervint Whitney. Nous sommes prêts à collaborer avec le FBI en ce qui concerne Yost. Mais il n'est pas question de remplacer le lieutenant Dallas. Vous n'avez pas tous les pouvoirs, ne l'oubliez pas.

Jacoby se tourna vers Whitney, le poil littéralement hérissé, les yeux étincelants.

— Votre subordonnée est liée au dénommé Connors, qui a peut-être un rapport avec cet homicide et que les fédéraux soupçonnent depuis longtemps de se livrer à des activités illégales.

— Je vous conseille d'étayer vos accusations par des preuves solides, contra Eve d'une voix qu'elle avait du mal à contrôler. Pouvez-vous présenter un dossier convaincant sur les prétendues activités délictueuses de Connors ?

— Vous savez pertinemment qu'il n'y en a pas.

Jacoby se leva.

— Vous couchez avec un homme qui a les mains sales, ça vous regarde. Mais...

— Jacoby, coupa Stowe en s'interposant entre son équipier et Eve. N'en faisons pas une histoire personnelle.

— Excellente suggestion, approuva Whitney qui se redressa à son tour. Agent Jacoby, je passerai l'éponge sur cette attaque inqualifiable à l'égard du lieutenant. Mais si vous vous avisiez de recommencer, de quelque manière que ce soit, j'en référerais à vos supérieurs. Vous souhaitez que le lieutenant et son équipe coopèrent et vous communiquent tous les éléments qu'ils recueilleront concernant Darlene French. J'étudierai votre requête, à condition qu'elle me soit adressée par écrit, en bonne et due forme, par votre commandant. À présent, veuillez considérer que cet entretien est terminé.

— Le Bureau a les moyens de reprendre ce dossier.

— Ça se discute, riposta Whitney. Mais rien ne vous empêche d'entreprendre les démarches nécessaires pour atteindre cet objectif. D'ici là, je vous conseille d'éviter de piétiner mes plates-bandes et d'insulter mes collaborateurs.

— Je vous présente mes excuses, commandant Whitney, déclara Stowe en décochant à Jacoby un regard qui lui intimait le silence. Nous vous remercions de nous avoir reçus.

Sur quoi, elle entraîna Jacoby hors de la pièce.

— Respirez un bon coup, grommela Whitney dès que la porte se fut refermée. Avant de dire quelque chose que vous pourriez regretter.

— Je vous assure, commandant, que je ne regretterai aucune de mes paroles, rétorqua Eve – qui prit néanmoins une profonde inspiration afin de se calmer. Merci pour votre soutien.

— Jacoby a dépassé les bornes. Il est entré ici avec sa panoplie d'agent fédéral en croyant m'impressionner. Il m'aurait demandé poliment de coopérer, j'aurais accepté. Vous avez ma parole, il ne reprendra pas votre affaire. Mais vous devrez peut-être travailler en tandem avec eux. Ça vous pose un problème ?

— Ce n'est pas moi qui l'aurai, le problème.

Un sourire joua sur les lèvres du commandant.

— Bon, expliquez-moi où vous en êtes.

Elle s'exécuta, de façon aussi concise et précise que possible. Whitney se borna à faire la moue et hausser les sourcils.

— Pendant toutes ces années, on n'a pas repéré Yost à New York ?

— Les éléments que j'ai réunis ne l'indiquent pas. On a suivi la piste du fil d'argent, mais sans se concentrer sur la longueur précise du garrot qu'il utilise. Je ne comprends pas comment on a négligé quelque chose d'aussi élémentaire. La valise, la perruque ont un rapport avec French. Mais il a vraisemblablement répété ce schéma, à quelques détails près. Le profil du suspect élaboré par le FBI est assez confus, j'ai donc l'intention d'en faire établir un par le Dr Mira en y incluant les dernières informations que j'ai rassemblées.

— Faites donc ça et, à chaque étape, veillez à ce que tous les documents et la paperasse nécessaires soient disponibles. Jacoby n'hésiterait peut-être pas à vous mettre des bâtons dans les roues pour de simples questions administratives. Quant aux médias, je vous demande de raser les murs. Cette affaire jette une ombre sur Connors et, par ricochet, sur vous. Pas de déclaration aux journalistes avant que je ne vous y autorise.

— Bien, commandant.

— Ne vous réjouissez pas trop vite. Vous aurez les reporters aux trousses avant que ce soit terminé. Je présume que vous n'avez pas encore d'idée sur l'identité de la personne qui tire les ficelles ni sur ses motivations ?

— Effectivement.

— Alors occupez-vous de Yost. Forcez-le à sortir de son trou.

— Entendu, commandant.

Elle pivota pour se diriger vers la porte, près de laquelle Peabody était quasiment au garde-à-vous.

— Dallas ?

— Oui, commandant.

— À mon avis, vous pouvez prévenir Connors : le FBI risque de lui causer certains désagréments.

— Compris.

Elle sortit, luttant contre l'envie de flanquer un coup de pied dans le mur.

— Pour Jacoby, Darlene French n'est qu'un instrument. À ses yeux, comme à ceux de Yost, ce n'est pas un être humain. Le salaud.

Parvenue devant l'ascenseur, dont la porte était ouverte, elle découvrit Stowe dans la cabine.

— Foutez-moi la paix.

Stowe leva la main dans un geste de conciliation.

— Jacoby est parti, accordez-moi une minute. Je descends avec vous.

— Votre équipier est un salaud.

— Pas du matin au soir, répliqua Stowe avec un sourire contraint.

C'était une femme coquette, qui avait dépassé la trentaine et s'efforçait de contourner l'austère code vestimentaire de la police fédérale en coiffant joliment ses cheveux couleur miel. Elle avait des yeux noisette, un regard franc et direct.

— Écoutez, je voudrais m'excuser pour l'attitude de Jacoby. Sincèrement.

— Mmm…

— Au fond, nous sommes tous des flics et nous avons le même objectif.

— Vraiment ?

— Vous voulez Yost, nous aussi. L'essentiel, c'est de le mettre derrière les barreaux, peu importe qui verrouillera la cellule.

— Vous avez eu des années pour la verrouiller, cette cellule. Darlene French n'en a pas eu davantage pour vivre.

— Vous avez raison. Mais, pour ma part, je n'ai eu que trois mois, dont plusieurs semaines pour assimiler les données concernant Sylvester Yost.

Les portes de l'ascenseur, qui avait atteint le niveau du parking, coulissèrent. Stowe jeta un coup d'œil alentour – il lui faudrait remonter jusqu'au hall du rez-de-chaussée.

433

— Je vous demande simplement de faire abstraction du mauvais caractère de Jacoby. Je crois que nous pouvons nous entraider.

— Tcncz votre équipier en laisse, et on verra bien.

Eve laissa les portes se refermer puis gagna l'emplacement où était garée sa voiture vert pois cassé, toute cabossée et ornée d'une figure réjouie, jaune, qu'un plaisantin de la maintenance avait peinte sur la vitre arrière.

Heureusement qu'elle n'avait pas son laser sur elle.

7

Eve se rendit d'abord au Salon Paradis, agréablement
surprise que son véhicule parcoure le trajet sans l'humilier outre mesure.

Elle était déjà venue ici, alors qu'elle enquêtait sur
un autre crime sexuel. Une autre affaire où Connors
était impliqué. Celle qui nous a réunis, songea-t-elle.

Cela remontait à plus d'un an, cependant le décor
n'avait pas changé. De la musique jouait en sourdine,
en harmonie avec le murmure des cascades qui créait
une atmosphère apaisante, délicatement parfumée par
des gerbes de fleurs fraîches.

Les clients se prélassaient dans la salle d'attente en
sirotant du vrai café, des cocktails de jus de fruits
ou de l'eau gazeuse. Eve reconnut aussitôt la réceptionniste, une femme à l'opulente poitrine. Elle avait
pourtant changé de coiffure. Aujourd'hui, ses cheveux
roses étaient relevés en une sorte de fontaine de
frisettes qui jaillissaient d'un cône posé sur le haut
de son crâne.

Elle ne reconnut pas Eve, mais son regard refléta de
la réprobation quand elle vit sa veste au cuir usé, ses
bottes éraflées et ses boucles en bataille.

— Je suis navrée, mais nous n'accueillons nos clients
que sur rendez-vous. Je crains que tous nos conseillers
n'aient aucune disponibilité avant huit mois. Puis-je
vous suggérer un autre salon ?

Eve s'accouda sur le comptoir.

— Vous ne vous souvenez pas de moi, Denise ? Vous
me vexez. Attendez, j'ai quelque chose qui vous rafraî-
chira la mémoire...

Souriant jusqu'aux oreilles, Eve prit son insigne et le fourra sous le nez – remodelé à grands frais – de la réceptionniste.

— Oh, non ! Ça ne va pas recommencer.

Denise se mordit les lèvres, se remémorant brusquement que ce flic avait épousé Connors.

— Oh ! je… Veuillez m'excuser, madame. Je…

— Madame lieutenant.

— Oui, bien sûr, bredouilla Denise avec un petit rire. Je suis distraite, pardonnez-moi. Aujourd'hui, nous sommes débordés. Mais nous avons toujours du temps à vous consacrer. Que pouvons-nous faire pour vous ?

— Où se trouve votre département de vente au détail ?

— Cherchez-vous un produit particulier, ou voulez-vous simplement butiner dans nos rayons ? Nos conseillers vous…

— Contentez-vous de me montrer ce que vous avez, Denise, et appelez le responsable du département.

— Très bien. Si vous voulez me suivre… Puis-je vous offrir un rafraîchissement, à vous et à votre assistante ?

— J'aimerais un de ces cocktails roses, se hâta de répondre Peabody. Sans alcool, ajouta-t-elle, comme Eve lui lançait un regard torve.

— On vous l'apporte immédiatement.

Le secteur de vente au détail, auquel on accédait par un court escalier roulant argenté, était aménagé derrière une véritable petite oasis avec piscine et palmiers. De larges portes vitrées s'ouvrirent à leur approche. De l'autre côté s'étendaient des rayons savamment conçus pour présenter tout un assortiment de produits destinés à embellir l'aspect physique de la clientèle.

Ici le personnel arborait d'amples tuniques rouges sur des combinaisons d'un blanc neigeux qui moulaient évidemment des corps parfaits.

Chaque comptoir disposait d'un mini-écran sur lequel on pouvait suivre des démonstrations de soins esthétiques, de techniques de relaxation.

— Je vais chercher Martin, le responsable, déclara Denise.

— Bonté divine, regardez ça, chuchota Peabody en s'approchant d'un assortiment éblouissant de flacons,

436

de tubes dorés et de pots de crème. Dans les salons chics de ce genre, on donne toujours des tas d'échantillons.

— Gardez vos mains dans vos poches et concentrez-vous sur le boulot.

— Mais c'est gratuit, alors je…

— Si vous prenez la moindre bricole, ils vous persuaderont ensuite de claquer six mois de salaire. C'est l'arnaque classique.

Cet endroit est une jungle, pensa Eve. Surchauffée, imprégnée d'une atmosphère douceâtre et un rien érotique.

Elle étouffait dans ce maelström de couleurs et de chichis.

Mais, en matière de flamboiement, Martin éclipsait tout le reste.

Denise le précédait, ses hauts talons rouges cliquetant sur les dalles blanches, telle une servante ouvrant le passage à un souverain. Elle fit quasiment la révérence avant de s'éloigner.

Martin s'avança, son long manteau saphir balayant le sol. Il était vêtu d'une combinaison argent qui scintillait sur son corps élancé et musclé. On distinguait nettement ses pectoraux, ses biceps et ses parties génitales.

Sa chevelure, également argentée, dégageait un visage aux traits aigus et était coiffée en une complexe masse de bouclettes retenues par un cordon saphir et qui lui ruisselait dans le dos.

Il sourit, tendit des doigts chargés de bagues.

— Lieutenant Dallas, dit-il d'une voix charmeuse à l'accent français.

Avant qu'elle ait pu réagir, il lui fit un baisemain dans les règles de l'art.

— Nous sommes honorés de vous accueillir au Salon Paradis. Qu'y a-t-il pour votre service ?

— Je cherche un homme.

— *Chérie*, mais nous en sommes tous là !

— Très drôle, rétorqua-t-elle, amusée malgré elle. Je parle de cet individu, ajouta-t-elle en lui montrant le portrait de Yost.

Martin étudia attentivement la photo.

— Séduisant, quoiqu'il faille peaufiner l'ensemble. Le modèle Gentleman ne sied pas à l'ossature de son visage ni à son style. On aurait dû le dissuader de faire cet achat.

— Vous reconnaissez cette perruque ?

— Chevelure alternative, rectifia-t-il avec un sourire un rien narquois. Ce n'est pas la plus populaire, la plupart de nos clients préfèrent éviter le gris. Puis-je vous demander pourquoi vous cherchez cet homme chez nous ?

— Il a acheté la perruque ici, ainsi que d'autres produits. Le 3 mai. Il a payé en liquide. Je souhaiterais m'entretenir avec les vendeurs qui l'ont servi.

— Avez-vous la liste des produits qu'il a choisis ?

Eve la sortit de son sac et la lui tendit.

— C'est beaucoup pour un règlement en liquide, commenta-t-il. Quant au modèle Captain..., il lui convient infiniment mieux, selon moi. Un instant, je vous prie.

Il alla montrer la liste et la photo à la brunette du rayon des produits pour la peau. Elle réfléchit puis opina et s'en fut au pas de course.

— Nous croyons savoir qui s'est occupé de lui, dit Martin. Voulez-vous que je mette à votre disposition un salon privé ?

— Non, ça va. Et vous, vous ne le reconnaissez pas ?

— Non, je n'ai pas affaire directement à la clientèle, à moins qu'il n'y ait un problème quelconque. Ou à moins que les clients ne soient des VIP, comme vous. Ah, la voici ! Letta, mon cœur, je compte sur vous pour aider le lieutenant Dallas.

— Volontiers, répondit la jeune femme d'une voix nasillarde, typique du Middle West, qui fit tiquer Martin.

— Vous avez servi cet individu ? interrogea Eve, pointant l'index sur le portrait que Letta examinait.

— Oui, je suis certaine que c'est lui. Sur cette photo, la bouche et les yeux sont modifiés, mais la structure faciale est la même. Et la liste de produits correspond.

— C'était la première fois que vous le voyiez ?

— Eh bien... il me semble qu'il était déjà venu. Mais il porte des perruques... des chevelures alternatives, corrigea-t-elle avec un regard penaud en direction de Martin. Il aime changer la couleur de sa peau, de son regard, son look... Comme beaucoup de nos clients. C'est l'un des services que nous leur offrons. Changer de look agit sur l'humeur et permet de...

— Épargnez-moi votre speech, Letta. Parlez-moi du jour où il a acheté ces produits.

— Oui, madame. Je crois que c'était en début d'après-midi. J'avais passé un temps fou avec une dame qui souhaitait voir tout ce que nous avions en blond. Quand je dis tout, je n'exagère pas. Là-dessus, elle m'a sorti le « Je vais réfléchir » classique.

Letta tressaillit, craignant d'avoir gaffé, et se décontracta quelque peu quand Martin esquissa un sourire.

— Aussi, poursuivit-elle, quand ce monsieur m'a demandé le modèle Gentleman, en noir avec les tempes grisonnantes, j'ai été soulagée. Il savait ce qu'il voulait, même si je considérais que son choix était discutable.

— Pour quelle raison ?

— C'était un monsieur grand et massif, avec une figure carrée. J'ai pensé que ce devait être un manuel. Le modèle Gentleman était trop raffiné pour lui. Mais il y tenait. Il a mis la perruque lui-même, il avait l'habitude.

— Comment étaient ses cheveux ?

— Oh ! il est chauve comme un œuf ! Et il ne se rase pas, c'est naturel. Il a un crâne très sain, bien coloré, luisant. Je ne comprends pas pourquoi il le cache. Ensuite il a vu le modèle Captain... et il me l'a réclamé aussi. Ça lui allait mieux. J'ai trouvé que ça lui donnait l'air d'un général, je le lui ai dit, et ça lui a fait plaisir. Il a souri. Un sourire vraiment gentil. D'ailleurs il était très poli, courtois. Il m'a remerciée en m'appelant Mademoiselle Letta. Ça n'arrive pas tous les jours.

Elle s'interrompit, scrutant le plafond pour mieux rassembler ses souvenirs.

— Après, il m'a déclaré qu'il désirait acheter des produits Jouvence. Nous sommes formées à aider les clients à découvrir toute la gamme des soins que propose le salon. J'ai essayé de l'emmener d'un rayon à l'autre, mais là aussi, il savait exactement ce qu'il voulait. Il refusait mes suggestions, toujours très galamment.

Nous avons terminé par la diététique. J'ai dit qu'il n'en avait certainement pas besoin, et il a répondu en riant que, malheureusement, il appréciait trop la bonne chère. Il a préféré emporter ses achats, au lieu d'utiliser notre service de livraison. On lui a préparé un paquet et, quand il a sorti cette liasse de billets, j'ai cru que ma mâchoire allait se décrocher.

— En principe, les clients ne règlent pas en liquide ?

— Oh, ça arrive ! Mais, personnellement, je n'avais jamais encaissé plus de huit mille dollars en billets. Je devais avoir l'air ahurie parce qu'il m'a souri de nouveau en disant qu'il préférait payer comptant.

— Vous avez donc passé beaucoup de temps avec lui.

— Plus d'une heure.

— Comment s'exprimait-il ? Avait-il un accent ?

— J'en ai eu l'impression, oui, mais je n'ai pas pu le situer. Il avait la voix assez aiguë, vous voyez. Presque comme une femme. Mais très agréable, douce, on sentait qu'il avait de la culture. En y réfléchissant, la perruque Gentleman correspondait davantage à sa voix qu'à son physique.

— A-t-il mentionné son nom, évoqué son lieu de résidence, de travail ?

— Non. Au départ, j'ai essayé de connaître son nom – je serais heureuse de vous montrer d'autres articles, monsieur… ? Il s'est contenté de sourire. Alors j'ai continué à l'appeler monsieur. J'ai supposé qu'il habitait New York, puisqu'il a emporté ses achats. Ce n'est peut-être pas le cas.

— Vous m'avez dit que vous pensiez l'avoir déjà vu ici.

— J'en suis quasiment sûre. Au moment où la clientèle commençait à se bousculer pour les cadeaux de Noël. Je venais d'être embauchée. Fin octobre ou début novembre. Là aussi, il s'intéressait aux produits de soins pour la peau. Il portait un manteau et un chapeau, mais je pense que c'était lui.

— C'est vous qui l'aviez servi ?

— Non, c'est Nina. Je m'en souviens parce que, toutes les deux, nous nous sommes retrouvées derrière le comptoir. Elle m'a dit que ce type lui achetait toute la ligne Jouvence. Ça représente un paquet d'argent, et une bonne commission. Alors j'ai jeté un coup d'œil au client et j'ai regretté de ne pas m'être occupée de lui.

— Mais vous ne l'aviez pas remarqué avant, ni depuis.

— Non, madame.

Eve lui posa encore quelques questions, puis demanda à s'entretenir avec Nina.

Celle-ci, contrairement à Letta, n'avait pas une excellente mémoire. Eve réussit cependant à lui soutirer un renseignement : Yost venait au Salon Paradis une ou deux fois par an.

— Il doit avoir d'autres lieux de prédilection, dans d'autres villes, déclara Eve à Peabody, lorsqu'elles regagnèrent la voiture. Du même standing, vraisemblablement. Et il sait ce qu'il veut, il paie en liquide. Il n'est pas indifférent à la publicité, il choisit les meilleurs articles.

— Il regarde beaucoup la télé ?

— Probablement, et il se documente sur le Net. Les substances qui entrent dans la composition d'un produit, le profil du fabricant, les critiques des consommateurs. Voyons les éléments que la DDE peut nous fournir concernant cette ligne de soins pour la peau depuis la fin octobre. La marque Jouvence doit avoir un site.

Elles se rendirent ensuite à la maroquinerie. Aucun des employés n'avait le souvenir d'un homme correspondant à la description de Yost. Puis, au centre-ville, elle décrocha le gros lot en ce qui concernait le fil d'argent.

Le patron avait une excellente mémoire visuelle. Eve le devina à l'instant où elle s'approcha du petit comptoir vitré. Il roula les yeux, ses lèvres se mirent à trembler. Elle entendit sa respiration s'accélérer et craignit qu'il n'ait un malaise cardiaque.

— Madame Connors ! s'écria-t-il avec un fort accent, sans doute indien.

— Dallas, rectifia-t-elle en exhibant son insigne. Lieutenant Dallas.

— C'est un honneur...

Là-dessus, il vociféra quelques mots incompréhensibles au jeune homme présent dans le magasin.

441

— Je vous en prie, enchaîna-t-il, vous êtes chez vous dans notre humble établissement. Choisissez ce qui vous plaît et considérez que c'est un cadeau. Ce collier vous conviendrait ? Un bracelet ? Des boucles d'oreilles ?

— Je veux seulement des renseignements.

— On va prendre une photo. D'accord ? On vous voit souvent à la télévision, et nous espérions qu'un jour vous daigneriez entrer dans notre modeste boutique.

Il se retourna pour donner un ordre à son jeune associé qui farfouilla sous le comptoir où il pêcha une caméra holographique miniature.

— Ça suffit ! grogna Eve.

— Votre célèbre époux ne vous accompagne pas ? s'entêta-t-il. Mais vous faites du shopping avec votre amie. Nous lui réservons aussi un cadeau.

— Ah, oui ? roucoula Peabody, enchantée.

— La ferme, Peabody. Non, je ne fais pas de shopping. Il s'agit d'une enquête de police.

— Mais nous n'avons pas appelé la police.

Il pivota de nouveau vers le jeune homme qui les mitraillait avec son appareil et secoua vigoureusement la tête.

— Non, non, nous n'avons pas appelé la police, répéta-t-il. Nous n'avons aucun problème. Ce collier est pour vous, reprit-il en sortant le bijou d'un tiroir sous le comptoir. Nous l'avons dessiné et réalisé. Nous serions flattés que vous le portiez.

Dans d'autres circonstances, Eve lui aurait flanqué son poing dans la figure pour le faire taire. Mais ses yeux noirs, brillants d'espoir, évoquaient ceux d'un cocker.

— Vous êtes très aimable, mais je ne suis pas autorisée à accepter des cadeaux dans l'exercice de mes fonctions. Ça me créerait des ennuis.

— Oh ! nous ne voulons surtout pas vous causer des problèmes ! Ce n'est qu'un présent insignifiant.

— Merci, peut-être une autre fois. Vous pourriez m'aider en examinant cette photo. Reconnaissez-vous cet homme ?

La confusion et le désappointement se peignirent sur les traits du bijoutier. Il se pencha sur le portrait.

— Oui, c'est M. John Smith.

— John Smith ?

— Oui, il a un hobby : les bijoux. Malheureusement, il n'achète jamais les pierres que nous lui proposons. Seulement du fil d'argent. Soixante centimètres. Il a des idées… très arrêtées.

— Il vous en achète souvent ?

— Oh ! il est venu deux fois ! D'abord avant la période de Noël, il faisait très froid. Et aussi la semaine dernière. Il n'avait pas ces cheveux-là. C'est moi qui l'ai reçu, je lui ai montré nos pierres. Il ne voulait que du fil d'argent. Tss…

— Il a payé en liquide ?

— Oui, les deux fois.

— Comment connaissez-vous son nom ?

— Je le lui ai demandé. Vous seriez aimable de me donner votre nom, monsieur, et de me dire comment vous avez entendu parler de notre humble établissement.

— Qu'est-ce qu'il a répondu ?

— Qu'il s'appelait John Smith et qu'il avait consulté notre site sur Internet. Ça peut vous être utile, madame le lieutenant Dallas Connors ?

— Lieutenant, ça suffira. Et oui, ça m'est utile. Vous avez d'autres détails ? Il a parlé de son hobby ?

— Il n'était pas très bavard. Il ne s'est pas attardé. J'ai dit à mon frère cadet que je ne comprenais pas comment M. Smith pouvait être passionné par la joaillerie, alors qu'il ne s'intéressait pas aux pierres ni aux autres métaux. Il n'a même pas jeté un coup d'œil à nos autres articles. Il ne nous a pas expliqué quel genre de bijou il fabriquait. Il était là pour acheter, et c'est tout. Vous voyez ?

— Oui.

— Il est très poli. Son communicateur a sonné, mais il n'a pas répondu. Je lui ai demandé si le fil d'argent qu'il avait pris cet hiver lui avait convenu, s'il en était satisfait. Il m'a dit que oui. Et puis il a souri et… j'espère que ce n'est pas un de vos amis, parce que je n'ai pas aimé son sourire. Je lui ai vendu ce qu'il voulait, et j'ai été content qu'il s'en aille. Je ne vous offense pas ?

— Du tout. Peabody, vous avez une carte ?

— Oui, lieutenant, répliqua Peabody en extirpant de sa poche une carte de visite d'Eve.

— S'il revient, contactcz-moi immédiatement. Surtout, faites attention à ne pas éveiller sa méfiance, ne lui dites pas qu'on vous a posé des questions sur lui. Au cas où il entrerait dans votre boutique, débrouillez-vous, vous ou votre frère, pour me prévenir sans qu'il s'en doute.

— C'est un méchant homme ?

— Oui, un sale individu.

— Je l'ai pensé quand il a souri. Et mon cousin est d'accord avec moi.

Eve considéra le jeune homme qui brandissait toujours sa caméra.

— Je croyais que c'était votre frère.

— Lui, oui. Je parle de mon cousin de Londres, où nous avons une autre modeste boutique. Nous nous sommes aperçus que M. John Smith lui avait également acheté du fil d'argent.

Eve lui agrippa le poignet.

— À Londres ? Comment votre cousin sait-il qu'il s'agit du même homme ?

— Fil d'argent, trois longueurs de soixante centimètres. M. Smith avait des cheveux couleur sable et une moustache. Mais nous pensons que c'est la même personne.

Eve prit son carnet.

— Donnez-moi l'adresse du magasin londonien. Le nom de votre cousin. Vous détenez d'autres petites boutiques ailleurs ?

— Nous possédons dix humbles établissements.

— Je vais vous demander une faveur.

Les yeux de son interlocuteur brillèrent comme des joyaux.

— Ce serait un immense honneur pour moi.

— Je veux les coordonnées de tous vos magasins. Je vous serais reconnaissante de joindre les membres de votre famille qui les dirigent, pour savoir si on leur a acheté du fil d'argent – soixante centimètres. J'enverrai à chacun d'eux une photo de cet individu. S'il se présente chez eux, il faudra m'avertir sur-le-champ.

— Je vais arranger ça, madame le lieutenant Dallas Connors.

Il se tourna vers son frère, tous deux échangèrent quelques mots toujours aussi incompréhensibles.

— Mon frère vous donnera les coordonnées, et j'appellerai personnellement mes cousins.

— Dites-leur que nous les contacterons, moi ou mon assistante.

— Ils en seront enchantés. Auriez-vous l'obligeance de prendre aussi notre carte de visite pour votre célèbre époux ? Peut-être daignera-t-il visiter notre modeste établissement.

— D'accord. Merci pour votre collaboration.

Il escorta Eve jusqu'à la porte qu'il lui ouvrit, s'inclina cérémonieusement et, la mine réjouie, la regarda rejoindre son véhicule.

— Appelez Feeney, ordonna Eve dès qu'elle fut au volant. Qu'il lance une recherche sur les meurtres similaires à Londres.

— Ce sera un honneur pour moi, madame le lieutenant Dallas Connors.

Comme Eve lui décochait un coup d'œil furibond, Peabody esquissa un sourire.

— Excusez-moi, je n'ai pas pu résister.

— Vous avez fini de vous amuser ? Bon, dites à Feeney que, s'il fait chou blanc, il creuse la piste des personnes disparues. Ça m'étonnerait qu'on ait retrouvé tous les corps. Ce type est un vrai pro. Si son commanditaire tient à ce que quelqu'un disparaisse, la victime disparaît. Mais le crime en lui-même doit obéir au même schéma. C'est un routinier.

Peabody s'exécuta, puis :

— Voilà, Feeney s'y met. Et maintenant ?

— Vous contactez les cousins. Moi, je vais voir Mira. Il me faut une analyse approfondie.

— Vous avez accompli la moitié de mon travail.

Le Dr Mira détourna les yeux de son ordinateur pour observer Eve, debout, les mains dans les poches, et qui contemplait la vue qu'offrait la fenêtre du bureau.

— Vous paraissez très bien connaître cet homme, ajouta-t-elle. Et les profileurs du FBI l'ont étudié à fond.

— Vous pouvez aller plus loin.

— Vous me flattez.

Mira se redressa, commanda du thé à l'autochef. Elle était vêtue d'un tailleur très simple, bleu ardoise, ses magnifiques cheveux bruns, coiffés en arrière, mettaient en valeur son beau et doux visage. Elle tortillait entre ses doigts la longue chaîne en or qu'elle portait au cou.

— C'est un sociopathe, probablement intelligent et sûr de l'être. L'orgueil est le moteur qui l'anime. Il se considère comme un homme d'affaires, le meilleur dans sa partie. Un domaine qu'il a choisi. Il apprécie les belles choses. Il n'a peut-être pas conscience que le viol ajoute à sa satisfaction. Pour lui, ce n'est qu'un moyen de liquider sa victime. Homme ou femme, peu importe. Il ne s'agit pas de sexe, mais d'avilissement.

Mira s'interrompit un bref instant, jeta un coup d'œil à sa montre, à son communicateur.

— Utiliser simplement le garrot serait plus rapide et efficace, mais le plus souvent il frappe et viole. Pour lui, cela fait partie d'un tout, comme on teste la couleur et le bouquet d'un bon vin avant de le boire.

— Il aime son travail.

— Oh, oui ! Énormément. Cependant, dans son esprit, ce n'est qu'un travail. Je serais surprise qu'il tue à l'aveuglette ou pour des mobiles personnels. C'est un professionnel, il s'attend à être rémunéré, grassement payé. Le fil d'argent est sa marque de fabrique, une sorte de publicité destinée à des clients potentiels.

— Il ne cache rien. Le fil d'argent, son visage, son ADN. Pourtant il porte des déguisements.

— J'ai la conviction que ces déguisements sont une sorte de jeu. Une pincée de piment. L'expression d'une profonde vanité.

— Le Dr Mira se mit à arpenter la pièce ; elle paraissait agitée, ce qui ne lui ressemblait guère.

— Il adore se pomponner, comme un autre choisirait sa chemise avant de se rendre au bureau. La loi, que vous incarnez, ne le préoccupe pas le moins du monde. Il l'a impunément transgressée pendant des années. Je dirais que, au mieux, vous l'amusez.

— Il ne rira pas longtemps, je vous le garantis.

Eve remarqua que Mira consultait de nouveau sa montre, fronçait les sourcils. Elle avait oublié le thé, ce qui ne lui était encore jamais arrivé.

— Ça va, docteur ?

— Pardon ? Oh, oui !

— Vous paraissez distraite.

— Je le suis, je l'avoue. Ma belle-fille est en train d'accoucher, j'attends des nouvelles. Les bébés ne sont pas pressés, et nous, nous attendons.

— Je comprends.

Eve se dirigea vers l'autochef pour prendre les tasses de thé.

— Merci, dit Mira. Je vais rédiger le profil, Eve, ça m'occupera l'esprit. Mais je crains de n'avoir pas beaucoup d'éléments nouveaux à vous apporter.

— Pouvez-vous m'expliquer pourquoi Connors est visé ?

Mira tressaillit, réalisant soudain qu'Eve avait aussi des soucis. Elle se rassit, invita son interlocutrice à l'imiter.

— J'imagine que vous avez déjà quelques idées sur ce point. Votre mari est immensément riche, il a du pouvoir et des ennemis. Sur un plan professionnel et personnel. Son passé comporte – officiellement – quelques zones d'ombre. Il est possible que certaines personnes, tapies dans ces zones d'ombre, cherchent à le mettre en difficulté. Mais je présume que vous en avez discuté ensemble.

— Oui, seulement ça ne me mène nulle part. Si quelqu'un lui avait tendu un traquenard, organisé le meurtre d'un de ses principaux concurrents, par exemple, ça se tiendrait. Mais une femme de chambre employée dans un de ses hôtels ? À quoi ça rime ?

Mira lui posa une main sur le bras.

— Vous êtes perturbée, anxieuse. C'est peut-être un motif suffisant.

— Au point de tuer ? Pour Yost, d'accord. Pour lui, ce n'est qu'un boulot comme un autre. Mais en ce qui concerne son commanditaire, il y a forcément autre chose. Yost a acheté quatre longueurs de fil d'argent. Ce n'était pas uniquement destiné à Darlene French. Il mijote un nouveau coup.

447

— Je vais continuer à étudier les données que nous avons. J'aimerais vous aider davantage.

Le communicateur de Mira retentit soudain, et elle bondit de son siège comme un ressort.

— Excusez-moi… Anthony ? Est-ce…

— C'est un garçon, quatre kilos, cinquante centimètres. Une merveille !

— Ô mon Dieu ! s'exclama Mira, les larmes aux yeux. Et Deborah ?

— Elle est extraordinaire, et elle va bien. Admire ce trésor.

Eve, gênée, coula un regard en direction de l'écran du communicateur. Elle aperçut un homme brun qui tenait un bébé tout rouge, qui gigotait et vagissait.

— Grand-maman, dis bonjour à Matthew James Mira.

— Bonjour, Matthew, susurra le Dr Mira. Anthony, il a ton nez. Il est superbe. J'ai tellement hâte de le prendre dans mes bras. Tu as appelé ton père ?

— Je vais le faire tout de suite.

— Nous viendrons vous voir ce soir.

Mira effleura l'écran, comme si elle caressait la tête du nourrisson.

— Dis à Deborah que nous l'aimons et que nous sommes fiers d'elle.

— Et pas de moi ?

— Bien sûr que si. Je t'embrasse, mon chéri.

— Je préviens papa. Pleure bien, maman.

— Oui… balbutia le Dr Mira en interrompant la communication.

Elle déplia un mouchoir.

— Excusez-moi. Un petit-fils…

— Félicitations, il a l'air…

« …d'un poisson rouge tout fripé avec des pattes », pensa Eve qui garda néanmoins ce commentaire pour elle – ce n'était sans doute pas ce que les gens souhaitaient entendre dans de pareils moments.

— … en parfaite santé, acheva-t-elle.

— Oui, soupira Mira en se tamponnant les yeux. Il n'y a rien de tel qu'un petit être qui vient au monde pour nous rappeler l'essentiel.

Eve se leva.

— Vous êtes pressée de rejoindre votre famille, je…

Son communicateur l'interrompit.

— Dallas.

— Lieutenant, répondit gravement Peabody, nous avons un autre homicide. Même *modus operandi*. Cette fois, dans une résidence privée de l'Upper East Side.

— Retrouvez-moi au parking. J'arrive.

— Oui, lieutenant. La résidence appartient à Elite Immobilier, filiale de Connors Industries.

8

L'immeuble en brique était situé dans un quartier réputé pour ses loyers exorbitants et ses restaurants ultrachics. Sur les marches du perron, de somptueuses fleurs blanches coiffant de longues tiges roses jaillissaient de trois urnes en pierre.

Ailleurs, elles auraient été fracassées ou volées en quelques heures.

Mais ici, les habitants vivaient dans la tranquillité, le confort, et n'auraient jamais eu l'idée de dévaliser leurs voisins. Leur sécurité était assurée par des systèmes électroniques sophistiqués ou des droïdes privés qui patrouillaient à pied, revêtus d'uniformes bleu marine. Ces précautions dissuadaient la racaille de venir s'égarer dans cette oasis de paix et de salir les trottoirs.

La demeure de Jonah Talbot, où il vivait seul et qui comportait un étage, disposait de tous les équipements de sécurité possibles. Il y était pourtant mort dans d'atroces conditions.

Âgé d'une trentaine d'années, il était bien bâti, constata Eve en l'examinant. Il avait été frappé, comme Darlene French, d'abord au visage. Ses côtes et ses reins présentaient également des marques de coups. Il ne portait qu'un tee-shirt gris. Le short de sport assorti était chiffonné dans un coin. Son meurtrier avait abusé de lui et l'avait abandonné, gisant à plat ventre, le fil d'argent noué sur la nuque.

— J'ai l'impression qu'il travaillait chez lui, déclara Eve. Vous avez son dossier ?

— Oui, lieutenant, répondit Peabody. Jonah Talbot, trente-trois ans, célibataire, sans enfants. Vice-président et éditeur adjoint de Starline. Résidant à cette adresse depuis novembre 2057. Fils unique, parents divorcés, il a un demi-frère né du remariage de sa mère.

— Dites-moi ce que vous savez sur Starline.

Peabody afficha les données sur son miniportable.

— Ils publient des livres, des disquettes, des magazines électroniques, des journaux holographiques, et cetera.

Elle s'interrompit, s'éclaircit la gorge.

— La société a été créée en 2015 et rachetée en 2051 par Connors Industries.

— Ben voyons, murmura Eve qui sentit un frisson glacé lui parcourir l'échine. Yost a pris des risques. Cette fois, il ne s'est pas attaqué à une jeune femme de cinquante kilos, pourtant sa victime ne s'est pas vraiment bagarrée.

Doucement, elle souleva une main de Talbot, étudia les écorchures sur ses jointures.

— Il a essayé de lutter mais... pas vraiment. Pourquoi ? Il est physiquement solide, même s'il n'est pas aussi baraqué que Yost. Rien n'est renversé dans cette pièce, à part cette petite table. Deux types de cette corpulence auraient dû mettre tout sens dessus dessous. Bon, on a suffisamment d'images sous cet angle. Mettons-le sur le dos.

Toutes deux le retournèrent avec précaution.

— Yost ne l'a pas tué immédiatement, commenta Eve en soulevant le tee-shirt pour inspecter les hématomes sur le torse, d'une couleur affreuse. Passez-moi les loupes.

Peabody s'exécuta, Eve régla la puissance des microloupes.

— Regardez... là, juste sous l'aisselle gauche. Une trace de piqûre. Il lui a injecté un tranquillisant pour l'empêcher de résister. Il l'a roué de coups. Ensuite il a attendu que Talbot reprenne connaissance pour le violer. Oui, j'en suis sûre. Si la victime n'a pas conscience d'être souillée, humiliée, c'est moins jouissif.

Son père agissait de cette façon, Eve ne s'en souvenait que trop. Quand il cognait trop fort et qu'elle s'évanouissait, il patientait. Il attendait toujours qu'elle soit en état de supplier.

— Réveille-toi, souffla-t-elle. Allez, ouvre les yeux. Ne reste pas là toute molle, petite garce, comment tu veux faire jouir un homme ?

— Lieutenant ? s'inquiéta Peabody.

Eve sursauta, secoua la tête.

— Il a attendu, répéta-t-elle. Il l'a maintenu en vie assez longtemps pour que ces hématomes apparaissent, et pour que Talbot se débatte avec le peu d'énergie qu'il avait encore. Puis il lui a passé le garrot autour du cou, et il a terminé son travail.

Elle remonta les loupes sur son front.

— Contactez Feeney et McNab, qu'ils nous disent ce que donnent les films enregistrés par les caméras de surveillance.

— Bien, lieutenant.

— Talbot t'a égratigné, murmura Eve, en examinant de nouveau la main blessée de la victime.

Comme Darlene French, pensa-t-elle. Et les autres ? Ces écorchures, ces plaies seraient-elles également des souvenirs que Yost emportait après chaque contrat ? Des blessures de guerre, en quelque sorte ?

Et quel objet avait-il pris à Jonah Talbot ?

Elle rechaussa les microloupes, chercha sur le corps une trace de piercing. Elle la trouva sur le testicule gauche.

Elle en frémit en se remémorant la douleur qu'elle avait éprouvée, récemment, lorsqu'on lui avait percé les oreilles.

— Seigneur, mais les gens sont cinglés ! Enregistrez : trace de piercing sur le testicule gauche, indiquant que la victime avait là un ornement quelconque.

Elle se redressa et, lentement, balaya la pièce du regard. Elle tournait le dos à la porte, quand elle entendit un bruit de pas.

— Peabody, dites à l'équipe de l'Identité judiciaire de tout passer au peigne fin, à la recherche d'un anneau, peut-être. Je ne sais pas ce que les types peuvent bien s'accrocher à leurs bijoux de famille.

— Je ne peux malheureusement pas éclairer votre lanterne, lieutenant.

Connors... D'instinct, elle se positionna entre lui et la victime.

— Je ne veux pas de toi ici.

— Tes désirs ne sont pas toujours des ordres.

Comme il s'avançait, elle lui posa rudement la main sur la poitrine.

— C'est une scène de crime.

— Je ne l'ignore pas. Écarte-toi, je ne m'approcherai pas davantage.

Le ton de Connors était sans réplique.

— Tu le connaissais…

— Oui, répondit-il en contemplant le corps, envahi par une pitié mêlée de colère. Je présume que tu as déjà son dossier, mais je peux te dire que c'était un homme intelligent et ambitieux qui avait rapidement pris sa place dans le monde de l'édition. Il avait la passion des livres. Les vrais livres, ceux qu'on tient dans ses mains et dont on tourne les pages.

Eve garda le silence. Connors avait aussi l'amour des vrais livres, ce qui avait dû le rapprocher de Talbot.

— Une fois par semaine, il travaillait chez lui, poursuivit Connors d'une voix sourde. Un autre que lui en aurait profité pour se reposer, il avait des secrétaires et des responsables éditoriaux pour assumer certaines tâches. Si ma mémoire ne me trompe pas, il possédait un petit bateau dans une marina de Long Island. Il adorait naviguer. Et il envisageait d'acheter là-bas une résidence secondaire. Il fréquentait quelqu'un depuis peu.

— C'est son amie qui l'a découvert. Elle est dans une autre pièce avec un agent.

— Tout ce que je viens de te raconter n'a rien à voir avec sa mort. Il a été tué parce qu'il travaillait pour moi.

Il fixa sur Eve un regard dur.

— Et j'ai la ferme intention de mener ma propre enquête.

Elle posa une main sur la sienne, sentit sous ses doigts une violence qu'il avait toutes les peines du monde à maîtriser.

— Je te demande d'attendre dehors. Laisse-moi m'occuper de lui, murmura-t-elle.

Durant un instant terrible, elle craignit qu'il ne fasse ou ne dise quelque chose qui l'obligerait à trafiquer la vidéo des premières constatations. Mais une expression réfrigérante se peignit sur les traits de Connors qui recula.

— J'attendrai, articula-t-il simplement, et il sortit.

Lorsque Eve la rejoignit pour prendre sa déposition, Dana – la petite amie de la victime – avait déjà pleuré tout son soûl. Ses yeux étaient rouges et bouffis, et elle ne cessait de boire de l'eau, comme si verser tant de larmes l'avait déshydratée. Cependant elle était cohérente, ce qui soulagea Eve.

— Nous allions déjeuner ensemble. Jonah avait prévu de faire une pause vers 14 heures. C'était à son tour de régler l'addition.

Elle se mordit furieusement la lèvre inférieure pour réprimer un sanglot.

— Nous avions l'habitude de payer à tour de rôle. Il y a un restaurant, le *Polo's*, du côté de la 82e Rue, où nous aimions déjeuner. Je n'habite pas loin d'ici, et tous les deux nous prenions notre mercredi pour travailler chez nous. Je suis agent littéraire. C'est comme ça que nous nous sommes rencontrés, il y a quelques mois. Aujourd'hui, j'étais en retard. Je suis arrivée au restaurant vers 14 h 20.

Elle but une gorgée, ferma brièvement les yeux. Son visage, sans être vraiment beau, avait du charme et reflétait une forte personnalité.

— J'étais en communication avec un client, il avait besoin de réconfort et la conversation s'est éternisée. Jonah me taquine, il dit que je suis toujours en retard. Le quart d'heure Dana... Alors quand je suis arrivée et que je ne l'ai pas vu, j'ai pensé : toi, mon grand, je vais te river ton clou. Ô mon Dieu ! Vous m'accordez une minute, je vous prie ?

— Prenez tout votre temps.

Dana pressa le verre d'eau fraîche sur son front, ses joues, comme si elle avait la fièvre.

— À 14 h 30, j'ai commencé à m'inquiéter et je l'ai appelé. Il n'a pas répondu, j'ai patienté encore un moment. Le restaurant est à cinq minutes d'ici. J'étais à la fois anxieuse et irritée. Vous comprenez ?

— Oui, parfaitement.

— J'ai décidé d'aller chez lui. J'étais certaine qu'on se croiserait en chemin, qu'il se répandrait en excuses.

J'hésitais entre l'enguirlander ou faire semblant de croire à son mensonge. Et puis je suis entrée dans la maison...

— Vous aviez une clé ?

— Pardon ?

Les yeux de Dana, qui étaient devenus vitreux, s'éclaircirent de nouveau. Bien, songea Eve. Tu as du courage. Tu t'en sortiras.

— Non... non, je n'avais ni sa clé ni le code de sa porte. Nous n'en étions pas encore là. Nous souhaitions tous les deux ne pas précipiter les choses. Le couple moderne type... Nous nous fréquentions, mais chacun gardait prudemment son espace vital.

Une larme roula sur la joue de Dana, qu'elle n'essuya pas.

— La porte n'était pas fermée, pas complètement. J'en ai oublié ma colère. J'ai franchi le seuil, j'ai appelé Jonah. Pour me rassurer, je me répétais qu'il devait être englouti dans un livre et qu'il en avait perdu la notion du temps. Mais, en réalité, j'avais peur. J'ai failli faire demi-tour. J'appelais, j'appelais... il ne répondait pas. Je me suis dirigée vers son bureau. Et là, je l'ai vu. Jonah... J'ai vu Jonah par terre, il y avait du sang autour de sa tête. Excusez-moi, balbutia-t-elle.

En proie à un étourdissement, elle se plia en deux. Alors elle avisa un livre abandonné sur le sol. Étouffant une plainte, elle le ramassa, lissa la couverture.

— Jonah était un fou de littérature, pour lui c'était comme une drogue. Il amoncelait les textes sous toutes les formes imaginables. Il y en a partout dans cette maison, dans son bureau et même sur son bateau. Je peux... vous croyez que je peux garder celui-ci ?

— Pour l'instant, nous sommes obligés de conserver toutes les pièces à conviction. Mais quand nous aurons terminé, je veillerai à ce qu'on vous fasse parvenir cet ouvrage.

— Je vous remercie. Bon... enchaîna Dana, tenant le livre contre elle comme pour y puiser de la force. Après l'avoir découvert, je suis sortie en courant. Il me semble que j'aurais couru des heures, si je n'avais pas rencontré une patrouille de droïdes. Ensuite, je me suis écroulée sur les marches et j'ai pleuré.

— Jonah travaillait toujours ici le mercredi ?

— Oui, sauf quand il était en voyage ou qu'il avait une réunion à laquelle il devait impérativement assister.

— Et vous déjeuniez ensemble tous les mercredis ?

— Depuis deux mois et demi, environ. C'était devenu une habitude, même si nous affirmions que nous n'en étions pas au stade des habitudes.

— Vous étiez intimes ?

— Nous faisions l'amour régulièrement, répliqua Dana d'une voix tremblante. Nous évitions d'employer des termes comme intimité. Cependant nous n'avions plus de relations sexuelles avec d'autres partenaires.

— Je vais être indiscrète, mais pouvez-vous me dire si M. Talbot portait un quelconque ornement corporel ?

— Un petit anneau d'argent au testicule gauche. Très sexy.

Quand l'interrogatoire fut achevé, Dana se leva, chancela. Eve la prit par le bras.

— Il vaudrait mieux que vous restiez assise, le temps de vous remettre du choc.

— Ça va… Je veux rentrer chez moi.

— Un policier vous raccompagnera.

— Je préférerais marcher, si vous m'y autorisez. J'habite tout près et je… j'ai besoin de marcher.

— Entendu. Nous aurons peut-être d'autres questions à vous poser.

— Pas aujourd'hui, je vous en supplie.

Dana se dirigea vers la porte, s'immobilisa.

— Je crois que j'étais peut-être profondément amoureuse de lui. Je ne le saurai jamais. Ça me désespère.

Eve demeura un moment figée sur son siège. Son esprit était en ébullition, et il lui fallait mettre de l'ordre dans ses idées. La victime était en chemin pour la morgue, un tueur accomplissait méthodiquement son sale boulot, deux agents du FBI voulaient lui retirer l'affaire… En outre, elle avait sous son toit un invité qui ne lui inspirait pas confiance, et un mari qui pouvait être en danger et risquait fort de lui causer de sérieux ennuis.

Lorsque Feeney apparut, elle était toujours pétrifiée, tel un sphinx, les yeux à demi clos, les lèvres pincées dans une expression sinistre. Comprenant aussitôt qu'elle était perturbée, il s'assit sur la table basse devant elle et lui tendit son sempiternel sachet d'amandes grillées.

— Tu veux les bonnes ou les mauvaises nouvelles ?

— Commence par les mauvaises, la coupe n'est pas tout à fait pleine.

— Il est entré par la porte. Ce type a un passe, ce qui ne nous arrange pas.

— Un passe de police ?

— Oui, ou une copie à peu près parfaite. On va essayer d'en avoir le cœur net. En résumé, Dallas, il a déverrouillé la porte et il est entré comme chez lui. C'était Yost, indiscutablement, on n'a même pas besoin de l'ADN que les gars de l'Identité judiciaire récolteront. Bien sapé, une nouvelle perruque – cheveux noirs assez longs pour se faire un petit chignon sur la nuque. Le look artiste, qui convient sans doute à ce quartier.

— Il sait se fondre dans le décor.

— Il avait un attaché-case. Il a pris le temps de remettre le passe dans une poche extérieure de la mallette. Et il est allé droit vers le bureau, il connaissait les lieux.

Eve se pencha vers lui.

— Feeney… tu es en train de me dire que les caméras de la maison tournaient ?

— Oui, c'est ça, la bonne nouvelle, rétorqua-t-il avec un sourire féroce. Soit Yost n'y a pas pensé, soit il s'en fichait comme de sa première paire de chaussettes, mais les caméras de surveillance fonctionnaient. Je suppose que Talbot a oublié de les éteindre à son réveil. On le voit et on l'entend vaquer à ses occupations matinales avant de se mettre au boulot. Il avait un très bon équipement.

Eve se redressa.

— Il a dû oublier. Quand on travaille chez soi, on n'a pas envie que des caméras filment vos moindres gestes, ni que des micros vous enregistrent si vous lâchez un rot. Yost a fait une boulette.

— Ouais, c'est bien possible. On a tout le film du meurtre, Dallas. Du début à la fin.

— Je veux le…

Elle s'interrompit, songeant à Connors.

— Je le visionnerai au Central. Tu nous réserves une salle de réunion ? J'ai quelque chose à régler avant de vous rejoindre.

— Mmm… Connors est dehors. Tu sais que je n'ai pas l'habitude de fourrer mon nez partout.

— C'est ce que j'apprécie chez toi, Feeney.

— Mmm… Je veux juste dire que ça va être pénible pour lui. Forcément. Il sera d'abord révolté, ensuite il sera dans une rage froide. C'est sa nature. Eh bien… il me semble que Connors, dans cet état d'esprit, pourrait nous être très utile !

— Tu es un vrai stratège, Feeney.

— Je dis ce que je pense, voilà tout. Toi, tu considères probablement qu'il vaudrait mieux le mettre hors circuit.

Il la dévisagea, lut dans les yeux d'Eve que c'était effectivement son opinion.

— Mais là, tu raisonnes avec tes tripes, pas avec ta cervelle. Réfléchis, et tu comprendras que, parfois, la cible est la meilleure arme dont nous puissions disposer. De toute façon, il ne te laissera pas l'écarter.

— Arrête de tourner autour du pot. Tu suggères de l'impliquer officiellement dans l'enquête ?

— C'est toi qui tiens les rênes. Je dis simplement que tu aurais intérêt à ne négliger aucune éventualité.

Estimant qu'il était allé aussi loin que possible, Feeney haussa les épaules et quitta la pièce.

Eve sortit à son tour, sélectionna quelques policiers en uniforme à qui elle ordonna de quadriller le quartier pour interroger les voisins. Du coin de l'œil, elle surveillait Connors, appuyé contre le capot d'une voiture rutilante. Il l'observait, attendait. Mais tout son être trahissait l'impatience.

— J'en ai pour une minute, murmura-t-elle à Peabody.

Elle s'approcha de lui.

— Je croyais que tu devais te déplacer en limousine, avec ton chauffeur.

— J'ai décidé de ne pas attendre qu'ils arrivent quand on m'a averti pour Jonah.

— Qui t'a averti ?

— J'ai certains informateurs. C'est un interrogatoire, lieutenant ?

Comme elle ne répondait pas, il jura à voix basse.

— Excuse-moi...

— Rentre à la maison, enferme-toi dans la salle de sport et boxe le punching-ball. Ça te soulagera.

— Ça, c'est ta méthode, rétorqua-t-il en s'arrachant un petit sourire.

— En principe, ça marche très bien.

— Il faut que je retourne au bureau, j'ai une réunion. Tu préviendras ses proches parents ?

— Oui.

Il détourna les yeux, contempla la ravissante façade de la demeure. Il songeait manifestement aux atrocités perpétrées derrière ces murs.

— Je veux leur parler moi-même, marmonna-t-il.

— Dès que l'annonce officielle aura été faite, on te donnera le feu vert.

Il braqua de nouveau son regard sur elle. Feeney avait raison, pensa-t-elle. Il était anéanti, mais la révolte commençait à monter en lui.

— Dis-moi ce que tu sais, Eve. Ne m'oblige pas à agir derrière ton dos.

— Dans l'immédiat, je vais au Central. Quand j'aurai appelé la famille et rédigé mon rapport préliminaire, j'étudierai avec mon équipe les pièces à conviction dont nous disposons. Pendant ce temps, le légiste et les gars du labo travailleront. Le Dr Mira est en train d'établir un profil. Nous creusons certaines pistes dont je ne tiens pas à parler ici. Je me bagarre aussi avec le FBI qui essaie de me dessaisir du dossier et, comme si ça ne suffisait pas, je recevrai sans doute l'ordre de faire une déclaration aux médias.

— Quelles pistes ?

— Je te le répète, je ne tiens pas à en discuter pour l'instant. Laisse-moi un peu d'espace, un peu de temps pour réfléchir. D'un côté il y a l'homme que j'aime et pour qui je m'inquiète, de l'autre mon travail. Je ne suis pas aussi douée que toi pour équilibrer les deux plateaux de la balance.

— Alors je te répondrai ce que tu me dis toujours : je suis capable de prendre soin de moi.

Bizarrement, elle ne pesta pas, n'éprouva même pas de l'irritation. Seulement de la compassion et de l'angoisse. Connors, le parangon du contrôle de soi, était déchiré.

Alors elle fit une chose qu'elle ne s'autorisait jamais en public, surtout lorsque d'autres flics étaient dans les parages. Elle l'entoura de ses bras et l'étreignit, la joue pressée contre la sienne.

— Je suis désolée, murmura-t-elle, regrettant de ne pas connaître les paroles qui réconfortent un être souffrant. Je suis tellement navrée.

Il ferma les yeux, se laissa aller contre Eve. La brûlure cuisante qui lui mordait le cœur et cette rage qui le dévorait s'apaisèrent un instant. Il avait eu dans sa vie plus que sa part d'épreuves, de douleur, et jamais personne ne lui avait offert une épaule sur laquelle s'appuyer. La compréhension et la compassion d'Eve étaient un baume sur une plaie à vif.

— Je suis dépassé, dit-il d'une voix sourde, terriblement calme. Je ne parviens pas à saisir le pourquoi de tout ça.

Elle lui caressa les cheveux.

— Nous trouverons la réponse, je te le promets.

— J'aimerais t'avoir près de moi ce soir.

— Je serai là.

Il lui prit la main, baisa le bout de ses doigts.

— Merci.

Elle attendit qu'il remonte dans sa voiture, qu'il démarre. Elle eut la tentation de le faire suivre par un véhicule de patrouille, mais cette précaution l'agacerait et il s'arrangerait pour semer ses anges gardiens.

Quand elle pivota sur ses talons, elle s'aperçut que les agents en uniforme feignaient d'être très occupés et de regarder ailleurs. Elle n'en fut même pas gênée, elle avait d'autres chats à fouetter.

— Au boulot, dit-elle à Peabody.

Connors pénétra dans l'ascenseur privé menant à ses bureaux. Il sentait la rage enfler de nouveau en lui. Mais il ne pouvait pas se permettre d'y céder pour l'instant.

Il savait comment la juguler. Cette faculté, durement acquise, l'avait maintenu en vie durant les pires années de son existence. Elle l'avait aidé à créer son empire, à devenir ce qu'il était à présent.

Mais qui était-il ?

Il ordonna à l'ascenseur de stopper, le temps de se calmer.

Il était un homme capable, pour agrémenter son univers, d'acquérir tout ce qu'il désirait et qu'il avait jadis si ardemment convoité.

La beauté, le confort, l'élégance, la respectabilité.

Un homme qui s'était donné les moyens de commander, afin de ne plus jamais, au grand jamais, avoir le sentiment d'être désarmé et vulnérable. Un homme qui détenait le pouvoir. Celui de se distraire, de se lancer des défis, de se faire plaisir.

Quelqu'un qui régnait sur des milliers de personnes dépendant de lui pour gagner leur pain. Pour vivre.

Et maintenant, deux de ces personnes étaient mortes.

Il était impuissant à changer cette réalité, à réparer. Il ne pouvait rien faire, hormis traquer le coupable et son commanditaire. Venger les victimes.

La rage obscurcit l'esprit, se dit-il. Il veillerait à garder sa perspicacité, sa clairvoyance.

Quand il émergea de l'ascenseur, son regard était glacial. Sa réceptionniste, derrière sa console, se dressa aussitôt. Elle fut cependant prise de vitesse par Mick qui surgit de la salle d'attente.

— Eh ben ! Mon vieux, je suis impressionné.

— Ne me passez aucune communication pour l'instant, déclara Connors à la jeune femme. À moins qu'il ne s'agisse de ma femme. Suis-moi, Mick.

— Et comment ! J'espère que tu vas m'emmener faire le tour du propriétaire, encore que ça risque de durer quelques semaines.

— Tu devras te contenter de mon bureau. J'ai une réunion qui m'attend.

— Quel bosseur, celui-là !

Ils longèrent une galerie vitrée dominant Manhattan puis un large couloir orné d'objets d'art. Les yeux de Mick se mirent à briller.

— Seigneur, tout ça est authentique ? Simple curiosité, rassure-toi. Tu te rappelles la fois où on avait piqué quelques babioles au musée national de Dublin ?

— Parfaitement. Mais je préférerais que mon personnel ignore cette anecdote croustillante.

Connors poussa la massive porte noire à deux battants qui donnait accès à son domaine personnel, et s'effaça pour laisser entrer son ami.

— J'oublie toujours que, maintenant, tu respectes la loi. Seigneur Dieu ! s'exclama Mick en s'immobilisant sur le seuil.

Il avait été ébloui par la demeure de Connors, néanmoins il ne s'attendait pas à ce que son bureau soit aussi luxueux.

C'était immense, l'équipement électronique à lui seul – et Mick s'y connaissait – valait une fortune. Et tout ça – ces tapis, ces boiseries précieuses, les antiquités disposées çà et là – appartenait au copain d'enfance avec qui il écumait naguère les ruelles puantes de Dublin.

— Tu désires un café ? proposa Connors.

Mick lâcha bruyamment son souffle.

— Ah, non ! J'ai besoin d'un remontant.

— Je te sers un verre de whisky irlandais.

Connors se dirigea vers un meuble ciré qui renfermait un bar. Puis il commanda à l'autochef une tasse de café noir et très fort.

— À la santé des voleurs ! déclara Mick en levant son verre. Tu n'appartiens peut-être plus à la confrérie, mais tu as été des nôtres et, bon sang, c'est quand même grâce à ça que tu as grimpé si haut.

— En effet. Qu'est-ce que tu as fait, aujourd'hui ?

— Oh ! j'ai joué les touristes !

Mick déambulait dans la pièce. Il entrebâilla la porte de la salle de bains, immense elle aussi, et siffla entre ses dents.

— Il ne manque plus qu'une femme nue. J'imagine que tu n'en as pas sous la main, à offrir à un vieux copain ?

— Le commerce du sexe ne m'a jamais intéressé, répondit Connors en s'asseyant pour boire son café. J'ai toujours eu des principes.

— C'est vrai. Évidemment, avec ton physique, tu n'as pas eu besoin d'acheter une nuit d'affection. Nous autres, simples mortels, n'avons parfois que cette solution.

Mick revint s'installer dans un fauteuil, face à Connors.

— Ça ne t'embête pas que je sois passé comme ça, sans prévenir ? Je ne suis pas une relation très reluisante.

Connors crut percevoir une note d'amertume dans la voix de Mick.

— Voir un vieil ami me fait toujours plaisir.

— Tant mieux. Tu sais, je suis épaté par ce que tu as réussi à construire.

— J'ai eu beaucoup de chance. Si tu le souhaites, tu peux visiter l'immeuble. Je vais m'arranger pour que tu aies un guide, pendant que j'assiste à ma réunion.

— En ce moment, tu as surtout l'air d'avoir des problèmes.

— Je viens de perdre un ami. Il a été assassiné cet après-midi.

— Je suis désolé. New York est une ville violente. Ce monde est violent. Pourquoi tu n'annulerais pas ta réunion ? On se trouve un pub et on s'enfile quelques chopes de bière, ça te fera du bien.

— C'est impossible, mais ta sollicitude me touche.

Mick hocha la tête et vida son verre.

— Eh bien, puisque ça ne te dérange pas, je vais visiter le bâtiment ! Ensuite j'ai quelques affaires à régler, et je dînerai dehors. Je rentrerai sûrement assez tard. Ce n'est pas embêtant par rapport à ton système de sécurité ?

— Summerset prendra les dispositions nécessaires.

— Cet homme est une merveille, décréta Mick qui se leva. Je m'arrêterai à St. Patrick, je ferai brûler un cierge pour ton ami.

9

Dans la salle de réunion, Eve regardait Jonah Talbot mourir. Elle regardait, écoutait. Les plus infimes détails, encore et encore.

Un jeune homme séduisant, concentré sur sa tâche, qui lisait un texte sur son écran vidéo, tout en pianotant d'une main sur le clavier d'un portable dernier cri dont les enceintes acoustiques diffusaient de la musique classique.

Il n'avait pas entendu son meurtrier entrer dans la maison, pénétrer dans le bureau.

Elle visionna de nouveau l'instant où Talbot avait senti quelque chose, une présence. Ce raidissement instinctif du corps, ce mouvement brusque de la tête. Les yeux qui s'écarquillaient. On y lisait de la peur. Pas une véritable panique, mais la stupéfaction, l'affolement.

Et le visage de Yost, impassible. Son regard mort, ses gestes précis, pareils à ceux d'un droïde. Il posait son attaché-case.

— Qui êtes-vous ? Qu'est-ce que vous voulez ?

Le réflexe habituel. Les questions que posaient presque toutes les victimes à leurs agresseurs.

Yost n'avait évidemment pas répondu. Il avait traversé la pièce. Malgré sa corpulence, il se mouvait avec une certaine grâce. Comme s'il avait pris des leçons de danse, songea Eve.

Talbot s'était redressé très vite, avait contourné sa table de travail. Pas pour fuir, pour se battre. Et là, durant un instant, on distinguait dans les yeux morts de Yost une étincelle de plaisir.

465

Il avait laissé Talbot donner le premier coup. Puis, alors qu'une goutte de sang coulait à la commissure de ses lèvres, Yost était passé à l'action.

Des grognements, le choc des poings qui frappaient au son de la musique. Ça n'avait pas duré longtemps. Yost était trop efficace pour jouer avec sa victime, pour s'accorder plus de temps que nécessaire. Il avait juste laissé Talbot le renverser sur le bureau, il lui avait laissé croire, une fraction de seconde, qu'il pouvait vaincre.

Mais la seringue était déjà dans la main de Yost, sous l'aisselle de Talbot.

Celui-ci avait pourtant continué à lutter, alors que la drogue brouillait sa vision, embrumait son cerveau, ralentissait ses gestes. Il ne réagissait plus, il s'évanouissait.

C'est là que Yost commençait à frapper. Lentement, méthodiquement, sans gaspiller d'énergie. Ses lèvres remuaient, il fredonnait.

Il réduisait le visage en bouillie, puis se redressait légèrement et s'attaquait aux côtes. Le craquement des os brisés était épouvantable.

— Il est calme, murmura Eve. Mais ça l'excite. Il aime ça. Il aime son boulot.

Il abandonnait Talbot, pantelant et ensanglanté, sur le sol et commandait à l'autochef un verre d'eau minérale. Il consultait sa montre, s'asseyait pour boire. Puis il jetait un nouveau coup d'œil à sa montre, se relevait et allait prendre dans son attaché-case le fil d'argent dont il vérifiait la solidité.

Alors il souriait et, à voir ce sourire. Eve comprenait pourquoi le joaillier en avait frémi. Il passait le garrot autour de son propre cou, en croisait les extrémités. Il ne le serrait pas suffisamment pour entailler la peau, mais assez cependant pour gêner sa respiration.

Sur le sol, Talbot bougeait, gémissait.

Yost enlevait sa veste, la pliait soigneusement sur une chaise. Il retirait ses chaussures et ses chaussettes, son pantalon, en veillant à ne pas le froisser.

Il s'approchait de Talbot, le débarrassait de son short, lui tâtait les muscles avec un hochement de tête approbateur.

Il n'avait encore qu'un début d'érection. Il resserrait le garrot autour de son cou, se caressait frénétiquement. Puis il s'agenouillait entre les jambes de Talbot, lui tapotait la joue.

— Tu es là, Jonah ? Il ne faudrait pas que tu manques ça. Réveille-toi. J'ai un beau cadeau pour toi.

Talbot entrouvrait des yeux injectés de sang, emplis de douleur et d'effroi.

— Oui, c'est bien. Écoute cette musique. L'allegro de la *symphonie en ré majeur, opus 31*. Mozart... Un de mes morceaux préférés. Je suis ravi de le partager avec toi.

— Prenez ce que vous voulez, balbutiait Talbot. Ce que vous voulez...

— Tu es très aimable, et c'est précisément ce que j'ai l'intention de faire.

Il soulevait les hanches de Talbot de ses mains pareilles à des battoirs. Le viol était interminable, d'une brutalité inouïe. Eve s'obligea à regarder, malgré la nausée qui lui tordait l'estomac, les supplications qui menaçaient de fuser de sa gorge.

Elle regarda Yost frémir tout entier de plaisir, elle l'écouta pousser un rugissement triomphal. Ses yeux étincelaient à présent, comme le fil d'argent qu'il passait au cou de Talbot. Ils étaient aussi sombres et brûlants que ceux d'un oiseau de proie, tandis qu'il le nouait sur la nuque de sa victime et serrait d'un coup sec.

Le corps de Talbot tressautait, ses doigts agrippaient désespérément le garrot.

Mais ce sursaut ne durait qu'un très bref instant. Au moins, la vie n'avait pas tardé à le quitter.

Les yeux du tueur étaient de nouveau aussi morts que ceux de sa victime. Il retournait tranquillement Talbot sur le dos, le contemplait puis, avec une certaine délicatesse, lui retirait le petit anneau qui ornait son testicule. Du bout du pied, il remettait Talbot dans sa position initiale.

Nu, luisant de sueur, il reprenait ses vêtements et son attaché-case.

Il allait ensuite dans la salle de bains du premier, dépourvue de caméras de surveillance. Huit minutes après exactement, il reparaissait, pimpant, sa mallette à la main. Il sortait de la maison sans un regard en arrière.

— Pause, commanda Eve à l'ordinateur qui projetait le film.

Peabody poussa un faible soupir, teinté de soulagement et de pitié.

— Il a consulté sa montre à plusieurs reprises, déclara Eve. Il avait donc un horaire à respecter. Manifestement, il connaissait la maison, soit parce qu'il y était déjà venu, soit parce qu'il en possédait le plan. Je crois qu'il connaissait aussi les habitudes de Talbot, son rendez-vous du mercredi pour le déjeuner. D'après les indications enregistrées par le système vidéo, il a pénétré dans les lieux à 13 heures et il en est reparti cinquante minutes plus tard. Dix minutes avant l'heure du rendez-vous, et bien avant que quiconque puisse s'inquiéter du retard de la victime. Il a laissé la porte déverrouillée afin qu'on trouve rapidement Talbot. Son commanditaire voulait que le crime soit découvert sans délai.

Eve s'approcha du tableau où étaient affichées les images figées de Darlene French et, maintenant, de Jonah Talbot.

— On le soupçonne d'avoir exécuté une bonne quarantaine de contrats au cours de sa carrière. Mais là, nous avons pour la première fois le film du meurtre. Par conséquent Yost ignorait que les caméras de la résidence n'étaient pas désactivées. Néanmoins, il aurait pu et il aurait dû s'en assurer.

— Il devient moins rigoureux, commenta McNab. Un jour ou l'autre, ils font tous une boulette.

— C'est possible, mais l'arrogance est l'une des caractéristiques de sa personnalité. Il n'a pas pris la peine de vérifier. Il n'a pas peur de nous. Pour lui, nous ne sommes que des roquets qu'il chasse d'un coup de pied. Il a acheté quatre longueurs de fil d'argent. Quatre victimes potentielles. Un contrat juteux, pour un seul client qu'il nous faut trouver dans le cursus de Yost. Il flirte avec le danger. Il se sent protégé, peut-être même invulnérable.

— D'après le salaire minimum qu'il touche habituellement, il a dû empocher entre dix et douze millions, déclara Feeney en se grattant le menton. Au rythme où il va, son contrat actuel sera exécuté dans une semaine ou deux. Et ça lui rapportera une fortune.

— En se fondant sur les informations que nous avons, il n'a jamais commis autant de meurtres en si peu de temps, renchérit Eve.

— Il envisage peut-être de prendre sa retraite ou, en tout cas, de longues vacances. Il a les moyens de changer de visage et de mener la grande vie quelque part.

— Des vacances... marmonna Eve, réfléchissant à voix haute tout en scrutant l'image de Yost sur l'écran. Jamais auparavant il n'a liquidé quatre personnes dans un périmètre aussi restreint... Il exerce cette profession depuis vingt-cinq ans ou plus. La retraite... Oui, pourquoi pas ? Ou du moins un congé sabbatique. Comme un cadre supérieur qui vient de réussir un coup important. Il a sans doute déjà tout organisé. Il est prévoyant.

— Où irait Connors s'il s'accordait ce genre de congé ?

Eve regarda Peabody, les sourcils froncés.

— Que voulez-vous dire ?

— Eh bien, d'après son profil psychologique, il se considère comme un homme d'affaires de premier ordre, un homme de goût ! Il aime les belles choses, et il peut s'offrir ce qu'il y a de mieux. La seule personne qui corresponde à ce portrait... c'est Connors. S'il devait partir se reposer quelque part, où irait-il ?

— Question pertinente, Peabody. Il a des résidences partout. Ça dépendrait de son humeur. Il aurait besoin de calme, avec seulement un ou deux droïdes pour le servir. Il n'irait pas dans une ville. D'après son profil et ses habitudes, Yost est plus solitaire que Connors. À mon avis, il a loué ou acheté une propriété avec tout le confort imaginable et une bonne cave à vin. Mais la trouver équivaut à chercher une aiguille dans une meule de foin.

Un petit sourire perfide étira les lèvres d'Eve.

— Par contre, je pense que c'est une excellente piste à donner aux fédéraux. Qu'ils la creusent, nous, on va explorer celle de la musique. Il connaissait par cœur cette œuvre de Mozart, il la fredonnait. Peabody, vous vérifiez les réservations pour les concerts, l'opéra, les ballets, et cetera. Les meilleures places, celles qui coûtent le plus cher. Dressez la liste des spectateurs qui ont pris un seul billet. McNab, vous vous occupez des achats de disques de musique classique, réglés en liquide. C'est un collectionneur.

Eve arpentait à présent la salle, son esprit tournait à plein régime.

— Il nous faut les résultats du labo, je vais bousculer un peu Dickhead. Je veux voir ce que les gars de l'Identité judiciaire ont récupéré dans la salle de bains. Il s'est douché mais n'a pas utilisé la savonnette réservée aux invités. Quand il exécute un boulot comme celui-ci, notre psychopathe maniaque trimbale sans doute son savon, son shampooing et ses objets de toilette dans son attaché-case. Ça nous fait une autre piste à suivre. Feeney, tu peux contacter les cousins joailliers, pour le fil d'argent, pendant que je secoue Dickhead ?

— D'accord.

À ce moment, son communicateur bourdonna.

— Une minute… bougonna-t-il en s'éloignant pour répondre.

— Lieutenant ? dit McNab, visiblement gêné. Je pensais à… à la façon dont Yost s'est servi du garrot pour… pour bander. Même si ce type est raffiné, s'il aime Mozart et le bon vin, il a l'expérience de la pornographie et probablement des prostitués qui ne rechignent pas à certaines perversions sexuelles. Si c'est un solitaire, il a probablement du matériel vidéo ou holographique. Il est possible de s'en procurer sur le marché légal, mais il y a le reste, notamment ces films où les acteurs sont réellement assassinés. À mon avis, il doit apprécier ce genre de truc. Et ça, on le trouve au marché noir.

— Vous avez l'air d'en connaître un rayon sur le sujet, persifla Peabody d'un ton sec.

— J'ai travaillé un certain temps pour la brigade des mœurs, se justifia-t-il, penaud. Je pourrais essayer de remonter cette piste. Comme vous avez dit, lieutenant, c'est un collectionneur.

— Parfois, McNab, vous me surprenez, ironisa Eve. Allez-y, vous avez ma bénédiction.

— Le salaud, grommela Feeney en rempochant son communicateur. J'avais lancé une recherche sur les crimes similaires à Londres ou en Angleterre, au cours de la période que tu avais définie. Chou blanc... Alors j'ai demandé à un de mes gars de ratisser plus large. Il a trouvé quelque chose.

— Où ?

— Dans le comté de Cornouailles, le long de la côte. Les flics ont découvert deux cadavres sur la lande. En très mauvais état. Forcément, ils étaient restés longtemps en pleine nature. Ils avaient été étranglés, mais il n'y avait pas de fil d'argent. C'est pour ça qu'on n'a pas fait immédiatement le rapprochement.

— Et maintenant, pourquoi tu relies cette affaire à Yost ?

— Les policiers locaux ont réussi à déterminer la date de la mort, et ça colle. Le *modus operandi* également. Les deux victimes, un homme et une femme, ont été rouées de coups, principalement au visage. On leur a administré un tranquillisant. On les a violées. Mon subalterne s'est procuré les clichés des cadavres pour étudier les plaies au cou, en tout cas ce qui est encore visible, et ça correspond. Le randonneur qui les a découverts a prévenu la police, mais il est parti avant l'arrivée des flics. C'est peut-être lui qui a chipé les fils d'argent.

— On a identifié les victimes ?

— Oui. Un couple de contrebandiers qui avaient leur quartier général dans un cottage de la région. Je peux obtenir plus de renseignements, discuter avec l'inspecteur qui a mené l'enquête.

— D'accord, et tu me transmettras tout ça sur mon ordinateur personnel. Je vais aussi donner aux fédéraux cet os à ronger. Avec un peu de chance, ça les incitera à me lâcher les baskets. Rendez-vous demain matin à 8 heures, chez moi. Si vous avez quoi que ce soit de nouveau d'ici là, contactez-moi.

Elle secoua Dickie, le responsable du labo, et elle le secoua comme un prunier. À son habitude, il se répandit en lamentations. Elle le menaça des pires représailles, puis lui agita une carotte sous le nez – en l'occurrence une bouteille de rhum jamaïcain : c'était ainsi que fonctionnait leur relation. Satisfait, il accepta de s'atteler à la tâche sur-le-champ.

Ensuite elle fit son rapport à Whitney qui l'autorisa à fournir à Jacoby et Stowe les éléments qu'elle avait sélectionnés. Comme elle le craignait, il lui annonça dans la foulée qu'elle n'échapperait pas à une conférence de presse, le lendemain à 14 h 30.

Elle regagna son bureau en rouspétant, et appela Stowe.

Le joli visage de l'agent fédéral apparut sur l'écran, empreint d'une expression irritée.

— Lieutenant, comment se fait-il que j'apprenne par un bulletin télévisé un meurtre vraisemblablement commis par Sylvester Yost ?

— Parce que les nouvelles vont vite, agent Stowe, et que je n'ai pas manqué d'occupations. Je vous appelle précisément pour vous mettre au courant. Alors, si vous me cassez les pieds, nous allons perdre du temps.

— Vous auriez dû nous prévenir, mon équipier ou moi, avant de quitter la scène de crime.

— Je ne me souviens pas d'avoir lu cette directive dans le manuel de procédure. Je vous contacte maintenant par courtoisie, or je sens que ma courtoisie s'épuise.

— Une saine coopération…

— Si vous voulez de la coopération, taisez-vous et écoutez.

Eve marqua une pause, observant Stowe qui frémissait d'indignation puis prenait une inspiration pour se calmer.

— J'ai certains éléments qui pourraient être utiles pour votre enquête et pour la mienne. Je crois que, là-dessus, vous pourriez travailler plus vite que nous. Vous voulez qu'on coopère, on va négocier. Dans vingt minutes, je serai dans un club du centre, *Le Tripot*. Je vous y attends, et n'oubliez pas qu'un marché, c'est donnant donnant.

Elle coupa la communication sans laisser à Stowe le temps de réagir.

Puis elle fonça au club, pour être sûre d'y arriver avant ses collègues.

472

Lorsqu'elle entra, un large sourire fendit la figure étonnamment laide d'un énorme Noir tatoué et paré de plumes, au crâne aussi luisant qu'une boule de billard.

— Salut, Blanchette.

— Salut, Noiraud.

Il était trop tôt pour la clientèle qui fréquentait ce club de strip-tease intégral. Il y avait cependant quelques mordus attablés dans la salle et une seule danseuse qui semblait s'ennuyer ferme et agitait sans conviction son opulente poitrine au rythme de la musique.

Crac, le patron de l'établissement, s'employait essentiellement à évacuer les clients que le spectacle échauffait à l'excès. Il les empoignait et les balançait sur le trottoir où leur crâne se fracassait. C'était ainsi qu'il avait acquis ce surnom : Crac.

Il passa derrière le bar, et servit à Eve un café noir à l'aspect décourageant.

— Il y a longtemps que vous m'avez pas rendu visite, vous me manquiez.

— Arrête, tu vas me faire pleurer.

Elle avala une gorgée de l'infect breuvage qui lui écorcha le gosier.

— J'attends deux fédéraux.

Il prit une mine si consternée que même la tête de mort ricanante tatouée sur sa joue en eut l'air chagriné.

— Amener des fédéraux chez moi ? Mais pourquoi vous me faites une chose pareille, ma douce ?

— Je veux leur montrer un haut lieu de notre merveilleuse cité. Ils sont de Washington, ils se considèrent comme le sel de la terre, et j'aimerais bien qu'ils voient comment ça se passe dans le monde réel. J'ai l'impression que la femme n'est pas si mal, mais le type est un enquiquineur de première.

— Il faut que je leur chatouille un peu les côtes ?

— Non, contente-toi de leur décocher ces regards aimables dont tu as le secret pour leur donner des émotions fortes dont ils se souviendront longtemps. Oh ! et sers-leur une tasse de cet extraordinaire café !

Les dents de Crac étincelèrent, pareilles à des colonnes de marbre.

— Vous avez vraiment un mauvais fond.

— Je sais. Tu as quelque chose ici que les fédéraux ne devraient pas renifler ?

— On est clean… pour l'instant. Ah ! les voilà qui se pointent ! remarqua-t-il. Plus blancs que blanc, même elle qui a du sang nègre dans les veines. Ils engagent jamais des gens de couleur, au FBI ?

— Si, mais travailler pour le Bureau, ça fait déteindre. Mets-toi à l'écart, Crac, chuchota-t-elle.

Elle pivota sur son tabouret.

— Bonjour.

— Vous choisissez des endroits charmants, lieutenant, dit Jacoby en fronçant le nez.

Il inspecta un tabouret, s'y percha avec une répugnance manifeste.

— Moi, ça me plaît bien. Du café ? C'est ma tournée.

— Ça me semble risqué, dans une pareille décharge à ordures.

Crac se précipita, se pencha vers Jacoby.

— Vous traitez mon établissement de décharge à ordures ?

Karen Stowe s'interposa.

— Il parle à tort et à travers, dit-elle d'un ton enjoué. C'est génétique, il n'y peut rien. Je prendrai volontiers un café, merci.

— À votre service.

Avec une dignité impériale, Crac prépara le café, non sans avoir lancé à Eve un regard pétillant d'humour.

— Vous avez apporté quelques biscuits pour moi ? demanda celle-ci.

— Le Bureau n'a pas l'habitude de faire du troc avec les policiers locaux.

— Jacoby, bon Dieu… le rabroua Stowe. Si on s'installait plus confortablement ? proposa-t-elle à Eve.

— D'accord.

Eve attendit que Crac leur servît leurs cafés et les conduisît à une table isolée.

— J'ai certains éléments pour vous concernant une affaire qui ressemble à la méthode Yost, déclara Stowe. Un juge de la Cour suprême, assassiné il y a deux ans.

— Un juge violé et garrotté, ça déclenche l'hystérie des médias, objecta Eve. Je ne me rappelle pas avoir entendu quoi que ce soit là-dessus.

— La politique… On a étouffé l'histoire parce que le juge était en compagnie d'une jeune fille mineure.

— Elle est morte ?

— Non. Je continue à fouiller, mais il apparaît d'ores et déjà que cette gamine a été droguée, puis ligotée et enfermée dans une pièce voisine. Je ne parviens pas à avoir son nom, tout ça est bien verrouillé, néanmoins il semblerait que les autorités l'aient mise à l'abri. Le service de protection des témoins, je présume. On ne veut pas qu'elle parle du juge qui avait un penchant déplorable pour la jeunesse. Officiellement, il est décédé d'une crise cardiaque. L'équipe médicale, à son arrivée sur les lieux, n'aurait pas pu le ranimer. Voilà… Et maintenant, à vous.

Eve hocha la tête et réprima un sourire en voyant Jacoby ingurgiter une gorgée de café et devenir subitement verdâtre. Elle attendit qu'il se remette du choc, puis exposa à Stowe les informations qu'elle avait décidé de lui communiquer.

— Les Britanniques me transmettront les dossiers, affirma son interlocutrice. Nous devrions retrouver le randonneur sans trop de difficultés. Quant à cette propriété que posséderait Yost pour les vacances ou la retraite, je crois que c'est une bonne piste. J'ai abouti à la même conclusion que vous. Il ne frappe jamais deux fois au même endroit. S'il a quatre cibles à New York, il pourrait bien s'accorder ensuite un congé. On va creuser ça et voir ce que ça donne.

Stowe marqua une pause.

— Je serai dans l'obligation d'interroger votre mari.

— J'ai largement rempli ma part du marché. Ne poussez pas trop le bouchon.

— Nous n'avons pas besoin de votre permission, Dallas, intervint Jacoby qui avait repris ses esprits.

— Vous n'avez qu'à tenter le coup, il ne fera qu'une bouchée de vous. Écoutez, poursuivit Eve en se retournant vers Stowe. S'il avait des réponses, ou le moindre soupçon sur l'identité du commanditaire, il me le dirait. Il connaissait Jonah Talbot, il avait de l'amitié pour lui et il se sent responsable. Il veut que Yost soit arrêté, pour des raisons personnelles. Moi aussi. Il collaborera avec moi, avec la police new-yorkaise, mais pas avec vous.

— Il le ferait si vous insistiez.

— Peut-être, mais je m'abstiendrai. Suivez les pistes que je vous ai fournies et voyez où ça mène. Ne vous plaignez pas, j'ai été plus généreuse que vous.

Eve se leva, fixa sur eux un regard dur.

— Je vais être très claire. Pour vous approcher de Connors, il faudra me marcher dessus. Si par miracle vous réussissiez à me piétiner, il vous couperait les pattes sans sourciller et vous passeriez le reste de votre vie à vous demander ce qui est arrivé à votre carrière et votre brillant avenir. Collaborons, et on aura la peau de ce salopard. Vous en récolterez les lauriers, je m'en fiche. Mais surtout laissez Connors tranquille.

Elle pivota, se dirigea vers le bar et, d'un geste brusque, jeta quelques billets sur le comptoir.

— Vous leur avez bien botté les fesses, Blanchette, chuchota Crac avec un clin d'œil.

— Et ce n'est qu'un début...

Dès qu'Eve fut sortie, Stowe poussa un soupir de soulagement.

— Ça s'est bien passé, non ?

— Nous poser des ultimatums... marmonna Jacoby d'un ton dégoûté. Pour qui elle se prend ?

— Pour un bon flic, riposta Stowe.

Elle en avait plus qu'assez de caresser cet imbécile dans le sens du poil. Malheureusement, sans lui, elle n'aurait pas accès à l'affaire Yost.

— Elle défend son territoire professionnel et personnel, ajouta-t-elle. C'est normal.

— Les policiers dignes de ce nom n'épousent pas des criminels.

Stowe le dévisagea longuement.

— Tu es vraiment stupide. Tu racontes n'importe quoi. On a certains soupçons sur les activités passées de Connors, je te l'accorde, mais personne – *personne* – dans aucun organisme d'investigation terrestre ou interplanétaire ne possède la moindre preuve, le moindre indice susceptible d'établir un lien entre lui et un quelconque crime ou délit. En outre, je te signale que, dans cette affaire, il est une victime. Il le sait, Dallas le sait, et nous aussi. Alors, s'il te plaît, arrête de débiter des âneries.

Cela le vexa tellement qu'il en but une autre gorgée de café, laquelle manqua l'étouffer.

— Tu es dans quel camp ? hoqueta-t-il.

— Attends que je réfléchisse... Dans celui de la loi et de l'ordre, il me semble. Comme Dallas.

— À d'autres ! Elle ne nous a pas donné toutes les informations qu'elle a.

— Ah bon ? rétorqua-t-elle avec une ironie glaciale. Tu ne crois pas qu'à sa place nous aurions fait la même chose ? Il n'empêche qu'elle ne nous a pas menés en bateau. Elle nous a fourni des pistes intéressantes. Et quand elle a affirmé qu'elle nous laisserait récolter les lauriers, elle était sincère. Ce n'est pas la gloire qui la motive.

Elle repoussa sa tasse de café, à laquelle elle n'avait pas touché, se leva.

— J'aimerais pouvoir en dire autant.

10

Eve comptait, sitôt arrivée à la maison, monter directement dans son bureau pour étudier les nouveaux éléments que son équipe avait réunis, et grignoter le bout d'os que les fédéraux lui avaient jeté.

Ses projets furent chamboulés à l'instant même où elle franchit le seuil. Elle ne fut pas surprise de voir Summerset dans le hall. S'ils n'échangeaient pas chaque soir quelques propos aigres-doux, elle était frustrée.

Mais alors qu'elle ouvrait la bouche pour lui envoyer la première pique, il lui coupa la parole :

— Connors est en haut.

— Normal, je vous rappelle qu'il habite ici.

— Il ne va pas bien.

Elle sentit son estomac se contracter. Elle ébaucha le geste de retirer sa veste, et ni l'un ni l'autre ne nota que Summerset l'aidait à s'en débarrasser et gardait sur son bras ce vêtement qu'il exécrait.

— Où est Mick ?

— Il dîne dehors.

— Donc, ce n'est pas lui qui distraira Connors. Quand est-il rentré ?

— Il y a une demi-heure environ. Il a passé quelques coups de fil, mais il n'est pas encore dans son bureau. Il est dans votre chambre.

Elle opina, commença à monter l'escalier.

— Je m'en occupe.

— Je vous fais confiance, murmura Summerset.

Elle trouva effectivement Connors dans la chambre. Il était en communication, immobile devant les hautes fenêtres dominant le jardin où le printemps éclatait.

— Si je peux faire quoi que ce soit pour vous aider…

Tout en écoutant la réponse de son correspondant, il ouvrit la fenêtre et se pencha, comme s'il avait besoin d'air frais.

— Nous le regretterons tous infiniment, madame Talbot. Sachez que Jonah était aimé et respecté. Non… ajouta-t-il après un silence, nous ignorons hélas pourquoi…

Il se tut de nouveau un long moment. Eve avait si souvent vécu ce genre de situation, elle imaginait sans peine la souffrance de Mme Talbot.

Et celle de Connors.

— Oui, bien sûr, dit-il enfin. Je vous en prie, appelez-moi si vous avez besoin de quoi que ce soit. Courage, madame Talbot.

Il retira les écouteurs de l'appareil, mais resta devant la fenêtre. Sans bruit, Eve s'approcha, l'enlaça et s'appuya contre son dos.

Elle sentit son corps se crisper.

— C'était la mère de Jonah.

— Oui, j'ai entendu.

— Elle m'est reconnaissante de lui offrir mon aide. Elle m'a remercié de lui présenter mes condoléances.

Il parlait d'une voix sourde, atrocement sarcastique.

— Naturellement, j'ai omis de lui préciser que son fils serait toujours vivant s'il n'avait pas travaillé pour moi.

— Peut-être, mais…

— C'est certain !

Avec une violence inouïe, il brisa les écouteurs en deux et les balança dans le jardin. Eve manqua perdre l'équilibre, se rattrapa de justesse. Elle était de nouveau solidement campée sur ses jambes quand il pivota.

— Il n'avait rien fait. Rien du tout ! Il était simplement l'un de mes salariés. Comme la petite femme de chambre. Et pour cette seule raison, ils ont été molestés, violés et tués. Je suis responsable de tous ceux qui travaillent pour moi. Combien seront-ils encore à mourir à cause de moi ?

— Voilà exactement ce qu'il cherche. Que tu te culpabilises, que tu te ronges.

La fureur de Connors, que Feeney avait prédite, était là. Bouillante, prête à se déchaîner.

— Donne-lui ce qu'il veut, poursuivit-elle. Fais-lui savoir que tu es anéanti, et il en voudra encore plus.

— Alors, quelle est la solution ? articula-t-il en serrant les poings. Je peux combattre un adversaire que j'ai devant moi. D'une manière ou d'une autre, je suis capable de l'affronter. Mais comment je peux lutter contre ça ? Tu as une idée du nombre de personnes qui travaillent pour moi ?

— Non.

— Moi aussi, je l'ignorais. Aujourd'hui, je me suis plongé dans les chiffres. C'est ma spécialité, les chiffres. Eh bien, j'ai des millions de salariés ! Je lui offre sur un plateau des millions de proies possibles.

— Non.

Elle l'agrippa par les bras.

— Réfléchis. Tu ne lui offres rien, c'est lui qui prend. Réagir publiquement, montrer ton désarroi serait une erreur monumentale. L'aveu que tu es vaincu.

— Oui, mais peut-être qu'à partir de là il s'attaquerait directement à moi.

— C'est possible.

Elle lui caressait les bras, dans un geste inconscient de réconfort.

— Cette idée m'est venue, à moi aussi, et elle m'angoisse. Mais quand j'arrête de penser avec mon cœur pour raisonner avec ma tête, cette hypothèse ne tient pas. Il ne veut pas te tuer. Il veut te blesser. Tu comprends ? Il te veut brisé, tourmenté… comme tu l'es en ce moment.

— Dans quel but ?

— Voilà ce qu'il nous faut découvrir. Et on trouvera. Assieds-toi.

— Je n'ai pas envie de m'asseoir.

— Assis, ordonna-t-elle sur le ton autoritaire qu'il prenait souvent avec elle quand elle avait besoin de repos.

Comme il lui décochait un regard torve, elle haussa les épaules et alla lui préparer un cognac.

Une seconde, elle envisagea de lui administrer un sédatif en catimini, cependant il s'en apercevrait. Elle pourrait essayer de le lui faire avaler de force – il ne s'était pas gêné pour lui infliger pareil traitement – mais elle n'était pas certaine d'avoir physiquement le dessus.

Ça ne servirait qu'à les mettre tous les deux dans une colère noire.

— Tu as mangé ? demanda-t-elle.

Trop torturé pour remarquer cette brusque inversion de leurs rôles habituels, et s'en amuser, il poussa un soupir exaspéré.

— Non, grommela-t-il. Pourquoi tu ne vas pas travailler un peu ?

— Pourquoi es-tu aussi cabochard ?

Elle posa le verre d'alcool sur la table basse.

— Et maintenant tu t'assieds, dit-elle, les poings sur les hanches. Ou, si tu préfères, je me charge de te faire asseoir. Une petite bagarre te ferait peut-être du bien. Je suis à ta disposition.

— Je ne suis pas d'humeur.

Néanmoins, comme il était d'humeur à ruminer, il s'exécuta.

— Écran vidéo, commanda-t-il.

— Stop, contra-t-elle. Pas de médias.

— Écran vidéo, répéta-t-il. Si tu ne veux pas regarder, tu sors.

— Stop !

— Lieutenant, tu commences à me chauffer sérieusement les oreilles.

La fureur de Connors enflait de nouveau et menaçait de s'abattre sur Eve. C'était précisément ce qu'elle souhaitait. Il n'en était pas encore au stade de la rage froide. Mais ça viendrait.

— Je t'énerve parce que c'est la voix de la raison qui parle par ma bouche.

— Eh bien, va jacasser ailleurs ! Je ne veux pas de ton cognac, ni de ta compagnie, ni de tes conseils de flic.

— Parfait, je boirai le cognac.

Elle détestait ce breuvage.

— Je t'épargnerai mes conseils de flic, mais... enchaîna-t-elle en se pelotonnant sur ses genoux, je reste là.

Il tenta de la repousser.

— Dans ce cas, c'est moi qui sortirai de cette pièce.

— Tu n'iras nulle part, rétorqua-t-elle en lui nouant les bras autour du cou. Dis donc... je suis aussi pénible quand je suis de mauvais poil ?

Il soupira de nouveau puis, vaincu, appuya son front contre celui d'Eve.

— Tu es épouvantablement odieux. Je me demande pourquoi je te garde.

— Moi aussi.

Elle lui effleura les lèvres d'un baiser.

— Peut-être à cause de ça...

Glissant les doigts dans ses cheveux, elle l'embrassa à pleine bouche, passionnément.

— Eve...

— Laisse-toi faire. Je t'aime.

Et elle ne supportait pas de le voir désespéré et vulnérable. Ils travailleraient ensemble sur cette affaire, ils combattraient ensemble. Plus tard. Pour l'instant, elle voulait simplement l'apaiser.

Lentement, elle lui déboutonna sa chemise, baisa sa poitrine, son cœur qui cognait.

— J'aime le goût de ta peau...

Elle se mit à califourchon sur lui, plongea son regard dans le sien, si bleu, que le désir commençait à troubler.

Elle s'était trompée. La tendresse et la douceur ne l'amèneraient pas à cette froide détermination qu'elle cherchait à faire renaître en lui. Il avait besoin de violence.

Sans cesser de le contempler, elle se débarrassa de son holster, de sa chemise.

Il ne la touchait toujours pas. Quand il poserait la main sur elle, les digues se rompraient. Pour l'instant, il s'obstinait à résister.

Elle se pressa contre lui, écrasa sa bouche sur la sienne.

— Touche-moi...

Alors il céda. Brutalement, il la renversa sur le canapé, se coucha sur elle. Il la pétrissait, la mordait, prêt à la dévorer, se repaître d'elle pour combler ce vide atroce, béant en lui.

Lorsqu'elle laissa échapper son premier cri de plaisir, qu'elle lui griffa le dos, il accéléra le tempo. Ils étaient à l'unisson, leurs corps laqués de sueur se heurtaient, fusionnaient.

Envahi par une rage sauvage, il n'avait qu'une idée : elle, s'unir à elle, la prendre tout entière, cette femme souple comme une liane qui était faite pour lui, cette chair délicate que meurtrissaient ses muscles d'homme.

Cette gaine de soie que ses doigts exploraient, cette eau divine dont il s'abreuvait.

Elle est à moi. À moi, criait une voix dans sa tête.

Elle jouissait, encore et encore.

Elle est à moi.

D'un coup de reins, il la pénétra. À travers le voile de sang qui brouillait sa vision, il distinguait les yeux de son amour. Le feu y brûlait.

— Je suis en toi, souffla-t-il, tandis que tous deux dérivaient vers la folie. Tout ce que je suis est là, en toi. Mon corps, mon âme...

Eve mit longtemps à reprendre ses esprits. Quand elle parvint à se rappeler son nom, Connors était toujours couché sur elle. Il ne bougeait pas.

Elle lui caressa le dos, lui donna une tape sur les fesses.

— Si ça ne t'ennuie pas, j'aimerais bien pouvoir respirer.

Il releva la tête puis, avec difficulté, se redressa sur les coudes.

— Tu as l'air très contente de toi.

— Pourquoi pas ? Je suis aussi très contente de toi.

— Merci, murmura-t-il en embrassant la fossette qu'elle avait au menton.

— Tu n'as pas à me remercier. Nous sommes mariés, le devoir conjugal fait partie des obligations d'une bonne épouse.

— Idiote... Merci de me comprendre si bien. De t'occuper de moi.

— Tu m'as souvent montré l'exemple.

Elle repoussa la mèche qui barrait le front de Connors.

— Tu te sens mieux ?

— Oui.

Il se rassit, la prit sur ses genoux.

— Laisse-moi savourer ça encore un petit moment, dit-il en lui caressant la cuisse.

— Arrête, ou on va se retrouver en position horizontale.

— Mmm, c'est tentant. Mais nous avons du pain sur la planche. Lieutenant… serai-je autorisé à travailler avec toi sur cette affaire ou faudra-t-il que je fasse valoir mon point de vue au risque de dévaster cette magnifique chambre ?

Elle se nicha contre lui, resta un instant silencieuse.

— Je suis partagée. Non… ne m'interromps pas, s'il te plaît. Une part de moi veut te tenir à l'écart. Parce que j'ai peur pour toi. Mais le flic sait que plus tu seras impliqué dans l'enquête, plus vite on coincera ce salaud. Le flic et toi ayant le même objectif, la femme s'incline.

— Vous aider, participer, me permettra de mieux supporter tout ça.

— Oui, maintenant j'en suis convaincue. Bon… on se douche, on mange un morceau, et après je pose les règles de base.

— J'ai toujours détesté cette expression. Les règles de base.

— Je sais, rétorqua-t-elle avec un petit rire.

Ils se firent servir un plat de pâtes aux fruits de mer, et elle posa ses conditions.

— Si Whitney est d'accord, tu seras officiellement intégré dans l'équipe en tant qu'expert consultant civil. Ce statut confère certains privilèges, et des limites à ne pas franchir. Tu percevras une rémunération – à mon avis, l'équivalent de ce que tu as payé pour une de tes six cents paires de chaussures. On te remettra…

— Un insigne ?

— Ne sois pas ridicule, gronda-t-elle en pointant le menton. Tu auras une carte avec ta photo et tes

484

empreintes. Tu ne seras pas autorisé à porter une arme.

— Ce n'est pas grave, je possède tout un arsenal.

— Tais-toi, s'il te plaît. Tu auras accès uniquement aux informations que te communiquera le responsable de l'enquête. En l'occurrence, moi.

— Ça, c'est pratique.

— Tu devras obéir aux ordres, faute de quoi tu serais mis sur la touche. Là aussi, c'est le responsable de l'enquête qui décide. On respectera à la lettre le manuel de procédure.

— Je me suis toujours demandé combien ce fameux manuel avait de pages.

— Je te signale que faire le malin peut se solder par une sanction disciplinaire.

— Tu sais que tu m'excites, chérie ?

Elle grogna, alors qu'elle avait envie de chanter : il était de nouveau lui-même.

— Mes collaborateurs et moi, nous aurons besoin de consulter certains de tes dossiers, reprit-elle.

— Entendu.

— Bon, conclut-elle en avalant une dernière bouchée. Au boulot.

— Tu as fait le tour des règles de base ?

— Si j'en ai oublié, je te les expliquerai au fur et à mesure. Ouste ! Dans mon bureau ! Je vais te dire où l'on en est.

Travailler avec Connors avait un avantage : il comprenait les flics. Parce qu'il était marié avec Eve mais surtout, soupçonnait-elle, parce qu'il avait passé des années de sa vie à leur damer le pion.

Elle n'était pas obligée de lui mettre les points sur les *i*, ce qui lui évitait de perdre du temps.

— Tu n'as pas donné tous les éléments que tu avais au FBI, commenta-t-il. Ils finiront par le savoir.

— Oui, et ils le digéreront.

— Si tu as rassemblé en moins d'une semaine plus d'informations importantes qu'ils n'en ont obtenu pendant des lustres, ils seront terriblement vexés.

— Oui, et ça me désole pour eux.

— Tu as un esprit de compétition déplorable, lieutenant.

— Peut-être. Ils n'ont pas accordé suffisamment d'attention au fil d'argent. Le profil qu'ils ont établi indique que Yost a un *modus operandi*, que c'est un maniaque du détail, et pourtant ils ont négligé les détails.

— C'est typique du FBI, non ? Ils s'appuient sur des renseignements officiels, estampillés, ils se méfient de l'instinct.

Comme elle le dévisageait en fronçant les sourcils, il lui adressa un grand sourire.

— Simple intuition, je n'ai pas eu affaire à eux personnellement. En tout cas, ça ne vaut pas la peine d'en parler maintenant.

— Ah, oui ? N'oublie pas de me rappeler d'en discuter plus tard.

— Mmm… Je voulais simplement dire que toi, tu te fies non seulement aux informations dont tu disposes, mais aussi à ton flair. Tu n'écartes *a priori* aucune hypothèse.

— À la décharge des fédéraux, la plupart d'entre eux ne vivent pas avec un individu qui a les moyens de débourser cinq mille dollars pour un shampooing dans un joli flacon. Alors ils ne considèrent pas les choses sous cet angle. Ils n'imaginent pas ce que c'est, un type riche qui s'offre tout ce qui lui fait plaisir.

— Tandis que toi, tu connais ça par cœur. Mais comme tu as quelques lacunes en matière de luxe, je suis bombardé expert consultant.

— Civil, précisa-t-elle. Et nous n'avons pas encore le feu vert de Whitney.

— En l'attendant, je voudrais visionner la vidéo du meurtre de Jonah.

— Non.

— Je veux voir ce que Yost portait, et comment. J'ai regardé les images enregistrées par les caméras de l'hôtel. Il avait un costume confectionné par un tailleur anglais.

— Comment diable reconnais-tu un tailleur anglais au premier coup d'œil ?

— Eve chérie, répliqua-t-il, pinçant entre le pouce et l'index le tee-shirt fané et informe de sa femme. Il y a des gens pour qui la mode et l'élégance sont une priorité.

— Si tu crois m'offenser, tu te goures.

Elle prit le disque dans son sac, l'inséra dans le lecteur de son ordinateur.

— Je vais te le montrer devant la porte de la maison, ça devrait te suffire. Ordinateur, lecture : plan un à quinze, sur l'écran mural.

Ils observèrent tous les deux Yost qui montait nonchalamment les marches du perron.

— Oui, il s'habille en Angleterre, murmura Connors. Les chaussures aussi sont anglaises. Je ne distingue pas bien l'attaché-case.

— D'accord. Ordinateur, agrandis dix fois l'image, section douze à vingt-deux.

Sur l'écran s'affichèrent la main de Yost et la mallette.

— Un attaché-case Whitford, vendu exclusivement à Londres. La manufacture m'appartient.

— Parfait. On se concentre sur les ventes à Londres. Les designers anglais.

— Les tailleurs, rectifia-t-il.

Eve plissa le front.

— Moi, je trouvais que pour Talbot il avait adopté un look plutôt artiste.

— La perruque et le foulard donnent cette impression-là, mais le reste est très classique. Le costume me paraît être un Marley, quoique Smythe et Wexville aient aussi ce style strict, très structuré. Les chaussures sont des Canterbury, j'en suis presque certain.

Eve loucha sur les chaussures qui, pour elle, étaient des souliers noirs sans rien de spécial.

— Bon, on suivra cette piste. Ordinateur, éjecte le disque.

— Annuler commande, dit Connors. Je veux voir la suite.

— Non, c'est inutile.

— Tu préfères que je le fasse derrière ton dos ?

— Je te répète qu'il est inutile de t'infliger ça.

— J'ai parlé à sa mère, elle pleurait. Ordinateur, suite du film.

Pestant entre ses dents, Eve se leva et alla remplir deux verres de vin. Elle n'avait pas besoin de regarder la vidéo. Elle n'avait qu'à fermer les paupières pour que sa mémoire lui restitue ce cauchemar du début à la fin. Cette nuit, quand elle se coucherait, elle la revivrait probablement encore. Ou pire, elle remonterait dans le temps, serait de nouveau cette enfant brisée et ensanglantée dans une pièce sordide où clignotait une lumière rouge.

Rassemblant son courage, elle revint s'asseoir près de son mari.

— Pause, ordonna Connors d'une voix glaciale.

Il scrutait l'écran. Jonah Talbot gisait sur le sol et celui qui allait le tuer déboutonnait sa chemise.

— Agrandissement de l'image, section trente à quarante-deux.

Il attendit que l'ordinateur s'exécute, hocha la tête.

— Tu as remarqué ce petit dessin sur le poignet ? C'est la marque de Finwyck, un chemisier de Bond Street, à Londres. On continue...

Il visionna le film en entier, sans prononcer un mot, sans broncher. Cette rage froide qu'Eve avait cherché à faire naître en lui était bien là, et elle imprégnait l'atmosphère de la pièce.

Quand ce fut terminé, il éjecta le disque qu'il posa sur le bureau d'Eve. Il ne s'accorda qu'un bref instant pour se ressaisir.

— Je suis navré de t'avoir obligée à revoir tout ça. Je ne comprendrai jamais vraiment comment tu arrives à supporter ces horreurs, jour après jour.

— En me disant que j'arrêterai ce psychopathe, que je veillerai à ce qu'on le jette au fond d'un trou pour qu'il ne puisse plus nuire.

— Ça ne suffit pas... marmonna-t-il.

Il prit son verre de vin, le vida d'un trait.

— Il porte une montre suisse, naturellement. Une Rolex. J'en possède une moi-même, comme tous ceux qui sont attachés à la ponctualité. Là aussi je peux t'aider, parce que...

— L'usine t'appartient.

— Ainsi que les principaux magasins qui vendent ce modèle. Même chose pour l'attaché-case et les chaussures. Le reste de sa garde-robe réclamera plus de temps dans la mesure où il faudra, je présume, fournir les mandats et la paperasse nécessaires. À Londres, tout est fermé à cette heure-ci.

— Je m'en occuperai demain matin. Dans l'immédiat, obtiens-moi ce que tu peux. Moi, je vais me pencher sur le juge de la Cour suprême.

— Tu as demandé à McNab de vérifier les réservations pour les concerts de musique classique, et cetera. S'il rencontre des obstacles, préviens-moi, j'arrangerai ça.

— D'accord.

— En ce qui concerne le porno écoulé au marché noir, j'ai encore quelques contacts dans ce milieu. Plus exactement, je connais des gens qui connaissent des gens.

— Non, ça risquerait de se savoir et d'alerter le salaud qui approvisionne Yost. Du coup, il comprendrait que je suis sur ses talons.

— Je peux facilement effacer mes traces. Mon équipement…

— Pas cette fois, Connors. Je dois pouvoir expliquer à l'équipe comment je me suis procuré certaines informations. On respecte les règles.

— C'est toi le patron.

Dans son appartement encombré, où régnait une belle pagaille, McNab travaillait sur son ordinateur favori, tandis que Peabody, en chemise et pantalon d'uniforme, se concentrait sur l'écran d'un des nombreux miniportables de son amant.

Éplucher les sites pornographiques commençait à lui donner la migraine, cependant elle s'acharnait, déchiffrait les titres et les pseudonymes des amateurs qui téléchargeaient les bandes-annonces.

McNab avait une théorie : Yost naviguait peut-être dans ce labyrinthe et visionnait ces extraits d'une durée de trente-deux secondes pour faire son choix. Il n'était pas impossible qu'il commande ses vidéos sur le Net, auquel cas il utilisait une carte de crédit. Néanmoins, même s'il se contentait des bandes-annonces, il se connectait sous un pseudonyme.

La plupart des titres étaient grotesques. Elle doutait fort que Sylvester Yost soit appâté par ces âneries.

Elle poussa un soupir, se frotta les yeux – il lui semblait avoir du sable sous les paupières – et farfouilla dans son sac à la recherche d'un antalgique.

McNab, distrait, lui massa la nuque.

— Tu veux faire une pause ?

— Je veux juste assommer mon mal de crâne et me dégourdir un peu les jambes.

Elle se leva, s'étira et alla dans la cuisine.

McNab savait qu'elle avait annulé un rendez-vous avec Charles Monroe pour travailler avec lui. Il était ravi que le séduisant prostitué se retrouve le bec dans l'eau. En fait, il n'avait qu'une envie : écrabouiller son rival. Et, tôt ou tard, il ne s'en priverait pas.

Il reporta son attention sur l'écran. Deux hommes et deux femmes se contorsionnaient sur le sol, dans un amas de corps nus et d'une souplesse ahurissante.

— Ça alors…

— Quoi ? Tu as quelque chose ? s'exclama Peabody qui se précipita.

Elle loucha sur les images, émit un reniflement de mépris et assena une tape sur la tête de McNab.

— Arrête de me faire des fausses joies, j'ai cru que tu avais trouvé…

Elle s'interrompit soudain, bouche bée.

— Ça alors… marmotta-t-elle.

— C'est dingue, non ? Ma parole, ils n'ont pas de colonne vertébrale, sinon ils ne pourraient pas prendre cette position.

Ils se dévisagèrent ; dans leurs regards brillait la même lueur de défi et de désir.

— On ne va pas se laisser surclasser par une bande d'acteurs de porno, dit McNab en s'attaquant déjà au ceinturon de sa compagne.

— Sûrement pas. Mais après, on risque d'avoir des courbatures.

— Les flics sont insensibles à la douleur.

— Ah oui ? répliqua-t-elle, hilare, tandis qu'ils se jetaient l'un sur l'autre.

Ailleurs dans la ville, Sylvester savourait son cognac et fumait son cigare. Il avait activé son unique droïde pour une durée de douze minutes, le temps de ranger la cuisine et la salle à manger.

Naturellement, il contrôlerait. Les droïdes, même les plus sophistiqués, ne satisfaisaient généralement pas ses exigences. Il tenait à ce que tout soit dans un ordre parfait.

Il s'était préparé pour le dîner un succulent sauté de veau. Souvent, après un travail, il aimait cuisiner, humer le fumet de la nourriture, siroter un bon vin en touillant une sauce.

Mais ce plaisir avait des inconvénients : on salissait casseroles, poêles, et ustensiles divers. C'était là qu'intervenait le droïde, Yost préférant s'octroyer un cognac et un cigare au lieu de charger le lave-vaisselle.

En peignoir de soie noire, les yeux mi-clos, il écoutait du Beethoven.

Quand un homme avait bien travaillé, il avait droit à une récompense. Un moment de bonheur.

Bientôt, très bientôt, ces moments deviendraient des journées, puis des semaines, des mois. Il vivrait une retraite paisible. Oh ! son activité professionnelle lui manquerait sans doute ! Il ne s'en inquiétait pas. S'il éprouvait trop de nostalgie, il accepterait un contrat par-ci, par-là.

Seulement pour ne pas s'ennuyer.

Mais il était persuadé que la solitude, le farniente, la musique et l'art suffiraient à le combler.

Lorsqu'on lui avait proposé la tâche à laquelle il se consacrait actuellement, il l'avait considérée comme un signe. Ce serait l'apothéose de sa carrière. Jamais encore il n'avait eu l'occasion d'approcher de si près un individu de l'envergure de Connors. Cela lui avait également permis de demander et de recevoir le triple de sa rémunération habituelle pour trois cibles.

Et il lui appartiendrait de choisir la quatrième. S'il trouvait le moyen d'assassiner Connors dans un délai de deux mois à compter de la signature du contrat, il percevrait un bonus de vingt-cinq millions de dollars.

Une jolie tirelire pour sa retraite.

Il ne doutait pas de parvenir à ses fins. Ce serait réellement l'apogée d'une brillante carrière. Il s'en réjouissait à l'avance.

11

Méthodiquement, Eve avait fait sauter les verrous qui bloquaient l'accès au dossier concernant le juge Thomas Werner. D'après les conclusions officielles, il était décédé d'une crise cardiaque, chez lui, dans un quartier chic de Washington.

Maintenant, elle écumait.

— Bougre de crétin. Je suis flic. Tu as mon numéro de plaque, mon empreinte vocale. Qu'est-ce que tu veux de plus ?

— Un problème, lieutenant ?

Elle ne tourna même pas la tête vers Connors.

— La bureaucratie... grommela-t-elle. On me demande de présenter de nouveau une requête en bonne et due forme, pendant les heures de travail. Qu'est-ce que je suis en train de faire en ce moment ? Je ne travaille pas ?

— Je pourrais peut-être...

Elle le foudroya du regard, entoura son ordinateur de ses bras comme pour le protéger.

— Tu veux seulement épater la galerie.

— Moi, je serais aussi mesquin ?

— Tu serais prêt à toutes les bassesses, rien que pour marquer un point.

— Eh bien, pour te montrer ma noblesse d'âme, je ne tiendrai pas compte de cette insulte ! Jette donc un coup d'œil à cette liste d'achats que j'ai imprimée pour toi. Je vais essayer de résoudre ton problème.

— *Votre demande concernant le dossier personnel et médical du juge Thomas Werner ne peut être satisfaite pour l'instant. Veuillez présenter votre requête à nos services entre 8 et 15 heures, du lundi au vendredi, en triple exemplaire, accompagnée du formulaire idoine. Au cas où il manquerait un document, la requête vous serait renvoyée. Attention ! Toute tentative d'accès à des dossiers qui ne serait pas précédée d'une requête officielle constitue une violation de la loi fédérale, passible d'une amende de cinq mille dollars et d'une éventuelle peine d'emprisonnement.*

— Ça, ce n'est pas gentil, murmura Connors.

Les lèvres pincées, elle rafla la liste qu'il lui avait apportée et se réfugia dans la kitchenette sous prétexte de se servir du café, tandis qu'il prenait sa place.

Pas question de voir avec quelle facilité il allait contourner l'obstacle.

Tout en programmant l'autochef, elle parcourut la liste. Connors, pour lui mâcher le travail, avait souligné une série d'emplettes réglées en liquide et effectuées en février, en une seule journée.

Typique de Yost, songea-t-elle. Un nouvel accès de fièvre acheteuse. Un attaché-case, des chaussures – six paires –, un portefeuille, quatre ceintures en cuir, plusieurs paires de chaussettes en soie ou en cachemire. Il avait commandé deux chemises sur mesure dans la boutique chic que Connors avait identifiée grâce au dessin brodé sur le poignet.

Le tout lui avait coûté plus de trente mille dollars.

Le grossiste en joaillerie, cousin de celui de New York, confirmait également que Yost avait acheté du fil d'argent, deux longueurs de soixante centimètres.

Pas un centimètre de plus. Toujours l'arrogance, la certitude de réussir du premier coup.

Yost avait fait du shopping deux ou trois jours avant de partir sur la côte tuer les deux contrebandiers – d'après les résultats de l'autopsie, qui ne permettait pas d'établir avec exactitude le moment de leur mort.

Comment s'était-il rendu en Cornouailles ? Avait-il une voiture à Londres ? Une maison ? Logeait-il dans quelque hôtel de luxe, avait-il loué un véhicule, pris le train, l'avion ?

On devait pouvoir répondre à ces questions.

— Tu as une maison à Londres ? interrogea-t-elle en retournant dans le bureau.

— Oui, mais je l'utilise rarement. En principe, je préfère ma suite attitrée au *New Savoy*. Le service y est irréprochable.

— Tu as une voiture, là-bas ?

— Deux. Dans un garage.

— Il faut longtemps pour aller en Cornouailles ?

— Je n'ai jamais fait le trajet par la route, donc je vérifierai. Personnellement, pour gagner du temps, je prendrais le jetcopter d'un de mes bureaux. Sauf si j'avais envie d'une balade à la campagne.

— Et si tu voulais ne pas te faire remarquer ?

— Je louerais probablement un véhicule discret et fiable.

— C'est aussi mon avis, parce que si tu empruntais le train ou une navette aérienne, tu serais obligé de réserver ta place. Ça représente une démarche supplémentaire, et il n'aime pas ça. Le *New Savoy* est, je suppose, l'un des meilleurs hôtels londoniens ?

— Je me plais à le croire.

— Il t'appartient, évidemment ?

— Mmm... Tu veux voir ce que j'ai là ?

— On va être arrêtés et emprisonnés ?

— Nous pourrons toujours demander des cellules voisines.

— Ha ! ha ! je me tords de rire...

Elle s'approcha du bureau, lut par-dessus l'épaule de Connors les données inscrites sur l'écran de l'ordinateur.

— Ça ne fait que confirmer la crise cardiaque. Si l'info que m'ont refilée les fédéraux est exacte, il y a sûrement quelque chose là-dessous.

Il clappa de la langue, adressa un sourire à Eve.

— Je suis sûr qu'il existe une loi interdisant de fouiner dans les archives des hôpitaux.

— Vas-y quand même.

— J'adore quand tu me parles de cette manière.

Il enfonça une touche du clavier et les dossiers s'affichèrent sur l'écran.

— Tu n'as pas attendu ma permission, accusa-t-elle.

— Là, j'avoue que je ne comprends pas. En tant qu'expert consultant civil, je viens simplement d'exécuter les ordres du responsable de l'enquête. Mais si tu estimes que je mérite une sanction disciplinaire...

Elle se pencha davantage et lui mordit l'oreille.

— Oh ! merci, lieutenant !

Réprimant un petit rire, elle parcourut ce qu'elle avait sous les yeux.

— Fracture de la cloison nasale et de la mâchoire, quatre côtes cassées, deux doigts écrasés. Hémorragie. Ça fait beaucoup de plaies et de bosses pour une crise cardiaque.

— Sans oublier le viol.

— Il était encore vivant à ce moment-là. Il est mort par strangulation. Les fédéraux ne m'ont donc pas menti. Tant qu'on y est, voyons si on a examiné et soigné la jeune fille. Une mineure de moins de dix-huit ans. Même date. Sans doute sexuellement abusée, en état de choc. Elle était peut-être sous l'emprise de substances illicites.

Il lança la recherche, but une gorgée de café dans la tasse d'Eve.

— Pourquoi t'intéresses-tu à elle ? Tu sais qui a assassiné Werner.

— Il ne faut rien négliger. Il est possible qu'elle ait contribué à tendre le piège.

— Nous y voilà... murmura Connors, pointant l'index vers l'écran. Mollie Newman, seize ans. Tu avais raison, l'analyse sanguine révèle des traces d'Exotica et de Zoner.

— Elle est pour l'instant la seule à avoir vu Yost à l'œuvre, et elle est vivante.

Du Zoner, pensa-t-elle. Ce n'était pas Werner qui lui en avait donné. S'amuser avec une gamine complètement défoncée n'était pas très excitant.

— Je veux retrouver cette Mollie. Elle a forcément des parents ou des tuteurs... Tiens, regarde, elle a une mère : Freda Newman.

— Lieutenant ? Tes amis du FBI ont déjà cette information et, selon toute vraisemblance, ils savent où elle est. Ils t'ont jeté cet os à ronger pour te calmer.

— Je sais, mais je veux explorer cette piste à fond. Et il me faut découvrir où Yost s'est procuré le garrot à Washington. En principe, il l'achète près de l'endroit où il va frapper. Par conséquent…

La sonnerie de son communicateur l'interrompit.

— Dallas.

— Lieutenant, je crois qu'on a quelque chose sur les sites pornographiques.

— Peabody, qu'est-ce que c'est que cette tenue ?

Rouge comme une tomate, Peabody baissa le nez sur le peignoir fleuri qu'elle laissait dans la penderie de McNab, parce que c'était plus pratique.

— Je… c'est un genre de kimono.

— Extrêmement seyant, commenta Connors.

— Oh, merci ! bredouilla Peabody. C'est vraiment confortable, alors je…

— On s'en fiche, coupa Eve. Qu'est-ce que vous avez déniché ?

— J'ai épluché les pseudos que se donnent les amateurs qui se connectent sur ces sites. Ça m'a sidérée, vous n'avez pas idée de ce que ces cinglés peuvent inventer. Bref, je me suis dit que, d'après son profil psychologique, notre homme devait préférer un truc plus classique. J'ai cherché des pseudos qui avaient un rapport avec argent et surtout mercure. Vous comprenez, comme le…

— Vif-argent, j'avais compris. Et alors ?

— Eh bien… nous…

Peabody fut écartée d'une bourrade par McNab. Eve nota avec une réprobation grandissante qu'il ne portait pas de peignoir. Ni, d'ailleurs, de chemise.

— C'est là qu'on a commencé à s'amuser ! s'exclama-t-il. Certains de ces pervers, surtout ceux qui sont de bons pères de famille ou qui ont une position sociale élevée, brouillent les pistes. Ils ne tiennent pas à ce qu'on connaisse leur vice. Mais quand je me suis focalisé sur le pseudo s'exclama-t-il Mercure, ça a fait tilt. Une vraie boule de flipper. Personne ne se donne autant de mal, pas sur les sites légaux. J'ai repéré des connexions via Hong Kong jusqu'à Prague, puis de Prague jusqu'à Chicago, Vega II et ainsi de suite…

— Essayez d'être concis, McNab.

— Je n'arrive pas à m'approcher de la source. À la DDE, on a des joujoux plus pointus que les miens. Je réussirai peut-être à le faire sortir de son trou, ce salaud. J'ignore combien de temps il me faudra, mais je retourne au bureau tout de suite et je m'y attaque.

— Non, aujourd'hui vous avez passé plus de quinze heures sur le pont. Même si j'ai la nette impression que vos activités n'ont pas toutes été strictement professionnelles. Mais passons... je prends la relève.

— Euh... sans vous offenser, lieutenant, vous n'avez peut-être pas les connaissances techniques qui vous permettent de franchir les premiers obstacles. Et après, sans vouloir me vanter, ça nécessite un talent de magicien.

Connors se campa près d'Eve, pour que McNab le voie.

— Hello, dit-il simplement.

— Oh ! si vous êtes aux commandes, tout va bien ! Je vous transmets ce que j'ai. Comme je viens de l'expliquer, les touches que nous avons avec le dénommé Mercure sont sur des sites autorisés, quoique certains soient un peu limites. Pour les autres, on n'a encore rien trouvé, mais on n'est pas au bout de nos recherches, très loin de là.

— Excellent boulot, déclara Eve. Maintenant, reposez-vous.

— C'est déjà fait, répondit le jeune informaticien avec un sourire malicieux. Du coup, on est en pleine forme.

— Voilà qui me rassure, grommela Eve.

Sur quoi elle coupa la communication.

— Je te confie le soin de poursuivre cette recherche, dit-elle à Connors. Demain matin, Feeney et McNab pourront te relayer. Je sais que tu as d'autres occupations.

— Je me débrouillerai.

— J'ai oublié de te prévenir : demain, j'ai une conférence de presse. Tu voudras peut-être en donner une toi-même.

— C'est déjà organisé. Ne t'inquiète pas pour moi, Eve.

— Qui a dit que j'étais inquiète ?

Elle perçut un bip dans le bureau voisin, celui de Connors.

— Les données de McNab viennent d'arriver. À toi de jouer.

Elle se concentra sur le garrot. À présent qu'elle savait où et comment chercher, ce fut étonnamment simple. Une longueur de fil d'argent, payée en liquide la veille de la crise cardiaque du juge Werner. D'après l'encart publicitaire, le magasin situé dans Georgetown existait depuis soixante-quinze ans et s'enorgueillissait de proposer à sa clientèle une marchandise de premier ordre.

Ce jour-là, Yost avait vraisemblablement fait du shopping et s'était offert quelques jolis cadeaux.

Elle lança donc une recherche sur les boutiques de luxe, les meilleurs hôtels de Washington et les agences de location de véhicules. Puis elle commanda à l'ordinateur d'établir des recoupements et une liste de noms.

Tandis que la machine travaillait, elle se servit une autre tasse de café, se carra confortablement dans son fauteuil et ferma les yeux. Elle poussa un soupir, énuméra mentalement les tâches urgentes qu'elle aurait à accomplir dans la matinée.

Passer une série de coups de fil à Washington et à Londres. Rédiger une requête pour localiser Freda et Mollie Newman. Je n'obtiendrai pas l'autorisation, mais je dois quand même la demander. Préparer cette fichue conférence de presse. Demander à Mira si elle a terminé le profil de Yost, voir où en est Feeney avec le garrot.

Les propriétés immobilières. Ça, je verrai avec Connors.

Le labo. Bousculer Dickhead. La morgue. Il faut rendre la dépouille de Jonah Talbot à la famille.

Bon, je vais rejoindre Connors. Il a dû avancer.

Encore une minute de répit et...

Ce fut sa dernière pensée avant de sombrer dans le sommeil.

Dans les ténèbres.

Elle tremblait dans le noir, pourtant elle n'avait pas froid. C'était la peur qui s'insinuait dans ses os fragiles, qui les faisait s'entrechoquer.

Elle n'avait nulle part où se cacher. Jamais elle ne pouvait se cacher. Il arrivait. Elle entendait son pas lourd, de l'autre côté de la porte. Elle regardait la fenêtre, se demandait comment ce serait de se jeter à travers la vitre, de tomber. De s'envoler, libre.

La mort la délivrerait.

Mais elle n'en avait pas le courage. Sauter par la fenêtre la terrifiait davantage que le monstre qui allait entrer dans la pièce.

Elle n'avait que huit ans.

La porte s'ouvrait, une ombre gigantesque s'encadrait sur le seuil, une silhouette sans visage.

Papa est rentré. Et il te voit, petite fille.

Non, s'il te plaît. Non, non…

Elle hurlait ça dans sa tête, mais elle ne disait rien. Prononcer ces mots ne l'arrêterait pas, ça rendrait les choses encore plus horribles.

Il posait les mains sur sa peau glacée, elles se glissaient sous la couverture comme des araignées. Quand il prenait le temps de la toucher, c'était pire, bien pire…

Elle fermait les paupières, de toutes ses forces, elle essayait de s'évader de son corps, de se réfugier dans un coin de son esprit. Mais il ne le lui permettait pas. La souiller, la violer ne lui suffisait pas.

Alors il lui faisait mal. Affreusement mal. Ses doigts étaient comme des serres qui la lacéraient jusqu'à ce qu'elle se mette à pleurer. Ses larmes l'excitaient.

Vilaine petite fille.

Elle essayait de le repousser, de rapetisser, faire que son corps soit trop minuscule pour qu'il puisse le pénétrer. Mais elle suppliait, impossible de s'en empêcher. Et elle criait, un long cri rauque de douleur et de désespoir tandis qu'il fouaillait sa chair.

Elle rouvrait les yeux, voyait la figure de son père. Puis, soudain, ce visage se déformait, se métamorphosait.

C'était Yost maintenant qui la violait, qui lui passait un fil d'argent autour du cou. Elle n'était plus une enfant, mais une femme, un flic, pourtant elle était impuissante.

Elle n'avait plus d'air dans les poumons, le sang perlait sur sa peau que mordait le garrot.

Elle luttait bec et ongles mais on la maintenait.

— Eve… Réveille-toi, ma chérie.

Connors la serrait dans ses bras, s'efforçait de l'arracher à son cauchemar. Elle était transie.

Il la berça, murmurant inlassablement son nom, l'étreignant pour la réchauffer. La terreur qu'il sentait dans le corps convulsé de sa femme se répercutait en lui, tel un chien enragé qui refusait de les lâcher.

Elle continuait à se débattre comme une femme qui se noie. Affolé, il pressa sa bouche sur la sienne pour lui insuffler son souffle, sa vie.

Elle se laissa aller contre lui.

— Tout va bien, tu es en sécurité, murmura-t-il. Tu es à la maison. Tu es gelée, mon pauvre amour.

Il ne se décidait cependant pas à desserrer son étreinte pour prendre une couverture.

— Cramponne-toi à moi...

— Ça va, balbutia-t-elle. C'est passé.

Ce n'était pas tout à fait vrai.

— Cramponne-toi quand même, j'en ai besoin.

Elle noua ses bras tremblants autour de lui, nicha sa tête au creux de son épaule.

— J'ai senti ton odeur. Et puis j'ai entendu ta voix. Mais je n'arrivais pas à te rejoindre.

— Je suis là.

Il était déchiré ; elle n'imaginait pas la souffrance qu'il endurait chaque fois que, dans son sommeil, elle revivait les horreurs de son enfance.

— Je suis là, mon cœur, dit-il en lui baisant le front. Tu as eu un affreux cauchemar.

— Oui, comme d'habitude. C'est fini, maintenant.

Elle s'écarta, plongea son regard dans celui de son mari, y découvrit une peine infinie.

— C'est aussi affreux pour toi.

— Comme d'habitude, Eve, rétorqua-t-il en la gardant contre lui jusqu'à ce que leurs deux corps se détendent. Je vais te chercher un peu d'eau.

— Merci.

Quand il fut dans la cuisine, elle renversa la tête contre le dossier du fauteuil. Elle s'en remettrait. Elle s'en remettait toujours. Elle enfouirait la peur au tréfonds d'elle et poursuivrait sa route. Elle s'appuierait sur la femme qu'elle était devenue, ne penserait plus à ce qu'elle était autrefois.

Une victime.

Elle se redressa. « Au travail », se dit-elle. Le flic qu'elle était avait du pouvoir, un but à atteindre.

Lorsque Connors revint et s'accroupit devant elle pour lui tendre un verre d'eau, elle avait de nouveau les idées claires.

Suffisamment claires pour, malgré sa gratitude, soupçonner son mari.

— Tu n'aurais pas mis un calmant là-dedans ?

— Bois.

— Connors… gronda-t-elle.

— Eve chérie, répliqua-t-il d'une voix suave.

Il but la moitié de l'eau, lui redonna le verre.

— Bois le reste.

Elle s'exécuta à contrecœur tout en observant Connors. Il semblait fatigué, las, phénomène rarissime chez lui.

Il avait besoin de repos, réalisa-t-elle. Mais il attendrait qu'elle soit couchée, endormie, et continuerait à travailler.

Néanmoins, il n'était pas le seul à savoir quels leviers manipuler pour obtenir ce qu'on voulait. Elle reposa le verre vide.

— Content ?

— À peu près. Maintenant, tu devrais éteindre ton ordinateur et dormir.

Parfait… Elle opina, en veillant toutefois à prendre une mine agacée.

— Tu n'as peut-être pas tort. Je ne peux plus me concentrer, mais…

— Oui ?

— Ça ne t'ennuierait pas de rester ici avec moi ? C'est idiot, mais…

— Non, ce n'est pas idiot du tout.

Il s'allongea près d'elle dans le fauteuil inclinable, l'enlaça et lui caressa les cheveux. Elle se blottit contre lui.

— Oublie tout jusqu'à demain, ma chérie.

— D'accord. Tu ne t'en iras pas, tu me le jures ? ajouta-t-elle d'une toute petite voix.

— Je te le jure.

Certaine qu'il ne trahirait pas sa promesse, qu'il se reposerait, elle ferma les yeux et se laissa glisser dans un sommeil sans rêves.

Et finalement, Connors l'imita.

Elle se réveilla la première, alors que l'aube pointait. Elle ne bougea pas et le regarda dormir, ce dont elle avait rarement l'occasion.

Un flot de tendresse la submergea, pareil à une lame de fond qui entraînait avec elle toute une gamme de sentiments et d'émotions. Un bonheur fou, un vertige, de l'émerveillement, du désir, la fierté d'être la compagne d'un homme tel que lui.

Il était si incroyablement beau, jamais elle ne comprendrait vraiment pourquoi elle l'avait séduit.

Il l'avait choisie, elle. Parmi toutes les femmes du monde qui s'offraient à lui, c'était elle qu'il avait choisie. Il l'avait même traquée, harcelée, songea-t-elle en esquissant un sourire. Mais ce n'était pas tout…

Il l'aimait.

Jamais elle n'aurait imaginé qu'on puisse l'aimer. Ni qu'elle soit capable d'aimer en retour.

Et maintenant ils étaient là, le flic et le milliardaire, serrés l'un contre l'autre dans un fauteuil inclinable, dans un bureau, comme deux travailleurs fourbus.

C'était magnifique.

Elle souriait toujours lorsqu'il ouvrit ses beaux yeux bleus. Aussi limpides que du cristal.

— Bonjour, lieutenant.

— Je ne sais pas comment tu arrives à émerger du sommeil d'un coup, avec un cerveau en état de marche, et sans café.

— C'est horripilant, n'est-ce pas ?

— Oui…

Il était brûlant, splendide, et il était à elle. Elle l'aurait volontiers mangé comme un gâteau à la crème. Pourquoi pas ? Ce n'était pas une mauvaise idée…

Elle promena une main sur son torse, jusqu'à son ventre. Il était en érection, il l'attendait.

— Puisque tu es parfaitement réveillé, murmura-t-elle, j'ai un petit travail à te confier…

Il étouffa un gémissement, frissonna sous les doigts de sa femme.

— Je suis toujours prêt à servir de mon mieux la police… Oh, Eve !

Un peu plus tard, guillerette et en pleine forme, elle ressortait de la kitchenette avec deux mugs de café fumant. Connors, un petit sourire aux lèvres, se prélassait encore. Il caressait Galahad qui ronronnait sur ses genoux.

— Il me semble que, pour un expert consultant civil, tu as assez fainéanté.

— Mmm... fit-il en prenant sa tasse. Une nuit de sommeil, du sexe au réveil, du café. Ces temps-ci, tu prends ton rôle d'épouse très à cœur. Tu me maternes, Eve ?

— Si tu ne le veux pas, ce café, je le boirai. Et puis, si mon attitude ne te plaît pas, tant pis. Et ne me traite pas d'épouse, ça me vexe.

— J'accepte le café, merci infiniment. Je te suis reconnaissant de me dorloter. Et te vexer en te traitant d'épouse est l'un de mes péchés mignons.

— Bon, maintenant que ce point est réglé, bouge un peu tes jolies fesses et mettons-nous au boulot.

12

Elle appela d'abord l'inspecteur qui avait enquêté sur les homicides perpétrés en Cornouailles. Le sergent Fortique était jovial et ouvert. Il lui exposa volontiers les faits et lui révéla les noms des deux victimes, identifiées grâce à leurs empreintes et leur ADN.

En revanche, lui expliqua-t-il, découvrir l'identité du randonneur qui avait soi-disant trouvé les corps et alerté la police s'était avéré beaucoup plus difficile.

Il se chargerait volontiers, pour faire gagner du temps à Eve, d'interroger ce témoin à propos des deux garrots, deux longueurs de fil d'argent de soixante centimètres. Au besoin, affirma-t-il, il n'hésiterait pas à le mettre sur le gril pour lui extorquer des aveux.

Eve considéra que la police britannique était infiniment plus civilisée que les agents fédéraux américains. Du coup, elle lui communiqua la liste des achats que Yost avait effectués à Londres. Fortique et elle se quittèrent en excellents termes.

Elle appela ensuite la joaillerie où on lui brossa un portrait détaillé de Sylvester Yost. On se souvenait fort bien de cet homme raffiné, d'une exquise courtoisie et qui avait les poches bourrées de billets de banque.

Un maillon de plus dans la chaîne qui me mènera jusqu'à toi, Yost.

Enfin, elle contacta le *New Savoy* où l'on se montra beaucoup moins coopératif. On la balada un bon moment avant de lui passer la directrice.

Cette quinquagénaire avait un menton en galoche et des yeux d'un bleu layette surprenant, qui éclairait un visage émacié. Quoique d'une politesse irréprochable, elle était plus butée qu'une mule.

— Je crains de ne pouvoir accéder à votre demande, lieutenant Dallas. Le *New Savoy* a une règle d'or : préserver l'intimité de notre clientèle, ainsi que son confort. Cette politique ne souffre aucune entorse.

— Même quand vos clients violent et tuent ?

— Je suis navrée, je ne peux vous donner aucune information. Si vous étiez dans l'erreur, ce qui n'est pas impossible, je dérogerais à la règle du *New Savoy* et mettrais un client dans une position humiliante. Tant que vous n'avez pas les mandats nécessaires, notamment le mandat international qui m'oblige à vous livrer les renseignements que vous réclamez, j'ai les mains liées.

« J'aimerais bien, moi, te lier les mains et puis te balancer comme un sac d'os par une fenêtre de ton fichu hôtel. »

— Madame Clydesboro, si vous me forcez à réveiller mon commandant et un magistrat international à 5 h 30 du matin, ils seront de très mauvaise humeur.

— Je crains qu'il n'y ait pas d'autre solution. N'hésitez pas à me recontacter quand...

— Écoutez, madame, je...

— Un instant ! intervint Connors depuis le seuil de la pièce.

Il avait entendu la fin de ce dialogue de sourds et s'approcha de l'écran du communicateur.

— Madame Clydesboro.

Eve eut la satisfaction de voir pâlir son interlocutrice ; ses yeux bleu layette lui sortaient littéralement des orbites.

— Monsieur !

— Donnez au lieutenant Dallas toutes les informations qu'elle demande. Suis-je assez clair ?

— Oui, monsieur. Pardonnez-moi, monsieur. J'ignorais que vous aviez autorisé...

— Maintenant que vous êtes au courant, je compte sur vous, rétorqua-t-il d'un ton amène.

— Je suis à vos ordres, monsieur. Lieutenant Dallas, si vous pouviez me transmettre la description de l'homme qui aurait séjourné dans notre hôtel, je veillerais à ce que notre personnel vous le confirme.

— Je vous en envoie une photo, les dates auxquelles, selon nous, il était à Londres ainsi qu'une description écrite plus détaillée. Signalez à votre personnel que cet individu portait probablement un déguisement. Les cheveux, la couleur des yeux, certains traits du visage étaient peut-être différents. Il a dû réserver l'une de vos suites les plus luxueuses, il voyageait seul et avait vrai-semblablement un véhicule.

— Vous recevrez notre réponse dans une heure.

— Parfait.

Eve coupa la communication, émit un reniflement de mépris.

— Espèce de vieille chauve-souris collet monté...

— Elle ne fait que son travail. Tu te heurteras aux mêmes obstacles dans tous les palaces londoniens. Tu veux que je te facilite un peu la tâche ?

Elle haussa les épaules.

— Pourquoi pas ? marmonna-t-elle, irritée. Et toi, tu en es où ?

— J'avance, mais il me faudra encore du temps pour te conduire jusqu'au pas de sa porte.

— Combien de temps ?

— Lieutenant, l'impatience n'accélérera pas le pro-cessus.

À cet instant, Mick apparut sur le seuil.

— Excusez-moi, je vous dérange ?

— Pas du tout, répondit Connors – cependant Eve remarqua qu'il appuyait sur une touche du clavier de l'ordinateur afin que l'écran s'obscurcisse. Tu viens de rentrer ? Tes... affaires ont dû bien marcher.

— J'avoue qu'elles ont marché du tonnerre, répliqua Mick avec un sourire joyeux. Je ne me trompe pas, c'est une odeur de café que je flaire ?

— Effectivement. Tu en veux ?

— Oh, oui ! Surtout si tu y mets une lichette de whisky.

Évitant de regarder Eve qu'il entendait presque grin-cer des dents, Connors se dirigea vers la kitchenette. Galahad, animé par l'espoir qu'on allait lui servir son petit-déjeuner, le suivit à toute allure, la queue en point d'interrogation.

Mick se tourna vers Eve.

— Ce type n'est pas humain, il ne dort jamais. C'est une chance pour lui d'avoir trouvé une femme capable d'attaquer sa journée de travail avant l'aube.

— Pour quelqu'un qui n'a pas fermé l'œil de la nuit, vous aussi vous avez l'air frais comme un gardon.

— Certaines activités stimulent. Alors vous bossez chez vous de temps en temps ?

— Oui...

— Et je suppose que vous êtes pressée de vous y remettre. Ne vous inquiétez pas, je ne reste qu'une minute. Ne m'en veuillez pas de vous dire ça, mais c'est vraiment bizarre de voir Connors travailler main dans la main avec un flic.

— Très bizarre, oui.

Connors les rejoignit, tendit à Mick un mug de café généreusement additionné de whisky.

— Merci, mon vieux. Je vais l'emporter dans ma chambre et dormir comme un ange.

— Attends un instant... Eve, tu as les noms de ce couple de Cornouailles ?

— Ça ne concerne que la police.

— Mick pourrait les connaître. Eux et leurs ennemis.

Ce n'était pas idiot. Puisqu'ils avaient un escroc sous leur toit, autant en profiter.

— Britt et Joseph Hague.

Mick se plongea dans la contemplation de son café.

— Bien sûr, il est possible que j'aie entendu ces noms quelque part, au cours de mes voyages. Je ne sais pas, ajouta-t-il en décochant à Connors un regard acéré. Vraiment, je ne sais pas...

— Parce que vous avez fait des affaires avec eux ? lança Eve. Du genre que le service des douanes réprouve ?

— Je fais des affaires avec tellement de gens, rétorqua-t-il posément. Et je n'ai pas l'habitude d'en discuter avec les flics. Je suis surpris, Connors. Surpris et déçu que tu me demandes de moucharder des associés, des amis.

— Vos associés et amis sont morts, déclara Eve. Assassinés.

— Britt et Joe ?

Les yeux verts de Mick se voilèrent. Lentement, il se laissa tomber dans un fauteuil.

— Je n'étais pas au courant…

— On a retrouvé leurs corps en Cornouailles, lui expliqua Connors. Ils étaient morts depuis un certain temps, on a eu du mal à les identifier.

— Seigneur Dieu… C'était un couple adorable. Comment c'est arrivé ?

— Qui pouvait vouloir les éliminer ? interrogea Eve. Qui aurait déboursé une grosse somme pour ça ?

— Je ne sais vraiment pas. Ça marchait plus que bien pour eux. Ils écoulaient des alcools de première catégorie et des substances illicites à Londres, puis de là vers Paris, Athènes, Rome. Ils ont sans doute piétiné quelques plates-bandes au passage. Ils n'étaient dans le business que depuis deux ans, ils avaient une veine incroyable. Nom d'un chien, cette nouvelle me coupe les pattes…

Il avala une lampée de café.

— Tu n'as pas dû les connaître, dit-il à Connors. Ils n'étaient dans l'exportation que depuis peu, et seulement en Europe. Ils avaient un petit cottage, ils aimaient vivre à la campagne, Dieu sait pourquoi.

— À qui faisaient-ils de l'ombre ? insista Connors.

— Oh ! aux uns et aux autres ! Mais, dans la contrebande, avec toutes les marchandises qui ne demandent qu'à voyager, il y a toujours de la place pour un nouveau venu. Peut-être qu'ils agaçaient Francolini. Ouais, celui-là, c'est un vicieux, et ils lui avaient piqué des marchés. Il ne réfléchirait pas des siècles avant d'envoyer un de ses hommes les zigouiller.

— Il n'emploierait pas un tueur à gages, rétorqua Connors qui se souvenait parfaitement du dénommé Francolini. Il est suffisamment bien entouré, il utiliserait un membre de son clan.

— Un tueur à gages ? Alors, tu as raison, Francolini n'est pas dans le coup. Lafarge, éventuellement. Ou Hornbecker, ça correspond davantage à son style. Mais, pour lâcher ses biffetons, il lui faudrait un bon motif.

— Franz Hornbecker, à Francfort, dit Connors à Eve. Quand j'exportais, moi aussi, c'était du menu fretin.

— Il a eu beaucoup de chance ces dernières années, il est monté en grade.

Mick soupira.

— Je ne sais pas quoi te dire de plus. Britt et Joe...
je n'arrive pas à y croire. Vous me permettez de poser
une question ? Pourquoi un flic de New York s'inté-
resse-t-il à deux contrebandiers anglais ?

— Il se pourrait que leur mort ait un lien avec l'enquête que nous menons actuellement.

— Si c'est le cas, j'espère que vous pincerez le salopard qui les a tués. J'ignore sur quoi ils travaillaient
avant de mourir, mais je peux me renseigner. Discrètement.

— Toute information sera la bienvenue.

— Tant mieux.

Mick prit le chat qui se frottait contre ses jambes et
se leva.

— Je vais me coucher. À propos, Connors... quand
tu seras disponible, j'aimerais qu'on discute de cette
affaire dont je t'ai parlé.

— Je demanderai à mon administrateur de l'étudier.

— Bon sang, écoute-moi ça. Un administrateur, dit
Mick à Galahad, tout en se dirigeant vers le couloir.
Tu ne trouves pas ça dingue, toi ?

— Une affaire ? marmonna Eve quand leur invité eut
disparu.

— Légale, lieutenant. Des parfums. Je lui ai bien précisé que je refusais de mécontenter mon flic préféré.
Bien, je vais passer quelques appels pour t'ouvrir la voie
dans l'univers du luxe.

— Ce n'est pas un bip que j'entends ? dit-elle, pointant le doigt vers la pièce voisine.

Il tendit l'oreille, sourit.

— Ah, oui ! je pense que je te déposerai bientôt sur
le perron de Yost !

Tous deux se précipitèrent dans le bureau de Connors,
vers la console électronique.

— Affichage sur écran mural, commanda-t-il.

Une série de chiffres et de graphiques s'inscrivit sur
le mur.

— Qu'est-ce que c'est ? Des coordonnées géogra-
phiques ?

— Exactement. Très intéressant... Ordinateur, affiche
la carte de New York, écran deux. Oui... il a beaucoup

510

bougé. Excellent camouflage, il est doué pour effacer ses traces, même dans un périmètre limité.

— C'est-à-dire ? grogna Eve qui n'y comprenait rien.

— Il va et il vient, une escapade à Long Island puis il retourne sur ses pas… Ordinateur, agrandissement de l'Upper West Side. Maintenant, calcul des probabilités. Ah, oui ! Voilà. Tu vois ? Il semblerait que Yost soit notre voisin.

— Il ne serait qu'à quatre pâtés de maisons. Quatre, je rêve…

— Mmm… Manifestement, nous ne nous promenons pas assez souvent dans le quartier.

— Tu es sûr de ce que tu affirmes ?

— À quatre-vingt-dix pour cent.

— Ça me suffit. Bon, il me faut la description de cet immeuble, l'agencement des lieux, la liste des occupants, le système de sécurité.

— Ce devrait être relativement simple. En fait, je pense que ce bâtiment m'appartient.

— Tu penses ?

— On a le droit d'oublier certains détails. Ordinateur, qui est le propriétaire de cet immeuble ?

— *En cours… Ce bien immobilier appartient à Connors Industries qui en assure la gestion.*

— Parfait… Laisse-moi consulter mes dossiers. Je te donne tes renseignements dans une minute.

— Un immeuble entier, c'est un détail, pour toi ? questionna-t-elle en le dévisageant d'un air ahuri.

— J'achète et je vends, par-ci, par-là, répondit-il avec un sourire angélique. On a le droit d'avoir un violon d'Ingres.

Sur quoi, il se mit au travail. Un instant après, il dévoilait à Eve la liste des occupants.

— Ça fait plaisir à voir, n'est-ce pas ? Aucun appartement vide. Je déteste ça.

— Élimine les familles, les couples et les femmes seules.

L'ordinateur s'exécuta aussitôt, et Eve réalisa avec un tressaillement de surprise que Connors l'avait programmé pour réagir à sa voix.

Il ne restait que dix noms sur la liste.

— Affiche les contrats de location.

Elle les parcourut, écarta les hommes de plus de soixante ans et ceux qui avaient moins de quarante ans. Il n'y avait maintenant plus que deux noms.

— Jacob Hawthorne, informaticien analyste, cinquante-trois ans, célibataire. Revenu annuel : environ deux millions de dollars. Il occupe le penthouse, n'est-ce pas ? Yost choisirait forcément le plus bel appartement.

— Naturellement.

— Ce Hawthorne est peut-être un peu vieux, mais il me plaît. Cherche-moi tout ce qu'on a sur ces deux types. Pour qu'on ait une certitude. J'appelle les renforts.

Deux heures plus tard, l'équipe était réunie autour d'Eve, dans son bureau de la résidence. Aux enquêteurs s'étaient joints vingt officiers de l'unité stratégique, et dix agents triés sur le volet. Tant pis si on l'accusait d'en faire trop, elle ne prendrait pas le risque que Yost leur échappe.

En attendant que le mandat de perquisition et d'arrestation lui parvienne, elle expliqua de nouveau comment ils procéderaient.

— L'immeuble compte cinquante-six appartements. Tous habités. N'oubliez pas que la protection des civils est notre priorité.

Les plans du bâtiment étaient affichés sur les écrans muraux.

— Notre cible occupe le dernier étage, poursuivit-elle en le désignant à l'aide d'un stylo-laser. Il n'y a pas d'autre logement à ce niveau. Tous les ascenseurs et les escaliers mécaniques seront bloqués. L'escalier de secours sera également inaccessible. Il ne faut pas lui laisser la possibilité de descendre et de prendre des otages. Cet appartement a quatre sorties. Deux hommes de l'équipe B seront postés devant chacune d'elles. L'équipe A s'occupera des sorties de l'immeuble. Dès que l'ordre sera donné, les agents entreront par ici et par là. Attention, notre homme ne doit pas être abattu. Réglez vos armes sur médium, pour le paralyser.

Détournant les yeux de l'écran, elle scruta les visages qui l'entouraient, jaugea les personnalités qu'ils reflétaient.

— Il s'agit d'un tueur professionnel, qui a échappé aux forces de police pendant des années. Il a probablement commis plus de quarante assassinats. Il est intelligent, rapide, et il est très dangereux. Notre premier objectif est de le piéger dans cet immeuble et de le capturer. Si nous échouons, ceux qui seront en deuxième ligne interviendront.

Elle pivota, afficha sur l'écran la photo de Yost.

— Voilà notre homme. Vous aurez tous des copies de ce cliché. Gardez à l'esprit que c'est un spécialiste du déguisement. Maintenant, le capitaine Feeney va vous expliquer le rôle de la DDE dans cette opération.

Feeney se moucha bruyamment puis se leva.

— Les caméras de surveillance de l'étage seront branchées sur la Base 1, de manière que nous puissions trafiquer les images. Il y a une demi-heure, nous avons vérifié que la cible était bien sur les lieux. Nous procéderons à une nouvelle vérification avant de passer à l'action. Si notre homme contrôle son moniteur, il ne verra qu'un couloir vide. Nous ne pouvons pas l'empêcher de regarder par la fenêtre, aussi tous les membres de l'équipe A et les agents ne bougeront pas de leur position avant d'en avoir reçu l'ordre. Je dirigerai la Base 1, avec le lieutenant Dallas qui assurera la coordination de l'ensemble. Tous les communicateurs seront réglés sur le Canal 3. Pas de bavardages inutiles ni de plaisanteries douteuses pendant les manœuvres. Il s'agit de faire du bon boulot et d'épingler cet individu.

Eve hocha la tête.

— L'inspecteur McNab et l'officier Peabody, ainsi que le lieutenant Marks et moi-même, nous passerons par cette entrée pour nous emparer de la cible. Tous nos mouvements seront communiqués à la Base 1 et à chaque chef de groupe. Des questions ?

Elle attendit, scrutant de nouveau les visages tournés vers elle. Des hommes et des femmes aguerris, qui connaissaient leur travail.

— À présent, allez vous mettre en tenue. Nous lancerons l'opération dès que nous aurons le mandat.

Mais pourquoi diable tardait-il tellement à arriver ? se demanda-t-elle, tandis que la pièce se vidait. Elle l'avait réclamé deux heures auparavant. Il lui faudrait rappeler le juge, lui secouer les puces.

Elle jeta un coup d'œil à Feeney. Il était plus gradé qu'elle et avait infiniment plus de tact. Il saurait prendre le juge dans le sens du poil.

— Feeney, ils nous font poireauter pour ce mandat. Tu veux bien essayer d'accélérer les choses ?

— La politique…

Dans d'autres circonstances, il aurait ronchonné, mais là il s'approcha de la console électronique d'Eve pour passer l'appel. En attendant, elle pivota vers Connors.

— Merci de nous avoir aidés pour les plans du bâtiment et les caméras de surveillance. Tout devrait se passer très vite et sans difficulté.

Devrait… ce conditionnel était perturbant.

— En tant que propriétaire de l'immeuble, je peux exiger de vous accompagner.

— Tu dérailles ou quoi ? Continue sur ce ton et je change d'avis, je ne te laisse pas traîner avec Feeney à la Base 1. Je sais comment arrêter un suspect, Connors, alors ne m'enquiquine pas.

— Où est ta tenue de sécurité ?

— Peabody me la garde. C'est lourd, chaud, je ne la mettrai qu'au dernier moment.

Soudain, elle entendit Feeney rouscailler, et fronça les sourcils.

— Il y a un pépin, marmonna-t-elle.

Elle se précipitait vers la console, quand le commandant Whitney pénétra dans la pièce.

— Lieutenant, votre opération est annulée.

— Quoi ? Mais il est fait comme un rat, dans une heure il est en garde à vue.

— Putain de politique… grommela Feeney en foudroyant le communicateur des yeux.

— Exactement, rétorqua Whitney d'une voix froide, que démentait la lueur furibonde qui flambait dans son regard noir.

Lui-même était tellement révolté et frustré qu'il avait décidé de venir en personne informer Eve de la situation.

— Les fédéraux ont eu vent de l'opération, expliqua-t-il.

— Je m'en fiche éperdument !

Elle s'interrompit, serrant les dents pour se maîtriser.

— Commandant, cette opération est possible grâce à mes investigations, aux renseignements que j'ai obtenus. Le suspect a assassiné deux personnes dans un secteur qui relève de ma juridiction. Je suis responsable de l'enquête.

— Vous pensez que je n'ai pas insisté sur ces points, lieutenant ? Je viens de passer une demi-heure à insulter le directeur adjoint Sooner du FBI, à enguirlander deux juges et à menacer tous ceux que je pouvais avoir en ligne. Les fédéraux se sont débrouillés pour obtenir un mandat avant vous. Quand je découvrirai qui les a informés de votre projet, je vous garantis qu'il y aura de la casse. Il n'empêche que nous sommes sur la touche.

Eve se raidit, luttant contre l'envie folle d'assommer quelqu'un, de boxer quelque chose. Plus tard, se promit-elle.

— Ils ne nous ont pas grillés en respectant la procédure normale. Quand cette affaire sera terminée, je déposerai une plainte officielle.

— La politique n'a rien de reluisant, mais c'est mon boulot. Croyez-moi, je me chargerai de ça. Les agents Jacoby et Stowe s'imaginent peut-être que ce coup d'éclat propulsera leur carrière vers les sommets. Ils vont être désagréablement surpris.

— Veuillez excuser mes écarts de langage, commandant, mais je me fous de Jacoby et de Stowe comme de ma première culotte. À condition qu'ils épinglent Yost. Je veux le soumettre à un interrogatoire pour le meurtre de French et de Talbot. Je veux lui parler avant que les fédéraux ne concluent un marché quelconque avec lui.

— J'ai déjà commencé à baliser le terrain. J'ai quelques relations de poids, et le chef Tibble en a encore plus. Vous aurez votre interrogatoire, Dallas.

Elle se contenta d'opiner, craignant de ne plus se contrôler longtemps. Elle alla se camper devant la fenêtre, observa les flics qui attendaient en bas l'ordre de passer à l'attaque.

— Je préviens l'équipe, lui dit Feeney.

— Non, c'est à moi de le faire.

515

— Feeney, déclara Whitney lorsque Eve fut sortie. Mettez votre meilleur élément sur cette sale histoire. Il faut découvrir qui a vendu la mèche. Quelqu'un de chez nous, ou bien dans l'entourage du juge Beesley, a averti Jacoby que nous avions réclamé un mandat d'arrestation. Il me faut un nom.

— Je m'en occupe immédiatement.

Feeney coula un regard interrogateur en direction de Connors qui répondit par un discret hochement de tête.

Il se ferait un plaisir d'assister la DDE pour épingler le mouchard.

— Connors, enchaîna Whitney, feignant de ne pas avoir remarqué cet échange muet entre les deux hommes. Bien que cette opération ait tourné court, je vous remercie pour votre collaboration.

— Je vous en prie... Puis-je vous demander ce que vous savez sur ces deux agents fédéraux ?

— J'en saurai bientôt beaucoup plus. Ils n'imaginent pas comment nous réagissons quand on nous marche sur les pieds.

— Je me souviens que, quand vous êtes irrité, vous pouvez vous montrer féroce.

Un petit sourire mauvais joua sur les lèvres de Whitney.

— C'est vrai, et je ne m'en priverai pas. Mais je parlais de Dallas. Elle les écorchera vifs, et je compte faire le maximum pour qu'elle en ait la possibilité.

La sonnerie de son communicateur interrompit le commandant qui sortit dans le couloir.

Feeney arpentait le bureau, dressé sur ses ergots telle une mère poule défendant son poussin préféré.

— C'était son affaire, les fédéraux le savaient. En une semaine, elle avait réussi à localiser Yost. Une petite semaine, et elle allait lui mettre la main au collet ! Eux, ils l'ont cherché pendant des années. Évidemment, ils sont vexés comme des poux. C'est pour ça qu'ils lui ont coupé l'herbe sous les pieds, ces abrutis !

— Vraisemblablement. Feeney, certaines informations classifiées sur les agents Stowe et Jacoby vous seraient-elles utiles ? En supposant qu'elles vous parviennent inopinément, d'une source anonyme ?

Feeney stoppa net, dévisagea Connors.

— Elles pourraient être très utiles. Mais, bien sûr, mener une recherche sur des agents fédéraux sans autorisation officielle comporte des risques. C'est un délit.

— Vraiment ? En tant que citoyen respectueux de la loi, je suis heureux d'apprendre que ce genre d'indiscrétion est sévèrement puni.

Connors se posta devant la fenêtre.

— C'est dur pour elle, murmura-t-il. Affronter son équipe, leur annoncer que tout leur travail, leurs efforts acharnés comptent pour du beurre. Qu'on les a renvoyés dans les coulisses pour que les fédéraux remportent la victoire et la gloire.

— Elle n'a jamais porté son insigne de flic pour la gloire.

Connors tourna la tête vers Feeney. « C'est l'homme qui lui a tout appris, songea-t-il. Celui qui l'a aidée à se construire, à devenir le policier qu'elle est aujourd'hui. »

— Oui, naturellement, vous avez raison. Mais se dire qu'elle a fait son travail à fond, qu'elle a rendu justice aux morts, c'est essentiel pour elle. Vous n'ignorez pas à quel point les homicides de cette nature, qui comportent des violences sexuelles, sont pénibles pour Eve.

Feeney baissa le nez.

— Non, je ne l'ignore pas, marmonna-t-il.

— Cette nuit, elle a eu un cauchemar atroce, j'ai cru que je ne réussirai pas à l'apaiser. Pourtant, tous les deux, nous l'avons vue ce matin, solide comme un roc face à son équipe. Prête à assumer son rôle. Vous comprenez ce que ça lui coûte, et moi aussi. Ces imbéciles de fédéraux ne mesureront jamais son courage.

Connors pivota de nouveau, contemplant Eve qui remontait les marches du perron.

— Son inflexible, inébranlable courage. Le FBI se fiche bien des victimes. Pour eux, ce ne sont que des noms dans une banque de données. Pour elle, ce sont des êtres humains. Non, ils ne comprendront jamais ce qu'elle est, sa grandeur d'âme, sa sensibilité.

— Je suis d'accord, rétorqua Feeney qui poussa un soupir. Mais il y a autre chose à dire, et ce sera dit, parce que je le répéterai jusqu'à devenir aphone. Les fédéraux auront peut-être arrêté Yost, mais c'est Dallas qui l'aura coincé.

À cet instant, Whitney les rejoignit. Son visage semblait sculpté dans un bloc d'ébène.

— Personne n'arrêtera Yost. Il s'est envolé.

13

Feeney explosa. Ce fut une tirade incendiaire, meurtrière, débitée bizarrement avec des intonations irlan-
daises. Et ce fut cette violente et brillante diatribe qui
accueillit Eve lorsqu'elle monta l'escalier pour regagner
son bureau.

Elle comprit aussitôt que l'opération du FBI avait
échoué.

— Non seulement ce sont des fumiers, mais en plus
ils ont un pois chiche à la place du cerveau ! postillon-
nait Feeney. Bande de débiles carriéristes ! Quelqu'un
a tuyauté Yost, il a filé et maintenant, pour le retrouver, tintin !

— Nous ne pouvons pas affirmer qu'on l'a renseigné
ni que... commença Whitney.

— De la merde, Jack ! coupa Feeney, oubliant qu'il
s'adressait à son supérieur. Il y a un mouchard, on a
retardé notre intervention pour lui laisser le temps de
déguerpir. On l'aurait eu, il serait entre nos mains à
l'heure qu'il est !

— Alors il a filé, dit simplement Eve.

Phénomène étrange, la fureur de Feeney étouffait la
sienne. Elle avait seulement l'impression d'être une
coquille vide.

— Lorsque les fédéraux ont pénétré dans les lieux,
Yost n'y était plus, déclara Whitney d'une voix posée,
ne trahissant rien de la rage qui l'habitait.

— Ils ont contrôlé les caméras de surveillance ? Vérifié avec le portier ou les gardiens de l'immeuble s'il était
bien dans l'appartement ?

— Je n'ai pas les détails. On m'a dit que le suspect avait pris la fuite et que l'opération s'était soldée par un échec.

Elle hocha la tête.

— J'aimerais en avoir confirmation, commandant.

— Moi aussi, rétorqua Whitney qui les dévisageait, elle et Feeney. Allons-y.

Les fédéraux n'étaient pas de bonne humeur. Une atmosphère chargée d'amertume et de mélancolie imprégnait le hall élégant de l'immeuble qu'habitait le tueur.

Eve s'attendait à ce qu'on leur mette des bâtons dans les roues, mais le grade de Whitney, son imposante stature et son regard réfrigérant leur ouvrirent la voie.

Comme Feeney écumait toujours, elle fit signe à McNab.

— Servez-vous de votre irrésistible charme pour soutirer quelques informations aux agents spécialistes de l'électronique. Ils ont dû visionner les vidéos de sécurité, ou ils le feront. Je veux savoir quand Yost a quitté les lieux, par où il est sorti, et ce qu'il emportait avec lui.

— Comptez sur moi, rétorqua-t-il en s'éloignant d'un pas nonchalant, les mains dans les poches de son pantalon framboise.

— Peabody, allez frapper aux portes, discrètement. Les voisins ont peut-être des choses à nous raconter. Si vous pouviez papoter avec un membre du personnel d'entretien ou un droïde gardien, ce serait bien.

Eve pénétra dans l'ascenseur, flanquée de Whitney et de Feeney. Tous trois se taisaient. Elle réfléchissait. Tout s'était passé très vite, Yost avait eu peu de temps pour réagir. Il avait donc des relations haut placées. Au FBI ? Au sein de la police new-yorkaise ? Sans doute les deux.

Bref, il avait filé. Mais il n'en avait pas encore terminé à New York. Par conséquent, il n'était pas loin. Dans un hôtel ? Possible. Elle avait cependant tendance à penser que Yost ou son commanditaire avaient une autre tanière. Où il se terrerait jusqu'à ce qu'il ait fini son travail.

Avec tout ce remue-ménage autour de lui, combien de temps attendrait-il avant de fondre sur sa prochaine victime ?

Plongée dans ses réflexions, elle précédait le commandant en sortant de l'ascenseur. Et elle se retrouva soudain nez à nez avec Jacoby.

Dardant sur elle un regard flamboyant, il se dandina d'un pied sur l'autre, tel un boxeur prêt pour le premier round.

— C'est une opération du FBI, articula-t-il.

Avant qu'elle puisse répondre, Whitney s'interposa.

— C'est un fiasco du FBI, monumental de surcroît. Voudriez-vous m'expliquer, agent Jacoby, comment vous et votre équipe avez réussi à perdre le suspect localisé par mes officiers ?

Jacoby savait que le couperet allait tomber. Il était déterminé à faire le maximum pour qu'il s'abatte sur les policiers new-yorkais et non sur lui.

— Cette opération fédérale est en cours depuis long-temps. Je n'ai pas à expliquer...

— En effet, l'interrompit Whitney, vous essayez de repérer Yost depuis des années. Le lieutenant Dallas y est parvenue en quelques jours. Vous avez profité de ses investigations méticuleuses, qui allaient aboutir, ensuite de quoi vous avez saboté son travail. Si vous croyez que vous n'aurez pas à vous justifier devant moi, devant mon lieutenant ainsi que devant votre hiérarchie, vous vous trompez lourdement.

Une demi-douzaine d'hommes et de femmes les entouraient, tous en tenue de combat avec dans le dos les lettres jaune vif : FBI. Whitney et Eve se frayè-rent un chemin parmi eux et entrèrent dans le pen-thouse.

Les techniciens de l'Identité judiciaire s'affairaient déjà à le dévaster. Ils ne trouveraient rien. Néanmoins, Eve avait enfin la possibilité de voir où et comment vivait Yost.

Dans l'opulence, songea-t-elle. Tapis et coussins moelleux, une baie vitrée qui occupait un mur entier et ouvrait sur une vaste terrasse en pierre dominant la ville et ornée de plantes savamment disposées dans des urnes vernissées.

Un décor raffiné... Des teintes pastel, des peintures dans des cadres dorés. Des meubles anciens, en bois. Elle avait une petite idée de la valeur de ces antiquités.

Sur une table basse du salon, aux pieds galbés et sculptés, des fleurs fraîches s'épanouissaient dans un vase en cristal. Sur un piédestal était posée une statue en marbre blanc, une femme nue à la chevelure luxuriante.

Des consoles électroniques étaient dissimulées dans des cabinets que les techniciens s'employaient à démonter.

Il ne travaillait pas dans son salon. Il s'amusait peut-être à pianoter sur ses joujoux, mais le travail sérieux, il le faisait ailleurs.

Elle tournait lentement sur elle-même, filmant l'espace grâce à sa minicaméra. Connors serait sans doute en mesure de reconnaître les tableaux, la sculpture, les meubles.

Elle poursuivit son exploration. Une large porte cintrée permettait d'accéder à la salle à manger, éclairée par un gigantesque lustre. Le mobilier était moins gracieux que celui du salon, plus masculin. Et toujours des fleurs, au centre de la table. Des bougies blanches, fuselées, dans des chandeliers d'argent.

La cuisine, sur la droite, étincelait. Eve inspecta le réfrigérateur, énorme, ainsi que l'autochef. Une profusion d'aliments de premier choix, surtout de la viande rouge.

Les ustensiles étaient soigneusement rangés dans des tiroirs. Sur des étagères s'alignaient des bouteilles d'huile, des épices et tous les ingrédients nécessaires à un véritable cordon-bleu.

Tiens donc... pensa-t-elle, imaginant Yost à ses fourneaux, en train de mitonner quelque mets succulent. Tout en écoutant de la musique classique ou un opéra. Avec, noué autour de sa taille, le tablier de boucher immaculé qu'elle avait trouvé accroché dans un étroit placard.

Il se préparait ses repas, en homme autonome et efficace qu'il était. Ou bien il dégustait un plat choisi dans la sélection qu'il avait programmée sur son autochef. Il mangeait dans de la vaisselle en porcelaine de Chine, allumait les bougies, et s'adonnait aux plaisirs de la table en solitaire.

Oui, un homme de goût, raffiné, et qui aimait tuer.

Elle revint sur ses pas, passa dans la pièce qu'il avait transformée en salle de gymnastique ultrasophistiquée, qui égalait presque celle de Connors. Les murs disparaissaient sous les miroirs, le parquet luisait. Il y avait là tous les appareils conçus pour maintenir un individu en pleine forme physique, ainsi qu'une piscine à remous pour décontracter ses muscles endoloris par l'effort.

Yost prenait grand soin de sa personne. Et, à en juger par tous ces miroirs, il était narcissique.

Elle inspecta ensuite la chambre. Là, il s'était fait plaisir. Couleurs sensuelles, tissus doux au toucher, lit monumental sous un dais de satin bleu, également pourvu d'un miroir.

Toujours le narcissisme.

La salle de bains était à la fois fonctionnelle et luxueuse. Eve y découvrit la foultitude de savonnettes, lotions, huiles et crèmes que Yost avait coutume de rafler dans les palaces internationaux où il séjournait.

« Violer, tuer, c'est salissant. Or tu tiens à être frais comme une rose. »

Tous les produits d'hygiène étaient rangés dans un haut placard, par catégories. Il en avait emporté certains avec lui.

Pas de gaspillage inutile.

La penderie, si l'on pouvait qualifier ainsi un espace de cette dimension, était un pur chef-d'œuvre d'organisation.

Il avait dû partir précipitamment. Pourtant, on ne voyait aucun signe de désordre. Des vêtements manquaient, certes, et plusieurs porte-perruques étaient à présent chauves.

Mais tout le reste était là. Des dizaines de costumes, disposés par couleurs, du bleu au noir en passant par le gris ; un nombre impressionnant de chemises claires. Des combinaisons, des tenues de sport, des peignoirs et des kimonos. Des cravates, des foulards, des ceinturons. Des montagnes de chaussures, dans des boîtes en plastique transparent numérotées.

Six d'entre elles étaient vides.

Le dressing comportait également une sorte de long comptoir immaculé surmonté d'un miroir à trois pans entouré d'ampoules rondes. Eve en ouvrit les tiroirs, filma le contenu.

Elle ressortit, foulant des tapis précieux, franchissant d'autres portes cintrées pour déboucher finalement dans le lieu qu'elle cherchait. Le bureau, où Karen Stowe et deux autres agents fédéraux s'occupaient de l'ordinateur de Yost.

— Il était pressé, soupirait Stowe, les mains sur les hanches, les yeux rivés sur l'écran. Il n'a pas pu tout emporter.

— Il a pris tout ce qu'il voulait, déclara Eve, immobile sur le seuil.

Stowe sursauta comme si elle avait entendu un coup de feu. Ses lèvres se pincèrent pour ne plus former qu'un mince trait.

— Si vous trouvez quelque chose, prévenez-moi, dit-elle à ses collègues.

Elle se dirigea vers Eve, l'invita d'un geste à la suivre dans le couloir.

— Il a fait ses valises, enchaîna Eve sans broncher, il y a mis ce qu'il jugeait nécessaire, notamment ses dossiers et ses disquettes. Sans doute avait-il plusieurs miniportables, très pratiques pour voyager. Il ne lui a pas fallu beaucoup de temps pour tout préparcr, il est extrêmement organisé. Selon moi, une demi-heure lui a suffi après que son informateur l'a averti de votre opération.

— Je ne tiens pas à en discuter ici.

— Moi, si. Mon équipe avait réussi à le localiser, pendant que la vôtre tournait en rond. Sans notre travail, vous n'auriez pas découvert son repaire.

— Si vous aviez coopéré…

— Comme vous l'avez fait ? riposta Eve. C'est vrai, vous êtes un modèle de coopération. À qui avez-vous graissé la patte pour savoir que j'avais réclamé un mandat ? Quelles faveurs avez-vous promises pour avoir la possibilité de tout bousiller ?

— Le FBI a la priorité sur la police locale.

— Foutaises, Stowe. C'est la justice qui a la priorité, et si j'avais obtenu ce mandat à temps, Sylvester Yost serait sous les verrous au lieu de préparer son prochain coup.

— Vous ne pouvez pas être aussi affirmative.

— Je suis, comme vous, certaine d'une chose : il a filé. Vous avez merdé, et il a décampé. Votre conscience ne vous chatouillera pas, quand on trouvera sa prochaine victime ?

Stowe ferma un instant les yeux, inspira.

— Je suggère de continuer cette conversation dans un endroit tranquille...

— Non.

— D'accord, rétorqua Stowe d'un ton sec, en fermant la porte afin que les agents qui étaient dans le bureau ne l'entendent pas. Vous êtes furibonde, et vous avez le droit de l'être. Mais je n'ai fait que mon travail. Quand Jacoby m'a informée de votre projet, il avait déjà mis la machine en route. J'avais une chance d'épingler Yost, je l'ai saisie. Vous auriez agi de la même façon.

— Vous ne me connaissez pas, ma grande. J'ai l'habitude de jouer à la loyale, je ne récolte pas ce que d'autres ont semé. Vous vouliez faire un coup d'éclat, à n'importe quel prix. Maintenant on est tous bredouilles, et quelqu'un va vraisemblablement mourir.

Eve s'interrompit, scrutant le visage de Stowe qui avait tressailli.

— Eh oui... c'est la réalité. Mais vous l'aviez compris toute seule, n'est-ce pas ? J'adorerais qu'on vous écorche vifs, Jacoby et vous. Pourtant ça ne me consolerait pas. Parce que quelqu'un va être tué.

Là-dessus, Eve se détourna. Stowe l'agrippa par la manche. Elle avait les larmes aux yeux.

— Vous avez raison, admit-elle d'une voix rauque. Sur toute la ligne.

— Je me fiche éperdument d'avoir raison. Ne me touchez pas, Stowe. Vous et l'abruti qui vous sert d'équipier, tenez-vous loin de moi, de mon équipe et de mon enquête. Sinon, je vous étripe.

Elle s'en fut à grands pas, décidée à quitter les lieux. Alors qu'elle atteignait le hall de l'appartement, Jacoby lui barra le passage.

— Vous avez utilisé cet appareil ? s'enquit-il.

— Écartez-vous de mon chemin.

— Vous n'êtes pas autorisée à filmer, déclara-t-il.

Il ébaucha le geste de s'emparer de la caméra d'Eve. Avec la rapidité d'un serpent venimeux, elle lui saisit le poignet qu'elle tordit brutalement, en enfonçant le pouce dans la veine où battait le pouls.

— Ne posez pas la main sur moi, articula-t-elle, ou je vous l'arrache et je vous la fais bouffer.

La douleur irradiait dans le bras de Jacoby, le paralysait. Il crispa son autre main, la menaça du poing.

— Vous agressez un agent fédéral !

— Ah, bon ? Je pensais agresser un crétin fédéral. Vous voulez boxer, Jacoby ? ajouta-t-elle, pointant un menton agressif. Ne vous gênez pas, faites donc. Devant vos petits copains. On verra bien qui se retrouvera au tapis.

— Lieutenant Dallas ?

— Oui, commandant, répondit-elle, sans cesser de défier du regard Jacoby dont les yeux s'embuaient.

— On requiert votre présence au Central pour finaliser la plainte officielle de nos services à l'encontre des agents Jacoby et Stowe. Lâchez cet imbécile, ajouta-t-il d'une voix suave, il n'en vaut pas la peine.

— Effectivement.

Elle pivota. Peut-être se sentait-il humilié ou peut-être était-il vraiment un imbécile intégral… en tout cas, Jacoby se jeta sur Eve. Elle n'eut pas l'ombre d'une hésitation. Elle lui assena un violent coup de coude au menton, entendit le claquement de ses dents. Il s'écroula comme une masse.

Une seconde, elle espéra qu'il s'était tranché la langue, mais il commençait déjà à se redresser. Elle s'apprêtait à l'estourbir pour de bon, cependant Whitney s'interposa.

— Je porte plainte, bafouilla Jacoby, la bouche en sang, en cherchant frénétiquement son communicateur.

— Je ne vous le conseille pas, agent Jacoby. Vous avez agressé mon lieutenant, alors qu'elle vous tournait le dos. Elle s'est simplement défendue. Tout est dûment enregistré.

Avec un sourire féroce, Whitney tapota la mini-caméra qu'il portait à la ceinture.

— Continuez et je veillerai à ce que vous comparaissiez devant votre conseil de discipline sur-le-champ, avant même que votre langue ait fini de saigner. En attaquant mon lieutenant, c'est également moi et tout mon département que vous attaquez. Alors, si vous ne voulez pas que les vestiges de votre brillante carrière soient définitivement réduits en cendres, tenez-vous tranquille.

Sur quoi, impérial, Whitney fit signe à Eve de le suivre. Tandis qu'ils se dirigeaient vers l'ascenseur, Feeney, qui marchait au côté d'Eve, marmotta :

— Dommage que tu ne lui aies pas flanqué un bon coup de genou à l'entrejambe.

— Je me serais fatiguée inutilement, il n'a rien dans le pantalon.

Elle inspira à fond pour se calmer.

— Commandant, je vous présente mes excuses, j'ai…

— Ne gaspillez pas votre salive.

Whitney pénétra dans l'ascenseur, esquissa un sourire.

— Il faut que j'aille plus souvent sur le terrain. J'avais oublié à quel point on s'amuse, parfois. Lieutenant, je veux votre analyse de tout ce que vous avez enregistré, le plus tôt possible. Faites un calcul de probabilités concernant sa présence éventuelle dans cette ville ou ses environs, et si le résultat est positif, voyez où il aurait pu se réfugier. Contactez…

Il s'interrompit, la dévisagea.

— Vous vous contrôlez admirablement, Dallas, vous ne me répondez pas que vous connaissez votre boulot.

— Cette idée ne me traverserait pas l'esprit, commandant, ironisa-t-elle – sa bagarre avec Jacoby l'avait mise de meilleure humeur.

— Oui, mais comme vous le connaissez sur le bout des doigts, je m'en tiendrai là.

Tous trois sortirent de l'ascenseur.

— J'ai une foule d'appels à passer, déclara Whitney. Un tas d'oreilles à tirer, conclut-il en s'éloignant.

— Il est remonté à bloc, commenta Feeney.

— Tu crois ?

— Oh, oui ! Tu ne l'as pas connu quand il bossait dans les rues. Jack est un animal à sang froid. À la fin de la journée, il aura mordu un paquet de gens, et tout ça sans crier gare. Bon… je vais récupérer McNab. Tu apportes ce que tu as enregistré au Central ?

— D'accord.

Elle cherchait son communicateur pour joindre Peabody, lorsque celle-ci émergea d'un ascenseur, de l'autre côté du hall.

— Peabody, vous venez avec moi.

Eve attendit qu'elles aient quitté l'immeuble et regagné leur véhicule pour interroger son assistante.

— Vous avez réussi à glaner quelques infos ?

— Il ne copinait pas avec les voisins. Distant, mais très courtois. Toujours impeccablement habillé. Toujours seul. J'ai parlé avec une dizaine de personnes, et deux gardiens. Personne ne l'a jamais vu accompagné. Néanmoins, il avait un domestique droïde. Un des gardiens m'a dit que les fédéraux avaient embarqué ce qu'il en restait. D'après lui, le droïde paraissait s'être auto-détruit.

— Pour couvrir les traces de son maître.

— Une femme du quinzième étage, du genre grande mondaine, m'a expliqué qu'elle avait parfois échangé quelques mots avec lui, et qu'elle l'avait souvent croisé à l'Opéra. Vous aviez raison. D'après elle, il était abonné. Il avait une loge à droite de la scène. Il était toujours seul.

— Il ne prendra plus le risque de se montrer, même s'il est fan. Il sait qu'on l'a déniché dans cet immeuble, qu'on a interrogé les voisins. Il se privera de ses passions, du moins pendant un certain temps.

— Je suis allée plusieurs fois à l'Opéra avec Charles. J'ai essayé de me souvenir de cette loge, mais je n'ai aucune image qui me revienne. Je pourrais demander à Charles. C'est un habitué, il a peut-être remarqué Yost.

— Posez-lui la question, sans lui donner de détails. Nous avons déjà suffisamment de civils impliqués dans cette affaire.

— D'accord. Dites... vous n'avez pas un petit creux, vous ? s'enquit Peabody en coulant un regard gourmand vers un glissa-gril installé sur le trottoir.

— Il n'est même pas midi et vous avez faim ? Comment est-ce possible ?

— Je suis normale, moi. Vous, je parie que vous n'avez même pas pris de petit déjeuner. Sauter le repas le plus essentiel de la journée, ça rend irascible, amorphe, ça affecte gravement les facultés intellectuelles, ça...

— Oh, bonté divine !

Eve freina brutalement, fusilla son assistante des yeux.

— Vous avez exactement une minute, pas une seconde de plus.

— Ça me suffit.

Peabody sortit de la voiture à la vitesse de l'éclair, brandit son insigne pour écarter les gêneurs, rafla les frites au soja que son estomac réclamait à grands cris et réintégra le véhicule. Avec un sourire éblouissant, elle tendit un paquet de frites à Eve qui le coinça entre ses genoux.

— Je croyais que vous n'aviez pas faim.

— Alors, pourquoi vous m'avez acheté ces trucs-là ?

— Par pure politesse, répliqua dignement Peabody qui avait espéré avaler les deux paquets – elle n'était pas du style à gâcher la nourriture. Je suppose que vous avez également soif ?

— Oui, merci, répondit Eve en lui prenant le tube de Pepsi. Transférez tout ce que j'ai enregistré sur mon disque dur, rédigez votre rapport et appelez Charles Monroe.

— Bien, lieutenant.

— Vous êtes plus calée que moi en colifichets, tous ces machins de nanas. Analysez les images du dressing-room de Yost, surtout de la coiffeuse. Si ça dépasse vos compétences, je m'adresserai à Mavis. Elle est incollable.

— Les produits de luxe dépassent mes compétences. Mais je peux sans doute reconnaître les marques.

— Faites une copie de cette partie de l'enregistrement. Je contacterai Mavis.

Elle termina ses frites dans les couloirs du Central, après quoi elle s'enferma dans son bureau. Elle avait une chose à faire avant de s'atteler à la paperasse, et elle ne tenait pas à ce que des oreilles indiscrètes l'entendent.

Par précaution, elle utilisa son communicateur personnel.

Connors répondit tout de suite.

— Salut, lieutenant. Comment ça s'est passé ?

— J'ai donné quelques gnons à Jacoby et je ne risque pas d'écoper d'un blâme, c'est toujours ça de gagné.

— J'espère que tu as filmé la scène. J'adorerais voir ce spectacle.

— Justement, c'est parce que j'ai filmé que je me suis retrouvée dans l'obligation de l'assommer et que, maintenant, je t'appelle. J'ai...

Elle n'acheva pas sa phrase – derrière le visage de Connors, elle venait de reconnaître le décor.

— Je t'ai pourtant bien dit que je t'interdisais de me procurer des informations avec ton matériel illicite.

— Au risque de te décevoir, je ne travaille pas que pour toi.

— Écoute...

— J'ai d'autres occupations, figure-toi. Et j'ai l'intention de te communiquer uniquement des renseignements obtenus tout à fait légalement.

Il les transmettrait d'abord à Feeney qui leur redonnerait une virginité.

— À ce propos, tu as reçu la réponse du *New Savoy*. Yost y a bien séjourné. Je t'ai envoyé le rapport. Que puis-je encore faire pour toi ?

Elle le scruta d'un air soupçonneux.

— Tu ne serais pas en train de mentir ?

— Au sujet de Yost et de son séjour à Londres ?

— Au sujet de ce que tu fabriques en ce moment même dans cette pièce, espèce de petit futé.

— Si je mentais, je te répondrais par un autre mensonge. Tu vas donc devoir me croire sur parole, n'est-ce pas ?

Il lui sourit.

— J'aimerais passer ma journée à bavarder avec toi, ma chérie, malheureusement... Que veux-tu au juste ?

— D'accord, marmotta-t-elle. J'ai filmé l'appartement de Yost. Très raffiné, tu apprécierais. Je pourrais décortiquer tout ça, mais je me suis dit que si tu y jetais un œil, tu irais plus vite que moi. Peintures, sculptures, antiquités. Tu serais capable de déterminer s'ils sont authentiques en visionnant les images ?

— Probablement, toutefois je ne te le garantis pas. Une bonne copie ne se repère pas si facilement, il faut l'examiner de près.

— À mon avis, il n'est pas du genre à se satisfaire d'une bonne copie. Dans ce domaine, il est très vaniteux, il me rappelle quelqu'un que je connais.

— Tu insultes ton expert consultant civil.

— Je me venge comme je peux. Bref, tu arriveras peut-être à trouver l'origine de ces splendeurs.

— Transmets-moi tout ça.

— J'apprécie ton aide.

— J'espère bien. Ciao, lieutenant !

Il coupa la communication, se carra dans son fauteuil et reporta son attention sur les données affichées sur l'écran mural.

Jacoby, James, agent spécial.

La date et le lieu de naissance, les informations sur la famille n'avaient pas grand intérêt. Néanmoins, Connors nota que Jacoby n'avait pas brillé dans ses études. Il était resté dans la moyenne. Il avait des problèmes relationnels, c'était son point faible, son atout majeur étant son esprit d'analyse.

Il avait péniblement atteint le niveau minimum requis pour la formation du FBI, mais avait excellé dans le maniement des armes, l'électronique et la stratégie.

D'après son profil psychologique, il avait des rapports épineux avec la hiérarchie, une tendance à ignorer ou à contourner le règlement, et beaucoup de mal à travailler en équipe.

Il avait reçu un blâme pour insubordination à trois reprises, et avait fait l'objet d'une enquête interne – on le suspectait d'avoir dissimulé des preuves.

Il était célibataire, hétérosexuel, et semblait préférer les services des prostituées aux relations sentimentales.

Son casier judiciaire était vierge, il n'avait jamais commis d'infraction, même à la période de l'adolescence. On ne lui connaissait aucun vice. Connors secoua la tête. Il ne mettait pas en doute le dossier du FBI. En principe, le Bureau était aussi précis et exhaustif que lui.

Un homme sans aucun vice était un individu dangereux ou tragiquement ennuyeux.

Jacoby s'habillait dans des magasins bon marché, vivait dans un modeste appartement et n'avait pas d'amis intimes.

« Un vrai phénomène», songea Connors qui lança une recherche sur les dossiers qu'avait traités Jacoby.

Parallèlement, il afficha sur l'écran les données concernant Karen Stowe.

Elle était l'élément fort du tandem, la plus intelligente. Titulaire de deux diplômes, obtenus avec mention, en criminologie et informatique. Elle avait été recrutée dès sa sortie de l'université et avait suivi la formation du FBI pour terminer cinquième de sa promotion.

C'était une femme motivée, concentrée sur ses objectifs, passionnée, qui avait tendance à s'engloutir dans le travail, à prendre des risques physiques. Elle respectait les règles, mais était capable de les contourner si elle l'estimait nécessaire. Elle avait une faiblesse : elle manquait souvent d'objectivité, s'impliquait de façon trop personnelle dans une affaire.

Elle ressemblait tellement à Eve, sur ce point, que Connors s'étonnait qu'elles ne se soient pas encore battues comme des harpies.

Son ambition, sa ténacité et son talent lui faisaient gravir les échelons l'un après l'autre. Elle avait demandé avec insistance qu'on la mette sur cette mission. Intéressant, pensa Connors.

Elle avait eu quatre amants. Le premier au lycée. Le deuxième quand elle était en troisième année à l'université. Lors de sa première année de formation au FBI, elle avait fréquenté un homme pendant plus de six mois.

Elle avait un petit cercle d'amis, faisait de l'aquarelle à ses moments perdus. Elle n'avait pas reçu le moindre blâme ni avertissement.

Il lança une recherche sur les dossiers qu'elle avait traités, puis entreprit d'éplucher ceux de Jacoby.

Une heure après, il s'arrêta un instant pour boire un café et remarqua que l'un des voyants lumineux de sa console clignotait. Ah ! le lieutenant m'a transmis son film !

Il s'apprêtait à mettre de côté les dossiers de Stowe, pour se distraire un peu, mais alors qu'il les sauvegardait avant de fermer le fichier, un détail attira son attention.

Une requête déposée six mois avant qu'on ne l'affecte à cette enquête sur Yost. Pourquoi l'agent spécial Karen Stowe avait-elle demandé à connaître les tenants et les aboutissants d'un crime perpétré à Paris ?

Yost était en tête des suspects, cependant on n'avait aucune preuve. Une dénommée Winifred C. Cates, âgée de trente-six ans, rédactrice et assistante à l'ambassade américaine à Paris, avait été violée et étranglée sans mobile apparent. Ce *modus operandi* avait orienté les soupçons vers Yost.

— Ce n'était peut-être pas lui qui t'intéressait tellement, marmonna Connors, mais plutôt la victime. Ordinateur, recherche le dossier personnel de Winifred C. Cates.

— *En cours…*

Connors sirota son café, tout en écoutant le bourdonnement affairé de la machine.

— *Winifred Carole Cates, métisse, née le 5 février 2029, à Savannah, Géorgie. Fille unique de Marlo Barrons et de John Cates, divorcés. Portrait affiché sur l'écran. Description physique ?*

— Non, continue.

— *Études primaires à domicile. Études secondaires au lycée Moss-Riley, prix d'excellence en littérature et sciences politiques. Diplômée de l'Université américaine…*

— Stop. Recoupe les données concernant le cursus universitaire de Cates et de Stowe.

— *En cours… Les deux sujets ont poursuivi leurs études supérieures à l'Université américaine, à la même période. Elles étaient dans le même département, toutes deux ont obtenu leur diplôme avec mention. Cates première de sa promotion, Stowe deuxième.*

— Stop. Tu la connaissais bien, n'est-ce pas ? murmura Connors. Pour toi, ce n'est pas une affaire comme les autres. C'est une histoire personnelle.

14

Les yeux baissés, Peabody se hâtait dans le couloir pour rejoindre son box quand elle percuta McNab.

— Te voilà, dit-il avec le sourire heureux d'un tout petit garçon qui vient de retrouver son nounours égaré.

— Oui, et justement je te cherchais. Il paraît que le FBI va tenir une conférence de presse. Ils font pression pour que Dallas y soit. Ils veulent lui tendre un traquenard.

— D'ici qu'elle y tombe, il coulera de l'eau sous les ponts.

Il y avait derrière McNab une porte ouvrant sur un cagibi où l'on entreposait des produits d'entretien. Comme il était du genre à saisir toutes les bonnes occasions, il s'empressa d'en tourner la poignée.

— Je ne sais pas si Whitney l'obligera à y assister, poursuivit-elle, mais si c'est le cas, j'estime qu'on devrait tous être là.

Il hocha la tête, tout en l'entraînant dans le local exigu.

— Tu n'auras qu'à me prévenir. En attendant...

Il la plaqua contre le mur, lui mordilla le cou.

— McNab, bon sang, arrête... protesta-t-elle sans conviction.

— Oui, oui...

D'une main il verrouilla la porte, de l'autre il entreprit de déboutonner la veste d'uniforme de sa compagne.

— Mmm... tu es tellement féminine... qu'est-ce que je peux faire, moi ?

— Exactement ce que tu fais, répliqua-t-elle avec un soupir de plaisir.

Elle lui dégrafa la ceinture de son pantalon. Après tout, elle pouvait bien consacrer quelques minutes à un collègue...

Le pénis de McNab se dressait déjà, telle une colonne de pierre.

Il frémit tout entier sous les caresses si douces et si habiles de Peabody. Elle le rendait fou. Il l'étreignit sauvagement, l'embrassa à pleine bouche.

À cet instant, le communicateur de Peabody sonna.

— Ne réponds pas... bredouilla-t-il en s'acharnant sur le pantalon de la jeune femme tant il était impatient de la prendre, de la posséder.

Elle haletait, ses genoux flageolaient, mais son sens du devoir l'emporta. Pour que son interlocuteur ne voie pas ses joues cramoisies et ses seins dénudés, elle bloqua la fonction vidéo de son appareil.

— Peabody, articula-t-elle péniblement.

— Bonjour, Delia... Tu sembles essoufflée, c'est très sexy.

— Charles...

Elle secoua la tête pour dissiper l'ivresse qui lui embrumait le cerveau, sans remarquer l'éclair glacé qui fulgurait dans le regard de McNab.

— Merci de me rappeler si vite.

— Pour moi, tes désirs sont des ordres.

Elle eut un sourire un peu idiot. Il était toujours si gentil.

— Je sais que tu es occupé, mais je me suis dit que tu pourrais peut-être m'aider, me donner un renseignement.

— Je t'écoute.

Furibond, McNab se détourna pour contempler les bidons de désinfectant alignés sur les étagères. Comment supportait-elle ce type, sa voix mielleuse ? Il était occupé... tu parles ! Occupé à empocher une grosse poignée de billets après avoir expédié au septième ciel une mondaine qui s'ennuyait dans la vie parce qu'elle avait trop d'argent !

— Je travaille sur une enquête, je cherche à confirmer l'identité d'un suspect. Un homme, un quinquagénaire.

Amateur d'opéra. Il est abonné au Met, il a la loge à droite de la scène.

— La loge à droite de la scène... Oui, je vois de qui il s'agit. Il ne manque jamais une première et il est toujours seul.

— C'est bien lui. Tu peux le décrire ?

— Grand, corpulent. Il a davantage l'allure d'un joueur de football américain que d'un amateur d'opéra. Le visage et la tête glabres. Ses smokings sont faits sur mesure. Très élégant. À l'entracte, il reste dans sa loge. Une fois, j'étais avec une de mes clientes qui l'a reconnu.

— Elle l'a reconnu ?

— Oui, elle me l'a montré et elle m'a expliqué que c'était un entrepreneur. Ce qui ne signifie pas grand-chose.

— Elle t'a dit son nom ?

— Sans doute. Attends que je réfléchisse... Roles, c'est ça. Martin K. Roles. J'en suis à peu près sûr.

— Et elle, quel est son nom ?

— Delia... rétorqua-t-il d'un ton peiné. Cette question est très embarrassante pour moi, tu ne l'ignores pas.

— D'accord, j'ai une autre idée. Pourrais-tu la contacter et lui demander mine de rien comment elle connaît cet homme ? Ce serait formidable.

— Compte sur moi. Je suggère de prendre un verre ensemble, et je te donnerai les informations que j'aurai obtenues. J'ai un rendez-vous à 10 heures, ce qui nous laisse du temps. Retrouvons-nous au Palace, au *Royal Bar*, vers 20 heures.

« Le Royal Bar », pensa-t-elle. C'était tellement chic et raffiné, on y servait des olives grosses comme des œufs de pigeon dans de jolies coupelles en argent. Et ce lieu était fréquenté par une foule de célébrités qui venaient là boire une coupe de champagne.

Elle mettrait sa longue robe bleue qui lui moulait les hanches.

— Ce serait avec plaisir, seulement je ne sais pas si j'aurai terminé ma journée de travail.

— Les flics se tuent à la tâche. Tu me manques.

— C'est vrai ? susurra-t-elle. Toi aussi, tu me manques.

— Écoute, voilà ce que je te propose. Je me tiens à ta disposition et, si tu as un moment de libre entre 18 heures et 21 heures, tu me rejoins.

— Génial. Je te rappelle. Merci, Charles.

— De rien. À plus tard, beauté.

Elle coupa la communication, ravie. Charles avait le don de lui regonfler l'ego.

— Il nous fournira peut-être une bonne piste. S'il peut…

— Tu me prends pour qui ? l'interrompit brutalement McNab.

Elle sursauta. Il était rare que McNab parle sur ce ton dur. Elle le dévisagea avec stupéfaction : ses yeux verts étincelaient, pareils à des éclats de verre.

— Pardon ? bredouilla-t-elle.

— Pour qui tu me prends ? cracha-t-il. Tu étais dans mes bras, prête à me laisser te faire l'amour. Et l'instant d'après, tu flirtes avec un prostitué et tu lui donnes rendez-vous…

— Pardon ? répéta-t-elle, ahurie.

Son cerveau ne parvenait pas à enregistrer les mots que McNab lui lançait à la figure. Toutefois le sens général de cette diatribe ne lui échappait pas.

— Je ne flirtais pas, espèce d'imbécile.

« Ou si peu », rectifia-t-elle *in petto*, envahie par une bouffée de culpabilité qu'elle s'empressa d'étouffer.

— Je m'acquittais d'une tâche que m'a confiée mon lieutenant. Et ça ne te regarde pas.

— Ah, oui ?

Il l'agrippa par les épaules, la plaqua de nouveau contre le mur. Mais il ne jouait plus.

— Quelle mouche te pique ? Lâche-moi ou je t'assomme.

Normalement, elle aurait mis sa menace à exécution. Mais là… elle était dépassée par les événements.

— Tu veux savoir quelle mouche me pique ? explosa-t-il. J'en ai assez que tu sortes de mon lit pour courir dans celui de Monroe, ça me flanque la nausée !

— Que… quoi ? bafouilla-t-elle.

— Si tu crois que je vais continuer à jouer les roues de secours, tu te trompes, Peabody.

Elle se sentit rougir, puis pâlir. C'était lui qui se trompait. Sa relation avec Charles était purement platonique. Mais pas question de le dire maintenant, plutôt se laisser hacher menu.

— Je considère ça comme une insulte. Lâche-moi, salaud !

Elle le repoussa, en vain.

— Qu'est-ce que tu éprouverais si une nana m'appelait pendant que je suis en train de te caresser ? Comment tu réagirais ?

Elle n'en savait rien, jamais elle ne s'était posé la question. Par conséquent, elle passa à l'attaque ; c'était, disait-on, la meilleure défense.

— Tu fais ce qui te plaît, McNab, quand ça te chante. Et je te conseille d'arrêter ce cirque. On travaille ensemble, on couche ensemble, mais on n'est pas mariés. Tu n'as aucun droit de m'aboyer dessus parce que je discute avec un informateur. Et si j'ai envie de faire la danse du ventre, nue comme un ver, quand j'ai Charles en ligne, ça ne te concerne pas !

Encore qu'elle n'ait jamais été nue comme un ver devant Charles. Mais le problème n'était pas là.

— C'est ce que tu veux ? rétorqua-t-il d'une voix assourdie.

La douleur s'insinuait à présent en lui. Comme il ne pouvait pas se permettre de trahir sa vulnérabilité, il opina, recula d'un pas.

— Ça me convient parfaitement, dit-il.

— Tant mieux.

— Oui, tant mieux.

Il batailla contre la porte, jura entre ses dents – ah, oui ! il l'avait verrouillée –, réussit enfin à l'ouvrir et la claqua derrière lui.

Peabody reboutonna sa veste d'uniforme, ravala une espèce de gémissement. Oh, non ! Elle n'allait pas fondre en larmes dans ce cagibi. Elle n'allait pas pleurer à cause de ce crétin de McNab !

Eve achevait son rapport, complété par son calcul de probabilités, lorsque Nadine Furst entra dans son bureau.

La première réaction d'Eve fut de maudire le ciel. La deuxième de masquer l'écran de son ordinateur avant que la journaliste n'y jette un coup d'œil.

— Qu'est-ce que vous voulez ? grogna-t-elle.

— Quel plaisir de vous voir ! Vous avez l'air en forme. Merci, je prendrai volontiers un café.

Comme si elle était chez elle, Nadine s'approcha de l'autochef et commanda deux tasses.

Elle était ravissante, avec ses cheveux blond vénitien dont la coupe flattait son visage de renarde. Elle arborait aujourd'hui un tailleur rouge coquelicot qui mettait admirablement en valeur ses formes féminines et ses jambes splendides.

Elle prenait grand soin de son apparence, son métier l'exigeait – elle était l'une des journalistes les plus en vue de la ville. Mais Nadine possédait d'autres atouts : une intelligence aiguë et un flair redoutable qui lui permettait de renifler une bonne histoire même si elle était enfouie sous des tonnes de déchets sans intérêt.

— Je suis un peu débordée, Nadine. On se verra plus tard.

— Oui, vous ne m'étonnez pas.

Nadine, imperturbable, posa une tasse devant Eve et s'installa dans le fauteuil inconfortable réservé aux visiteurs, qui grinça sinistrement sous son poids.

— Dans une heure, le FBI donne une conférence de presse à propos de ce lamentable fiasco.

— Alors pourquoi vous ne vous y précipitez pas ?

— Oh, j'y serai ! répliqua Nadine avec un sourire de chat qui vient de croquer un canari. On m'avait soufflé à l'oreille que vous y scriez aussi. Et puis on m'a dit que vous n'y seriez pas. Que, de plus, la conférence de presse antérieurement prévue avec la police de New York était annulée. Donc... des commentaires, lieutenant Dallas ?

— Aucun.

Eve avait passé vingt minutes avec Whitney pour peaufiner leur stratégie à ce sujet.

— Il s'agissait d'une opération fédérale, nos services n'étaient pas concernés.

— Pourtant vous vous trouviez ensuite sur les lieux. On me l'a également susurré à l'oreille. Vous avez une explication ?

— Je passais dans le quartier.

— Allons, Dallas. Nous sommes en tête à tête, vous et moi. Pas de caméra, pas de micro. Donnez-moi un petit tuyau.

— Vous le dénicherez toute seule, je vous fais confiance. Nadine, franchement je suis débordée.

— Oui, je m'en doute. Deux crimes. Même *modus operandi*, par conséquent un seul assassin. Puisque vous êtes tellement occupée par cette affaire, et je ne parle pas de l'événement mondain auquel vous devrez assister – la vente Magda Lane –, pour quelle raison vous penchez-vous sur une opération fédérale qui a échoué ?

— Je ne me penche pas.

— En effet, je rectifie : vous êtes dedans jusqu'au cou.

Satisfaite de ce trait d'humour, Nadine avala une gorgée de café.

— Quel est le lien entre votre enquête et l'opération du FBI ?

— Pourquoi vous ne posez pas la question aux agents spéciaux Jacoby et Stowe ? rétorqua Eve qui, elle, buvait du petit-lait. Je vous suggère de leur demander pourquoi ils ont réquisitionné tout un bataillon, aux frais du contribuable, pour pénétrer dans un immeuble privé, et cela sans avoir vérifié au préalable que leur cible s'y trouvait ? Vous pourriez aussi leur demander s'ils se sentent à l'aise dans leurs baskets, maintenant que ladite cible a pris le large.

— Bien, bien... Je n'obtiendrai peut-être pas de réponse, mais du moins j'ai des questions pertinentes. Ils vous ont écrasé les orteils ?

— Entre vous et moi, ils ont saboté mon enquête et ils ont tout bousillé.

— Pourtant ils sont encore vivants. Vous me décevez.

— Attendez que la conférence de presse soit terminée, vous oublierez votre déception. Ils pisseront le sang.

— Ah ! je vais vous servir d'instrument ! J'en suis enchantée.

Nadine finit son café, contempla sa tasse.

— Puisque je suis si aimable et coopérative, j'ai droit à une faveur, n'est-ce pas ?

— Je vous ai donné le maximum, n'en espérez pas davantage.

— C'est pour la vente aux enchères. Mon passe de journaliste me permettra d'y assister, mais pas d'y participer. Or je suis fan de Magda Lane, Dallas. Vous pourriez me procurer un ticket d'entrée ?

— Ce n'est que ça ? rétorqua Eve en haussant les épaules. Oui, je devrais arriver à vous en avoir un.

D'un air implorant, Nadine leva deux doigts.

— Vous en voulez deux ?

— Ce serait beaucoup plus amusant si je pouvais venir avec un ami. Soyez sympa.

— Bon… on verra ça.

— Merci.

Nadine se leva, vive et gracieuse.

— Sur ces bonnes paroles, je cours au siège du FBI. Allumez votre télévision, pour les regarder *pisser le sang*.

Nadine sortait quand Peabody franchit le seuil du bureau.

— Salut, Peabody ! lança la journaliste, distraite.

— Je ne pourrai peut-être pas suivre la conférence de presse, déclara Eve à son assistante. N'oubliez pas de l'enregistrer.

— Bien, lieutenant. Alors vous n'êtes pas obligée d'y aller ?

— Non. Les fédéraux se débrouilleront sans moi. Je veux un briefing avec toute l'équipe. À 16 heures, si ça convient à Feeney et McNab. Réservez une salle de réunion.

Peabody pinça les lèvres, hocha la tête.

— Bien, lieutenant. J'ai contacté Charles Monroe.

Malgré ses préoccupations, Eve perçut la tension de son assistante.

— Vous avez un problème ?

— Non, lieutenant. Charles m'a confirmé que Yost était un abonné du Met. Il ne manquait jamais une première. Une cliente de Charles l'a reconnu. Elle lui a dit qu'il s'appelait Martin K. Roles et qu'il était entrepreneur.

— Un nouveau pseudonyme. Parfait. Je vais chercher de ce côté. Quel est le nom de la cliente ?

— Charles a refusé de me donner cette information. Par contre, il a accepté de la contacter pour lui demander comment elle a rencontré ce Roles. Si…

Peabody s'interrompit, toussota ; elle avait la gorge nouée.

— Si le renseignement est incomplet, ou s'il ne nous satisfait pas, j'insisterai.

— D'accord.

Eve, qui dévisageait son assistante, sentit son estomac se crisper. Il y avait des larmes dans les yeux de Peabody.

— Qu'est-ce que vous avez ?

— Rien, lieutenant.

— Vous allez vous mettre à pleurer. Vous savez pourtant que j'ai horreur de ça, surtout pendant les heures de travail.

— Je ne pleure pas, balbutia Peabody, Je... je ne me sens pas très bien, c'est tout. Lieutenant, vous pourriez me dispenser du briefing ?

— Vous mangez trop de frites au soja, décréta Eve, soulagée. Si vous êtes malade, filez à l'infirmerie. Allongez-vous une demi-heure.

Elle consultait sa montre quand elle entendit un petit sanglot étouffé. Elle comprit aussitôt.

— Oh, non... Vous vous êtes disputée avec McNab, n'est-ce pas ?

— Je vous serais reconnaissante de ne pas prononcer son nom en ma présence, rétorqua Peabody, dignement mais d'une voix qui chevrotait.

— Je savais que ça arriverait. Je le savais ! martela Eve.

— Il a dit que j'étais...

— Non ! s'exclama Eve en agitant les bras comme pour détourner un missile. Non, non ! Vous gardez ça pour vous. Je n'écoute pas, je ne veux pas être au courant, je ne veux même pas y penser ! Ici, on est chez les flics. Et vous êtes un flic !

Eve parlait à toute vitesse, dans l'espoir de tarir ces larmes qui débordaient des yeux noirs de Peabody.

— Oui, lieutenant.

— Oh, bon sang...

Eve pressa les mains de chaque côté de son crâne, pour que son cerveau reste en place.

— Résumons-nous. Vous foncez à l'infirmerie, vous ingurgitez une pilule quelconque. Vous vous allongez.

Ensuite vous vous secouez et vous rappliquez dare-dare au briefing. Je l'organiserai et vous y assisterez comme un flic que vous êtes. Vous vous occuperez de vos petites affaires personnelles après le service.

— Oui, lieutenant.

Peabody renifla, tourna les talons.

— Et je ne veux plus vous entendre renifler. Vous tenez à ce qu'il vous voie avec la figure toute bouffie ?

Peabody se raidit, redressa les épaules. Elle s'essuya le nez.

— Non. Ça non, pas question.

La Division de détection électronique se trouvait dans une autre aile du Central. Les sols y étaient d'une propreté immaculée, les couloirs larges et peints en rouge pour stimuler les méninges. Dans les box où s'affairaient des flics élégamment vêtus ou en tenue plus décontractée, on voyait les meilleurs équipements que le budget de la police new-yorkaise permettait d'acquérir.

Le ronflement des machines, ponctué de bips, ne s'interrompait jamais. Sur les écrans muraux défilaient sans trêve images et banques de données.

Il y avait également trois salles holographiques prévues pour des simulations. Certains n'hésitaient pas, cependant, à les utiliser pour assouvir des fantasmes, s'accorder un interlude romantique ou une petite sieste.

Connors examina d'un coup d'œil le matériel, de bonne qualité, mais qui serait démodé dans six mois. Il était bien placé pour le savoir, puisque l'un de ses services de recherche venait de réaliser un nouveau prototype d'ordinateur au laser qui éclipserait tout ce qu'offrait actuellement le marché.

Il prit mentalement note de confier à l'un de ses directeurs de marketing le soin de contacter la police new-yorkaise.

Il s'avança dans le dédale de box à trois parois, et finit par dénicher McNab. Le jeune inspecteur était vautré dans son fauteuil, la mine morose.

— Ian ?

Celui-ci sursauta, se cogna le genou contre le rebord de sa table, marmotta un juron et leva les yeux.

— Ça alors… qu'est-ce que vous faites ici ?

— J'aimerais voir Feeney un instant, si c'est possible.

— Bien sûr, il est dans son bureau. Par là, et ensuite à droite, expliqua McNab en lui montrant la direction du doigt. En général, il laisse sa porte ouverte.

— Parfait. Vous avez un problème ?

McNab haussa ses épaules osseuses.

— Les femmes… grommela-t-il.

— Ah…

— Ouais…

— Des soucis avec Peabody, peut-être ?

— Plus maintenant. Je ressors mes peintures de guerre. Dès ce soir, j'ai rendez-vous avec une rousse qui a des seins magnifiques, tout ce qu'il y a de naturel, et un penchant pour le cuir noir.

— Je vois.

Compatissant, Connors lui tapota amicalement le bras.

— Je suis désolé.

— Il n'y a pas de quoi, rétorqua McNab avec un entrain qui sonnait atrocement faux. Ma rousse a une sœur. À trois, on devrait bien s'amuser.

Le communicateur de McNab l'interrompit.

— Excusez-moi, j'ai du boulot.

— Je vous laisse.

Connors gagna le petit couloir menant au bureau de Feeney. La porte était effectivement ouverte, et le capitaine, tout en fourrageant dans ses cheveux, étudiait les données qui fulguraient comme des éclairs sur trois écrans muraux.

Sentant une présence sur le seuil, il leva une main, commanda :

— Copie, enregistrement et recoupement avec le fichier AB-286.

Puis il tourna les yeux vers Connors.

— Désolé de vous déranger, dit celui-ci.

— Ne vous excusez pas. De toute façon, il faudra un moment avant d'avoir les résultats.

— À cause de vous ou de votre équipement ? demanda Connors avec un sourire.

— Les deux. Je fais une recherche sur les commanditaires potentiels de Yost pour chaque victime.

On trouvera peut-être un début de fil conducteur pour lui remettre la main dessus.

Feeney plongea les doigts dans son sachet d'amandes grillées, soupira.

— À force de fixer ces écrans, j'ai la vue qui baisse.

— Vous avez un bon équipement, commenta Connors.

— Il m'a fallu six semaines pour les convaincre de me débloquer le budget. Je suis le chef de la DDE, et je dois supplier pour avoir du matériel convenable. C'est une honte.

— D'autant que, dans six mois, ce sera complètement dépassé.

Feeney émit un grognement.

— Je connais votre 60 TM et le 75 TMS. Enfin... je les ai seulement vus chez vous.

— Qu'est-ce que vous diriez d'un 100 TM, avec cinq cents fonctions simultanées ?

— Ça n'existe pas. Aucun système n'est assez puissant, aucun laser ne peut atteindre cette vitesse d'exécution.

— Détrompez-vous.

Feeney pâlit, pressa une main sur son cœur.

— Ne me faites pas des blagues pareilles, mon vieux. Je suis trop émotif.

— Ça vous plairait de tester un de ces prototypes pour moi ? De le programmer, de me donner votre opinion ?

— Qu'est-ce que vous voulez au juste ?

— Que vous interveniez, lorsque Connors Industries négociera un contrat avec la police new-yorkaise et, ensuite, les autres polices du pays.

— Si votre machine fait ce que vous dites, je pèserai de tout mon poids dans la négociation. Je la verrai bientôt ?

— Dans la semaine. Je vous avertirai.

Connors pivota.

— Vous êtes venu seulement pour ça ? s'enquit Feeney.

— Oui, et pour embrasser ma femme avant de m'en aller. J'ai des rendez-vous. Bonne chasse, capitaine.

Ce dernier secoua la tête et, revigoré par la perspective de manipuler un 100 TM, se remit au travail.

Ce fut alors qu'il aperçut un disque posé sur sa table, qui n'y était pas avant l'arrivée de Connors.

Il était peut-être fatigué, mais pas à ce point-là.

Avec un petit rire, il glissa le disque dans le lecteur. Il avait hâte de découvrir ce que l'Irlandais avait adroitement refilé à un autre Irlandais qui, lui aussi, ne manquait pas d'adresse.

Dans une ravissante demeure à deux étages, Sylvester Yost écoutait le finale d'*Aïda*, tout en dégustant des pâtes au basilic accompagnées d'un délicieux vin blanc.

Il buvait rarement du vin au déjeuner, par sagesse, mais aujourd'hui il estimait l'avoir bien mérité. Il avait regardé ces empotés du FBI, leur avait souri, à l'abri derrière les vitres teintées d'une longue limousine noire. Quelques minutes avant qu'ils n'investissent l'immeuble.

Il ne recherchait pas les péripéties de ce genre, cependant elles pimentaient la routine.

Pourtant il était mécontent. Et il avait donc débouché cette bouteille de vin pour recouvrer sa sérénité.

Il baissa le volume sonore de la musique, puis appela comme prévu son correspondant. Tous deux eurent soin de bloquer la fonction vidéo de leur communicateur ; leurs voix étaient également déformées.

Ils prenaient toutes ces précautions afin qu'on ne risque pas de les localiser.

— Je suis installé, déclara Yost.

— Parfait. J'espère que vous ne manquez de rien.

— Pour l'instant, ça me convient. Toutefois, cette matinée me coûte très cher. Mes objets d'art valent plusieurs millions de dollars, et je suis obligé de racheter une grande partie de ma garde-robe.

— J'en ai conscience. Je crois que nous pourrons récupérer la majorité de vos possessions, il faut patienter un peu. Si nous n'y parvenions pas, je vous rembourserais la moitié de vos pertes. Pas davantage.

Yost aurait pu discuter, mais il se targuait d'être honnête en affaires. Si on l'avait repéré et s'il avait dû abandonner ses trésors, il en était en partie responsable. Même s'il lui restait à définir où et quand il avait commis des erreurs.

— Vous m'avez averti à temps, ce matin, et votre pied-à-terre n'est pas trop inconfortable, par conséquent j'accepte vos conditions. Je continue comme prévu ?

— Absolument. Dès demain.

— C'est vous qui prenez cette décision. À ce stade, néanmoins, je me sens tenu de vous dire que j'ai l'intention de me débarrasser du lieutenant Dallas à ma manière. Elle est une gêne pour moi et, en outre, elle progresse trop vite dans son enquête.

— Je ne vous paie pas pour Dallas.

— Certes. Ce sera un bonus.

— Je vous ai expliqué dès le départ pourquoi elle ne figurait pas sur notre liste. Éliminez-la, et Connors ne cessera jamais de vous traquer. Faites en sorte de l'occuper ailleurs jusqu'à ce que le travail soit achevé.

— Je vous le répète : Dallas, c'est mon affaire. Je la réglerai à mon heure et à ma façon. Vous ne me rémunérez pas pour ça, donc vous n'êtes pas concerné.

Yost crispa le poing sur la nappe immaculée, se mit à marteler doucement la table, en cadence.

— Réfléchissez : si elle meurt, Connors en sera bouleversé, ce qui vous facilitera énormément la tâche.

— Elle ne fait pas partie de vos cibles !

— Je ne l'ignore pas.

Yost continuait à frapper sur la table, de plus en plus fort. Au bout d'un instant, il se figea, rouvrit la main. Décidément, il n'était pas aussi calme qu'il le croyait, et ça l'ennuyait. Une colère terrible grondait en lui. Il n'avait pas éprouvé une telle émotion depuis si longtemps qu'il en avait oublié le goût amer.

Le goût de la peur.

— La prochaine cible sera liquidée demain. Et quand je me serai débarrassé du lieutenant, n'ayez aucune inquiétude : Connors ne nous retrouvera pas, ni l'un ni l'autre. Je compte le tuer. Mais pour ça, vous paierez.

— Si vous réussissez à l'éliminer en temps voulu, vous aurez votre salaire. Il me semble avoir toujours versé les sommes stipulées dans un contrat.

— Eh bien, si j'étais vous, je prendrais d'ores et déjà les dispositions nécessaires pour transférer les fonds !

Yost coupa brutalement la communication, se leva et se mit à arpenter la pièce. Quand sa rage se fut quelque peu apaisée, il monta à l'étage, dans l'élégant bureau où il avait installé ses ordinateurs portables.

Il s'assit, inspira profondément pour s'éclaircir les idées, et entreprit d'étudier toutes les informations qu'il possédait sur Eve Dallas.

15

Connors rencontra Eve dans un couloir, devant un distributeur. Elle était manifestement en plein conflit avec la machine.

— Je t'ai filé des pièces, espèce de saleté ! pestait-elle en boxant le récalcitrant appareil.

— Tout acte de vandalisme, toute tentative de dégradation du matériel municipal constitue un délit…

Cette voix électronique et chantante allait faire exploser Eve, pensa Connors.

— D'accord. Je ne vais pas tenter de t'abîmer. Je vais le faire !

Elle s'apprêtait à assener au distributeur l'un de ses redoutables coups de pied qui vous expédiaient au tapis en moins d'une seconde, Connors était bien placé pour le savoir. Il s'interposa.

— Laisse-moi faire, lieutenant.

— Surtout ne donne pas de fric à ce salaud de voleur ! rétorqua Eve d'une voix sifflante.

Il inséra tranquillement une pièce dans la fente.

— Tu veux une barre chocolatée, je suppose. Tu as déjeuné ?

— Oui, oui. Tu es conscient que ce bandit va continuer à escroquer tout le monde, si tu l'encourages ?

— Eve chérie, c'est un distributeur. Ce n'est pas une créature pensante.

— Tu n'as jamais entendu parler de l'intelligence artificielle ?

— Une machine qui crache des barres chocolatées n'en est pas pourvue, je t'assure.

Il appuya sur une touche.

— Vous avez sélectionné la barre Royal Dream. Poids : cent grammes. Lipides : trois grammes. Calories : soixante-huit. Ingrédients : soja, édulcorants, arôme chocolaté.

— Un vrai délice, murmura Connors en saisissant la friandise.

— Ce produit n'a aucune valeur nutritionnelle et peut provoquer des accès de nervosité chez certains sujets. Bon appétit !

— Boucle-la, sale voleur ! rouspéta Eve en déchirant le papier. On a encore razzié mon autochef. Il me restait deux barres de vrai chocolat, on me les a piquées. Je finirai bien par attraper les coupables et je leur arracherai la peau. En prenant tout mon temps. Qu'est-ce que tu fabriques ici ?

— Je t'adore. De toute mon âme.

Ce fut plus fort que lui, il lui prit le visage et l'embrassa.

— Mon Dieu, comment ai-je pu vivre sans toi ?

— Arrête, marmonna Eve en scrutant le couloir de crainte qu'on ne les observe – si on les voyait, on se paierait sa tête pendant une semaine. Viens dans mon bureau.

— Avec plaisir.

Il la suivit, ferma la porte et enlaça Eve pour lui donner un long baiser passionné.

— Je suis de service, murmura-t-elle en se laissant aller contre lui.

— Je sais. Juste une minute...

Un jour peut-être il ne s'étonnerait plus de l'aimer si fort, d'avoir tellement besoin d'elle, de la désirer aussi follement. Mais pour l'instant il en était sidéré, ébloui.

Il l'embrassa encore, promena ses mains sur elle.

— Mmm... ça devrait me permettre de tenir quelques heures.

Elle poussa un long soupir tremblant.

— Dis donc... tu me fais plus de bien que du faux chocolat.

— Eve chérie, tu me flattes.

— Bon, fin de la récréation, j'ai une réunion qui m'attend. Pourquoi tu es venu ?

— Pour te payer une friandise infecte. Au fait, tu sais que Peabody et McNab ont eu une querelle d'amoureux ?

— Je déteste cette expression. Il s'est passé quelque chose, comme je l'avais prévu. Et c'est ta faute, parce que tu as conseillé à McNab de se jeter à l'eau et de la mettre dans son lit. J'ai expédié Peabody à l'infirmerie pour qu'on lui donne un calmant.

— Tu as discuté avec elle ?

— Ah, non ! Et je ne veux pas de ses confidences !

— Eve…

Cette note réprobatrice dans la voix de son mari la hérissa.

— Ici, on est à la brigade criminelle. On s'occupe d'homicides, on est chargés de faire respecter la loi, de rétablir l'ordre. Comment je suis censée réagir quand elle se présente devant moi avec des yeux pleins de larmes ?

— Tu l'écoutes, rétorqua-t-il simplement.

— Oh, s'il te plaît !

— Quoi qu'il en soit, poursuivit-il, amusé par son air outré, je suis venu te prévenir que je dîne avec Magda et sa petite cour. Elle voulait que tu sois là, mais je lui ai expliqué que tu étais prise. Je ne rentrerai pas tard.

Elle réprima une grimace de dépit.

— Dis-moi où vous avez rendez-vous et à quelle heure. Si j'arrive à me libérer, je vous rejoindrai.

— Je ne te l'impose pas.

— Oui, c'est justement pour ça que j'essaierai.

— Dernier étage du New York, 20 h 30.

— Si je ne suis pas là à 21 h 15, dînez sans moi.

— D'accord… Y a-t-il des éléments nouveaux que je devrais connaître en tant qu'expert consultant civil ?

— Pas grand-chose, mais tu peux assister au briefing.

— Impossible malheureusement, on m'attend ailleurs. Tu n'auras qu'à me *briefer* ce soir.

Il lui prit la main, lui baisa tendrement les doigts.

— Évite de boxer une autre créature inanimée, tu risques de te briser les os.

— Ha, ha !

Il sortit du bureau et, comme personne ne l'épiait, Eve se campa sur le seuil pour le regarder s'éloigner. Il est magnifique, songea-t-elle en grignotant sa barre chocolatée. Il a des fesses somptueuses.

Sur quoi, elle rassembla les dossiers et les disquettes dont elle avait besoin, puis se dirigea vers la salle de réunion pour préparer le briefing.

Elle avait à peine commencé quand Peabody apparut.

— Laissez, lieutenant, je vais le faire.

Elle avait les yeux secs et se tenait droite comme un piquet.

Soulagée, Eve faillit lui demander si elle se sentait mieux, puis se ravisa : la question était trop dangereuse et risquait de déclencher ces confidences qu'il fallait à tout prix éviter.

Elle garda donc le silence, pendant que Peabody sauvegardait les données sur disque dur.

— J'ai aussi l'enregistrement de la conférence de presse, lieutenant. Vous voulez que je vous le copie ?

— Non, j'emporterai la vidéo chez moi, histoire de m'offrir un petit plaisir. Vous avez suivi la conférence ?

— Oui. Ils ont tourné autour du pot, puis Nadine les a interrogés sur leur intervention. Une question du genre : « Vous avez investi l'immeuble sans avoir vérifié que la cible s'y trouvait ? » Jacoby a tenté de se dérober : « Nous ne pouvons pas entrer dans les détails, bla-bla-bla... » Alors elle les a de nouveau épinglés. « Votre cible, connue pour être un tueur professionnel, se balade à présent dans la nature, malgré une opération complexe et coûteuse élaborée par le FBI. Qu'en pensez-vous, agent spécial Jacoby ? »

— Cette chère Nadine...

— Oui, elle a demandé ça d'un ton très poli, plein de sollicitude. Avant que Jacoby se soit remis du coup, les autres journalistes ont empoigné le marteau piqueur. Résultat, nos brillants collègues n'ont eu qu'une solution : abréger la conférence.

— Un point pour les médias. Zéro pour les fédéraux.

— Ils ne sont même pas à zéro. Mais ce n'est sans doute pas très juste de reprocher à tout le FBI la crétinerie de deux agents.

— Peut-être, n'empêche que ça me réconforte.

À cet instant, la porte s'ouvrit à la volée. Feeney entra, un bizarre sourire aux lèvres. Il brandissait une disquette.

— J'ai des informations, claironna-t-il. De premier ordre. Si les fédéraux essaient de nous écarter encore de l'enquête, on a une arme pour les contrer. L'agent spécial Stowe connaissait personnellement une des victimes.

— Comment ça ?

— Elles étaient à l'université ensemble, dans le même département, elles étaient membres des mêmes clubs. Et elles ont partagé un appartement pendant trois mois, avant le départ de la victime pour l'étranger.

— Elles étaient copines ? Comment ça a pu m'échapper ?

— Parce que Stowe a omis de mentionner ce détail dans son dossier. Elle l'a soigneusement enterré.

Eve, ravie, regarda Feeney insérer le disque dans le lecteur. Brusquement, elle se figea.

— Comment tu as obtenu ces informations ?

Il savait qu'elle poserait cette question. C'était précisément pour cette raison qu'il avait copié les données sur son propre matériel.

— Une source anonyme.

Elle plissa les paupières. Connors !

— Tu t'es subitement déniché un indic capable d'accéder aux fichiers du FBI et aux dossiers personnels de ses agents ?

— J'en ai bien l'impression, répondit-il, jovial. J'avoue que c'est un mystère. Figure-toi que ce disque est arrivé sur mon bureau comme par magie. Rien ne nous interdit d'utiliser des renseignements provenant d'une source anonyme. *A priori*, il y a une taupe au FBI qui nous fait une fleur.

Elle aurait pu insister, le mettre sur le gril. Ce serait inutile, Feeney n'admettrait jamais que cette fleur provenait de Connors.

— Bon, voyons voir ça… marmonna-t-elle.

À ce moment, McNab entra d'un pas traînant dans la salle.

— Vous êtes en retard, McNab.

— Désolé, lieutenant, j'ai été retenu.

Il s'assit, sans adresser un regard à Peabody qui fit de même. Résultat, la température ambiante se refroidit considérablement. Eve et Feeney échangèrent un coup d'œil accablé.

— Nous avons un nouveau pseudonyme pour Yost, commença Eve, désignant le tableau où étaient affichés les divers portraits du tueur, ses noms, et les photos de ses victimes. J'ai fait une petite recherche. Martin K. Roles... Vous noterez qu'il a bien peaufiné ce personnage. Papiers en règle, compte bancaire, résidence... Seulement voilà, l'adresse est fausse. Martin K. Roles paie des impôts, il est affilié à la sécurité sociale et il a un passeport. À mon avis, c'est l'identité qu'il s'est choisie pour sa retraite. Il veille à ce qu'elle soit normale, au-dessus de tout soupçon, pour ne pas risquer d'attirer l'attention de CompuGuard ou de la police.

— S'il est doué en informatique, ce qui semble être le cas, il a certainement trafiqué des données ici et là pour que ça colle, intervint McNab.

— Je suis d'accord. Et il ne se doute pas que nous avons trouvé ça. Par conséquent, nous allons nous concentrer sur ce Martin K. Roles en faisant très attention à ne pas nous trahir. Toutes les recherches sur ce pseudonyme seront effectuées en Code 3. M. Roles possède forcément une résidence. Localisez-la.

— Je me mettrai là-dessus tout de suite après le briefing, dit McNab. De mon côté, j'ai essayé d'établir des liens entre les victimes, pour voir qui pouvait avoir intérêt à les supprimer et engager un tueur à gages. Je n'ai rien de solide pour l'instant.

— Contrairement à nos petits camarades du FBI, nous ne bougerons pas avant d'avoir bien balisé le terrain. Un type aussi expérimenté et efficace que Yost ne laisse rien au hasard. Nous devons éviter à tout prix qu'il abandonne son personnage de Roles pour prendre un autre pseudonyme. Ne l'effarouchons pas. Et maintenant, je cède la parole au capitaine Feeney qui a un cadeau pour nous.

Feeney se leva, se frotta les mains, et commanda à l'ordinateur d'afficher sur l'écran les informations que Connors lui avait transmises en douce.

McNab sauta sur son siège.

— Ça, c'est du croustillant !

Peabody braqua sur lui des yeux pareils à des mitraillettes. Le jeune inspecteur fut si content qu'elle l'ait regardé la première qu'il faillit lui sourire.

— Comment vous avez eu ça ? demanda-t-il à Feeney. Celui-ci baissa le nez.

— Par une source anonyme. Un membre du FBI, je suppose.

— Ben voyons, et le soleil se lève à l'ouest, marmotta Eve entre ses dents. Toujours est-il qu'à présent nous détenons ce renseignement. C'est un outil. Pas une bombe, ajouta-t-elle, scrutant les visages de ses collaborateurs – elle y lut du désappointement. Feeney, j'aimerais avoir un entretien en tête à tête avec Stowe. Elle a des états de service irréprochables. Or si ces informations sont bien la preuve qu'elle a menti et falsifié son dossier, elle écopera d'un blâme. On l'écartera de cette enquête pour la mettre, au moins provisoirement, dans un placard quelconque. Ça, elle ne le veut pas. Elle en a tellement peu envie que, selon moi, elle sera prête à négocier.

— Du moment que tu l'accules contre le mur, je te laisse le plaisir de lui parler. Vous noterez que notre cher ami Jacoby n'a pas spécialement brillé dans ses études. D'après son profil, il a une intelligence moyenne, il est très orgueilleux, ambitieux, et il a du mal à se plier à l'autorité. Additionnez toutes ces caractéristiques, et vous obtenez un individu dangereux. Je demanderais volontiers à Mira ce qu'elle pense de lui.

— Puisque ces éléments viennent de toi, tu n'as qu'à la contacter. Passons au résultat du calcul de probabilités... Nous pouvons considérer, vous le constatez, que le tueur terminera son travail. Quatre-vingt-dix-huit pour cent de chances. Il a une réputation à tenir. Il s'attaquera à sa prochaine cible, et il s'efforcera de le faire dans les délais prévus par son contrat. Je crois qu'il agira d'ici vingt-quatre heures. Il se trouve toujours dans cette ville ou ses environs immédiats. Par conséquent, sa future victime est dans le même périmètre. Malheureusement, nous n'avons aucun moyen de la protéger.

Eve fixa son regard sur l'écran.

— Donc nous n'avons qu'une solution : travailler et attendre. La réunion est terminée. Si nous n'avons rien de nouveau d'ici une heure, rentrez chez vous et reposez-vous.

— Moi, ça m'étonnerait que je me repose beaucoup. J'ai un rendez-vous, déclara McNab.

Il avait rongé son frein pendant toute la discussion, impatient de dégoupiller cette grenade et de la balancer à la figure de Peabody. Il lui fallut fournir un effort considérable pour ne pas se tourner vers elle, pour voir comment elle réagissait.

Mais le tressaillement de Peabody, la lueur de souffrance puis de colère dans ses yeux n'échappèrent pas à Eve.

Flûte.

— Nous en sommes tous ravis pour vous, McNab, dit-elle d'un ton sec. On se retrouve ici demain matin à 8 heures.

McNab se redressa, quelque peu ébranlé, et se dirigea vers la porte. Avec un soupir à fendre l'âme, Feeney lui emboîta le pas, se rapprocha et lui assena une claque, du plat de la main, sur le côté de la tête.

— Aïe… Mais qu'est-ce qui vous prend ?

— Vous le savez très bien.

— C'est d'une injustice ! Elle fait la bamboula avec une espèce de prostitué, personne ne dit rien. Moi, j'ai un simple rendez-vous, et on me flanque un coup de poing, de quoi assommer un bœuf !

Feeney, qui savait reconnaître la souffrance quand il l'avait sous les yeux, enfonça l'index dans la poitrine maigrichonne de McNab.

— Je ne parle pas de ça.

— Moi non plus.

Les épaules voûtées, McNab s'éloigna en jurant comme un charretier.

— Peabody, lança Eve pour couper le sifflet à son assistante, copiez et classez tous les fichiers, et réservez cette salle pour demain.

— Oui, lieutenant.

La jeune femme déglutit péniblement, bruyamment.

— Vérifiez si Monroe a d'autres renseignements sur Roles. Ensuite, restez dans votre box jusqu'à ce que je vous appelle.

— Oui, lieutenant.

Eve attendit que Peabody ait rassemblé ses affaires et quitté la pièce, tel un droïde discipliné.

— C'est infernal, maugréa-t-elle. Et l'autre qui dit : écoute-la. Il est marrant, lui.

S'efforçant de ne plus penser à son assistante, elle s'assit pour contacter Stowe au siège du FBI.

— Il faut que je vous parle, lui déclara-t-elle. Ce soir, en tête à tête.

— Je suis occupée, et je ne vois pas l'intérêt de parler avec vous, ni ce soir ni à un autre moment. Me prendriez-vous pour une idiote ? Vous pensez que je n'ai pas compris qui avait tuyauté cette journaliste ?

— Elle est parfaitement capable de se débrouiller toute seule, figurez-vous.

Eve marqua une pause.

— Winifred C. Cates, dit-elle simplement.

Stowe blêmit.

— Eh bien quoi ? rétorqua-t-elle avec un sang-froid assez admirable. C'est l'une des victimes que l'on attribue à Yost.

— Ce soir, Stowe. Sauf si vous tenez à ce que j'entre dans les détails, au risque que notre conversation soit écoutée.

— Je ne peux pas me libérer avant 19 heures.

— 19 h 30 au *Blue Squirrel*. Je suis sûre qu'un agent fédéral aussi futé que vous trouvera l'adresse sans difficulté.

Stowe se rapprocha de l'écran de son communicateur.

— Vous serez seule ? chuchota-t-elle.

— Oui. Ne me faites pas poireauter.

Eve raccrocha, consulta sa montre, traîna autant qu'elle le put. Puis, comme si elle allait affronter une armée de chirurgiens équipés de bistouris au laser, elle alla récupérer sa veste dans son bureau et se dirigea vers le box de Peabody.

— Vous avez eu Charles ?

— Oui, lieutenant. Sa cliente a rencontré le soi-disant Roles chez Sotheby's, l'hiver dernier, lors d'une vente. Il a enchéri pour un tableau qu'elle convoitait et qu'il a emporté. Un paysage de Masterfield. Il l'aurait payé deux millions quatre cent mille dollars.

— Sotheby's… Ils ferment à 17 heures, on les appellera demain. Bon, venez avec moi. Elle avait autre chose à raconter, cette bonne femme ?

— Charles m'a dit qu'elle lui avait décrit Roles comme un homme extrêmement courtois quoique distant, un grand amateur d'art. Elle a cherché à se faire inviter chez lui, pour revoir le tableau, mais il n'a pas mordu à l'hameçon. Pourtant, d'après Charles, elle est vraiment belle et très riche. La plupart des types auraient sauté sur l'aubaine, alors elle en a conclu qu'il était homo. Elle a quand même essayé de bavarder avec lui, de savoir quel club il fréquentait, quel cercle mondain, et cetera… Il s'est dérobé et il l'a plantée là.

— Si elle est tellement belle, pourquoi a-t-elle besoin des services d'un prostitué ?

— Sans doute parce que Charles est superbe et qu'elle n'a pas envie de s'attacher.

Elles avaient atteint le parking.

— Les femmes fréquentent les compagnons licenciés pour de nombreuses raisons. Pas toujours pour le sexe, ajouta Peabody avec un soupir.

— Ouais… Bon, demain on s'occupera de Sotheby's. Je mettrai aussi Connors sur cette piste, se dit Eve.

— D'accord, lieutenant. Et maintenant, où allons-nous ?

— À vous de décider. Vous avez envie de vous soûler ?

— Pardon ?

— Il n'y a pas très longtemps, je me suis fâchée avec Connors. Je me suis soûlée, ça m'a fait beaucoup de bien.

Des larmes de chagrin et de gratitude brillèrent dans les yeux de Peabody.

— Je préférerais une énorme glace, balbutia-t-elle.

— Excellente idée, je suis partante.

Eve contempla l'énorme pyramide de crème glacée avec un mélange de gourmandise et d'écœurement. Si elle ingurgitait tout ça, elle ne couperait pas à une crise de foie carabinée.

Ce qu'il fallait faire pour une amie…

— OK, crachez ce que vous avez sur le cœur, dit-elle en plongeant sa cuillère dans la coupe.

— Pardon ?

— Racontez-moi ce qui s'est passé.

Peabody la dévisagea d'un air ahuri.

— Vous voulez que je vous raconte ?

— Non, je ne le veux pas. Je vous le demande parce que, paraît-il, l'amitié fonctionne comme ça. Donc je vous écoute.

— C'est vraiment… gentil de votre part, bredouilla Peabody en s'attaquant à son banana split. On était dans un des cagibis où l'on range les produits d'entretien, on s'amusait un peu, et…

Eve leva une main, avala ce qu'elle avait dans la bouche.

— Excusez-moi… Vous vous livriez avec l'inspecteur McNab à des activités… sexuelles pendant les heures de service, et dans les locaux du département ?

Peabody prit la mouche.

— Si vous commencez à me réciter le règlement, je m'arrête. De toute façon, on n'en était pas encore arrivés au stade où… On s'amusait.

— Oh ! alors, c'est tout à fait différent ! Les flics ont effectivement l'habitude de s'amuser dans les cagibis au milieu des produits d'entretien. Enfin quoi, Peabody…

Eve enfourna une autre cuillerée de glace, inspira à fond.

— D'accord, je me tais. Continuez.

— Je ne sais pas ce qu'il y a entre nous. C'est primitif, viscéral.

— De mieux en mieux.

C'était dit d'un ton tellement douloureux que Peabody ne put s'empêcher d'esquisser un pâle sourire.

— La première fois, c'était dans un ascenseur.

— Peabody, je fais des efforts. Vous êtes vraiment obligée de tout me raconter depuis le début, en détail ? Ça me perturbe.

— Et moi donc… Je vous rassure, je ne pense pas continuellement à faire l'amour avec lui, pourtant… on se retrouve face à face et, c'est plus fort que nous, on se jette l'un sur l'autre. Bref, on était en train de…

— Dans le cagibi.

— Oui, et voilà que j'ai un appel de Charles. À propos de l'enquête. Je lui ai parlé un petit moment et, quand j'ai raccroché, McNab est devenu odieux. Il s'est mis à hurler : pour qui tu me prends ? Il a dit des horreurs sur Charles, qui essayait seulement de me rendre service. Là-dessus, il m'a agrippée...

— Il vous a frappée ?

— Oui. Enfin non, pas vraiment. Mais il aurait pu le faire. Vous savez ce qu'il m'a dit ? s'exclama Peabody en agitant furieusement sa cuillère. Vous le savez ?

— Je n'étais pas dans le cagibi, je vous le rappelle.

— Il a dit qu'il en avait marre de passer après un prostitué, de jouer les roues de secours ! Que je courais de son lit à celui de Charles et qu'il en avait ras le bol !

— Je croyais que vous ne couchiez pas avec Charles.

— Effectivement, mais le problème n'est pas là.

Eve n'était pas de cet avis, cependant elle rétorqua :

— McNab est un crétin.

— Absolument !

— Je suppose que vous ne lui avez pas signalé que vous ne couchiez pas avec Charles ?

— Bien sûr que non.

Eve hocha la tête.

— J'aurais agi comme vous, j'aurais été trop humiliée. Qu'est-ce que vous lui avez répondu ?

— Qu'on ne s'était pas juré fidélité, qu'on était libres d'avoir d'autres relations. Et ensuite, ce salaud a filé un rancard à une bimbo !

— Quel porc !

— Je ne lui adresserai plus jamais la parole.

— Vous travaillez ensemble.

— Oui, bon... je ne lui parlerai plus en dehors du bureau. Et j'espère qu'il attrapera une maladie vénérienne.

— Ce serait marrant, marmonna Eve.

Elles se concentrèrent un instant sur leurs glaces qui fondaient à vue d'œil. Eve rassembla son courage : le plus pénible était à venir.

— Vous savez, Peabody, je ne suis pas une spécialiste des histoires sentimentales...

— Comment vous pouvez dire une chose pareille ? Vous et Connors, vous êtes le couple parfait.

— Non, personne n'est parfait. On se donne du mal pour que ça marche. En réalité, il s'en donne plus que moi, mais je commence à m'améliorer. Il est le seul homme avec qui j'ai eu une véritable relation.

Peabody écarquilla les yeux.

— Sans blague ?

« Aïe, je m'aventure sur des sables mouvants », songea Eve.

— Là aussi, je préfère ne pas entrer dans les détails. Tout ça pour vous expliquer que je ne m'y connais pas beaucoup. Mais si je prends du recul pour analyser la situation, il me semble que nous avons trois acteurs en présence. Vous, McNab et Charles.

Avec sa cuillère, elle traça un triangle dans le reste de sa crème glacée.

— Eh bien, j'en conclus que McNab est jaloux !

— Non... ce n'est qu'un salaud.

— Je ne vous contredirai pas. Néanmoins... Peabody, vous sortez avec Charles, n'est-ce pas ?

— En quelque sorte.

— Et vous couchez avec McNab.

— Ça, c'est terminé.

— McNab est persuadé que vous avez aussi des rapports sexuels avec Charles. Non, ne m'interrompez pas. Il se trompe, et il a tort de ne pas vous poser franchement la question. Et même si vous couchiez avec Charles, vous êtes libre, évidemment.

Elle posa sa cuillère sur le sommet du triangle.

— Vous êtes là. Et il y a deux hommes. Vous vous amusez avec celui-ci dans le cagibi, quand l'autre vous appelle.

— Je lui ai répondu en tant que flic.

— Je parierais que votre tenue laissait à désirer, que vous étiez quelque peu débraillée. McNab était surexcité, et tout à coup voilà que vous papotez avec son rival. Connaissant Charles, il ne s'est pas borné à vous communiquer le renseignement que vous lui aviez demandé. Il a flirté. Alors McNab a vu rouge. C'est un crétin, je vous l'accorde. Un porc doublé d'un crétin. Tout le prouve. Néanmoins, même les porcs ont des sentiments.

Peabody en resta bouche bée.

— Vous pensez que c'est ma faute.

— Non, c'est Connors le coupable.

Comme son assistante la dévisageait, déconcertée, Eve enchaîna :

— Peu importe. Écoutez... quand on noue une relation intime avec un collègue, ça crée des problèmes. J'estime qu'il n'a pas le droit de vous dire qui vous pouvez ou non fréquenter. Mais je considère également que vous n'auriez peut-être pas dû lui mettre Charles sous le nez. Il me semble que tous les deux, vous vous êtes pris les pieds dans le tapis.

Peabody réfléchit un instant.

— Lui plus que moi.

— Absolument.

— C'est lui qui a couru se trouver une rousse. S'il espère que je vais piquer une crise, il est encore plus bête qu'il n'en a l'air.

— Vous avez tout compris.

— Merci, Dallas. Je me sens beaucoup mieux.

Eve contempla sa coupe vide, pressa une main sur son estomac.

— J'aimerais bien pouvoir en dire autant...

16

Eve se félicitait d'avoir fixé le rendez-vous au *Blue Squirrel* ; au moins, elle ne serait pas tentée de boire ou de grignoter quoi que ce soit.

Le terme club était bien élogieux pour un établissement dont on pouvait seulement dire que la musique y était assourdissante et que les mets inscrits au menu n'avaient encore tué personne.

On ignorait cependant si certains n'avaient pas atterri à l'hôpital en sortant d'ici.

Pourtant, en ce début de soirée, la salle était déjà bondée de gens qui aimaient vivre dangereusement. Les deux musiciens qui constituaient l'orchestre, en combinaison fluo et auréolés d'une chevelure bleue, braillaient qu'ils avaient besoin d'amour.

Et les clients répondaient par des hurlements non moins sauvages.

C'était justement pour ça que le *Blue Squirrel* plaisait bien à Eve.

Comme elle voulait s'installer dans un coin à peu près tranquille, elle se fraya un chemin dans la foule. La table qu'elle convoitait était occupée par un couple qui s'embrassait férocement. Eve interrompit leurs ébats en leur fourrant sa plaque de police sous le nez. Du pouce, elle leur fit signe de décamper.

Elle remarqua que ses voisins de gauche rempochaient précipitamment leurs sachets de drogue et prenaient un air innocent.

Elle s'assit, balaya la salle des yeux. Lorsqu'elle était célibataire, elle venait de temps à autre ici, le plus souvent pour écouter Mavis. À présent, Dieu merci, son amie se produisait sur des scènes plus prestigieuses. Elle était l'une des chanteuses les plus en vue du moment.

— Hé, ma belle, ça te dirait qu'on fasse connaissance ?

Eve leva les yeux, détailla des pieds à la tête le type dégingandé qui se tenait devant elle et lui souriait de toutes ses dents.

Elle ressortit sa plaque, la posa sur la table.

— Dégage.

Il tourna les talons comme s'il avait le diable aux trousses. Satisfaite, elle poussa un soupir et écouta avec plaisir les vociférations du public.

Elle consultait sa montre lorsque Stowe apparut.

— Vous êtes en retard.

— Je n'ai pas pu me libérer avant. Vous annoncez la couleur ? ajouta Stowe, montrant l'insigne sur la table.

— Ici, ce n'est pas inutile, ça éloigne les enquiquineurs.

Stowe jeta un regard circulaire. Elle avait ôté sa cravate et même déboutonné le col de sa chemise, nota Eve. La tenue décontractée, selon les normes des fédéraux.

— Vous choisissez des lieux surprenants pour vos rendez-vous. On peut boire quelque chose sans prendre trop de risques ?

— L'alcool tue les microbes. Leur Zoner est acceptable.

Stowe en commanda un au robot fixé sur le bord de leur table.

— Comment avez-vous découvert la vérité à propos de Winifred ?

— Je ne suis pas là pour répondre à vos questions, mais pour vous en poser. D'abord, persuadez-moi de ne rien révéler à vos supérieurs, histoire de vous évacuer, Jacoby et vous.

— Pourquoi vous ne l'avez pas déjà fait ?

— Encore une question, vous êtes incorrigible.

Stowe pinça les lèvres, ravalant sans doute une réplique cinglante. Eve admira sa maîtrise de soi.

— J'en conclus que vous avez un marché à proposer.

— Concluez ce que vous voulez. Nous ne passerons pas à la première étape tant que vous ne m'aurez pas convaincue de ne pas avertir Washington et le directeur adjoint du FBI.

Stowe saisit le verre que le robot faisait glisser sur la table, examina d'un œil dubitatif le breuvage bleu pâle.

— J'ai l'esprit de compétition chevillé au corps, déclara-t-elle. Quand je suis entrée à l'université, j'avais un objectif : sortir première de ma promotion. Winifred Cates était le seul obstacle sur ma route. Je l'ai étudiée à fond – je faisais tout à fond –, j'ai cherché à repérer ses défauts, ses points faibles. Elle était jolie, chaleureuse, populaire et très brillante. Je la haïssais.

Elle s'interrompit, but une gorgée de Zoner et manqua s'étrangler.

— Seigneur Dieu ! hoqueta-t-elle. Ce truc est autorisé par la loi ?

— C'est limite.

Prudente, Stowe reposa son verre.

— Elle essayait de m'approcher, amicalement, mais chaque fois je la repoussais. Je n'allais pas fraterniser avec l'ennemi. La première année, nous avons été au coude à coude. J'ai passé l'été à bûcher comme si ma vie en dépendait. Ensuite j'ai appris qu'elle avait passé le sien à se dorer sur la plage et à travailler à mi-temps pour le sénateur de son État, comme interprète. Elle était extraordinairement douée pour les langues. Bien sûr, j'en ai été abominablement vexée. Bref, le début de notre deuxième année s'est déroulé dans la même atmosphère, et puis l'un de nos professeurs nous a mises toutes les deux sur le même projet. Il n'était plus question de rivaliser, je devais travailler avec elle.

Stowe baissa les yeux.

— Je ne sais pas comment expliquer ça. Elle était tout ce que je n'étais pas. Une jeune femme irrésistible. Ouverte, drôle, tendre. Ô mon Dieu…

Le chagrin, violent et intact, submergea Stowe qui se mordit les lèvres. Elle but une autre gorgée d'alcool, ne grimaça même pas.

— Elle m'a transformée. Ça non plus, je ne sais pas comment l'expliquer. Elle m'a appris la simplicité, la légèreté. Je pouvais parler de tout avec elle, ou ne rien dire. Elle a représenté le tournant de mon existence. Elle était ma meilleure amie.

Stowe plongea son regard dans celui d'Eve.

— Ma meilleure amie. Vous comprenez ce que ça signifie ?

— Oui, je comprends.

Stowe poussa un soupir.

— Après le diplôme, elle est partie travailler à Paris. Je lui ai rendu visite plusieurs fois. Elle avait un appartement ravissant, elle connaissait tous les occupants de l'immeuble. Elle avait un chien avec des poils partout qu'elle avait baptisé Jacques, et une bonne dizaine de soupirants qui lui faisaient la cour. Elle menait la grande vie, elle adorait son travail. La politique la passionnait. Chaque fois que ses activités professionnelles la conduisaient à Washington, on ne se quittait plus. On passait souvent des mois sans se voir mais, dès qu'on se retrouvait, c'était comme si on s'était séparées la veille. Toutes les deux, on se consacrait à la carrière qu'on avait choisie, on allait de l'avant. Tout était parfait. Environ une semaine avant... avant la fin, elle m'a appelée. J'étais en mission, je n'ai eu son message que quelques jours après. Elle disait seulement qu'il y avait quelque chose de bizarre dont elle voulait discuter avec moi. Elle semblait en colère, préoccupée. Elle me demandait de ne pas la contacter à son travail, ni sur le communicateur de son domicile. Elle me donnait un numéro de portable, que je ne connaissais pas. Ça m'a étonnée mais pas vraiment inquiétée. Comme il était très tard, j'ai décidé de la rappeler le lendemain, et je me suis couchée. Seigneur... je me suis couchée et j'ai dormi comme une bûche.

Stowe reprit son verre, avala une grande lampée de Zoner.

— Le lendemain matin, il y a eu un pépin avec l'enquête sur laquelle je travaillais. J'ai dû repartir, et je n'ai pas pris le temps de joindre Winnie. Pendant vingt-quatre heures, j'ai même complètement oublié son message. Quand j'ai composé le numéro qu'elle m'avait donné, je n'ai pas eu de réponse. Et je n'ai pas insisté. J'étais débordée, je me suis dit que je la contacterai plus tard. Malheureusement, je n'en ai jamais eu la possibilité.

— Elle était déjà morte.

567

— Oui. On l'a retrouvée violée et assassinée au bord d'une route. Elle était morte deux jours après que j'avais eu son message. Pendant ces deux jours, j'aurais peut-être pu l'aider. Mais je ne l'ai pas rappelée. Winnie, elle, m'aurait rappelée. Pour elle, je serais passée avant son boulot.

— Donc vous avez demandé qu'on vous transmette le dossier, en dissimulant que vous la connaissiez.

— C'est le genre de chose que le FBI ne tolère pas. Ils ne m'auraient jamais mise sur l'affaire Yost s'ils avaient su pourquoi je voulais l'épingler.

— Votre équipier est au courant ?

— Jacoby est la dernière personne à qui je me confierais. Qu'est-ce que vous comptez faire ?

Eve la dévisagea.

— Moi aussi, j'ai une amie. Avant elle, j'ignorais ce que c'était, avoir une amie. Si quelqu'un lui faisait du mal, je le traquerais sans relâche, par tous les moyens.

— Oui… balbutia Stowe qui se hâta de détourner les yeux. Oui…

— Je comprends ce que vous ressentez, poursuivit Eve, mais je ne vous donne pas l'absolution pour autant. Votre équipier est un abruti, une vraie calamité. Il me semble que ce n'est pas votre cas. Je crois que vous êtes assez intelligente pour admettre que, si vous n'aviez pas mis vos grands pieds dans le plat, ce salaud de Yost serait à présent derrière les barreaux.

Stowe, avec une souffrance visible, s'obligea à affronter de nouveau le regard d'Eve.

— Je le sais. Et je suis aussi fautive que Jacoby. Je voulais tellement être la première à l'arrêter que j'ai pris le risque de le laisser filer. Je ne commettrai pas deux fois la même erreur.

— Alors montrez-moi vos cartes. Votre amie travaillait à l'ambassade. Qu'avez-vous découvert là-bas ?

— Rien ou à peu près. Ici, ce n'est pas facile de creuser des tunnels sous les remparts de la politique, du protocole. Mais dans un pays étranger, c'est encore plus compliqué… Au départ, les autorités françaises ont considéré qu'il s'agissait d'un crime passionnel. Je vous l'ai dit, beaucoup d'hommes gravitaient autour d'elle. Moi aussi, j'ai suivi cette piste, en vain. Quand les Français ont étudié de plus près les meurtres similaires, ils sont tombés sur Yost. Seulement voilà, ils ont conclu qu'on avait affaire à un imitateur.

— Pour quelle raison ?

— Primo, il n'y avait pas la moindre zone d'ombre dans la vie de Winnie. Rien qui puisse justifier qu'on paie un tueur à gages pour l'éliminer. De plus, aucun des hommes qu'elle fréquentait n'avait les moyens de s'offrir les services de Yost, et même s'ils avaient réussi à se procurer cet argent, ce n'était pas leur style. Et Winnie n'était pas du genre à faire souffrir ses amants au point qu'ils veuillent se venger, la tuer. Quand elle m'a appelée, elle était troublée, elle ne voulait pas que je la contacte à son bureau. Par conséquent, j'ai essayé de fureter de ce côté.

— Résultat ?

— J'ai trouvé une piste relativement intéressante : elle avait été affectée comme interprète auprès du fils de l'ambassadeur, dans des négociations diplomatiques avec les Allemands et les Américains concernant un projet interplanétaire. Un nouveau réseau de communication. Ça impliquait beaucoup de réunions, de déplacements. Pendant les trois semaines qui ont précédé sa mort, elle s'est presque exclusivement consacrée à ce travail. J'ai réussi à obtenir les noms des principaux acteurs, mais quand j'ai tenté d'approfondir mes recherches, je me suis heurtée à des murs infranchissables. Ce sont des personnalités influentes, riches et très protégées. J'ai été forcée de reculer. Si j'avais poussé le bouchon plus loin, je n'aurais eu aucune chance de participer à l'enquête sur Yost.

— Donnez-moi ces noms.

— Je vous le répète, les barrières sont infranchissables.

— Contentez-vous de me donner ces informations, je m'occupe des barrières.

Haussant les épaules, Stowe sortit un mémo électronique de son sac et y inscrivit les noms.

— Jacoby fait une fixette sur vous, déclara-t-elle. Vous étiez déjà son obsession favorite avant même le début de cette histoire. S'il peut avoir Yost et, au passage, vous démolir professionnellement, il sera aux anges.

— Je tremble de peur, rétorqua Eve avec un sourire féroce.

— Il a des relations, des informateurs haut placés. Vous ne devriez pas le prendre à la légère.

— Je ne prends jamais les parasites à la légère. Maintenant, voilà ce que nous allons faire. Vous me transmettrez les données que vous avez sur mon ordinateur personnel, chez moi. Dès ce soir.

— Non, mais vous…

— Absolument toutes vos données, coupa Eve. Sinon, je vous écrabouille. Vous me tiendrez au courant de tous vos mouvements, des moindres progrès de vos investigations.

— Et moi qui commençais à croire que vous vouliez uniquement arrêter Yost, riposta Stowe, ulcérée. Au bout du compte, c'est la soif de gloire qui vous anime.

— Laissez-moi terminer, dit Eve d'un ton plus doux. Soyez honnête avec moi et, si je le retrouve la première, je vous préviendrai. Je ferai en sorte que vous soyez là pour lui passer les menottes.

Les lèvres de Stowe frémirent, ses yeux se voilèrent.

— Winnie vous aurait beaucoup appréciée, murmura-t-elle.

Elle tendit la main à Eve.

— Marché conclu.

Eve s'engouffra dans sa voiture, consulta sa montre. Il était presque 21 heures, elle n'avait plus le temps de foncer à la maison pour enfiler des vêtements appropriés à un dîner mondain.

Elle avait donc deux solutions. Rentrer directement, prendre une douche brûlante et attendre les renseignements de Stowe – ça, ce serait vraiment chouette…

Ou bien aller en tenue de travail au New York, avec ses tables argentées et son extraordinaire vue panoramique sur la ville, papoter avec une bande de gens à qui elle n'avait rien à dire, et compter les minutes.

Elle hésita longuement. Puis, avec un soupir à fendre l'âme, elle se sacrifia.

Pour se remonter le moral, elle appela Mavis.

Elle entendit d'abord une vraie cacophonie avant que le visage de son amie n'apparaisse sur l'écran. Un nouveau tatouage ornait la tempe gauche de Mavis. Ça ressemblait vaguement à un cancrelat.

— Salut, Dallas ! Tu es dans ta voiture ? Reste en ligne, tu vas être épatée !

— Mavis...

L'écran s'obscurcit. Quelques secondes après, son amie réapparut, du moins partiellement, sur le siège à côté d'Eve.

— Bonté divine !

— C'est dingue, non ? Je suis dans la salle holographique au studio d'enregistrement. On bricole des effets spéciaux.

Mavis se regarda, s'aperçut que son postérieur était dans le siège et non dessus. Elle éclata de rire.

— Dis donc, j'ai perdu mon derrière !

— Et la plupart de tes vêtements, me semble-t-il.

Mavis Freestone était toute menue, et son designer – qui était aussi son amant – avait manifestement économisé le tissu en lui concevant cette toilette qui se composait de trois étoiles d'un rose ardent. Elles étaient placées aux endroits stratégiques et reliées par de fines chaînettes d'argent.

— Ça en jette, non ? J'ai une autre étoile sur les fesses, mais évidemment tu ne peux pas la voir, je suis assise dessus. Tu m'as appelée pile au bon moment, on faisait une pause. Alors, quoi de neuf ? Tu vas où comme ça ?

— À un dîner organisé par Connors. J'ai un service à te demander.

— Je t'écoute.

— J'ai filmé un tas de trucs à se tartiner sur la peau, d'ornements pour le corps, tout ça... De première qualité. Tu pourrais visionner la vidéo et me dire d'où ça provient ? Parce que leur propriétaire va être obligé de les remplacer.

— C'est pour une enquête ? J'adore jouer les détectives.

— J'ai seulement besoin de savoir où ça s'achète.

— D'accord, mais tu aurais dû demander à Trina. Elle sait tout sur les produits de beauté. Et comme elle en vend, elle connaît tous les grossistes et les détaillants.

Eve grimaça. Elle avait effectivement pensé à Trina, cependant...

— Mavis, cet aveu me coûte et si jamais tu répètes ça à quelqu'un, je t'étrangle, mais… Trina me fait peur.

— Alors là, tu me sidères.

— Si je la contacte, elle me détaillera de la tête aux pieds, elle me dira que je suis mal coiffée, elle me flanquera des mixtures dégoûtantes sur la figure… et même sur les seins !

— Elle a une nouvelle crème au kiwi qui est délicieuse.

— Super.

— En plus, je suis d'accord avec elle : il faut te couper les cheveux. Tu recommences à te négliger. Je parie que tu ne t'es pas fait manucurer depuis la dernière fois qu'on s'est vues.

— Lâche-moi les baskets. Sois sympa.

— Bon, je n'insiste pas, soupira Mavis. Envoie-moi ta vidéo. Et j'inviterai Trina chez moi pour avoir son avis. Ou pour confirmer le mien.

— Merci. Tu auras le film ce soir. C'est urgent.

— Je te rappelle demain. Une amie, ça passe avant tout.

Eve songea à Stowe et Winnie ; elle regretta de ne pas pouvoir toucher Mavis, sentir sa chaleur.

— Mavis…

— Oui ?

— Je t'adore.

Les yeux de Mavis pétillèrent, un sourire illumina son visage.

— Moi aussi. Bye !

Et, en un éclair, Mavis disparut.

Connors avait préféré à la salle à manger privée du New York l'atmosphère moins guindée du restaurant panoramique. Leur table était tout près du mur de verre circulaire, le toit avait été ouvert pour que les dîneurs profitent de l'air printanier.

De temps à autre, des trams qui transportaient des touristes s'approchaient, plus près que ne l'autorisaient les règlements municipaux. On distinguait alors les caméras des passagers qui filmaient les privilégiés attablés dans le restaurant. S'ils s'attardaient, un hélicoptère de la sécurité aérienne se chargeait de les chasser.

La salle, au soixante-dixième étage du building, tournait lentement sur elle-même. Deux musiciens jouaient en sourdine.

Connors avait choisi ce lieu car il ne s'attendait pas à ce qu'Eve les rejoigne.

Elle était sujette au vertige.

Il avait de nouveau réuni les invités qui avaient dîné chez lui quelques jours auparavant, y compris Mick. Son vieux copain était enchanté et distrayait les convives en racontant mille anecdotes et tout autant de mensonges. Il avait bu beaucoup de vin, mais Michael Connelly, en Irlandais qui se respectait, tenait bien l'alcool.

— Jamais vous ne me ferez croire que vous avez sauté par-dessus bord et traversé la Manche à la nage ! s'exclama Magda en riant. C'était en février, vous l'avez dit. Vous auriez été transformé en glaçon.

— C'est pourtant la vérité, ma chère. Je redoutais tellement que mes associés ne s'aperçoivent que je leur avais faussé compagnie, et qu'ils ne me plantent un harpon dans le derrière… ça m'a réchauffé le sang jusqu'à ce que j'atteigne le rivage, sain et sauf quoique passablement trempé. Connors, tu te souviens du jour – on n'avait pas encore l'âge de se raser – où l'on a délesté un bateau en route pour Dublin de sa cargaison de whisky prohibé ?

— Ta mémoire est bien meilleure que la mienne, répondit Connors – qui se rappelait néanmoins parfaitement cet épisode.

— Ah ! j'oublie sans arrêt qu'il est devenu un bon citoyen ! dit Mick en adressant un clin d'œil à Magda. Et regardez par là-bas… voilà la responsable de sa métamorphose qui arrive.

Eve traversait la salle – en bottes, veste de cuir, son insigne à la main – escortée par le maître d'hôtel affolé.

— Madame, gémissait-il, je vous en prie…

— Lieutenant, rectifia-t-elle d'un ton sec, déployant des efforts considérables pour ne pas penser qu'elle était tout en haut d'une tour, dans le vide. Écartez-vous de mon chemin avant que je vous arrête.

— Mon Dieu, Connors… soupira Magda qui contemplait Eve. Elle est magnifique.

— Oui, n'est-ce pas ?

Il se leva.

— Anton, déclara-t-il d'un ton suave pour attirer l'attention du maître d'hôtel. Veuillez apporter une chaise supplémentaire pour mon épouse.

— Vo... votre épouse ? bafouilla le dénommé Anton qui, malgré son teint olivâtre, devint pâle comme un linge. Oui, monsieur. Tout de suite.

Eve s'avança vers la table, se focalisa sur les visages des invités pour ne pas voir le ciel, la ville en contre-bas.

— Je suis en retard, excusez-moi.

Après avoir salué les convives et chassé le serveur en disant qu'elle piocherait dans l'assiette de Connors, elle réussit à s'installer aussi loin que possible du mur vitré. Elle se retrouva donc entre le fils de Magda, Vince, et Carlton Mince. Elle allait s'ennuyer à mourir pendant toute la soirée.

— Je suppose que vous étiez en train de travailler, déclara Vince. Personnellement, la psychologie des criminels m'a toujours fasciné. Vous pouvez nous parler de celui sur lequel vous enquêtez actuellement ?

— Il fait très bien son boulot.

— Vous aussi, sinon vous ne seriez pas où vous êtes. Vous avez des... pistes ?

— Vince, intervint Magda en souriant. Je doute qu'Eve ait envie de parler de son travail en dînant.

— Pardon. Je le répète, le crime m'a toujours intéressé. De loin, bien sûr. Et comme, à présent, je suis impliqué dans le dispositif de sécurité pour l'exposition et la vente, ça redouble ma curiosité.

Eve prit le verre de vin qu'un serveur avait cérémonieusement déposé devant elle.

— Vous savez, c'est simple. On traque le suspect jusqu'à ce qu'on l'attrape, ensuite on le met dans une cellule et on espère que les juges ne l'en feront pas sortir.

— Ça, ce doit être frustrant, commenta Carlton en piquant avec sa fourchette un coquillage à la chair laiteuse. Moi, je le ressentirais comme un échec. Ça se produit souvent ?

— Ça arrive.

On apporta à Eve une assiette de crevettes roses grillées. Son péché mignon. Elle regarda Connors qui esquissa un sourire.

Il avait le don d'accomplir ainsi des petits miracles qui vous réconciliaient avec la vie.

— Vous avez un excellent système de sécurité, compte tenu des circonstances, déclara-t-elle. Mais j'aurais préféré que vous optiez pour un événement moins spectaculaire.

Carlton opina vigoureusement.

— J'ai essayé de les convaincre, lieutenant. Mes arguments n'ont pas été entendus. Quand je pense à ce que coûtent la sécurité et les assurances, ça me coupe l'appétit.

— Vieil avare, rétorqua affectueusement Magda. Je voulais du spectaculaire. Le décor somptueux du Palace, l'exposition ouverte au public… Sinon, nous n'aurions pas eu le soutien des médias, pour la vente et surtout pour la Fondation.

— Et c'est une sacrée exposition, dit Mick. Je suis allé y faire un tour aujourd'hui.

— Oh ! vous auriez dû me prévenir ! Je vous aurais servi de guide.

— Je ne voulais pas vous déranger.

— Eh bien, vous avez eu tort ! J'espère que vous avez prévu de rester pour la vente ?

— Pour vous dire la vérité, je devais partir, mais après vous avoir rencontrée et admiré vos trésors, je me suis résolu à rester… et à enchérir.

Tout en écoutant ses invités bavarder, Connors fit signe au sommelier d'apporter une autre bouteille de vin. À cet instant, il sentit un pied menu frôler sa cheville de façon suggestive. Il ne broncha pas.

Ce n'était pas Eve, il connaissait trop son corps. D'ailleurs, même si elle l'avait voulu – or ce n'était pas son genre –, elle n'aurait pas pu lui faire du pied sous la table. D'un coup d'œil discret, il capta le petit sourire gourmand de Liza Trent.

Mais l'éclat qui brillait dans ses yeux ne lui était pas destiné. Elle en avait après Mick, simplement elle s'était trompée de cheville.

Intéressant, songea-t-il, amusé. Mais voilà qu'elle insistait, ses orteils nus s'insinuaient adroitement sous le revers de son pantalon…

— Liza, dit-il.

Il eut la satisfaction un brin perverse de la voir sursauter. Il la dévisagea tranquillement. Dissimulant sa gêne, elle retira prestement son pied.

— Tout va bien ? s'enquit-il aimablement.

— À merveille, merci.

Connors attendit d'être dans la limousine avec Mick, en route pour la maison. Il prit une cigarette, en offrit une à son ami. Ils fumèrent un moment en silence.

— Tu te rappelles la fois où l'on a récupéré ce chargement de cigarettes pour le revendre dans les rues ? On avait quoi... dix ans ?

Avec un petit rire, Mick étendit les jambes.

— Ce jour-là, on en a fumé à nous tous presque un carton entier – toi, moi, Brian Kelly et Jack Bodine. Ce pauvre Jack, Dieu ait son âme, en a été malade comme un chien. Le reste, on l'avait fourgué à Six-Doigts Logan pour un bon prix.

— Je m'en souviens. Et quelques années après on a retrouvé Logan noyé. On lui avait coupé tous ses doigts, y compris celui qu'il avait en supplément.

— Ouais, c'est vrai...

— Mick, tu espères coucher avec la compagne de Vince Lane ?

— Qu'est-ce que tu racontes ? rétorqua Mick d'un air choqué. Enfin quoi, je la connais à peine et...

Il s'interrompit, secoua la tête en riant.

— Avec toi, essayer de mentir, c'est gaspiller sa salive. Comment tu as deviné ?

— Elle m'a gratifié d'un charmant petit massage, en croyant qu'il s'agissait de ta cheville. Elle a le pied agile, mais elle vise mal.

— Les femmes sont incapables de discrétion. Pour ne rien te cacher, je l'ai croisée aujourd'hui dans ton hôtel en allant voir l'exposition. De fil en aiguille, on s'est retrouvés dans sa suite.

— Tu chasses sur des terres qui ne t'appartiennent pas. Et tu serais aimable de refréner tes ardeurs jusqu'à ce que la vente soit terminée.

— C'est bien la première fois que tu joues les pères la pudeur. Mais bref... je me tiendrai tranquille, en souvenir du bon vieux temps.

— Merci.

— Oh, de rien ! Une femme n'est qu'une femme, après tout. Je m'étonne que tu ne te sois pas intéressé d'un peu plus près à Liza Trent. C'est une bonne affaire.

— Je suis marié.

Mick s'esclaffa.

— Et alors, depuis quand ça empêche un homme de papillonner à droite et à gauche ? Ça ne fait de mal à personne.

Connors regarda les grilles de sa résidence s'ouvrir sans bruit.

— Je me rappelle une discussion que nous avons eue un soir tous ensemble. Nous nous demandions ce que nous voulions le plus au monde, ce dont nous avions le plus besoin. Tu t'en souviens, Mick ?

— Oui, le tord-boyaux nous rendait philosophes. Moi, j'ai dit qu'il me faudrait un tas de fric, parce que ça me permettrait d'acheter tout le reste. Shawn, si ma mémoire ne me trompe pas, rêvait d'avoir un pénis aussi gros que celui d'un éléphant...

Mick tourna la tête pour scruter son ami.

— Maintenant que j'y réfléchis, il me semble que tu n'avais pas répondu à la question.

— Effectivement. Je n'arrivais pas à me décider entre la liberté, la fortune, le pouvoir... et passer une semaine sans subir les coups de mon père. Mais à présent, je sais ce qui m'est indispensable. Eve. Elle est ma femme, et elle est tout pour moi.

17

Eve, qui était arrivée à la maison la première, essaya de rattraper le temps perdu en se précipitant dans son bureau. Elle transmit d'abord la vidéo à Mavis.

Puis elle parcourut les dossiers qui lui étaient parvenus pendant son absence.

Le profil psychologique de Stowe était exact, songea-t-elle. La jeune femme était efficace et consciencieuse. Si les données officielles n'avaient rien de fracassant, les notes personnelles de Stowe étaient en revanche d'un grand intérêt.

Elle avait manifestement adopté la tactique de Feeney et établi des recoupements entre les amis, les familles et les relations professionnelles des victimes. Tous ces individus avaient été interrogés, certains d'entre eux avaient même subi un interrogatoire approfondi dans les locaux du FBI.

En vain.

Un petit sourire mauvais étira les lèvres d'Eve. Apparemment, Interpol avait mis des bâtons dans les roues du FBI qui, à son tour, glissait des peaux de banane sous les pieds d'Eve. L'éternelle guerre des polices...

— Et Yost en profite pour passer entre les mailles du filet...

Elle se carra dans son fauteuil, pensive. Il sait comment le système fonctionne. Il connaît tous les rouages, les chasses gardées, la politique.

Il tablait là-dessus.

Il accomplissait son travail ici, filait ailleurs pour exécuter un autre contrat ou s'octroyer d'agréables vacances en attendant que les choses se calment. Il partait à Paris, revenait à New York, allait à l'Opéra, faisait du shopping, admirait le panorama depuis la terrasse de son penthouse pendant que les flics français tournaient en rond.

Elle leva les yeux en entendant Connors entrer.

— C'est peut-être un pilote.

— Mmm ?

— Dépendre en permanence des transports publics, même de première classe, ce n'est pas prudent. Il y a des retards, des problèmes techniques, des annulations… Pourquoi prendre ce risque ? Un avion ou une navette privés. Les deux, éventuellement. Oui, je vais mettre McNab sur cette piste. Avec un peu de chance… Où est le chat ?

— Il m'a quitté pour Mick. Ils sont copains comme cochons.

Il s'approcha d'elle par-derrière, l'enlaça et lui mordilla la nuque.

— Veux-tu que je te dise de quoi tu avais l'air dans ce restaurant ?

— D'un flic. Excuse-moi, je n'ai pas eu le temps de me changer.

— Tu avais l'air d'un flic très sexy. Merci d'être venue.

— Tu as une dette envers moi.

— Absolument.

— J'ai peut-être une idée à te suggérer pour t'en acquitter.

— Ma chérie, ce sera un plaisir pour moi, dit-il en l'étreignant.

— Non, pas de cette manière. Quoique tu sois très doué dans ce domaine.

— Oh… merci.

Elle le repoussa doucement, avant qu'il ne lui mette la tête à l'envers, et se percha sur le bureau.

— Après le briefing, j'ai eu deux entretiens. Le premier avec Peabody.

— C'est gentil de ta part.

— Non, ce n'était pas de la gentillesse. Quand elle pleure comme une fontaine, je ne peux pas compter sur elle. Ne prends pas ce sourire idiot, s'il te plaît. Ça m'énerve. McNab lui a fichu un coup en annonçant qu'il avait un rendez-vous galant ce soir.

— Une ruse qui manque cruellement d'originalité.

— N'empêche qu'elle a atteint son but. Peabody était dans tous ses états. Alors je l'ai gavée de crème glacée et je l'ai laissée vider son sac. Il faut que je te raconte ça…

— J'aurai droit à une glace ?

— Si je vois quoi que ce soit qui ressemble à une glace, je vomis.

Sur quoi, elle lui relata par le menu sa conversation avec Peabody, pour être sûre de ne pas avoir commis d'impair. Il avait beaucoup plus de talent qu'elle pour offrir aux âmes éplorées une épaule secourable.

— McNab est jaloux de Monroe, décréta-t-il. Ça se comprend.

— La jalousie, c'est vraiment mesquin.

— Et très humain. À ce stade, je dirais que ses sentiments pour elle sont plus forts que ceux de Peabody pour lui. Donc, il est frustré, ajouta Connors en effleurant la joue d'Eve. Je suis passé par là.

— Tu as obtenu ce que tu voulais, non ? Enfin bref, j'espère que cette histoire n'ira pas plus loin et qu'ils recommenceront à être comme chien et chat, au lieu de folâtrer dans les cagibis.

— Ton romantisme te perdra, ma chérie.

— Je préfère ne pas dire que… que je te l'avais bien dit.

Il éclata de rire.

— Tu trouves ça drôle ? rouspéta-t-elle. On mène une enquête difficile, et ces deux crétins boudent et en oublient leur boulot. Ce sont des flics, nom d'une pipe !

— Des flics, en effet, pas des droïdes.

— D'accord… grogna-t-elle en agitant les mains. N'empêche qu'ils ont intérêt à se tenir à carreau. Mais passons. Whitney m'a obtenu quelques informations supplémentaires sur Mollie Newman.

— La jeune fille mineure avec qui le juge s'amusait…

— C'était sa nièce par alliance. Une gamine gentille et influençable qui avait de bonnes notes au lycée et voulait devenir avocate. Le juge avait promis de la pistonner.

— Tu comptes lui parler ?

— Ça n'en vaut pas la peine. Yost est l'as du déguisement, donc même si elle l'a vu, ça ne nous avancera pas beaucoup. Je serais surprise qu'il l'ait touchée, ce n'est pas son style.

— Il n'était pas payé pour ça.

— Exactement. Le rapport médical la concernant indique qu'elle a subi des violences sexuelles et absorbé des substances illégales. À mon avis, c'est le juge qui lui a fait prendre de l'Exotica et qui a abusé d'elle, Yost l'a assommée avec un sédatif pour qu'elle ne le dérange pas pendant qu'il travaillait. Donc, à moins de repérer un lien entre sa mère et Yost, je n'embêterai pas cette gamine. Elle en a assez supporté.

Et personne ne le comprend mieux que toi, songea Connors.

— Tu as raison.

— Là-dessus, figure-toi que Feeney a débarqué au briefing avec en poche des tuyaux de premier ordre, piqués dans les dossiers personnels, top secret, de Jacoby et Stowe.

S'ils avaient joué au poker, Eve en aurait été pour ses frais : l'expression de Connors ne reflétait qu'un intérêt poli.

— Ah, oui ?

— Arrête de me prendre pour une idiote, s'il te plaît. C'est toi qui as fait le coup, tu as laissé tes empreintes partout.

— Mon cher lieutenant, je te l'ai déjà dit : je ne laisse jamais d'empreintes.

— Et moi, je t'ai dit que je t'interdisais d'enfreindre le règlement pour m'obtenir des informations.

— J'ai suivi tes directives.

— Non, tu as utilisé Feeney.

— Il s'en est plaint ?

Comme elle grinçait des dents, il esquissa un sourire.

— Apparemment pas. J'en déduis que ces renseignements, émanant d'une source anonyme, se sont avérés utiles.

Elle lui tira la langue, bondit sur ses pieds et se mit à arpenter la pièce. Puis elle capitula et lui raconta son entretien avec Karen Stowe.

— Perdre une amie est toujours terrible, murmura-t-il. Surtout quand on a le sentiment qu'on aurait pu intervenir pour éviter ça.

Il avait traversé cette épreuve, elle le savait, et lui étreignit l'épaule.

— Ruminer ses remords ne sert à rien...

— Pourtant tu l'aides à tourner la page, comme tu m'as aidé. Que veux-tu que je fasse ?

— Elle m'a donné les noms de trois individus. Il faut que j'en sache plus sur eux, sans remuer la vase. Il s'agit de ne pas alerter leur garde rapprochée, ce qui sera sans doute une tâche délicate. Ce n'est pas illégal, à condition de ne pas fouiner dans des dossiers classifiés. Ça, je refuse. Une recherche discrète, voilà ce que je souhaite. Pour que les fédéraux ne s'en mêlent pas.

— Si tu te penches un peu trop, officiellement, sur l'affaire Winifred, Jacoby risque de se lancer aussi sur cette piste. Ce qui mettrait Stowe en danger.

— Exactement. Tu arriveras à te débrouiller sans enfreindre la loi ?

— Oui, mais je devrai peut-être la contourner un peu. Rien de grave, je te rassure. Si je me faisais prendre la main dans le sac, on me donnerait une tape sur les doigts et je passerais pour un maladroit.

— Il n'est pas question de réclamer un nouveau mandat. Nous n'avons pas encore identifié la taupe.

— Donne-moi ces trois noms.

Elle lui tendit son mémo.

— Tiens donc... Il se trouve que je connais ces messieurs, donc nous n'aurons sans doute pas à creuser trop profondément.

— Tu les connais ?

— Hinrick, l'Allemand, oui... Il me semble que Naples, l'Américain, réside à Londres, du moins la majeure partie de l'année. Je connais aussi de réputation le fils de l'ambassadeur, Gerade. Diplomate, un mari et un père dévoué à sa famille, doublé d'un haut fonctionnaire irréprochable. Son père a déboursé énormément d'argent pour que cette façade ne présente aucune lézarde.

— Et qu'y a-t-il sous cette façade ?

— D'après ce que j'ai entendu dire, un jeune homme trop gâté, plutôt détestable, doté d'un tempérament bouillant. Il aurait un fort penchant pour les orgies et les substances illicites. Il a subi plusieurs cures de désintoxication, à la demande de son père. Sans résultat.

— Comment sais-tu tout ça ?

— Il vit au-dessus de ses moyens – le sexe et la drogue coûtent très cher. Il fait en sorte que des objets de valeur, dans les demeures auxquelles il a accès, puissent… comment dire… changer de mains.

— Il t'a rendu ce service-là ?

— Non… Je me suis toujours organisé seul, lorsque j'avais ces déplorables activités. J'ai simplement aidé un autre associé pour le transport. Ça ne date pas d'hier, lieutenant, j'imagine qu'il y a prescription.

— Heureusement… Avant d'être tuée, Winifred Cates travaillait comme interprète auprès de ces types-là, pour un projet de station multinationale de communication.

Connors réfléchit un instant.

— Non… j'aurais eu vent de cette affaire, surtout si elle concernait les communications.

— C'est ton ego qui parle ou tu énonces une réalité ?

— Les deux coïncident, Eve chérie, rétorqua-t-il en lui tapotant le bras. Sur ce point, tu peux me croire sur parole. Cette fameuse station n'est qu'un paravent. Naples réussit bien dans ce domaine, mais c'est avant tout un truand. Contrebande, drogue, trafics en tout genre. Hinrick se diversifie davantage, néanmoins la contrebande est également l'un de ses passe-temps favoris.

— Et tu dis que Naples vit maintenant en Angleterre. Ces contrebandiers qui ont été tués en pleine campagne… les Hague. Ils lui cherchaient peut-être des poux dans la tête.

— Oui, répliqua-t-il après un silence. C'est possible.

— Ça ne nous offre pas une trame très solide pour construire un scénario : Winifred aurait vu quelque chose qu'il ne fallait pas voir, qui l'aurait poussée à contacter son amie du FBI. Pour lui demander de l'aide. Résultat, on aurait engagé Yost pour la liquider. Comme on a embauché Yost pour éliminer un couple de contrebandiers indépendants qui commençaient à occuper trop de terrain. Si nous parvenons à relier un de ces hommes, ou les trois, à l'une des victimes, ça nous permettra de nous rapprocher de Yost.

583

Elle s'interrompit, les sourcils froncés.

— Pourquoi aucune de leurs activités criminelles n'est-elle tombée sous les yeux des fédéraux ?

Connors réprima un sourire.

— Certains d'entre nous, lieutenant, savent se montrer prudents.

— Ils sont aussi doués que toi ? Non, non… oublie cette question. Personne ne t'arrive à la cheville. Bon, lequel des trois est le plus susceptible d'avoir payé Yost pour se débarrasser de Winifred ?

— Je n'ai pas assez d'éléments sur Gerade. S'il faut choisir entre Naples et Hinrick, je dirais Naples. Hinrick est un gentleman. Il aurait trouvé un autre moyen de traiter avec elle. La tuer lui aurait paru trop grossier.

— Je suis enchantée d'apprendre que j'ai peut-être affaire à un criminel raffiné.

Tandis que Connors menait ses recherches dans son bureau, Eve s'installa dans le sien pour comparer les dossiers de Stowe avec les siens, étudier les probabilités et tous les recoupements possibles.

Yost ne patienterait pas longtemps, or elle n'avait pas le moindre indice sur sa prochaine cible ni sur l'identité derrière laquelle il s'abritait en ce moment même.

Quelqu'un va mourir, sans doute d'ici quelques heures.

Et elle ne pouvait rien faire pour empêcher ça.

Elle se replongea dans les fichiers des victimes. Darlene French. Une jeune femme ordinaire, qui aurait dû avoir un avenir tout simple.

Assassinée au Palace.

Liée à Connors.

Jonah Talbot. Un homme brillant, en pleine ascension.

Assassiné chez lui, dans une maison dont il était locataire.

Lié à Connors.

Tous deux travaillaient pour lui, ils étaient morts dans un lieu qui lui appartenait. French était une inconnue pour Connors, une employée parmi tant d'autres. Talbot en revanche était presque un ami.

La troisième victime lui serait encore plus proche.

Yost s'en prendrait-il à Eve ? Elle préférerait ça, cependant elle en doutait. S'il continuait à suivre le schéma, le tueur à gages attaquerait un autre collaborateur de Connors, qu'il connaissait très bien.

Caro, son administratrice ? Eve y avait déjà pensé et fait mettre sous surveillance cette femme d'une efficacité remarquable.

Malheureusement, elle ne pouvait pas protéger chaque membre de l'équipe new-yorkaise de Connors.

Et si Yost frappait ailleurs, dans l'un des innombrables sièges sociaux, domaines et organismes que Connors possédait d'un bout à l'autre de la terre et des autres planètes... la liste des cibles potentielles était infinie.

Un ordinateur ne pourrait même pas la digérer.

Pourtant, elle s'acharnait à établir des passerelles dans la masse des éléments que Connors lui avait fournis. Elle en récolta d'abord une méchante migraine. Comment cet homme pouvait-il détenir autant de possessions ? Pourquoi un être humain éprouvait-il le besoin d'amasser toutes ces richesses ? Et comment diable ne se perdait-il pas dans ce dédale ?

Elle balaya ces questions. Ce n'était pas le moment de philosopher. Du coup, le découragement la submergea. Si Connors lui-même ne pouvait pas définir des cibles probables, comment y parviendrait-elle ?

Pour s'éclaircir les idées, elle alla se servir du café dans la kitchenette.

Une vengeance personnelle. Si c'était bien le mobile, alors pourquoi ne pas s'en prendre carrément à Connors ? Ou à ses intimes ?

Le business. Quels étaient les projets les plus importants de Connors ?

Tout en se massant les tempes, elle étudia de nouveau les dossiers qu'il lui avait communiqués. À première vue, il jonglait avec des dizaines d'affaires. De quoi donner le tournis.

Olympus. Son cher bébé, songea-t-elle. Une fantaisie qui lui tenait à cœur, malgré les difficultés que cela impliquait. Il avait décidé de bâtir un monde sur Olympus : hôtels, casinos, résidences, parcs. D'un luxe éblouissant, naturellement.

Des résidences... Pour les vacanciers, les retraités. Des villas, des manoirs, des penthouses, des suites dignes d'un souverain. L'idéal pour celui qui avait les moyens de s'offrir tout ce qu'il désirait.

Comme Yost, par exemple.

Elle se dirigea vers le bureau de Connors, s'immobilisa sur le seuil.

Il était à sa console, tel un commandant au gouvernail de son navire. Il avait tiré ses cheveux noirs en arrière, en un catogan qui frôlait sa nuque. Ses yeux étaient d'un bleu étincelant et froid, comme toujours quand les rouages de son cerveau fonctionnaient à plein régime.

Il avait ôté sa veste de smoking, déboutonné son col de chemise, retroussé ses manches. Eve sentit son cœur chavirer.

Elle aurait pu le contempler ainsi pendant des heures, émerveillée, sidérée qu'un homme pareil lui appartienne.

« Quelqu'un lui veut du mal ».

Il leva la tête. Il avait perçu son odeur, sa présence. Comme toujours. Leurs regards s'accrochèrent l'un à l'autre, se murmurèrent des milliers de mots d'amour dans un silence absolu.

— Eve, t'inquiéter pour moi ne t'aidera pas à accomplir ton travail.

— Qui a dit que je m'inquiétais ?

Sans bouger de son fauteuil, il tendit le bras. Elle s'approcha, prit sa main et la serra de toutes ses forces.

— Quand je t'ai rencontré, déclara-t-elle d'un ton hésitant, je ne voulais pas de toi dans ma vie. C'était trop compliqué. Chaque fois que je te regardais, ou que j'entendais ta voix, ou même que je pensais à toi, je ne savais plus où j'en étais.

— Et maintenant ?

— Maintenant ? Tu es toute ma vie.

Elle lâcha sa main.

— Bon, assez de sentimentalisme. Olympus.

— Oui ?

— Tu y vends des biens immobiliers. Des grandes baraques, des appartements hyperchics, et cetera.

— La description qu'en donne mon service marketing est plus fleurie, mais en gros, c'est bien ça. Ah… enchaîna-t-il, devinant la pensée d'Eve. Sylvester Yost pourrait apprécier les avantages d'une confortable résidence, loin de notre bonne vieille Terre.

— Tu devrais vérifier. Au cours des deux dernières années, la fréquence des contrats qu'il a acceptés a augmenté de douze pour cent. Et s'il avait décidé de se constituer une tirelire pour sa retraite ? À mon avis, il s'installerait là-bas sous le nom de Roles. Ça ne nous mène pas très loin, mais c'est un maillon de plus. Et les maillons finissent par former une chaîne.

Elle se percha sur le bord de la console, face à Connors.

— Pour cette affaire d'Olympus, tu as des partenaires internationaux. Des investisseurs. L'un d'eux serait-il agacé que tu aies la plus grosse part du gâteau ?

— Il y a parfois des frictions, mais… non. Le projet avance sans anicroche ni retard. C'est moi qui assume largement le risque sur le plan financier, par conséquent j'empocherai une large partie des bénéfices. Le consortium est satisfait. Les retours sur investissement dépassent déjà les prévisions.

— D'accord… Voilà comment je vois les choses. S'il s'agit de business, il faut chercher ici, à New York. À mon avis, si ce business avait pour cadre… mettons, l'Australie, les cibles seraient en Australie. Pour t'attirer là-bas.

— Oui, je pense que tu n'as pas tort.

— La première victime a été tuée dans ton hôtel, alors que tout le monde te savait présent sur les lieux. Le deuxième meurtre s'est déroulé dans une maison dont tu es propriétaire, or tu étais en ville, tu travaillais non loin de là. Dis-moi quel lien existe entre Darlene French et Jonah Talbot.

— Je l'ignore.

— Moi aussi… Darlene French était femme de chambre au Palace. Tu n'avais pas de contacts personnels avec elle ?

— Non.

— Qui l'a embauchée ?

— Elle a dû poser sa candidature au service des ressources humaines, et ensuite être engagée par Hilo.

— Tu ne supervises pas les embauches et les licenciements ?

— Je n'en ai pas le temps.

— Mais c'est ton hôtel, ton organisation.

— J'ai des directeurs, des chefs de service, répliquat-t-il avec un brin d'impatience. Ces directeurs ont une certaine autonomie. Mon organisation, lieutenant, est conçue pour fonctionner harmonieusement, en utilisant les compétences de chacun, pour que…

— Talbot avait-il des tâches à accomplir en rapport avec le Palace ?

— Aucune.

Il savait ce qu'elle était en train de faire, elle l'interrogeait habilement, comme s'il était un témoin, lui coupait la parole afin qu'il réponde sans réfléchir.

— Il n'a même jamais dormi au Palace, ajouta-t-il. J'ai vérifié. Il a sans doute eu des auteurs qui y ont séjourné, il y a déjeuné ou dîné avec eux. Mais ce n'est pas suffisant pour constituer un maillon de ta fameuse chaîne.

— Il y donnait peut-être des réceptions professionnelles. Il en avait peut-être prévu une prochainement.

— Non. Il aurait pu assister à une manifestation de ce genre. Mais en général c'est le service de presse de la maison d'édition qui se charge d'organiser ces événements. À ma connaissance, il n'y a rien de prévu pour l'instant. L'exposition et la vente aux enchères de Magda dureront tout le mois.

— D'accord. Avait-il un rapport quelconque avec ça ?

— La maison d'édition n'est pas concernée. Jonah achetait et publiait des manuscrits. Ses fonctions n'avaient aucun lien avec l'hôtel et…

Il n'acheva pas sa phrase, se leva.

— Je suis un imbécile, marmonna-t-il. Les manuscrits. Le mois prochain, nous publions une nouvelle biographie de Magda. Ainsi qu'un catalogue de tous les objets mis en vente – leur histoire, leur signification. Jonah était forcément impliqué là-dedans. Je crois que c'est l'un de ses auteurs qui a écrit la biographie. Jonah a donc travaillé sur le texte.

— Magda... voilà un maillon solide. Il se pourrait que ce soit elle, la cible, et non toi.

— Ou nous deux. Et la vente aux enchères.

— Réfléchissons. Magda Lane séjourne au Palace. Ton hôtel. Où se déroulera un événement majeur de sa carrière qui aurait pu avoir pour cadre l'une de ses résidences personnelles ou une salle de ventes traditionnelle. Qui a eu cette idée ?

— Magda. En tout cas, c'est ce qu'elle m'a dit quand elle m'a contacté. Elle cherchait à appâter les médias. Et, effectivement, ça marche.

— De quand date ce projet ?

— Elle me l'a soumis voici plus d'un an. Organiser une manifestation de cette ampleur prend du temps.

— Tout le temps nécessaire pour quelqu'un qui voudrait causer des ennuis à Magda, ou à toi, ou à vous deux.

La mort de Winifred Cates, à Paris, datait de huit mois. Les contrebandiers de Cornouailles avaient été tués deux mois après.

— De plus, ta maison d'édition va sortir deux publications. Ensuite ? La sécurité. De qui es-tu le plus proche dans l'équipe de sécurité pour l'hôtel et la vente ? Creuse, il me faut des noms. Et ton service de presse, de publicité, de... bon sang, qui encore joue un rôle dans ce chambardement ?

— Je vais étudier ça à fond.

— Du côté de Magda, nous avons son fils, le conseiller financier et son épouse. Il doit y avoir d'autres personnes.

— Je m'en occupe aussi.

— On commence par là, on fait le maximum pour les protéger. Mais, si on se base sur le schéma, les victimes travaillent pour toi. Donc, tes collaborateurs ont la priorité.

Il hocha la tête, s'affairant déjà à consulter ses fichiers.

— Connors... que t'arriverait-il, à toi, si la vente était un fiasco ou s'il en résultait un scandale quelconque ?

— Ça dépend. Si c'est un désastre financier, je perdrai de l'argent.

— Combien ?

— Mmm… Les gains devraient friser le milliard de dollars. Outre la location de l'hôtel et le coût de la sécurité, j'ai dix pour cent du total. Mais j'en ferai don à la Fondation de Magda, par conséquent l'argent n'est pas un problème.

— Parle pour toi, marmotta-t-elle.

Il haussa les épaules.

— Je te communiquerai tous les noms. J'ai l'intention de prendre en charge la protection de mon personnel et de Magda.

— Ça ne me dérange pas.

Elle le dévisageait et ne voyait donc pas les données qui s'affichaient déjà sur l'écran mural.

— Connors… ces objets que tu évalues à un milliard de dollars et qui sont exposés dans ton hôtel… combien rapporteraient-ils à un receleur ?

Il avait une longueur d'avance sur elle. Ou plutôt son esprit remontait le temps pour le ramener à son passé. Oui, ce serait une affaire extrêmement juteuse.

— Un peu moins de la moitié, répondit-il.

— Cinq cents millions, c'est une somme rondelette.

— On pourrait l'arrondir encore en s'adressant à des collectionneurs. Mais le système de sécurité est quasiment infaillible. Tu l'as contrôlé toi-même.

— Oui, en effet. Comment tu t'y prendrais, toi, pour faire ton coup ?

Il transféra les données sur l'ordinateur d'Eve, lança une recherche sur les propriétés immobilières d'Olympus.

— J'aurais au moins un homme dans chaque secteur stratégique, voire deux. Plus un mouchard dans mon équipe, et un autre dans l'entourage de Magda. Il me faudrait les plans du système, les codes. Bref, six personnes en tout. Dix, ce serait mieux. J'en aurais deux sur place, au Palace, dans le personnel ou la clientèle. J'utiliserais un véhicule de l'hôtel, un camion de livraison. Je ne serais pas trop gourmand pour que l'opération se déroule en moins d'une demi-heure. Vingt minutes, ce serait parfait. Donc j'aurais repéré au préalable les pièces les plus précieuses. Celles pour lesquelles j'aurais des acheteurs.

Il se redressa, alla se servir un cognac.

— J'organiserais une diversion, mais pas dans l'hôtel. Là, tout ce qui sortirait de l'ordinaire déclencherait automatiquement un branle-bas de combat. Non, ça se passerait dans l'un des immeubles voisins ou dans le parc. Une petite explosion, un accident de voiture spectaculaire. Pour attirer les gens dehors, faire intervenir les flics. Avec la police dans les parages, on se sent en sûreté. Oui, il faudrait des flics.

« Seigneur, écoutez-le », songea Eve.

— À quel moment agirais-tu ?

— La veille de la vente, évidemment. Tout est fin prêt, les stars et les personnalités sont déjà dans l'hôtel. Le personnel les bichonne, leur demande des autographes, tout le monde est surexcité. C'est le meilleur moment.

— Tu réussirais ?

Il braqua sur elle des yeux d'un bleu intense.

— Si je le voulais, sans aucun doute. Voilà pourquoi je ne crois pas qu'un autre y parvienne : j'ai envisagé toutes les éventualités et pris les dispositions nécessaires.

— Mais peut-être que quelqu'un connaît assez bien ta façon de fonctionner pour avoir prévu ça. Par conséquent, ce quelqu'un a cherché à te distraire. Qu'as-tu fait ces jours-ci ? Tu ne passes pas ton temps à contrôler la sécurité de ton hôtel, à superviser ton équipe.

— En effet, rétorqua-t-il posément. Cependant, même si je n'y accorde pas toute mon attention, le système tourne impeccablement.

— Qui, à ton avis, serait capable de le déjouer ?

— Ils ne sont pas nombreux. J'étais le meilleur.

— Bravo, félicitations. Qui ?

Il se rassit, tapota ses genoux.

— Et si tu venais là ? Je suis sûr que ça m'aiderait à réfléchir.

— De quoi j'ai l'air, hein ? De la petite bimbo secrétaire ?

— Non, rassure-toi, encore que ce pourrait être amusant. Je serais le patron autoritaire, qui trompe honteusement sa malheureuse épouse. Et toi, tu pousserais des cris de souris effarouchée…

— Très drôle. Alors… qui ?

— Je me souviens de deux types qui auraient pu réussir un coup pareil. Ils sont morts. Il en reste peut-être un ou deux autres. Je vérifierai.

— Je veux des noms.

Le regard de Connors se durcit.

— Je ne suis pas un indic, lieutenant, même pour toi. Je creuserai la question. Si l'un des individus auxquels je pense me paraît impliqué, je te le dirai.

Furieuse, elle s'avança vers lui.

— Il y a des vies en jeu, je te conseille d'oublier le code de l'honneur des voyous !

— Inutile de me rappeler que des vies sont en jeu, je ne le sais que trop. Mais il fut un temps où je n'avais que ce code de l'honneur, certes discutable, pour guide. Je te donnerai dès que possible les renseignements que tu demandes. Pour l'instant, je t'affirme que Gerade serait incapable de monter une opération aussi complexe et périlleuse. Il n'a pas l'étoffe d'un truand, même de piètre envergure. Naples, en revanche, a du talent. C'est un trafiquant de premier ordre, il a un formidable réseau de relations, une infrastructure très performante pour l'exportation de marchandises illégales. Et lui n'a pas le moindre sens de l'honneur. En ce qui concerne un éventuel lien avec Yost, je miserais sur lui.

Eve ravala une réplique cinglante. Elle devait avant tout arrêter un tueur, et non épingler un truand.

— D'accord, je vais me pencher sur ce monsieur.

— Demain matin. Tu as besoin de repos, tu as la migraine.

— Pas du tout, rétorqua-t-elle sans conviction. Enfin… à peine.

Plus vif que l'éclair, il tendit la jambe, déséquilibra Eve et l'assit sur ses genoux. Elle essaya de lui donner un coup de coude, mais il lui bloquait les bras.

Elle ferma un instant les yeux, humant son odeur qui l'enveloppait, la grisait déjà.

— Tu remarqueras que je ne pousse pas des cris de souris effarouchée…

— Tu me frustres.

— Tant mieux…

La minute d'après, sans avoir compris comment, elle était couchée par terre. Connors pesait sur elle de tout son poids et l'embrassait passionnément.

— Tu sais combien de lits nous avons dans cette maison ? bredouilla-t-elle, haletante.

— Tu veux que j'aille les compter ?

— On s'en fiche... murmura-t-elle en dénouant le cordonnet de cuir qui retenait les cheveux soyeux de son mari.

18

— Dominic J. Naples, déclara Eve à son équipe réunie pour le briefing matinal. Cinquante-six ans, marié, deux enfants. Il est domicilié à Londres, mais il a des résidences à Rome, en Sardaigne, à Los Angeles, Washington, Rio, ainsi que sur les rives de la Caspienne et la planète Delta.

Elle contempla sur l'écran le portrait d'un homme séduisant, aux yeux noirs, aux traits ciselés et aux cheveux bruns impeccablement coiffés.

— Le Groupe Naples, dont il est le P-DG, travaille essentiellement dans les communications, à l'échelle interplanétaire. Ce monsieur est réputé pour ses œuvres caritatives, surtout dans le domaine de l'éducation, et il a de solides relations politiques.

Eve afficha une deuxième image sur une moitié de l'écran.

— Son fils, Dominic II, est chargé des affaires concernant Delta sur le territoire américain. On dit qu'il ambitionne d'assumer des fonctions plus importantes. Il se trouve que ce Dominic II est également un vieux copain de Michel Gerade, le fils de l'ambassadeur en France.

Elle appuya sur une touche pour faire apparaître le portrait d'un homme aux boucles blondes, à la bouche lippue, et doté – selon elle – d'un menton qui trahissait un caractère veule.

— Officiellement, Naples est irréprochable. Dans le passé, on s'est interrogé à son sujet, certaines rumeurs ont couru, on a mené quelques enquêtes superficielles sur les activités de son organisation. On n'a rien découvert qui puisse entacher sa réputation. D'après mon informateur, cependant, Naples a été et est toujours impliqué dans des activités criminelles. Contrebande, fraude électronique, vol, racket, et probablement meurtre. C'est notre suspect numéro un en ce qui concerne Yost.

Les images sur l'écran s'effacèrent pour céder la place à un nouveau trio.

— Ces trois hommes – Naples, Hinrick et Gerade – se sont rencontrés à Paris, il y a huit mois, soi-disant pour élaborer une station interplanétaire de communication. Hinrick est un truand prospère, et quoique son dossier soit plus douteux que celui de Naples, on peut le mettre de côté. Winifred Cates servait d'interprète à ces individus lorsqu'ils se réunissaient pour négocier. Leur projet n'a jamais abouti, la jeune femme a été tuée. On n'a pas retrouvé son assassin et l'on estime qu'elle est l'une des victimes de Yost.

Eve afficha deux autres photos.

— Britt et Joseph Hague, contrebandiers. Assassinés il y a six mois par Yost, puisque les autorités locales ont récupéré hier deux garrots en fil d'argent. Leurs corps ont été découverts en Cornouailles. Or Yost a passé quelques jours à Londres avant leur mort. Et Naples réside maintenant le plus souvent dans la capitale anglaise. Les Hague, à ce qu'on raconte, auraient piétiné les platebandes d'une organisation plus puissante. Il semblerait qu'on les ait éliminés pour décourager d'éventuels concurrents qui auraient eu la tentation de les imiter.

Eve avala une gorgée de café. Elle n'avait dormi que trois heures et ressentait le besoin de se donner un coup de fouet.

— Il y a trois ans, à Paris, une entraîneuse a été molestée, violée et étranglée avec un fil d'argent. Monique Rue... précisa-t-elle, tandis que le portrait s'inscrivait sur l'écran. Vingt-cinq ans, célibataire, métisse. Retrouvée dans une ruelle non loin du club où elle travaillait. D'après ses amis et ses collègues, elle avait une liaison avec Michel Gerade. Le statut de maîtresse ne la satisfaisait plus. Gerade, le copain de Dominic II, protégé par l'immunité diplomatique, s'est borné à faire une déposition écrite par l'intermédiaire d'un avocat.

595

Eve brandit la copie de la déposition.

— Je résume... Mlle Rue et lui avaient des relations amicales. Il admirait son talent. Ils n'avaient pas de rapports sexuels.

Elle jeta le document sur la table.

— Les policiers français savaient pertinemment que c'était du pipeau, mais ils avaient les mains liées. D'autant plus que Gerade s'abritait derrière un alibi en béton : il était en vacances avec son épouse, sur la Riviera, au moment du meurtre de Monique Rue. Aucune connexion n'a pu être établie entre Yost et Gerade.

— Jusqu'à maintenant, marmonna Feeney.

— Enfin nous avons Nigel Luca, qui a un dossier long comme le bras. Sa spécialité, c'était le trafic d'armes. Il y a huit ans, M. Luca a été roué de coups, violé et retrouvé avec un fil d'argent autour du cou dans un bouge de Séoul. Toujours d'après mon informateur, à cette époque, Luca était employé par Dominic J. Naples. Il s'en était probablement mis plein les poches, à son habitude.

— On dirait que Yost est le joujou préféré de Naples, commenta Feeney. Comment on va le coincer ?

— Il nous en faudra beaucoup plus avant de demander l'extradition. Ce type est remarquablement bien protégé. Je peux transmettre tous ces éléments à Interpol, au BII, et je le ferai.

— Tu crois qu'ils ne sont pas au courant de certaines choses ?

— Si, mais ils gardent jalousement leurs renseignements. Je pense aussi qu'ils n'ont pas noué tous les fils. Donc on s'en chargera. Et en attendant, on creuse. Je veux que la DDE planche là-dessus et me déniche tout ce qui pourrait relier Naples à notre tueur. Mon instinct me dit que Michel Gerade est le maillon faible, malheureusement il nous est impossible de toucher à ce petit salopard. Ni à Dominic II. Mais les fils ne me paraissent pas aussi intelligents et prudents que les pères. Tôt ou tard, ils commettront l'erreur fatale. Bon, continuons...

Elle afficha le graphique qu'elle avait peaufiné pendant la nuit.

— Le Palace. Darlene French. Connors. Magda Lane. Jonah Talbot. Encore Connors. Talbot mettait au point la publication de deux ouvrages sur Magda Lane et sa collection. Une collection exposée au Palace et dont la vente rapportera probablement plus d'un milliard de dollars. Naples a derrière lui un gigantesque réseau de communication. Hinrick est un trafiquant renommé pour avoir une infrastructure de transport des plus performantes. Gerade, pour moi, se distingue surtout par sa cupidité.

— En principe, les types de cet acabit sont à surveiller de près, intervint Feeney.

— D'accord avec toi. J'émets une hypothèse : et si l'affaire dont discutaient ces trois personnages à Paris était un plan pour faucher les objets qui seront mis aux enchères ? Winifred voit ou entend quelque chose. C'était une jeune femme intelligente. Elle essaie de contacter son amie du FBI, mais on la tue avant qu'elle puisse lui parler.

— Pourquoi engager Yost pour liquider des figurants à New York, au risque de renforcer le système de sécurité ?

McNab croisa les jambes ; c'était la première phrase qu'il prononçait depuis le début de la réunion. De l'autre côté de la salle, Peabody était claquemurée dans un silence chargé de rancœur.

— Pour nous pousser à rechercher un tueur. Pas un voleur. Une employée est brutalement assassinée dans une chambre d'hôtel, tout le personnel est bouleversé. L'assassin échappe aux vigiles qui en sont frustrés. Du coup, on consacre moins d'attention et d'énergie à la vente. Là-dessus, nouveau meurtre. Sur quoi se focalise l'enquête ? Sur Connors. Nous avons présumé que quelqu'un cherchait à se venger de lui. Mais si ce n'était pas le véritable mobile ? Du moins pas seulement. S'il s'agissait tout bonnement d'argent ?

— Ce n'est pas impossible, rétorqua Feeney avec une moue. Mais pourquoi mêler Gerade à cette histoire ? Je ne vois pas ce qu'il apporte.

Un petit sourire mauvais étira les lèvres d'Eve qui prit un autre graphique – celui-ci, elle l'avait terminé à 3 heures du matin.

— Vous le reconnaissez ? C'est le camarade de Dominic II et de Gerade. Vincent Lane, le fils de Magda. Ils avaient une vingtaine d'années quand ils ont commencé à traîner ensemble.

— Le fumier, grogna Feeney en abattant son poing sur l'épaule de McNab, sans doute pour l'arracher à son mutisme. La petite ordure…

— Oui, moi aussi, ça m'a fait sursauter, dit Eve qui s'efforçait de ne pas remarquer que le jeune inspecteur et Peabody s'évertuaient à s'ignorer. Lane a donné un coup de main à Dominic II et va souvent en visite sur Delta. Dominic II et Gerade ont investi dans la société de production de Lane, qui n'a pas survécu longtemps. Je crois que nous avons là notre fil d'Ariane. Pour un vol de cette ampleur, aussi compliqué, il faut un homme dans la place. Vince Lane est le compère idéal.

— Il va voler sa propre mère, déclara Peabody, outrée. Et tuer pour ça ?

— C'est un raté, répondit Eve. Il a monté et mis en chantier une succession de projets mirifiques qui ont tous échoué. Il a claqué le capital dont il disposait. Il a emprunté de l'argent à Magda pour rembourser des prêts et, je suppose, d'autres dettes moins avouables. Pendant ces deux dernières années, cependant, il a travaillé pour sa maman comme un gentil garçon. Elle lui verse un salaire ridicule, il est fauché. Carlton Mince, le conseiller financier, gère ses dépenses. J'ai l'intention d'avoir un entretien avec lui et Lane. Je vais y aller sur la pointe des pieds. Je ne voudrais pas que Lane dise à quiconque, y compris à Magda, que je l'ai dans le collimateur.

L'entrée de Whitney – à qui elle avait adressé un rapport complet en début de matinée – l'interrompit. Il jeta un coup d'œil à l'écran, s'assit.

— Poursuivez, lieutenant.

— Bien, commandant. Peabody et moi passerons voir Mince et Lane à l'hôtel. Feeney, j'aimerais que tu fasses jouer tes relations. Il est probable que les agences internationales d'investigation ont déjà toutes ces informations sur Naples. Mais elles en ont peut-être plus. Dans ce cas, même si ce ne sont que des hypothèses, débrouille-toi pour les persuader de nous les transmettre. McNab, vous rendrez visite au responsable de la sécurité du Palace. Connors l'aura déjà averti, mais vous prendrez le relais. Vous serez son chien de garde jusqu'à ce que la vente soit terminée. On vous remettra le dossier de chaque membre de l'équipe de sécurité. Liez connaissance avec ces gens, devenez leur copain. Je veux que nous soyons informés des moindres détails, sans omission. Si un vigile a une rage de dents, je tiens à le savoir. C'est bien clair ?

— Oui, lieutenant.

Eve marqua une pause, pour reprendre sa respiration.

— Commandant ?

— Oui, lieutenant ? rétorqua-t-il avec un imperceptible sourire.

— Je souhaiterais que vous utilisiez votre influence auprès du FBI et de Washington. Il faut que j'aie les coudées franches, or Jacoby ne me lâchera pas, sauf si…

Elle hésita.

— Si je suis libre de mes mouvements et si on m'accorde l'aide dont j'aurai besoin pour arrêter Sylvester Yost, je suis prête à abandonner le gibier aux fédéraux.

— Quoi ! s'exclama Feeney qui bondit de son siège, rouge de colère. Qu'est-ce que tu racontes ? Il n'en est pas question, tu m'entends ? Tu t'es décarcassée, tu as fait tout le boulot, tu as même failli attraper ce type. Et tu l'aurais eu, si ces débiles du FBI n'avaient pas lamentablement foiré. Tu ne dors plus à cause de cette affaire, tu as des cernes qui t'arrivent au menton !

— Feeney…

— Tu te tais, gronda-t-il, agitant un index menaçant. Tu diriges peut-être l'enquête, mais je suis plus gradé que toi. Tu crois que je vais te laisser offrir ce cadeau aux fédéraux ? Ah, non ! Tu sais ce que cette arrestation pourrait représenter pour toi ? Toutes les polices du monde et d'ailleurs courent après ce salopard depuis vingt-cinq ans. Tu le coinces, tu le mets derrière les barreaux, tu es bombardée capitaine. Et surtout ne me dis pas que tu t'en fiches !

Eve se mordit les lèvres, partagée entre l'émotion et l'embarras. Une chose était sûre, néanmoins : elle devait mettre les points sur les *i*.

— C'est Yost que je veux. Ton informateur anonyme nous a balisé le terrain, ajouta-t-elle en le regardant droit dans les yeux pour lui signifier qu'elle savait pertinemment de qui il s'agissait. Sans ça, je n'aurais pas eu la piste Winifred, en tout cas pas aussi vite. Et donc je n'aurais pas pu obliger Stowe à me communiquer les éléments qu'elle avait sur cette triade parisienne. L'agent Stowe a, comme moi, dépensé beaucoup d'énergie pour cette enquête. La mort de son amie l'a désespérée. Elle m'a donné des renseignements précieux. Je lui ai promis qu'elle passerait les menottes à Yost. C'est le marché que j'ai conclu avec elle, Feeney, et je tiendrai parole.

— Tu es complètement idiote, rouspéta Feeney. Commandant…

Whitney l'interrompit d'un geste.

— Inutile de faire appel à moi, quoique je sois largement de votre avis. Cette équipe est sous les ordres du lieutenant Dallas. Vous pouvez compter sur moi, lieutenant, j'utiliserai mon *influence*, comme vous dites.

— Merci, commandant.

À cet instant, le communicateur d'Eve sonna.

— Excusez-moi… marmonna-t-elle en s'écartant pour répondre.

— Jack, chuchota Feeney. C'est à elle d'arrêter Yost, elle le mérite.

— Dans l'immédiat, nous ne le tenons pas encore. On verra. Quoi qu'il advienne, le département est tout à fait conscient du travail que Dallas et vous tous avez…

Whitney n'acheva pas sa phrase. Eve tempêtait :

— Comment ça, vous l'avez perdu ? Comment on peut perdre un bonhomme squelettique, moche comme un pou et qui a l'air d'avoir avalé un manche de parapluie ?

Cela s'expliquait, quand le bonhomme en question avait des yeux derrière la tête. Summerset avait survécu à la Guerre Urbaine, travaillé dans la rue, organisé toutes sortes de trafics et d'escroqueries. Même si cette époque était depuis longtemps révolue, il possédait encore la faculté de flairer un flic à des kilomètres.

600

Et de s'apercevoir qu'il était filé. Semer la police était pour lui une question de principe, un jeu d'enfant qui lui avait procuré une intense satisfaction. Sans doute était-ce Eve qui lui avait collé ses collègues aux basques, peut-être avec l'accord de Connors, mais il n'était pas pour autant obligé de le supporter.

Car, s'il menait désormais une existence paisible, il avait gardé ses réflexes. Considérer qu'il ne pouvait pas se défendre tout seul était insultant.

Il avait l'intention, puisque c'était sa demi-journée de congé, de flâner dans Madison Avenue, de faire un peu de shopping, éventuellement de s'offrir un déjeuner diététique à la terrasse d'un de ses bistrots favoris puis, si l'envie le prenait, de visiter une galerie d'art avant de rentrer.

Quelques heures de récréation, que ne gâcherait pas la présence intolérable de flics balourds et indiscrets.

Il jubilait surtout en imaginant la fureur d'Eve quand on lui signalerait qu'il s'était évaporé dans la nature.

Son visage émacié reflétait une expression suffisante, lorsqu'il quitta prestement le troisième étage d'un luxueux petit hôtel par l'issue de secours, descendit au rez-de-chaussée et se dirigea vers l'immeuble voisin pour emprunter le trottoir roulant qui le ramènerait dans Madison.

« Penser qu'un tandem de poulets aux semelles de plomb réussirait à me suivre... Non mais, c'est hallucinant ! »

Il passa devant une épicerie, s'arrêta pour examiner l'étal de fruits frais. Les pêches lui déplurent. Celles qu'on cultivait dans les serres de Connors étaient infiniment plus belles. Il s'en ferait livrer dès son retour à la maison.

Ce soir, il servirait des pêches Melba.

Les raisins, toutefois, avaient assez bonne allure, et Connors tenait à soutenir le petit commerce. Une livre de blancs et de noirs, décida-t-il en picorant quelques grains.

Le marchand, bâti comme un tonneau monté sur deux courtes pattes, se précipita en glapissant. C'était un Asiatique dont la famille possédait cette épicerie depuis quatre générations.

Et depuis quelques années, Summerset et lui se chamaillaient une fois par semaine, pour leur plus grand plaisir.

— Mon vieux, vous mangez, vous payez !

— Cher monsieur, je ne suis pas votre vieux, et je n'achète pas sans goûter.

— Ces deux grappes, vous les prenez.

Le marchand tendit la main.

— Vingt dollars.

— Dix dollars la grappe ? rétorqua Summerset en fronçant son long nez. Je m'étonne que vous puissiez énoncer de pareilles énormités.

— Vous mangez mes raisins, vous payez. Vingt dollars.

Ravi, Summerset poussa un soupir de lassitude.

— J'accepterais éventuellement d'acheter une livre de ces fruits de piètre qualité, mais seulement pour décorer un coin de table. Les consommer est inenvisageable. Huit dollars.

— Ah ! Vous essayez de me voler, comme d'habitude. Douze dollars.

— Si je déboursais une somme aussi extravagante, il faudrait m'interner dans un asile psychiatrique, ou bien je me verrais dans l'obligation de vous poursuivre en justice pour escroquerie. Votre charmante épouse et vos enfants seraient contraints de vous rendre visite en prison. Je ne veux pas avoir ce poids sur la conscience. Dix dollars, pas un sou de plus.

— Dix dollars pour une livre de mes magnifiques raisins ? C'est un péché, un crime. Enfin… je m'incline, pour être débarrassé de vous. Votre triste figure gâte mes fruits.

Les raisins furent emballés, l'argent empoché, et les deux hommes se quittèrent enchantés.

Ses emplettes sous le bras, Summerset reprit sa promenade.

New York est une ville fabuleuse, peuplée de personnages merveilleux, songeait-il. Il avait sillonné le monde, mais cette cité bouillonnante de vie était de loin sa préférée.

Un maxibus s'arrêtait avec fracas le long du trottoir pour déverser une foule bigarrée et bruyante. Summerset recula pour ne pas être englouti dans cette marée humaine et pour ne pas négliger les pick-pockets qui pullulaient dans les transports en commun.

Il se détournait quand il sentit un picotement au niveau de la nuque. Les flics ? Auraient-ils retrouvé sa trace ? Il pivota à demi pour scruter la rue derrière lui.

Il ne vit rien de particulier, hormis des New-Yorkais qui se hâtaient, quelques touristes qui faisaient du lèche-vitrine.

Pourtant, il éprouvait toujours cette sensation de picotement. Nonchalamment, il coinça son sac de raisins sous son autre bras, glissa une main dans sa poche et se faufila dans la cohue.

Du coin de l'œil, il distingua son ami l'épicier qui vantait sa marchandise aux passants.

Dans le ciel, un hélicoptère vrombissait sourdement.

Il se détendit, se dit que ces maudits policiers lui avaient mis les nerfs en pelote. Ce fut alors qu'il perçut un déplacement d'air.

D'instinct, il amorça un mouvement de rotation. Comme mue par une volonté propre, sa main sortit de sa poche, tout son corps s'arc-bouta. Une fraction de seconde, il fut face à face avec Sylvester Yost.

La seringue lui effleura les côtes, manqua son but, tandis qu'il continuait à pivoter. Il leva brusquement la main, l'arme paralysante qu'il tenait racla l'épaule de Yost.

Le bras tétanisé, Yost laissa tomber la seringue qui roula sur le trottoir pour finir écrasée sous les pieds des passagers du maxibus. Les deux hommes furent rudement projetés l'un contre l'autre, puis tout aussi brutalement séparés par la foule qui jouait des coudes pour grimper à bord du véhicule avant la fermeture des portières.

La vision de Summerset se brouillait. Il secoua la tête, se raidit pour ne pas perdre l'équilibre. Les jambes flageolantes, il tenta de se propulser en avant. Il lui semblait qu'un essaim de frelons bourdonnait à ses oreilles. Il se mouvait avec une lenteur étrange, comme s'il était englué dans une épaisse mélasse ; sa main, qui agrippait toujours le pistolet, loupa Yost et paralysa un innocent touriste de l'Utah, dont la femme terrifiée se mit à hurler pour alerter la police.

Titubant, Summerset ne put que regarder Yost qui, un bras pendant, s'enfuyait à toute allure et disparaissait au coin de la rue.

Résolu à le poursuivre, il réussit tant bien que mal à parcourir deux ou trois mètres, après quoi le brouillard l'enveloppa et il tomba à genoux. Quand il sentit qu'on le relevait, il se débattit mollement.

— Vous êtes malade ? s'inquiéta l'épicier en l'entraînant à l'écart et en lui remettant vivement son arme dans la poche. Il faut vous asseoir. Ou marcher. C'est ça, on va marcher tous les deux.

Malgré l'atroce bourdonnement qui l'assourdissait, Summerset reconnut cette voix familière.

— Oui, bredouilla-t-il tel un ivrogne. Merci.

Les minutes qui suivirent ne lui laissèrent aucun souvenir. Lorsqu'il recouvra sa lucidité, il était installé dans une petite pièce encombrée de caisses et de cageots, imprégnée d'une odeur écœurante de bananes trop mûres. L'épouse de l'épicier, une jolie femme aux joues pareilles à du satin doré, lui faisait boire de l'eau.

Il inspira à fond, s'efforça d'analyser son état physique et de déterminer quel genre de tranquillisant Yost lui avait injecté. Une faible dose, songea-t-il, mais suffisante pour provoquer des vertiges, la nausée et un engourdissement des membres.

— Je vous prie de m'excuser, déclara-t-il en luttant pour articuler correctement. Pourriez-vous, si cela ne vous dérange pas, me donner un stimulant ? Je crois que j'en ai besoin.

— Vous avez l'air vraiment malade, rétorqua-t-elle gentiment. Je vais appeler un médecin.

— Non, non, ce n'est pas nécessaire. Un stimulant me remettra sur pied.

L'épicier chuchota quelques mots en coréen à son épouse qui soupira et sortit.

— Elle vous apporte votre remontant, déclara-t-il en se penchant pour plonger son regard dans les yeux vitreux de Summerset. J'ai vu l'homme avec qui vous vous êtes bagarré. Vous l'avez touché, mais pas assez. Il a eu le dessus, à mon avis.

— Je ne partage pas votre opinion...

Summerset, en proie à un nouvel étourdissement, se plia en deux pour mettre la tête entre ses genoux.

— C'est surtout ce pauvre touriste que vous avez eu, insista l'épicier d'un ton narquois. Les policiers vont vous arrêter. Et vous avez écrasé mes beaux raisins.

— Ces raisins sont à moi. Je les ai payés.

Eve enfilait sa veste pour sortir quand Summerset pénétra dans son bureau.

— Qu'est-ce que vous venez faire ici ? grommela-t-elle.

— Croyez-moi, lieutenant, cette visite m'est aussi désagréable qu'à vous.

Il détailla le décor minable qui l'entourait, le fauteuil avachi, la fenêtre aux vitres sales, émit un reniflement méprisant.

Eve le contourna et referma violemment la porte.

— Vous avez semé mes flics ! accusa-t-elle.

— Je suis peut-être obligé de cohabiter avec un policier, mais je ne suis assurément pas tenu de me laisser suivre durant mes heures de liberté.

Il ricana ; il se sentait beaucoup mieux.

— Ils étaient idiots, on ne voyait qu'eux. Puisque vous vouliez m'humilier, vous auriez dû au moins engager des individus bien entraînés.

Elle ne riposta pas. Elle avait choisi deux des meilleurs limiers disponibles, et leur avait déjà infligé à tous deux des critiques incendiaires.

— Si vous êtes ici pour porter plainte, adressez-vous à l'accueil. Je suis occupée.

— Je suis venu, à contrecœur, faire une déposition. Vu les circonstances, je préfère avoir affaire à vous. Je ne voudrais pas perturber Connors.

Eve tressaillit.

— Le perturber ? Que s'est-il passé ?

Il lança un coup d'œil au fauteuil réservé aux visiteurs, soupira, et préféra rester debout pour tout lui expliquer.

Elle l'écouta en silence, les prunelles étrécies, tel un félin à l'affût. Puis, quand il eut achevé un récit qu'il jugeait admirablement concis et complet, elle entreprit de le bombarder de questions qui ne lui auraient jamais effleuré l'esprit.

Oui, il avait l'habitude de s'arrêter dans cette épicerie à cette heure-là, lorsqu'il prenait sa demi-journée de congé. Effectivement, il s'accordait toujours un moment pour observer les passagers du maxibus. Un spectacle haut en couleur.

Oui, il était droitier. Et Yost s'était approché par-derrière, sur la gauche.

Yost portait une perruque blond cendré, aux cheveux en brosse – une coupe de style militaire –, et un manteau gris perle. Un tissu léger, mais sans doute assez chaud. L'arme paralysante l'avait atteint à l'épaule droite, si bien qu'il avait lâché la seringue avant d'avoir pu injecter à Summerset la totalité de la dose de tranquillisant.

Un passant avait reçu la décharge paralysante en pleine poitrine, il s'était affalé sur le trottoir où il avait récolté quelques écorchures et hématomes. Mais il en était déjà quasiment remis.

— Quelqu'un sait-il que vous aviez une arme illégale sur vous ?

— L'épicier. J'ai dit au droïde qui patrouille dans le quartier que l'arme appartenait à Yost, lequel avait tenté de m'agresser et touché à ma place ce malheureux touriste de l'Utah. J'ai cependant donné ma carte à l'épouse de ce monsieur, afin de lui rembourser tous les frais médicaux. C'était la moindre des politesses.

— Vous auriez plutôt dû nous laisser, moi et mes hommes, faire notre boulot. Si vous ne vous étiez pas évaporé dans la nature, nous aurions pu le pincer.

— Si vous aviez eu la courtoisie de m'informer de cette filature, au lieu d'agir dans mon dos, j'aurais peut-être collaboré.

— Mon œil.

— Toujours est-il que j'ai réussi à me défendre sans trop de difficultés et à le mettre dans une situation extrêmement inconfortable. Cela ne m'a coûté qu'un léger malaise et dix dollars pour une livre de raisins – c'est d'ailleurs ce que je regrette le plus.

— Vous trouvez ça drôle ? Vous pensez que c'est une blague ?

Les mâchoires du majordome se crispèrent.

— Non, lieutenant, pas du tout. Si cela m'amusait, je ne serais pas ici, dans un service de police. Pourtant je suis venu faire une déposition avec l'espoir que ces informations vous aideraient dans votre enquête.

— Vous pouvez m'aider dans mon enquête : posez quelque part le sac d'os qui vous sert de postérieur, en attendant qu'une voiture de patrouille vous ramène à la maison.

— Je ne monterai pas dans un véhicule de police.

— Oh, que si ! J'ai suffisamment de soucis, sans que vous vous baladiez dans cette ville avec une cible au milieu du dos. À partir de maintenant, vous suivrez mes directives à la lettre, sinon...

Elle s'interrompit brusquement. Connors poussait la porte et franchissait le seuil.

— Entre donc, inutile de frapper. Tu es ici chez toi, bougonna-t-elle.

— Eve...

Il lui effleura le bras, les yeux rivés sur Summerset.

— Ça va ?

— Oui, bien sûr, répondit Summerset, tenaillé par la culpabilité.

Il aurait dû se douter que Connors aurait vent de l'incident avant même que ce soit réglé.

— Je viens de faire ma déposition au lieutenant. Je comptais vous contacter dès mon retour à la résidence.

— Vraiment ? murmura Connors. L'un des médecins qui est intervenu sur les lieux vous a reconnu, alors que vous vous occupiez d'un homme blessé. Lui a eu le temps de me prévenir.

— Je suis navré. Je voulais vous avertir. Mais, ainsi que vous pouvez le constater, je n'ai rien.

— Vous pensez que je vais tolérer ça ?

Connors parlait d'une voix douce qu'Eve connaissait bien : il était au bord de l'explosion.

— Tolérer ? répéta Summerset sur le ton d'un père qui corrige le vocabulaire de son fils. Allons, l'incident est clos.

Eve tourna la tête vers Connors dont le regard étincelait.

— Parfait. J'ai pris des dispositions pour que vous partiez quinze jours. Je vous suggère le chalet en Suisse. Vous aimez cet endroit.

— Dans l'immédiat, je n'envisage pas de prendre des congés, cela ne m'arrange pas du tout. Mais je vous remercie de votre proposition.

— Faites vos valises. Votre avion sera prêt dans deux heures.

— Je ne m'en irai pas.

— J'exige que vous quittiez cette ville, immédiatement. Si le chalet ne vous convient pas, choisissez une autre destination. Mais partez.

— Il n'en est pas question.

— Vous êtes viré !

— Très bien. Je récupérerai mes affaires et louerai une chambre d'hôtel…

— Oh, bouclez-la, tous les deux ! intervint Eve en tirant sur ses cheveux comme si elle voulait les arracher. Connors, tu prononces enfin les mots que j'attends depuis plus d'un an, et je ne peux même pas faire la danse du scalp ! C'est bien ma veine…

Elle haussa les épaules.

— Tu espères qu'il va courir se planquer en Suisse et iodler à tue-tête pendant que tu te débats dans ce pétrin ?

— Tu devrais comprendre, toi mieux que quiconque, qu'il est indispensable de le mettre à l'abri du danger. Yost l'a loupé. Il en sera furieux, meurtri dans sa vanité. Il recommencera, et cette fois il ne ratera pas son coup.

— Voilà justement pourquoi Summerset sera escorté jusqu'à cette forteresse où nous vivons et y restera, sous bonne garde, jusqu'à nouvel ordre de ma part.

— Je n'accepterai pas de… commença le majordome.

— J'ai dit, bouclez-la ! tonna Eve en s'interposant entre les deux hommes hérissés de colère. Vous voulez qu'il soit malade d'angoisse à cause de vous ? Qu'il sombre dans le désespoir si vous commettez une erreur et qu'il vous arrive malheur ? Je vous conseille de ravaler votre orgueil, et vite !

Elle enfonça l'index dans la maigre poitrine de Summerset.

— Vous m'obéirez, sinon je vous fais inculper pour port d'arme prohibée. Et toi, enchaîna-t-elle en pivotant vers Connors, pour entrave à une enquête de police. Je vous enfermerai ensemble dans une cellule, et vous pourrez vous étriper jusqu'à ce que cette histoire soit terminée. Mais je refuse de rester là à vous écouter vous chamailler tels des gamins.

Connors lui agrippa le bras, comme s'il se cramponnait à elle pour recouvrer le contrôle de soi. Puis, sans un mot, il sortit.

— Eh bien, bravo… marmonna-t-elle.

— Lieutenant…

— Taisez-vous, s'il vous plaît, rétorqua-t-elle en se campant devant la fenêtre pour scruter le ciel. Vous êtes la seule chose de son passé à laquelle il soit viscéralement attaché.

L'émotion se peignit sur le visage de Summerset. Il se sentit soudain exténué, se tassa dans le fauteuil des visiteurs.

— Vous pouvez compter sur ma coopération, lieutenant. J'accepte qu'on me reconduise à la résidence. Voulez-vous que j'attende dans une autre pièce ?

— Non, ne bougez pas, je dois aller sur le terrain.

— Lieutenant… murmura-t-il alors qu'elle atteignait le seuil. Je ne peux pas le quitter, c'est au-dessus de mes forces. Il… il fait partie de moi.

— Je le sais, soupira-t-elle. On vous ramènera dans une voiture banalisée, ce sera moins désagréable. Mais la prochaine fois qu'il vous vire, vieux corbeau, je bois un magnum de champagne, conclut-elle pour détendre l'atmosphère.

19

Eve chargea deux agents en uniforme d'interroger les commerçants de Madison Avenue susceptibles d'avoir vu Yost s'enfuir. Elle ne se faisait guère d'illusions, cependant elle leur ordonna également de retrouver le conducteur du maxibus pour prendre sa déposition.

Puis elle appela Peabody, et toutes deux descendirent au parking.

— Il va se tenir tranquille ? s'étonna Peabody. Summerset ?

— Si j'en doutais, je l'enfermerais à double tour. Pour l'instant, je m'inquiète surtout pour...

Elle n'acheva pas sa phrase : la cause de son inquiétude se tenait à quelques mètres, près de la voiture vert pois cassé.

— Ce qu'il est sexy quand il est fâché, chuchota Peabody. Je peux regarder ?

— Vous restez dans les parages, mais vous tournez le dos, rétorqua Eve en s'avançant.

Elle entendit son assistante marmotter :

— Ça va barder.

— Du balai, mon vieux, dit Eve à Connors. Ou j'appelle la sécurité.

— Je veux qu'il quitte ce pays, rétorqua-t-il d'un ton sec.

— Même un homme comme toi ne peut pas toujours obtenir ce qu'il veut.

— Jamais je n'aurais imaginé que tu t'opposerais à ma décision.

— Ça ne m'enchante pas, figure-toi. Mais Summerset est désormais un témoin. Donc il reste à New York, sous la protection de la police. Point à la ligne.

— La protection de la police ! Tes flics n'ont même pas réussi à le filer sur trois cents mètres. Et tu crois que je vais leur faire confiance ?

— Faire confiance à mes flics ou à moi ?

— Apparemment, ça revient au même.

Cette réponse fut pour Eve comme un direct au foie. Elle prit une inspiration.

— Tu as raison. Je n'ai pas été à la hauteur, je suis désolée.

Une flamme violente s'alluma dans les yeux de Connors. Eve se raidit, rassemblant son courage pour en supporter la brûlure. Cependant il se détourna, posa les mains sur le toit de la voiture.

— Bon, murmura-t-il. Tu comptes continuer à encaisser les coups ? Tu ne trouves pas que je suis allé assez loin ?

— J'ai souvent été bien plus dure que toi, et tu n'as pas bronché. J'ai choisi les hommes qui ont filé Summerset, ils l'ont perdu de vue, donc je suis responsable.

— Foutaises.

— Non, je suis lieutenant et j'assume les erreurs de mes subalternes. Comme toi, qui te sens responsable de ce qui a failli lui arriver. Connors...

Elle ébaucha le geste de lui caresser l'épaule, se ravisa et fourra sa main dans sa poche.

— Ne lui demande pas de faire ce que tu refuserais. Ce qui s'est passé me déplaît souverainement, n'empêche que Summerset s'est bien débrouillé. Reconnaissons-le et remettons-nous au travail.

— Ils savaient combien il est important pour moi. Comment je réagirais s'il disparaissait. Et tout ça pour de l'argent. Seigneur... moi aussi, j'ai accompli ma part de sales besognes pour de l'argent.

Elle garda un instant le silence.

— C'est l'Irlandais qui parle ? Tu as décrété que tout ça se produit parce que tu as été un méchant garçon ?

Il pivota.

— C'est le catholique qui parle, dit-il avec un petit rire amer. Il se réveille parfois, pour compliquer un peu plus les choses. Non, Eve... je ne crois pas que cette affaire soit un châtiment pour mes péchés. En revanche je suis persuadé qu'elle s'enracine dans mon passé. C'est là qu'il faut creuser.

Et il creuserait, dût-il en souffrir.

— Qu'est-ce que tu me caches ?

— Quand j'aurai des certitudes, je te le dirai. Eve, pardonne-moi d'avoir été injuste avec toi.

— Oublie ça. J'ai eu l'immense plaisir de t'entendre virer Summerset. Tu pourrais peut-être recommencer dans une quinzaine de jours ? Pour de bon, cette fois.

Il esquissa un sourire, lui caressa les cheveux. À cet instant, les portes de l'ascenseur coulissèrent, livrant passage à Summerset flanqué de deux policiers en civil.

Eve vit Connors et son majordome échanger un long regard. Elle se sentit exclue : il y avait entre eux des secrets qu'elle ne pénétrerait jamais.

— Puisqu'il est encore à ton service, tu devrais aller lui parler, grommela-t-elle.

— Lieutenant ?

— Oui ?

— Donne-moi un baiser.

— Pourquoi ?

— Parce que j'en ai besoin.

Elle leva les yeux au ciel, pour la forme, puis l'embrassa sur les lèvres.

— Tu te contenteras de ça, il y a des caméras de surveillance partout. Et d'ailleurs j'ai du boulot, moi. Peabody, au trot !

Elle attendit cependant que Connors ait traversé le parking et rejoint Summerset qui prenait place dans une voiture banalisée.

— Ils sont comme père et fils, n'est-ce pas ? commenta Peabody en s'installant auprès d'Eve. Dites donc... du coup, vous êtes la belle-fille de Summerset.

Eve en pâlit d'horreur, pressa une main sur son estomac.

— Taisez-vous, vous me donnez la nausée.

Les Mince logeaient dans une suite que l'hôtel réservait aux hommes d'affaires. Elle était spacieuse, comportait un salon et une chambre séparés par une cloison en lambris sur laquelle s'enroulaient des plantes grimpantes et fleuries. Dans un coin du salon était aménagé un petit bureau fonctionnel équipé d'une luxueuse console électronique.

Celle-ci bourdonnait discrètement, lorsque Eve arriva. Mince était en plein travail.

— Lieutenant… j'avais oublié notre rendez-vous.

— Merci d'avoir accepté de me recevoir.

— Ça ne me dérange pas du tout, voyons.

Il jeta un regard circulaire, comme surpris de se trouver dans ce lieu.

— J'ai tendance à m'engloutir dans le travail. Ma pauvre Minnie désespère de me guérir. Il me semble me rappeler qu'elle est sortie faire des courses… à moins qu'elle ne soit au salon de beauté ? Vous désirez vous entretenir aussi avec elle ?

— Je lui parlerai ultérieurement.

— Il y a sans doute du café. Minnie a dû m'en préparer avant de partir. Vous en voulez ?

— Volontiers, répondit-elle en s'asseyant dans un fauteuil, tandis qu'il disposait maladroitement les tasses sur des soucoupes.

— Et vous, officier ?

— Merci, si cela ne vous ennuie pas, répliqua Peabody.

— Du tout, du tout… Quel merveilleux hôtel ! Le personnel est aux petits soins pour les clients. Quand Magda a décidé que la vente se déroulerait ici, je vous avoue que je n'en étais pas ravi. Mais je vous prie de croire que j'ai changé d'avis.

— C'est elle qui a choisi ?

— Mmm… Elle voulait que ça se passe à New York, où elle a décroché son premier rôle au théâtre. C'est le cinéma qui l'a rendue célèbre, cependant elle n'a jamais oublié que Broadway lui a mis le pied à l'étrier.

— Vous êtes ensemble depuis longtemps, Magda et vous ?

— Nous préférons ne plus compter les années.

— Vous avez en quelque sorte des liens familiaux.

— Oui, c'est tout à fait ça. Nous sommes restés côte à côte dans les bons et les mauvais moments. Les mariages, les enterrements, les naissances. Je suis le parrain de son fils. Magda est une femme extraordinaire. Je suis fier d'être son ami.

Eve attendit qu'il leur servît leur café, qu'il s'installât vis-à-vis d'elle.

— Les amis peuvent parfois se montrer trop protecteurs, dit-elle.

Il la dévisagea d'un air perplexe.

— Je ne vous suis pas très bien.

— Sait-elle dans quel gouffre financier est tombé Vincent Lane ?

— Lieutenant, je refuse d'évoquer la vie privée des gens que j'aime. Et en tant que conseiller de Magda, je ne discuterai pas de ses finances ni de celles de son fils avec la police.

— Même si cela pouvait lui épargner un immense chagrin ? Je ne suis pas une journaliste, monsieur Mince. Je n'ai pas pour habitude de colporter des ragots. Je me soucie uniquement de la sécurité de Magda et de ses biens.

— Je ne vois pas quel rapport il y aurait avec la situation financière de Vince.

— Vous l'avez déjà sorti de l'ornière. Et il a replongé. Maintenant sa mère, sur laquelle il compte pour manger, projette de se délester d'un milliard de dollars. Comment prend-il la chose ?

Mince cilla, détourna les yeux.

— Je ne saisis pas ce que...

— Je peux obtenir les mandats nécessaires, vous soumettre à un interrogatoire en règle. Je n'y tiens pas pour plusieurs raisons. D'une part, mon mari a beaucoup d'admiration et d'affection pour votre amie. Je pense à lui et à Magda, je ne voudrais pas qu'un scandale compromette cette vente aux enchères.

— Vous ne croyez quand même pas que Vince chercherait à... Il n'oserait pas.

— Est-elle au courant des problèmes pécuniaires de son fils ?

Mince plissa le front d'un air anxieux.

— Non, cette fois je ne lui ai rien dit. Elle s'imagine qu'il a tourné la page. Elle est si heureuse qu'il se soit tellement intéressé à la Fondation, à la vente...

Il se tut un instant, horrifié. Puis il secoua frénétiquement la tête.

— Non, non... Il n'a plus les moyens d'empêcher que cet événement n'ait lieu. La machine est lancée, tout est en ordre. Les bénéfices reviendront à la Fondation. Il n'y peut plus rien, même si, au début, il n'était pas d'accord.

— Il a essayé de s'opposer à ce projet ?

Mince se leva et se mit à arpenter le salon, les mains nouées.

— Oh, oui ! Il a lutté d'arrache-pied. Il l'accusait de le dépouiller de son héritage, de son avenir... Ils ont eu une épouvantable querelle. Elle était à bout de patience, elle a dit qu'il était temps pour lui de travailler pour gagner sa vie, qu'elle ne volerait plus à sa rescousse pour rembourser les dettes qu'il accumulait. La Fondation aurait au moins un avantage : elle ne *pourrait* plus lui donner de l'argent. En tendant une main secourable à ceux qui étaient vraiment dans le besoin, elle lui rendrait service. Tous deux sortiraient de l'impasse où ils étaient.

— Pourquoi a-t-il ensuite changé d'attitude ?

— Je l'ignore. Ce jour-là, il est parti furieux. Elle a pleuré, ce qui ne lui arrive pas souvent. Pendant deux semaines, nous n'avons eu aucune nouvelle de lui, nous ne savions pas où il était. Et puis il est rentré au bercail, la tête basse, bourrelé de remords. Il a déclaré qu'elle avait raison, bien entendu, qu'il était navré, honteux, qu'il ferait le maximum pour qu'elle soit fière de lui.

— Il ne vous a pas convaincu, n'est-ce pas ?

— Non, soupira-t-il. Mais Magda l'a cru. Elle adore Vince, même s'il la désespère. Quand il a demandé à s'occuper de l'exposition et de la vente, elle était folle de joie. Et, pendant un certain temps, il paraissait sincère. Là-dessus, les factures ont recommencé à pleuvoir. J'avais fait en sorte qu'elles me soient transmises directement, pour épargner Magda. J'ai sermonné Vince, j'ai payé. Puis j'ai menacé de tout raconter à sa mère. Il a craqué, m'a supplié de garder le silence. Il m'a promis que ça ne se reproduirait plus.

— Quand cela s'est-il passé ?

— Juste avant notre arrivée sur la côte Est. Depuis il a eu un comportement irréprochable, mais... aujourd'hui, j'ai reçu un lot de nouvelles factures. Je ne sais plus à quel saint me vouer.

— Y a-t-il, parmi les notes que vous avez réglées depuis sa dispute avec sa mère, des frais de transport pour Delta ou Paris ?

Mince pinça les lèvres.

— Les deux. Il y a des amis. Ces jeunes gens ne m'emballent pas, pour être franc, bien qu'ils soient de bonne famille. Mais ils mènent une vie de bâton de chaise, ils sont trop insouciants. Quand Vince voit Dominic II Naples ou Michel Gerade, on peut être sûr qu'il se retrouve bientôt criblé de dettes.

— Monsieur Mince, m'autorisez-vous à examiner les factures que vous avez reçues ce matin ?

— Lieutenant, je ne les montrerais même pas à mon épouse. Vous me demandez de trahir la confiance qu'on en a moi.

— Non, je vous demande de m'aider à préserver cette confiance. Vince Lane pourrait-il faire du mal à sa mère pour de l'argent ?

— Physiquement ? Bien sûr que non ! C'est grotesque.

— On peut blesser quelqu'un autrement que physiquement, et c'est tout aussi douloureux.

L'angoisse se peignit sur le visage de Mince.

— Oui, en effet. Eh oui... il en serait capable. Il l'aime. À sa manière, il l'aime beaucoup. Mais il... attendez, je vous donne les renseignements que vous réclamez.

Il fallut à Eve moins de trente secondes pour trouver ce qu'elle cherchait.

— Groupe Naples. Un million de dollars.

— Épouvantable, commenta Mince, debout derrière elle. Vince n'a aucun besoin d'un système de communication aussi sophistiqué. Je ne comprends pas quelle idée lui est passée par la tête.

— Moi si, hélas, murmura-t-elle.

— Vous pensez qu'il tiendra parole, qu'il n'en parlera pas à Magda ni à son fils ? s'enquit Peabody, dans l'ascenseur qui les menait jusqu'à l'étage de Lane.

— Oui, du moins pour l'instant. Assez longtemps, en tout cas, pour que nous les coincions, lui et ses petits copains.

— Escroquer sa propre mère... C'est infâme.

— Tuer l'est bien plus encore.

Elles longèrent le couloir silencieux, appuyèrent sur la sonnette près de la porte vernissée à deux battants. Ce fut Lane lui-même qui ouvrit.

Il arborait une tenue décontractée, pantalon et sweater en fin lainage. Il était pieds nus, une luxueuse montre de sport au poignet. Il leur sourit de toutes ses dents blanches, parfaitement alignées.

— Eve, quel plaisir de vous revoir ! Mais peut-être devrais-je dire *lieutenant*, si vous êtes dans l'exercice de vos fonctions.

— À vous de décider, je suis là pour discuter de certains points concernant la vente.

Avec un petit rire, il s'effaça pour les laisser entrer.

— Je me réjouis que vous vous y intéressiez autant. Ça tranquillise ma mère. Je vous en prie, asseyez-vous. Liza, nous avons de la compagnie !

La suite de Lane était nettement plus chic que celle de Mince. Une partie du salon formait une rotonde qu'occupait une salle à manger. Un lustre brillait de mille feux au-dessus de la table, un piano d'un blanc neigeux trônait dans un angle. L'escalier en colimaçon, pareil à un ruban d'or, conduisait au niveau supérieur. Et Liza, magnifique dans une combinaison moulante immaculée, descendait les marches tel un cygne glissant sur l'eau.

Eve remarqua les diamants qui scintillaient à ses oreilles, son cou, ses poignets et ses chevilles. Manifestement, il ne s'agissait pas de pierres synthétiques. Combien ces babioles t'ont coûté, mon petit Vinnie ? songea-t-elle.

— Bonjour, minauda Liza en faisant bouffer sa chevelure.

— Pardon de vous déranger, dit aimablement Eve. Je souhaitais m'entretenir avec Vince à propos de la vente. La police new-yorkaise veut avoir la certitude que tout se déroulera sans difficulté.

— J'ai hâte que ce soit terminé, rétorqua Liza en étouffant un bâillement. On ne parle que de ça à longueur de journée.

— Ce doit être lassant pour vous.

— Effectivement. Eh bien, si vous avez à discuter, je crois que je vais aller faire un peu de shopping !

— Je suis navrée de vous perturber. Mais ça ne devrait pas nous prendre trop de temps.

Vince se leva, caressa les bras nus de sa compagne.

— Pourquoi ne pas nous retrouver dehors pour le déjeuner ? suggéra-t-il d'un ton apaisant. Disons 12 h 30 au *Rendez-Vous* ?

— Mmm… répliqua-t-elle avec une moue boudeuse. Tu sais que je m'ennuie sans toi. Ne sois pas en retard.

— Juré.

Elle prit son sac sur un guéridon près de la porte, envoya un baiser à Lane et sortit.

— Tout ça n'est pas très amusant pour elle, dit-il. Elle a été d'une patience d'ange.

— Un vrai petit soldat…

Eve se percha sur l'accoudoir d'un des trois sofas anciens, recouverts de soie.

— Vous vous occupez énormément de la vente et de la Fondation de votre mère. Ça vous absorbe sans doute beaucoup.

— Oui, mais ça en vaut la peine.

— Qu'elle jette un milliard de dollars par la fenêtre ne vous dérange pas ?

— C'est pour une bonne cause, répondit-il, jovial. Je suis extrêmement fier d'elle.

— Vraiment ? Vous êtes pourtant fauché comme les blés, vous empruntez à ses amis de quoi rembourser vos dettes.

Elle le vit tressaillir, enchaîna.

— Je vous trouve drôlement fair-play, Vince.

— Je ne saisis pas de quoi vous parlez, et permettez-moi de vous dire que vos propos ne sont pas du meilleur goût.

— Escroquer sa famille ainsi qu'une œuvre caritative, ne pas avoir le courage de travailler pour gagner sa vie… ce n'est pas non plus du meilleur goût. Mais surtout, recourir au meurtre est inqualifiable. Au fait, ce matin, votre tueur a loupé son coup. J'espère qu'il ne touchera pas le solde de sa rémunération pour cette clause du contrat.

618

— Je vous demande de sortir, rétorqua-t-il, pointant le doigt vers la porte dans un geste qui eût été impérial si son bras n'avait pas tremblé. Sortez ! Je me plaindrai à vos supérieurs, mon avocat se...

— Taisez-vous donc, pauvre minable. Peabody, vous enregistrez.

— Oui, lieutenant.

— Vincent Lane, attaqua Eve, vous avez le droit de garder le silence.

Le visage du jeune homme qui était devenu d'un blanc de craie vira au cramoisi.

— Vous m'arrêtez ? Vous croyez pouvoir m'arrêter ? Vous n'avez rien contre moi, pas la moindre preuve ! Savez-vous qui je suis ?

— Mais oui, je le sais. Vous êtes un déchet. Maintenant, restez tranquille pendant que je vous lis vos droits et vos obligations. Ensuite vous répondrez à mes questions. Et si vous refusez, je vous traînerai jusqu'au Central. Pour les médias, ce sera une aubaine. À l'heure du déjeuner, alors que votre amie vous attendra au restaurant, les journalistes clameront sur tous les toits que Vince Lane est en état d'arrestation, soupçonné de complicité de vol, de recel et – cerise sur le gâteau – de complicité de meurtre.

— De meurtre ? Vous êtes folle, vous délirez ! Je n'ai jamais tué personne. J'appelle mon avocat.

— Faites donc, susurra Eve. Je me demande combien de temps il faudra à vos camarades Gerade et Naples pour apprendre que vous avez chargé un avocat de vous défendre. Et combien de temps attendront-ils avant de lâcher Yost contre vous pour assurer leurs arrières ? D'autant qu'ils ne seront peut-être même pas obligés de le payer.

Elle marqua une pause, contempla ses ongles. Lane, qui avait saisi son communicateur, ne bougeait plus, pétrifié.

— Oui, je pense qu'il fera ça gratuitement. Lui aussi doit se protéger. Vous savez ce qu'il inflige à ses victimes, Vinnie ?

Elle leva le nez, braqua sur lui un regard implacable.

— Il les roue de coups, ensuite il veille à ce que ses proies aient toute leur conscience pendant qu'il les viole. J'ai une vidéo que je vous montrerai, vous verrez ce qu'il pourrait vous faire subir. Il vous briserait le bras comme une brindille, il réduirait votre figure en bouillie. Même votre mère ne vous reconnaîtrait pas. Vous vous diriez que vous avez enduré le pire, mais non… reste le viol. Une douleur effroyable, inconcevable. Le cauchemar absolu, l'enfer qui vous engloutit tout entier. Impossible d'y échapper, de fuir. Et pour finir, il vous passe ce garrot autour du cou, il serre de plus en plus fort. Vous vous débattez, vous étouffez. Votre vessie lâche, vous mourez.

Elle se redressa.

— Dans le fond, cette triste fin serait parfaite pour vous. Allez-y, appelez votre avocat.

Vince fondit en larmes.

— Ce n'est pas ma faute. Il n'était pas prévu que…

— Les gens de votre acabit disent toujours ça. Asseyez-vous, ordonna-t-elle en désignant le sofa, et expliquez-moi pourquoi ce n'est pas votre faute.

— J'avais besoin d'argent…

Il s'essuya les yeux, but le verre d'eau que Peabody lui tendait.

— Ma mère a eu l'idée absurde de vendre la majeure partie de sa collection aux enchères. Pour cette maudite Fondation. Je suis son fils, se plaignit-il. Offrir une fortune à des étrangers alors que j'en ai besoin…

— Donc vous avez cherché un moyen de la garder dans la famille.

— Nous nous sommes disputés. Elle a décrété qu'elle me coupait les vivres. J'avais déjà entendu ce refrain, mais cette fois ce n'étaient pas des paroles en l'air. Ça m'a révolté. Une mère qui fait une chose pareille à son fils…

— Alors vous vous êtes précipité chez vos copains.

— Il fallait que j'évacue ma colère, que je me confie à Dom. Lui, il a un père qui ne donnerait pas tout son argent à des étrangers. Il ne s'est jamais demandé avec quoi il allait payer une fichue facture. On a bavardé en buvant quelques verres. Et j'ai dit quelque chose du genre… je devrais voler la collection de ma mère, la revendre. On verrait quel effet ça lui ferait. Et on a réfléchi à la façon d'organiser un coup pareil. Comme ça, juste pour parler. Puis il nous a semblé que, peut-être, ce n'était pas irréalisable. Plusieurs centaines de millions de dollars. Je n'aurais plus à m'inquiéter, je pourrais vivre comme je le désirais, sans dépendre de personne. Je crois que je me suis saoulé. J'ai perdu conscience et, quand j'ai émergé le lendemain matin, Dom avait discuté avec son père. L'affaire était lancée. On a embarqué Michel là-dedans. Ça paraissait encore irréel, vous comprenez. Une sorte de jeu. Mais le père de Dom affirmait qu'on pouvait réussir, il savait comment monter l'opération. Après amortissement des frais, nous aurions chacun un pourcentage des bénéfices. Ce serait une affaire juteuse, voilà tout. Il n'était pas question de meurtres.

— À quel moment Yost est-il intervenu dans l'*opération* ?

— Je l'ignore, je le jure devant Dieu. Tout était organisé. Je devais rentrer en Amérique, me réconcilier avec ma mère et lui proposer de l'aider pour être au courant des moindres détails et transmettre les informations. C'est là que j'ai découvert qu'elle s'était associée à Connors. Ça ne m'a pas plu… Connors n'est pas le premier venu. Mais Naples en a été ravi. Il a dit que ça pimentait la sauce. Il a embringué un autre partenaire, l'Allemand, et comme Dom et moi étions occupés ailleurs, ils ont retrouvé Michel à Paris.

Il s'humecta les lèvres, scrutant le visage d'Eve, en quête de compréhension, de pardon. Il ne rencontra que le regard glacé d'un flic.

— Je pense que… que c'est au cours de ces rencontres qu'ils ont décidé de faire appel à Yost. Je sais seulement que l'Allemand a repris ses billes. Naples l'a traité de… lopette. Il a déclaré qu'on se passerait de lui sans problème, que ça nous laisserait une plus grosse part du gâteau, et qu'il se chargerait personnellement du transport. Il a engagé deux autres types. Toutes ces dépenses commençaient à me rendre nerveux. Je m'en suis plaint, mais la discussion a tourné au vinaigre. Dom m'a expliqué qu'il valait mieux pour moi le laisser traiter en direct avec son père. Il me communiquerait les instructions. Je n'avais plus qu'à leur donner tous les renseignements nécessaires – les plans du système de sécurité, le timing – et dorloter ma mère. Ils m'ont dit qu'ils avaient trouvé le moyen de distraire Connors pour qu'il ne soit pas sur mon dos.

Il s'essuya la bouche d'un revers de main.

— Vous voyez, n'est-ce pas, que j'étais trop impliqué dans cette histoire pour faire marche arrière. Ce n'est pas ma faute, je vous assure. D'ailleurs, maintenant, je coopère. Ça change tout, non ?

— Mais oui. Et je vous conseille vivement de continuer, Vince.

— D'accord… Il y a quelques semaines, Dom m'a contacté. Je devais dénicher un million de dollars pour rémunérer un conseiller. Ma participation aux frais. Ça atterrirait dans les caisses du Groupe Naples, et ils trafiqueraient la comptabilité pour faire apparaître que j'avais acheté un nouveau système de communication hypersophistiqué. Je me suis affolé. Un million ! Je n'ai pas une somme pareille. Et je ne m'attendais pas à de telles dépenses. Alors j'ai posé la question : quel genre de conseiller exige plusieurs millions pour donner son avis ?

Il s'interrompit, enfouit sa tête dans ses mains.

— Et j'ai eu la réponse… Dom m'a parlé de Yost, du contrat, des meurtres. Il a dit qu'on ne pouvait plus revenir en arrière. On était dedans jusqu'au cou, je n'avais qu'une solution : me débrouiller, emprunter ou voler ma part des honoraires parce que, dès qu'il aurait exécuté le contrat, Yost réclamerait son argent. Je ne savais pas quoi faire. C'est ma mère qui est responsable, elle m'a dépouillé de ce qui m'appartenait. Ce n'est pas ma faute.

— Oui, bien sûr, votre mère est coupable. Vous avez envie de vivre, Vince ? Vous ne voulez pas que Yost s'en prenne à vous, je suppose ? Racontez-moi tout, de A à Z, en n'omettant rien. Donnez-moi des noms.

Il releva lentement la tête.

— Je ne suis pas au courant de tout. Ils m'ont mis à l'écart, je l'ai bien compris. Ils se servent de moi. Je ne suis qu'un pion, c'est à eux de payer.

— Oh ! ne vous inquiétez pas ! Ils paieront, j'y veillerai.

Tandis qu'Eve extorquait à Lane une déclaration plus concise et précise, Connors rentrait à la maison. Il vérifia le tableau de sécurité, s'aperçut que Mick était en train de nager dans la piscine.

Il le rejoignit en empruntant le chemin le plus long pour s'accorder un peu de temps.

L'aile de la résidence qui abritait la piscine embaumait l'eau fraîche et les fleurs exotiques. Le murmure harmonieux d'une fontaine, qui imprégnait ordinairement ce lieu paisible, était étouffé par des chants irlandais aux accents rebelles.

Connors s'approcha, choisit une des moelleuses serviettes bleues de la pile posée sur le bord du bassin.

Mick repoussa les mèches mouillées qui lui tombaient sur les yeux.

— Tu viens ?

— Non, c'est toi qui sors.

— OK.

Ruisselant, Mick s'exécuta et saisit la serviette que Connors lui tendait pour s'essuyer la figure.

— Merci... Bon Dieu, ce que c'est agréable. On s'habituerait facilement à ces plaisirs-là. Je ne m'attendais pas à ce qu'un personnage aussi important que toi rentre chez lui au milieu de la journée, ajouta-t-il en enfilant l'un des peignoirs réservés aux invités.

— J'ai eu un contretemps, ce matin. Tu sais, Mick, vu tout ce que nous avons vécu, les bons et les mauvais moments, tout ce que nous avons fait ensemble ou séparément... tu étais le dernier que j'aurais cru capable de trahir un ami.

— Qu'est-ce que ça signifie ? articula Mick.

— L'amitié aurait-elle pour toi moins de valeur aujourd'hui qu'à l'époque de notre jeunesse ?

— Crache ce que tu as sur le cœur, Connors, rétorqua Mick, apparemment dérouté. Je suis largué.

— Tu veux que je sois plus clair ?

— Ben, oui.

— Parfait...

Le bras de Connors se détendit comme un ressort, son poing percuta brutalement le visage de Mick. Immobile, il regarda son ami d'enfance vaciller et tomber dans la piscine.

623

Alourdi par le peignoir gorgé d'eau, la bouche en sang, Mick refit surface et se hissa péniblement sur le bord du bassin.

Une lueur meurtrière flamba dans ses yeux, qui s'effaça aussitôt pour céder la place à une petite étincelle narquoise. Il se frotta la mâchoire, retira le peignoir.

— Dis donc, tu n'as pas perdu ta force de frappe. Comment tu as compris ? Non, attends… Je préférerais être habillé et avoir un verre de whisky dans la main quand tu m'expliqueras ça.

— Je n'y vois pas d'inconvénient, répondit froidement Connors. Au fait, Summerset va bien.

— Pourquoi n'irait-il pas bien ? rétorqua nonchalamment Mick.

20

Connors attendit, posté devant la fenêtre, que Mick achève de se rhabiller. Les mains dans les poches, il contemplait les arbres et le haut mur de pierre qui entourait le parc.

Il avait planté ces arbres, la pelouse qui ondulait tel un tapis de velours vert, les fleurs, pour se bâtir un domaine. Son domaine. Un havre de beauté et de paix dans un monde rongé par la misère et la douleur. Ce lieu lui avait permis de se convaincre que les taudis de Dublin étaient loin, très loin, qu'il s'en était évadé.

Et fort de cette certitude, il avait invité dans son royaume un vestige de ce passé qui n'avait jamais réellement cessé de le hanter. Il avait ouvert sa porte à un ami d'enfance qui avait trahi l'homme qu'il était à présent.

— C'était seulement pour l'argent, Mick ? Seulement pour ça ?

— Tu peux parler sur ce ton méprisant, Ton Altesse. C'est facile pour toi, tu nages dans le luxe. Oui, bien sûr, c'était pour le fric. Ma part s'élèvera à vingt-cinq millions, tu te rends compte ? Et c'était aussi pour le plaisir. Tu as vraiment oublié à quel point c'est excitant ?

— Et toi, Mick, même si chez les voyous le code de l'honneur n'est pas toujours gravé dans le marbre, tu as oublié que trahir un ami ne se fait pas ?

— Bon sang, Connors, ce n'est pas ton argent que je cherche à rafler, soupira Mick.

Il boutonna sa chemise, saisit le carafon de whisky, remplit deux verres. Connors ne bronchant pas, il poussa un nouveau soupir et avala une lampée d'alcool.

625

— D'accord, j'admets que j'ai peut-être dépassé les bornes. Je suis un peu jaloux de la fortune que tu as réussi à amasser depuis qu'on s'est séparés.

Connors pivota brusquement, songeant à la fin atroce d'innocentes victimes.

— Tu as dépassé les bornes ? C'est ainsi que tu vois les choses ?

— Écoute… rétorqua Mick, agacé et gêné à la fois. On m'a contacté pour me proposer ce boulot. Le fils de l'actrice avait lancé le truc et, au moment où on m'en a parlé, l'affaire était sur pied. Franchement, je ne pensais pas que ça t'embêterait autant. Ces derniers jours, je me suis rendu compte que, sur ce point, je m'étais sérieusement trompé. Mais j'étais trop impliqué dans cette histoire pour reculer. Maintenant, bien sûr…

Mick haussa les épaules, pour signifier qu'il renonçait à ces millions, que ça n'avait guère d'importance.

— Comment diable tu as découvert le pot aux roses ? Comment tu as compris que j'étais dans le coup ?

— J'ai fait certains recoupements, Mick. Le fils de Magda et celui de Naples, ensuite Hinrick et Gerade. J'ai trouvé bizarre que tu ne mentionnes pas Naples comme un suspect potentiel lorsque Eve t'a interrogé sur la mort des Hague en Cornouailles.

— Quand j'ai vu la situation où j'étais, je te garantis que j'ai eu un choc. Hinrick s'est retiré de l'affaire avant même que j'y sois mêlé. Naples en a été offusqué… Donc, tu es au courant pour le jeune Lane. Quelle pitié qu'une femme aussi magnifique ait mis au monde une petite ordure pareille… Il se roule les pouces, il a tout ce qu'il désire, et il se lamente pour en avoir plus. Toi et moi, au moins, on s'est débrouillés tout seuls.

Mick jeta un regard autour de lui. Il avait énormément apprécié son séjour dans ce palais, mais il allait devoir boucler ses valises sans tarder.

— Alors, qu'est-ce qu'on fait ? Tu n'as pas l'intention de me livrer à ta charmante femme, hein ? Après tout, dans l'immédiat, je n'ai rien à me reprocher.

— Je veux Naples.

— Connors… tu me mets la corde au cou.

— Et je veux Yost.

— Ça alors ! Qu'est-ce que j'ai à voir avec un individu comme Sylvester Yost ?

— Tu es l'homme de main de Naples, et lui aussi. Il a assassiné deux de mes employés pour vous faciliter les choses.

— Tu dérailles. Yost n'est pas dans le coup. Il a peut-être liquidé Britt et Joe sur les ordres de Naples. Mais il n'a aucun rapport avec mon affaire. Je ne l'ai jamais rencontré, Dieu merci. Je ne fricoterais pas avec ce type. Ce n'est pas mon style, tu le sais.

— Ça ne l'était pas, mais il y a longtemps que nous ne suivons plus le même chemin, Mick. Naples cherche à me manipuler, il s'est servi de deux personnes qui travaillaient pour moi comme s'il s'agissait de vulgaires pions dans une partie d'échecs. Aujourd'hui, Yost s'en est pris à Summerset.

Mick faillit lâcher son verre.

— Summerset ? Tu prétends que Naples a commandé à Yost d'agresser Summerset ? Non, tu dois te tromper. À quoi ça...

Il n'acheva pas sa phrase, écarquilla les yeux. Soudain livide, il se cramponna au dossier d'un fauteuil, s'assit et avala d'un trait le reste de son whisky.

— Ô Seigneur... Tu es en sûr ? Tu en es absolument certain ?

— Oui.

Connors alla chercher le carafon, remplit le verre de Mick.

— Il a tué deux de mes employés, je te le répète, dont l'un était un ami. Et pourquoi ? Pour distraire la police – en l'occurrence Eve –, détourner l'attention de la vente aux enchères.

— Non, non... Ça, c'est mon rôle, la raison de ma présence ici. Être proche de toi, m'installer dans cette maison, me tuyauter sur les éventuelles modifications apportées au système de sécurité. Et faire du charme à ton flic, pour ainsi dire. En plus, je pouvais garder l'œil sur le fils de Magda s'il se prenait les pieds dans le tapis. Liza le tient en laisse, mais...

— Ah ! Je me posais des questions sur cette Liza... Eh bien, Mick, vous avez réussi à nous distraire, mon flic et moi ! Et s'ils avaient eu Summerset aujourd'hui, je n'aurais sans doute plus du tout pensé à la vente.

— Je n'étais pas au courant.

Mick redressa les épaules, planta son regard dans celui de Connors.

— Je te le jure sur ma tête. C'était une grosse affaire, très excitante, qui me donnait enfin la possibilité de te faire la nique. J'en ai toujours eu envie. Tu n'étais pas comme nous, tu le sais bien. Tu as quelque chose de plus. Je t'aurais volé, Connors, et ça m'aurait réjoui. J'en aurais bien ri, je m'en serais vanté pendant le reste de ma vie. Mais ça, non… jamais je ne me serais rendu complice d'un meurtre.

— Pour moi, c'était en effet un élément qui ne trouvait pas sa place dans le puzzle.

— Naples a donc éliminé Britt et Joe ? Tu n'as aucun doute là-dessus ?

— Aucun.

— Et maintenant, Summerset. Je vois…

Mick prit une profonde inspiration.

— Il y a deux types à l'intérieur du gruyère, un dans ton équipe spéciale de sécurité, l'autre dans l'hôtel. Honroe et Billick. L'opération est prévue pour demain. À 2 heures du matin. À ce moment, un maxibus entrera en collision avec une voiture à gauche du Palace. Le bus fera un tête-à-queue et fracassera la vitrine de la bijouterie. Ils ont engagé un sacré chauffeur. Tu te souviens de Kilcher ?

— Oui.

— Eh bien, il s'agit de son fils qui est même meilleur que le père ! Il y aura un petit incendie, du remue-ménage. Les flics, les vigiles et les pompiers seront là, dehors, à éteindre les flammes et éloigner les pillards. Pendant ce temps, une camionnette de livraison péné-trera dans l'hôtel par la voie normale. On sera six, avec des tranquillisants. On endormira quelques membres de ton personnel, le maximum. Je me chargerai du sys-tème de sécurité. Il sera bloqué pendant douze petites minutes. J'ai bossé six mois comme un malade et je n'ai pas pu faire mieux. Ton installation est une vraie mer-veille, crois-moi. Je n'aurais abouti à rien sans nos com-plices du Palace.

— Je t'avoue que, dans l'immédiat, ce compliment ne me réconforte guère.

— Ouais, je comprends. N'empêche que j'étais probablement le seul au monde à pouvoir fissurer ce rempart en béton. Mais bref… Chaque type a des objets précis à emporter. Chacun doit avoir fini son boulot et quitté la salle d'exposition en dix minutes. Donc ils n'ont que deux minutes pour rejoindre la sortie.

Mick reposa son verre, se leva.

— Je vais chercher mon matériel pour te montrer comment ça fonctionnera.

Il s'interrompit, reprit d'une voix sourde :

— J'aurais dû réfléchir avant de m'acoquiner avec un individu comme Naples. Je n'ai pas d'excuse, et je te donne ma parole : je ferai tout mon possible pour réparer ma faute. Est-ce que tu me livreras aux flics ?

Connors le dévisagea, lut de la détresse dans son regard.

— Non.

Eve, écumante de rage, entra en coup de vent dans la demeure, fonça vers l'escalier tandis que Summerset apparaissait dans le hall, aussi silencieux qu'un fantôme, à son habitude.

— Où sont-ils ? articula-t-elle.

— Connors est dans son bureau privé. Lieutenant…

— Plus tard.

Elle grimpa les marches quatre à quatre, longea le couloir. Une main sur son arme, elle composa le code qui ouvrait l'antre de son mari.

Appuyé à la console, il étudiait les données et les diagrammes affichés sur l'écran mural. Toutes ses machines – illégales naturellement – vrombissaient en sourdine.

— Où est Connelly ?

Il ne tourna pas la tête.

— Il n'est pas là.

— Il faut que je le trouve, tout de suite. Ce salaud est dans le coup.

— Oui, je sais.

Sa voix était si douce qu'Eve n'assimila pas immédiatement la signification de ses paroles.

— Tu le sais ? répéta-t-elle. Depuis combien de temps ?
Elle s'approcha, s'interposa entre l'écran et lui.

— À quoi tu joues ?

— Je ne joue pas.

En effet, elle s'en rendait compte à présent. Il s'exprimait peut-être calmement, mais son regard n'avait rien de serein.

— À quel moment as-tu commencé à le soupçonner ?

— Quand nous avons compris que la collection de Magda était la véritable cible. Je t'ai dit que les truands capables de réaliser un coup de cette envergure étaient peu nombreux. Il en fait partie.

— Mais tu n'as pas jugé utile de me le préciser.

— J'ai gardé le silence parce que je voulais en être sûr et certain. Maintenant je le suis.

— Et pour quelle raison ?

— Je lui ai posé la question, il a répondu. J'ai là ses plans et ses notes. Ils auraient pu réussir, ajouta-t-il d'un ton où perçait une pointe d'admiration. Si tout s'était déroulé sans imprévu, ils auraient pu réussir.

— Alors tu l'as interrogé. Parfait, génial. Où est-il ?

— Je n'en ai pas la moindre idée. Je l'ai laissé partir.

— Tu…

Cette fois, elle faillit vraiment s'étouffer. De colère, de stupeur et d'indignation ; en outre, elle se sentait trahie.

— Tu l'as laissé partir ! C'est un élément clé de mon enquête, un sale voleur qui s'apprêtait à te poignarder dans le dos, et tu lui as permis de filer !

— Oui. J'ai là tout ce qu'il sait. Ça ne t'aidera pas beaucoup en ce qui concerne ton tueur. Mick ignorait qu'ils avaient engagé Yost.

— Ben, tiens… Tu n'avais pas le droit d'entraver une procédure policière. Et tu n'avais pas le droit de le relâcher dans la nature !

— Eve…

— Bon sang, Connors ! Deux personnes ont été assassinées. Summerset aurait pu mourir aussi. Je viens de passer deux heures avec Vincent Lane à lui faire cracher le morceau et l'effrayer suffisamment pour qu'il ne vende pas la mèche aux autres. Il m'a fallu négocier avec le procureur, afin que ce petit crétin bénéficie de la protection accordée aux témoins. On a prétexté une urgence médicale – une allergie. Il est enfermé dans une somptueuse chambre d'hôpital, assommé par les drogues. Comme ça, il ne risque pas de parler à qui que ce soit.

— C'est très habile de ta part. Il n'aurait vraisemblablement pas eu le cran de tenir sa langue. D'ailleurs, Liza étant dans le coup, il vaut mieux le séparer d'elle et éviter les confidences sur l'oreiller.

Elle crispa les poings, se força à inspirer et expirer, avant de casser quelque chose.

— Oui, je suis très habile, grommela-t-elle. Et toi, pendant ce temps, tu ouvres la porte à Mick. Il se précipitera chez Naples, ils annuleront l'opération. Ta réputation sera préservée, mais moi je perdrai une piste qui aurait pu me mener jusqu'à Yost.

— Il ne préviendra pas Naples.

— Des nèfles ! Il…

— Il ne le fera pas, coupa Connors. Si j'avais l'ombre d'un doute là-dessus, ou si je pensais qu'il a un rapport quelconque avec Yost, je te garantis qu'il me l'aurait payé le prix fort. Il m'était impossible de te le livrer, Eve. Je ne te demande pas de comprendre.

— Tu es vraiment trop aimable… Espérons que toi, la prochaine fois qu'on trouvera une victime étranglée avec un garrot d'argent, tu comprendras que ta fichue loyauté a coûté une vie humaine.

Il ne répliqua pas, se borna à fixer sur elle un regard bleu et brûlant, où elle lut une peine immense.

« Bravo, se dit-elle, honteuse. Tu voulais faire mal, tu as réussi. »

— J'ai là toutes les informations nécessaires, déclara-t-il en se retournant vers la console. Je t'en fais une copie. Mon service de sécurité sera en mesure de gérer la situation, mais je présume que tu souhaiteras être sur les lieux avec ton équipe. Tu auras Naples et les autres dans trente-six heures.

Et si quelqu'un mourait avant ça ? songea-t-il. Si j'avais mis en péril la vie d'un ami pour sauver un ami ?

— Au cas où tu aurais des questions…

Il se tut brusquement.

— Je suis ce que je suis. Malgré la distance que j'ai prise vis-à-vis de moi-même, je ne peux pas me métamorphoser. Ordinateur, copie les données.

Elle attendit que la machine eût achevé sa tâche, puis saisit la disquette que Connors lui tendait.

— J'espère de tout mon cœur que ton copain méritait ça, murmura-t-elle, puis elle sortit.

Elle contacta d'abord ses collaborateurs, leur ordonna de la rejoindre chez elle. Après quoi, elle se dirigea vers la chambre de Mick. Peut-être y découvrirait-elle un indice qui lui permettrait de deviner où il était allé.

Elle malmenait le secrétaire, quand Summerset entra. Il se figea, horrifié.

— Lieutenant ! C'est un Chippendale, une antiquité de grande valeur qu'il faut traiter avec respect.

— Il y a beaucoup de choses qu'il faudrait respecter et qu'on ne respecte pas, bougonna Eve.

Elle jeta par terre le tiroir vide, s'en prit ensuite au lit dont elle arracha la courtepointe et les draps.

— Arrêtez ! s'écria Summerset en s'emparant de l'édredon. C'est de la dentelle irlandaise très ancienne cousue sur de la soie.

— Écoutez, j'ai une envie folle d'écrabouiller tout ce qui bouge, et votre figure serait un punching-ball du tonnerre.

Elle tirait sur le duvet, lui aussi, tels deux chiens se disputant un os. Brutalement, elle lâcha prise, ricana de plaisir lorsque le majordome tituba et manqua tomber à la renverse.

— Quand est-il parti ? Connelly... Qu'est-ce qu'il a emporté ? Il était en voiture ?

Summerset émit un reniflement.

— Vous savez ce qu'il a fait, ce qu'il mijotait. Connors a dû vous mettre au courant.

Vous, pas moi, songea-t-elle amèrement.

— Vous voulez qu'il s'en sorte aussi facilement ?

— Ce n'est pas moi qui décide.

— Foutaises. Ils vous ont collé Yost aux basques.

— Mick n'aurait pas pris part à cette sale histoire.

Elle assena un violent coup de pied au lit ; Summerset se précipita pour vérifier qu'elle ne l'avait pas abîmé. Puis il pivota pour dévisager Eve.

— Quel choix avait-il ? Vous le comprenez donc si mal ?

— Et moi, il me comprend ?

Summerset étendit l'édredon sur le lit, en lissa les plis du plat de la main. Il avait une dette envers elle, à cause de l'incident de la matinée.

— Vous avez le sentiment qu'en soutenant son ami, il vous a trahie.

— On ne vole pas un ami.

Le majordome esquissa un sourire.

— Mick n'aurait pas considéré les choses sous cet angle. Et, dans le fond, Connors non plus. Contrairement à vous. Vous êtes furieuse, à juste titre. Mais votre colère s'éteindra. Connors souffre, et la plaie s'envenimera. C'est ce que vous souhaitez pour lui ?

Sur ces mots, Summerset quitta la pièce.

Exténuée, frustrée, elle s'assit sur le lit. Le chat se faufila par l'entrebâillement de la porte, sauta près d'Eve, tourniqua un instant avant de se pelotonner voluptueusement sur la soie et la dentelle. Il planta ses yeux étranges dans ceux de sa maîtresse.

— Toi, ne me regarde pas comme ça. Tu as dormi avec cet Irlandais de malheur, tu n'es qu'un faux jeton.

Elle renonça à mettre en place tout un dispositif policier pour épingler Michael Connelly. Elle espérait simplement qu'il n'alerterait pas Naples et, par ricochet, Yost.

Car elle était convaincue que Yost ne lâcherait pas prise. Il avait un contrat pour Summerset, et il n'était pas du genre à laisser un travail inachevé. Elle avait donc encore un peu de temps devant elle.

Et si elle avait de la chance – beaucoup de chance – elle pourrait utiliser Yost pour faire tomber Naples. À ses yeux, sa tâche ne serait pas terminée tant qu'elle ne les aurait pas coincés tous les deux.

— On part du principe que leur cible, c'est l'hôtel, déclara-t-elle à son équipe. Même si Connelly a décampé, Naples peut toujours mettre son projet à exécution. Il a les plans et il a déjà dépensé un argent fou pour cette opération. Il voudra amortir son investissement.

— Si Connelly le prévient, intervint Feeney, ils décideront peut-être de continuer, mais en modifiant leur stratégie. Ils pourraient agir plus tôt, par exemple, ou alors attendre.

— Je suis d'accord. Nous allons mettre en place une contre-offensive en tenant compte de toutes les éventualités possibles.

— Connors et son équipe de sécurité nous sont indispensables, commenta McNab.

— J'en ai conscience. Feeney, tu veux bien aller discuter de ça avec lui ? suggéra Eve, désignant d'un geste la pièce attenante.

Il se leva, frappa à la porte et entra dans le bureau de Connors.

— Vous, vous épluchez les données concernant Connelly, ordonna Eve.

Elle se réfugia dans la kitchenette pour préparer du café ; elle avait besoin d'un petit moment de solitude.

Peabody coula un regard vers McNab, détourna la tête, l'épia de nouveau du coin de l'œil. Son silence la rendait malade. Elle n'avait rien fait pour mériter ça ! C'était lui qui avait couru dans les bras d'une rousse incendiaire. Le monstre !

— Ton rendez-vous galant s'est bien passé ? chuchota-t-elle.

— Ouais, c'était génial.

— Tant mieux.

— Ça ne te donne pas envie de sortir avec moi ?

— Je ne fréquente pas des types qui sautent sur la première bimbo venue.

— Et moi je ne sors pas avec des filles qui sautent sur des prostitués, riposta-t-il.

— Au moins, un prostitué sait se montrer attentionné à l'égard d'une femme.

— Évidemment, si tu le paies bien…

Il croisa les jambes, étudia le bout de ses bottes aérodynamiques flambant neuves.

— Quel est le problème, Peabody ? L'agenda de Charles est surchargé ? Tu as l'air frustrée.

— Va te faire foutre !

— Je suis à ta disposition. Gratuitement…

Elle bondit sur ses pieds, il l'imita.

— Je ne te laisserai pas poser de nouveau la main sur moi, même si tu m'offrais une fortune ! dit Peabody d'une voix sifflante.

— Et je m'en félicite. Je n'ai pas de temps à perdre avec une provinciale bourrée de principes idiots !

— Stop ! commanda sèchement Eve.

Visiblement, son assistante était au bord des larmes, McNab bouleversé. Ces deux-là finiraient par lui flanquer un ulcère à l'estomac.

— Occupez-vous de vos petites histoires pendant vos moments de loisir, bon sang ! Vous réglerez votre différend comme vous l'entendrez, peu m'importe. Mais quand vous êtes de service, vous vous concentrerez sur le boulot. Suis-je bien claire ?

— Oui, lieutenant, marmonnèrent-ils.

Elle hocha la tête.

— Peabody, prenez des nouvelles de Lane à l'hôpital, et vérifiez que Liza est toujours sous surveillance. McNab, faites-moi une analyse complète des données fournies par Connelly. Il me faut tous les scénarios envisageables, à partir du plan initial, dans deux heures.

— Mais Connors…

— Je ne vous ai pas donné un ordre, inspecteur ?

— Si, lieutenant.

— Alors, exécution.

Elle se dirigea vers le bureau de Connors, poussa la porte. Son mari et Feeney étaient derrière la console.

— Feeney, j'ai mis McNab sur une analyse. Tu veux bien contrôler qu'il ne se disperse pas ?

— Entendu.

Elle attendit qu'il fût sorti.

— Je suis fatiguée, bougonna-t-elle. J'ai la migraine et je suis fâchée contre toi.

— C'est tout ?

— Non. Je n'ai pas le temps ni l'énergie de me chamailler avec toi, comme Peabody et McNab viennent de le faire. Tu as eu tort de laisser Connelly déguerpir. Mais ça, c'est mon point de vue… sans doute une déformation professionnelle. J'admets que toi, tu n'avais pas d'autre solution. Nous divergeons là-dessus, cependant nous avons besoin l'un de l'autre pour boucler cette enquête. Ensuite, il nous faudra faire face à cette réalité : tu es d'un côté de la barrière, et moi de l'autre. D'ici là, on n'en parle plus.

Elle pivota pour sortir, s'aperçut que la porte était verrouillée.

— Ouvre-moi cette porte. Ce n'est pas le moment de m'embêter.

— J'aurais préféré que tu hurles et que tu casses tout. Mais ce n'est pas la colère qui t'anime. S'il te plaît, accorde-moi quelques instants de ton précieux temps.

— Je ne vois pas l'utilité de…

— Je t'ai blessée. Tu considères que j'ai pris le parti de Mick contre toi. Ce n'est pas le cas.

— Tu te trompes, rétorqua-t-elle en se retournant pour le regarder. Il t'a fait du mal, et tu ne m'as pas permis de te défendre. Tu l'as éloigné de moi, tu m'as privée du moyen de réparer les dégâts.

— Tu l'aurais jeté en prison. Eve chérie, ça n'aurait rien réparé pour moi. Tu n'ignores pas ce que j'ai été, d'où je viens. Mais tu ne sais pas tout.

Lui-même n'était pas certain de savoir vraiment, de comprendre totalement. Néanmoins, il pouvait essayer de partager ça avec elle.

— Ton passé hante tes cauchemars, reprit-il. Le mien vit en moi. Il est gravé dans ma chair. Combien d'années se sont écoulées avant que je retourne en Irlande ? J'ai perdu le compte. Et il a encore coulé beaucoup d'eau sous les ponts avant que je remette les pieds dans une rue de Dublin. Je suis retourné dans le quartier où je suis né uniquement parce que j'avais une amie à enterrer et, surtout, que tu m'accompagnais.

Il baissa les yeux sur ses mains.

— Je me suis servi de ces mains-là, de mon cerveau, de tout ce que j'ai pu trouver pour m'en sortir. J'ai volé, escroqué. Et j'ai abandonné ceux qui avaient traversé cette période avec moi, comme j'ai abandonné le salaud mort qui avait fait de mon existence un enfer. Il m'a brisé, Eve, il m'aurait modelé à son image.

— Non, protesta-t-elle en s'avançant vers lui.

— Oh, si ! Il l'aurait pu. Sans les amis que j'avais, qui me permettaient de m'évader, il aurait réussi. J'ai été capable de suivre mon propre chemin grâce à eux, les piliers qui me soutenaient dans les pires moments.

Quand je t'ai emmenée à Dublin l'an dernier pour veiller et enterrer Jenny, j'ai réalisé que je n'avais jamais remboursé ma dette. Eve, il m'était impossible de te livrer Mick et de continuer à vivre avec ce fardeau sur la conscience.

Elle soupira, prononça un horrible juron.

— Je le sais. Je ne le fais même pas rechercher.

— Je l'espérais, et lui aussi. Il m'a chargé de te transmettre ses excuses pour les ennuis qu'il t'a causés. Il aurait souhaité te dire au revoir de vive voix.

— Je rêve…

— Il a laissé quelque chose pour toi.

Connors sortit de sa poche un petit flacon qu'il lui tendit.

— Qu'est-ce que c'est ? De la poussière ?

— De la terre, à ce qu'il prétend. Elle proviendrait du lieu où l'on ensevelissait les rois d'Irlande. Connaissant Mick, elle vient plus probablement de notre parc. Il a tenu à t'offrir ce porte-bonheur parce que, m'a-t-il dit, tu es le flic le plus magnifique qu'il ait jamais eu le plaisir de rencontrer.

— Quel toupet ! répliqua-t-elle en fourrant le flacon dans son jean.

— Moi, je suis d'accord avec lui.

— Eh bien, le flic magnifique espère avoir le plaisir de le revoir très prochainement ! En attendant, nous avons besoin de notre expert consultant civil pour analyser tous ces éléments. Il faut se concentrer sur Yost, tes compudroïdes s'occupent de la partie technique du boulot.

— À vos ordres, lieutenant, répliqua-t-il en lui prenant la main. Encore une chose qui, à mon avis, te plaira…

— Pas de sexe, s'il te plaît, je n'ai pas le temps.

— On a toujours du temps pour le sexe, mais je ne pensais pas à ça. Yost, alias Roles, possède un terrain et une demeure en front de mer dans le secteur Tropiques d'Olympus.

— Le salaud…

— Si tu ne l'attrapes pas ici, tu l'auras là-bas. Il a engagé l'un de nos décorateurs pour aménager sa propriété, ils ont rendez-vous dans quatre jours. Il passera les trois jours précédents dans une suite du principal hôtel casino. J'ai une compagnie de navettes privées, on n'a enregistré qu'une seule réservation entre New York et Olympus. J'ai transféré toutes ces informations sur ton ordinateur.

— Je m'y mets.

Ils se divisèrent en deux équipes : McNab et Connors, dans le bureau de ce dernier, travaillaient sur le système de sécurité. Eve garda Peabody auprès d'elle afin d'élaborer la meilleure stratégie pour approcher Yost. Feeney servait d'agent de liaison entre les deux groupes.

— Manifestement, Yost ne quittera la planète qu'après le cambriolage. Feeney, demande à Connors si Yost aurait une part du butin, en plus de ses honoraires pour les meurtres, puisque tout ça est lié.

Si Feeney jugea étrange qu'elle consulte son mari sur une question d'éthique criminelle, il ne fit aucun commentaire. Il passa dans la pièce voisine, revint presque aussitôt.

— Connors dit que Yost aurait droit à un pourcentage des bénéfices. Mais on ne le lui verserait pas avant que la marchandise soit évacuée et fourguée à un receleur.

— Bon, alors pourquoi traîne-t-il dans les parages ? Il veut sans doute être certain que tout se déroule parfaitement et qu'on ne lui confie pas une autre mission. Et il a toujours Summerset sur son ardoise. Il va rester collé devant son écran pour avoir des nouvelles du cambriolage. Il faut que je mette Nadine dans le coup.

Ils continuèrent à travailler sans répit, jusqu'à ce que l'équipe menace de se mutiner si on ne les nourrissait pas. Eve grignota la moitié d'un sandwich, vissée devant son ordinateur, lisant et relisant toutes les données dont elle disposait.

— Lieutenant, tu as les yeux injectés de sang. Ordinateur, copie les fichiers, commanda Connors, qui fit pivoter le fauteuil d'Eve avant qu'elle eût annulé son ordre. Il est plus de 8 heures. Tu es exténuée, tes neurones vont griller. Renvoie tes collaborateurs chez eux et repose-toi.

— Ils n'ont qu'à s'en aller. J'ai encore quelques petits trucs à revoir. Nadine est là ?

— Non, elle est vraisemblablement à l'antenne, en train de raconter l'histoire que tu as concoctée avec elle. Tu as tout vérifié une bonne dizaine de fois.

— Mmm… Où sont les autres ?

— McNab est dans la cuisine, il essaie d'extorquer à Summerset un deuxième dessert avant de partir pour l'hôtel. J'ai conseillé à Peabody de piquer une tête dans la piscine, ça lui détendra les nerfs. Et Feeney, qui est aussi cabochard que toi, travaille dans mon bureau. Il n'y a plus rien que tu puisses faire ce soir.

— Parce que j'ai dû laisser passer quelque chose. Il me faut plusieurs hommes sur Olympus, au cas où il nous filerait sous le nez. L'agent Stowe décidera comment elle veut procéder, dès que je l'aurai mise au courant.

— Demain, autrement dit, car je présume que tu ne tiens pas à l'informer trop tôt. Feeney ! appela-t-il, tout en massant les épaules endolories de sa femme. Rentrez chez vous.

— Dans un petit moment. Dallas, on devrait alerter le contrôle de la circulation spatiale, au cas où Yost ferait un détour en rejoignant Olympus.

— On prend le risque qu'il y ait une fuite. Tu as des contacts sûrs chez eux ?

Feeney apparut sur le seuil.

— J'avais un…

Il s'interrompit en voyant Connors masser Eve.

— Euh… eh bien, je crois que je vais rentrer ! Je raccompagnerai Peabody.

— Elle est dans la piscine, rétorqua Connors, appuyant doucement sur les épaules d'Eve pour l'empêcher de se lever.

Un sourire réjoui fendit la figure de Feeney.

— Ah, oui ? Ça ne vous ennuie pas que je fasse aussi quelques brasses ?

— Pas du tout. Toi, tu vas manger, notifia Connors à Eve.

— J'ai déjà mangé.

— Une moitié de sandwich, ce n'est pas suffisant.

Soudain, ils entendirent une voix guillerette dans le couloir. Connors tourna la tête.

— Nous avons de la compagnie. Avale un potage pendant que Mavis te change les idées.

— Je n'ai pas le temps de…

Elle n'acheva pas sa phrase, soupira. Mavis pénétrait déjà dans la pièce, juchée sur des chaussures à plate-forme qui s'illuminaient à chacun de ses pas.

— Salut Dallas, salut Connors ! Je viens de croiser Feeney, il m'a dit que vous étiez disponibles.

— Pas encore, j'ai des trucs à faire. Pourquoi tu ne t'amuses pas avec Connors pendant que je termine ?

Soudain, Eve grimaça. Une autre femme entrait, altière, le crâne hérissé de bouclettes pareilles à des serpentins d'un rouge ardent.

— Trina, balbutia Eve, paniquée.

— Elle a obtenu tous les renseignements que tu demandais, claironna Mavis. N'est-ce pas, Trina ?

— En effet.

— C'est… c'est formidable, bredouilla Eve.

Ça va aller, se rassura-t-elle. Je ne risque rien.

— Oh, du vin ! s'exclama Mavis en posant son adorable postérieur – couvert d'une minijupe de la taille d'un timbre-poste – sur le bureau d'Eve.

Connors s'empressa de lui en servir un verre.

— Vous êtes génial…

— Bon, attaqua Trina. J'ai établi la liste des produits de beauté qu'il utilise. D'abord, un fond de teint qu'on peut acheter dans n'importe quelle parfumerie de luxe. Ensuite, la poudre Deloren qu'on trouve surtout dans les salons.

— Combien de points de vente à New York ?

— Oh ! environ une trentaine ! Il ne se met pas n'importe quoi sur la peau, il est exigeant. L'ombre à paupières…

— Trina, c'est passionnant, mais pouvez-vous m'indiquer les produits qui ont une diffusion plus restreinte ? Par exemple ceux qui se vendent uniquement chez des grossistes ?

— J'y viens, répliqua Trina, plissant ses lèvres tartinées d'un fard noir que n'aurait pas dédaigné un vampire. Nous avons là un personnage qui aime tester et ne regarde pas à la dépense. Une attitude rare, qui mérite d'être saluée. D'après ce que j'ai vu sur la vidéo, il mélange subtilement les basiques et quelques fantaisies. J'en déduis donc…

Elle laissa un instant sa phrase en suspens, savourant ses mots comme s'il s'agissait de bonbons.

— J'en déduis qu'il a une prédilection pour les marques Jouvence et Natural Bliss, dont les produits sont hypo-allergéniques, dépourvus de la moindre substance chimique et d'un prix exorbitant. Il faut être titulaire d'un diplôme d'esthétique pour se les procurer, et ils ne sont utilisés que pour les soins en salon. On ne les vend pas. Par conséquent, comme ce monsieur en a dans ses tiroirs, soit il est diplômé, soit il a parmi ses relations un membre de la profession qui lui en fournit. Personnellement, quand j'ai un client qui a les moyens, je me sers chez Carnegie, Deuxième Avenue.

Trina but délicatement une gorgée de vin.

— J'ai pris la peine d'appeler l'amie que j'ai là-bas pour l'interroger, adroitement, sur la clientèle qui lui achète la gamme Natural Bliss. Elle m'a répondu : c'est drôle que tu me demandes ça, je viens justement de recevoir la commande d'un de mes habitués. Un grand type chauve qui passe une ou deux fois par an, qui emporte tout un stock et paie en liquide. Il prétend avoir un salon dans le sud du New Jersey.

Eve se redressa lentement.

— Il est venu chercher ses achats ?

— Non. Il le fera demain, avant midi. Il souhaite que tout soit prêt avant son arrivée, il est soi-disant très pressé. Et il a commandé deux fois plus de produits qu'à l'accoutumée.

— Connors, redonne du vin à ces dames.

— On s'est bien débrouillées ? s'enquit Mavis, ravie.

— Fabuleusement bien. Trina, il me faut le nom de votre copine. J'ai besoin de sa coopération.

— Je n'y vois pas d'inconvénient. Mais j'ai une question à vous poser : pourquoi me témoignez-vous un tel mépris ?

— Du mépris ?

J'allais vous embrasser…

— Vous gâchez mon œuvre. Regardez-vous, accusa Trina, pointant un doigt à l'ongle couleur saphir, long de trois centimètres. On croirait que vous êtes passée sous un maxibus. Vous avez le teint terne, les traits tirés, les yeux cernés.

— J'ai beaucoup travaillé.

— Et alors ? Vous ne pouvez pas prendre cinq minutes, deux fois par jour, par respect pour moi ? Quand avez-vous utilisé pour la dernière fois le gommage que je vous ai donné, ou la lotion, ou le gel Coup d'Éclat ?

— Euh…

— Je présume que vous n'avez pas non plus eu le temps de vous masser avec cette crème pour les seins que je vous ai prescrite ?

Trina se tourna vers Connors.

— Pourquoi n'en mettez-vous pas une noisette dans le creux de vos paumes avant l'amour ?

— J'essaie, répondit-il, ce qui fit grogner Eve. Ce n'est pas une femme de tout repos.

— Montrez-moi vos pieds, ordonna Trina en contournant le bureau.

Et Eve Dallas, qui avait souvent affronté la mort et lui avait ri au nez, battit précipitamment en retraite.

— Non ! Mes pieds sont parfaits.

— Vous ne vous êtes pas servie du kit de pédicure, n'est-ce pas ?

Les yeux de Trina, entre les cils dorés qui frangeaient des paupières pareilles à des arcs-en-ciel, s'arrondirent.

— Avez-vous coupé vos cheveux ?

— Non, marmotta Eve, réfugiée derrière son fauteuil comme derrière un rempart.

— Ne me mentez pas, ma chère. Vous y avez donné un coup de ciseaux, n'est-ce pas ?

— Non, pas du tout. Enfin… juste un petit coup. Ça me chatouillait le front, je n'y voyais plus. Oh, et puis zut ! Ce sont mes cheveux, j'en fais ce que je veux.

— Vos cheveux ne vous appartiennent plus depuis que j'en ai la responsabilité. Je n'aurais pas l'idée de me promener avec un insigne épinglé sur la poitrine et de me faire passer pour un policier. Certainement pas ! Vous, en revanche, vous n'avez pas cette décence. Je ne supporterai pas plus longtemps, m'entendez-vous, que vous méprisiez ainsi mon art, que vous piétiniez mes efforts.

Trina s'interrompit pour reprendre son souffle.

— Maintenant, je vais descendre chercher ma mallette, et ensuite je tenterai de réparer les dégâts que vous avez commis.

— C'est très gentil de votre part, mais je n'ai pas le temps de...

Eve tressaillit ; Trina, les poings sur les hanches, la fusillait du regard.

— Bon, bon, d'accord. Je... je suis enchantée. Merci.

Lorsque Trina fut sortie, Eve s'approcha de Mavis et lui prit des mains son verre de vin. Elle le vida d'un trait, considéra tour à tour son amie et son mari.

— Le premier de vous deux qui ricane, je lui fais manger ce verre.

21

À 6 heures du matin, elle était sous la douche. Elle comptait rameuter ses troupes à 8 heures, faire son rapport à Whitney, puis contacter Karen Stowe.

À midi, Yost entendrait la clé tourner dans la serrure de sa cellule.

— Tu as l'air assez contente de toi, lieutenant, dit Connors en la rejoignant dans la cabine.

— Je le serai dans quelques heures.

— Pourquoi ne pas se réjouir avant ? rétorqua-t-il en refermant ses paumes sur les seins d'Eve.

— Tu t'es mis cette saleté de crème sur les mains ?

— Trina m'a affirmé que l'eau chaude en augmente l'efficacité. Or Dieu sait que cette douche est brûlante.

— Cette température me convient, ne t'avise pas d'y toucher.

Elle poussa un soupir.

— Je dois admettre que je préfère de loin tes massages à ceux de Trina.

— Heureusement...

Il la fit pivoter, se pencha pour baiser ses mamelons.

— Ils ont un goût d'abricot.

Elle renversa la tête en arrière.

— Continue... tu as une technique incomparable.

Elle sentait le sang bourdonner à ses tempes, son esprit – pourtant acéré à son réveil – s'embrumait. Une épaisse vapeur d'eau les enveloppait.

Connors l'embrassa fiévreusement. Il voulait être en elle, l'envahir tout entière, et dut lutter pour juguler le besoin d'assouvir sur-le-champ le violent désir qui l'avait tiré du sommeil à l'aube. Elle se frottait contre lui, gourmande et passionnée.

Il aurait pu se nourrir uniquement de son parfum et de sa chaleur, de ses gémissements de plaisir quand il la caressait, qu'il la faisait jouir avec ses doigts, comme à présent.

Elle tremblait de tout son corps. Il était capable de lui donner ça, jour après jour. Et de savourer le bonheur dont elle le comblait.

Il lui avait dit que leurs passés respectifs les avaient brisés. Mais ils se soignaient mutuellement, patiemment.

Quand ils faisaient l'amour, le passé n'existait plus.

— Maintenant... balbutia-t-elle.

Il la pénétra presque brutalement, parce que ce matin ils avaient besoin de ça. Elle cria de nouveau, noua ses jambes autour des hanches de Connors.

Elle le contempla, vit qu'il la contemplait aussi. Elle but l'eau qui ruisselait sur sa bouche, et il but à ses lèvres.

Un plaisir indicible, infini, inonda son ventre, puis son cœur, son âme, et se refléta tel un soleil radieux dans ses prunelles mordorées.

Alors, l'étreignant de toutes ses forces de femme heureuse, elle l'emmena vers cette lumière inouïe.

— Eve...

Ce fut tout ce qu'il put dire et penser.

Elle lui caressa le dos, espéra que ce moment l'aiderait à recouvrer sa sérénité. Il enfouit son visage au creux de son épaule.

— Tu sens merveilleusement bon.

— Ce n'est pas étonnant, vu le traitement que m'a infligé Trina hier soir. Et tu ne m'as pas défendue, accusa-t-elle. Où étais-tu quand elle a menacé de me coller un tatouage sur la tempe ?

— J'avais d'autres occupations. Si tu lui consacrais une heure par mois, elle serait moins féroce.

Il hésita, décida qu'il valait mieux être franc plutôt que de la laisser découvrir la vérité.

— Eve chérie, à propos du tatouage...

— Quoi ?

Elle le dévisagea d'un air tellement horrifié qu'il réprima un gloussement.

— Elle n'a quand même pas fait ça ? Je la tuerai.

Elle courut vers le miroir et, connaissant les manies de Trina, se retourna pour examiner ses fesses.

— Nom d'une pipe ! Elle m'a eue. C'est quoi, ce machin ? Un poney ? Elle m'a peint un poney sur le derrière ?

— Si tu regardes mieux, je crois que tu verras un petit âne. Un mâle, si je ne m'abuse.

— Oh, très drôle ! Vraiment génial.

— Il me semble qu'elle a voulu marquer un point.

— Et je suppose qu'elle n'a pas laissé de quoi effacer cette abomination. Si tu le racontes à quelqu'un…

— Je serai muet comme une tombe. Mais je le trouve mignon, cet âne qui rue.

— Tais-toi, Connors. Plus un mot ou je te coupe la langue.

Sur quoi, elle s'enferma dans la cabine de séchage, non sans avoir ostensiblement claqué la porte.

À 9 heures, Eve avait une équipe d'intervention placée à divers points stratégiques de la Deuxième Avenue. Ils devaient se borner à observer et faire leur rapport, sauf contrordre. L'amie de Trina, une femme intelligente, était responsable du rayon le plus important du magasin de vente en gros. Peabody, en vêtements civils, remplaçait l'employée affectée à un autre comptoir, et McNab faisait semblant d'être un client.

Dans sa combinaison puce et ses bottes tilleul, McNab n'avait absolument rien d'un flic. Même l'individu le plus soupçonneux ne l'aurait jamais pris pour un inspecteur.

Eve s'était installée dans l'arrière-boutique en compagnie de Stowe, et suivait sur un écran de contrôle ce qui se passait dans le magasin.

— Je vous remercie d'avoir respecté votre promesse, déclara Stowe.

— Attendons que ce soit fini, rétorqua Eve avec un coup d'œil à l'imposant pistolet qui luisait sur la hanche de son interlocutrice. Il me le faut vivant.

— Oui.

Stowe sortit l'arme de son holster et montra à Eve qu'il était réglé sur médium.

— J'ai hésité, j'ai beaucoup réfléchi. J'imaginais ce que ce serait de l'abattre comme un chien. Mais ça ne ramènerait pas Winnie, ajouta-t-elle en rengainant le pistolet. On le laissera vivre.

Dans le magasin, Peabody, vaincue, s'approcha de McNab au bout du comptoir.

— Je voudrais m'excuser d'avoir provoqué cette dispute hier. Mes paroles étaient déplacées, le moment mal choisi.

— Mouais…

Il avait ruminé ça toute la nuit, pensé à elle sans relâche. Et aujourd'hui, elle était particulièrement ravissante dans cette robe, avec ses lèvres roses. Cherchait-elle à l'anéantir pour de bon ?

— Bof, oublions ça.

— Si on l'oublie, on recommencera. Tu es l'adjoint de Feeney, et moi l'assistante de Dallas. Ça signifie qu'on travaillera très souvent ensemble. On a peut-être commis une erreur en dépassant le cadre strictement professionnel, mais il ne faut pas que ça perturbe notre boulot.

— Alors tu considères que, nous deux, c'était une erreur ?

Le ton de McNab lui donna une envie folle de lui clouer le bec, cependant elle se domina.

— Non, pas vraiment. Je ne le crois pas, mais si les choses continuent de cette façon, ça deviendra une erreur.

Or elle souhaitait arranger la situation, infiniment plus qu'elle ne l'aurait imaginé. Comment aurait-elle pu se douter que ce crétin maigrichon lui manquerait à ce point ?

— J'aimerais qu'on essaie de surmonter ça, de retrouver l'état d'esprit qui était le nôtre et qui nous permettait de nous comporter comme des flics.

Lui aussi aurait aimé revenir en arrière, dans ce cagibi où leurs problèmes avaient commencé. Il se conduirait différemment.

— D'accord, ça me va.

— Tant mieux, je suis contente.

Mais elle n'était pas satisfaite, loin de là.

— Écoute, on pourrait peut-être...

Elle s'interrompit brusquement ; un client entrait. Aussitôt, McNab endossa son rôle et se lança dans le laïus qu'il avait répété à propos d'un nouveau sérum reconstituant pour les cheveux.

Eve consulta sa montre. 11 h 38. Tout le monde s'en sortait parfaitement. Peabody et McNab avaient, semblait-il, conclu une trêve, ce qui simplifiait les choses.

Elle espérait que les choses allaient aussi bien pour Feeney et Connors à l'hôtel. Elle saisissait son communicateur, pour prendre des nouvelles, quand il sonna.

— Dallas.

— Lieutenant, le sujet approche, il est à pied. Il traverse la 24ᵉ Rue, en direction du sud de la Deuxième Avenue. Il est seul, il porte une veste havane, un pantalon marron foncé.

— C'est lui, vous en êtes sûrs ?

— Affirmatif. Nous l'avons dans notre ligne de mire, il est près de la 23ᵉ. Vous devriez l'avoir en vue dans trente secondes.

— Ne bougez pas, à moins que je vous en donne l'ordre. Peabody, McNab, vous êtes prêts ?

— Affirmatif.

— À toutes les équipes, gardez les communicateurs branchés. À vous de jouer, Stowe. On coince ce salaud. Je passe par l'arrière pour le récupérer dans la Deuxième Avenue. Attendez qu'il soit dans le magasin. On interviendra en renfort.

— J'ai une dette envers vous, je ne sais comment vous exprimer ma reconnaissance, rétorqua Stowe, une main sur la poignée de la porte, un œil sur l'écran du moniteur.

Eve rejoignit au pas de course l'angle de la rue ; quand elle fut à une cinquantaine de mètres derrière Yost, elle calqua son pas sur le sien.

Lorsqu'il atteignit l'entrée du magasin, elle glissa une main sous sa veste.

À cet instant, Jacoby traversa la rue à toute allure, l'arme au poing.

— FBI ! On ne bouge plus !

Elle n'eut même pas le réflexe de pester. Elle fonça. Un mètre la séparait encore de Yost quand celui-ci pivota d'un bond et se rua sur Jacoby.

On aurait cru un obus tombant sur une mouche.

— Police ! hurla Eve aux passants. Couchez-vous !

Elle vit Jacoby s'écrouler, entendit des vociférations dans son communicateur. Elle s'élança à la poursuite de Yost qui bousculait les badauds, zigzaguait dans la rue, se faufilait dans la circulation.

— Ne tirez pas ! Ne tirez pas ! cria-t-elle aux membres de l'équipe. On ne prend pas le risque de toucher un civil !

Pour un homme de cette corpulence, Yost était extraordinairement véloce. Il vira à gauche, renversant un glissa-gril comme s'il s'agissait d'une vulgaire quille. Divers aliments peu ragoûtants se répandirent sur le trottoir, au grand dam du marchand.

Eve se servit de l'engin comme d'un tremplin pour bondir en avant, ce qui la rapprocha nettement de son gibier.

— On traverse la Troisième ! Il me faut des renforts motorisés ! À l'angle de la troisième et de la 22e Rue !

Pour se libérer les mains, elle rempocha son communicateur et plongea.

Elle agrippa Yost à la taille. Il lui sembla percuter un bloc d'acier, elle eut l'impression que tous ses os s'entrechoquaient. Elle réussit cependant à l'ébranler suffisamment pour qu'il mette un genou à terre. Avant qu'il puisse la repousser et s'enfuir de nouveau, elle enfonça le canon de son pistolet dans son cou.

Là où battait son pouls.

— Tu veux mourir ? Crever dans la rue comme un zonard ?

Alors que Yost levait les mains en signe de capitulation, Eve entendit un bruit de cavalcade derrière elle. McNab, haletant et suant à grosses gouttes, se mit en position de tir, son arme pointée vers la tête de Yost.

— Je le surveille, lieutenant.

— À plat ventre, l'Anguille.

— Il doit y avoir une confusion. Je m'appelle Giovanni…

— Couché, grogna-t-elle en le poussant rudement avec son pistolet. Sinon, mon doigt va presser la détente tout seul.

Il s'allongea par terre, grimaça quand elle lui tordit les bras pour le menotter.

Ce n'était pas possible, se répétait-il. Ça ne pouvait pas finir de cette manière, comme s'il était un petit délinquant quelconque.

— Je veux un avocat.

— Oui, c'est ça. Pour l'instant, tes droits et tes obligations sont ma principale préoccupation, figure-toi.

Elle lui fouilla les poches, en sortit une seringue vide. Et un mince garrot en fil d'argent.

— Tiens donc, regarde ce que je viens de trouver.

— Je veux un avocat ! dit-il d'une voix aiguë. J'exige d'être traité avec respect.

— Ah, oui ?

Elle se redressa, planta le talon de sa botte sur sa nuque massive.

— N'oublie pas de signaler aux gardiens et à tes futurs copains du pénitencier d'Omega que tu exiges du respect. Ils n'ont pas beaucoup d'occasions de rigoler, là-haut. McNab, appelez le panier à salade pour emmener ce monsieur. Je tiens à ce qu'il ne passe pas inaperçu.

— Bien, lieutenant. Vous avez le nez en sang.

— J'ai exécuté un tacle quelque peu périlleux.

Elle s'essuya d'un revers de main, considéra avec dégoût ses doigts rougis et poisseux.

— Et Jacoby ? s'enquit-elle.

— Je ne sais pas. Je n'ai pas eu le temps de lui demander s'il n'avait rien de cassé. Je crois que Stowe est restée près de lui.

— Le mérite de cette arrestation lui revient, McNab.

— Oh, Dallas... soupira-t-il.

— C'est comme ça. Pour changer de sujet, inspecteur, vous ne me semblez pas en excellente forme physique. Un sprint de quelques centaines de mètres, et vous soufflez comme un phoque. Vous devriez faire de la gymnastique.

À cet instant, plusieurs voitures de patrouille, noir et blanc, arrivèrent dans un hurlement de freins. Eve esquissa un sourire mauvais.

— Voilà ton carrosse, l'Anguille.

Il releva la tête, la dévisagea, vit les badauds qui s'attroupaient sur le trottoir d'en face.

— J'aurais dû vous tuer la première.

— Effectivement, ç'aurait été plus sage. Mettez cet individu au frais pour l'agent Karen Stowe. Il est à elle. Moi, je me borne à lui lire ses droits.

Elle s'accroupit, attendit que Yost la regarde dans les yeux.

— Winifred Cates était une amie de l'agent Stowe. Pour honorer sa mémoire, j'ai le plaisir de vous signifier que vous êtes en état d'arrestation pour coups et blessures, viol et meurtre des personnes dont les noms vous seront indiqués au moment de votre incarcération. J'ajouterai à cette liste de chefs d'accusation : entrave à l'action de la justice, agression à l'encontre d'un officier fédéral, désordre sur la voie publique et délit de fuite. Cela uniquement sur le territoire de cet État. Pour le reste, Interpol et le Bureau interplanétaire d'investigation s'en chargeront. Vous avez le droit de garder le silence, espèce de salopard.

Eve regagna à pied la Deuxième Avenue en frictionnant son épaule gauche. Elle se l'était cognée contre les reins de Yost et ça faisait aussi mal qu'une rage de dents. Sans parler de son nez qui, lui semblait-il, avait doublé de volume.

— Lieutenant ! s'écria Peabody qui courait à sa rencontre. Oh... fit-elle en voyant la figure d'Eve.

— Je suis à ce point affreuse ?

Eve tâta son nez d'un doigt hésitant, grimaça.

— Juste un peu tuméfiée... la rassura Peabody. S'il y avait une fracture, ce serait pire. Mais ça a dû beaucoup saigner.

— Je comprends pourqu oi les petits enfants poussaient des cris terrifiés sur mon passage. Où est Stowe ?

— Dans le magasin. On a su que vous aviez arrêté Yost. Lieutenant, je serais venue vous prêter main-forte, mais McNab m'a ordonné de ne pas bouger, et l'agent Jacoby était sur le carreau.

— Vous avez bien fait, et McNab aussi. Comment va Jacoby ?

— Je l'ignore. Stowe est en contact avec les médecins. Yost lui a planté une seringue en plein cœur. Il est tombé comme une masse. Quand on l'a rejoint, Stowe et moi, le pouls ne battait plus. On lui a administré une dose d'adrénaline, et les secours médicaux sont arrivés tout de suite. Ils ont réussi à relancer le rythme cardiaque, mais Jacoby était toujours inconscient quand on l'a emmené.

— Il ne mérite pas de mourir, malgré son ambition dévorante et son incommensurable bêtise. Restez là, Peabody, veillez à ce qu'il n'y ait pas d'attroupement. Pas de déclaration aux médias pour l'instant.

Eve pénétra en coup de vent dans le magasin. L'amie de Trina, assise par terre, buvait près d'un demi-litre de vin dans un grand verre à eau. Elle adressa à Eve un sourire tremblant et continua à ingurgiter consciencieusement son remontant.

— Ça va ? Vous n'avez pas besoin de soins ? s'enquit Eve.

— Voilà mon médicament. Quand j'aurai avalé ma dose, je rentrerai à la maison et je dormirai douze heures.

— On vous reconduira chez vous. Ne racontez à personne ce qui s'est passé ici avant d'y être autorisée. C'est très important.

— Oui, vous me l'avez déjà dit.

Elle scruta le visage d'Eve.

— J'ai des produits très efficaces pour les hématomes et les gonflements. Vous voulez des échantillons ?

— On verra. Où est l'agent Stowe ?

— Là-bas, dans le fond.

— Restez là, lui dit Eve avant de gagner l'arrière-boutique.

Stowe faisait les cent pas au milieu des cartons.

— Tenez-moi informée de son état. Vous pouvez me joindre en permanence sur mon communicateur, au numéro que je vous ai donné. Merci.

— Jacoby ? s'enquit Eve.

— Il est dans le coma. Il faudra peut-être pratiquer une greffe cardiaque. J'aurais dû être avec lui, c'est mon équipier. À ce propos, je voulais vous dire une chose : je n'ai pas renseigné Jacoby. Il a dû flairer ce qui se tramait et me filer. Je n'ai pas trahi le pacte que nous avions conclu, vous et moi.

— Si j'avais un doute, je n'aurais pas fait mettre Yost au frais en attendant que vous puissiez l'interroger.

Stowe tressaillit.

— Vous l'avez traqué, vous avez organisé l'opération, et vous l'avez arrêté. Il est à vous, Dallas.

— Et notre pacte ? J'ai pour habitude de tenir mes promesses. Il est au Central, sous haute surveillance. Je vous le répète, on vous attend là-bas.

Stowe acquiesça.

— Si un jour le FBI peut vous rendre un service, vous n'aurez qu'à demander.

— Je m'en souviendrai. Arrangez-vous pour que son avocat ou qui que ce soit de l'extérieur n'entre pas en contact avec lui avant… mettons 2 heures du matin. Prenez tout votre temps pour rejoindre le Central, remplir les paperasses et les transmettre à vos supérieurs.

— Si je ne parviens pas à faire traîner les choses, il vaut mieux que je ne sois plus fonctionnaire. Ne vous inquiétez pas, personne ne sera informé de vos projets par son intermédiaire. Quand vous voudrez l'interroger sur les deux homicides qui vous concernent directement, je veillerai à ce que vous ayez le champ libre. C'est lui qui vous a amochée ?

— Je lui ai sauté dessus et j'ai eu l'impression de percuter un mur.

— Vous devriez mettre de la glace sur votre nez.

— J'en rêve, figurez-vous.

Stowe lui tendit la main.

— Lieutenant, j'ai été enchantée de vous connaître et de travailler avec vous.

— Je vous retourne le compliment, agent Stowe.

Elle ordonna à Peabody de repérer la supérette la plus proche et d'acheter de la glace. Enfreignant les directives de son chef, Peabody courut à la pharmacie d'où elle rapporta un patch anti-inflammatoire et des antalgiques.

— Où est ma glace ?

— Ça, c'est beaucoup plus efficace.

— Officier Peabody...

— Lieutenant, si vous mettez ce patch, vous n'aurez pas l'air d'un boxeur à qui on a écrabouillé la figure quand vous arriverez à l'hôtel. Par conséquent, Connors ne vous emmènera pas à l'hôpital et n'essaiera même pas de vous soigner lui-même. L'une et l'autre de ces éventualités vous déplaisant souverainement, je vous suggère de m'écouter.

— Excellent argument, Peabody. Je vous déteste, mais je reconnais que votre raisonnement tient la route.

Eve ouvrit la boîte, lut le mode d'emploi du patch, pesta.

— Comment ça marche, ce truc ?

— Soyez sage, je vous le mets.

Prestement, Peabody appliqua le patch sur le nez douloureux d'Eve. Le soulagement fut immédiat, mais Eve eut la malencontreuse idée de se regarder dans le miroir de courtoisie.

— J'ai l'air d'une abrutie.

— Oui, effectivement, approuva Peabody, considérant la large bande blanche qui barrait le visage d'Eve. Mais sans le patch, vous n'avez pas l'air tellement plus maligne. Avec tout le respect que je vous dois, lieutenant. Vous avez vos lunettes de soleil ?

— Non, je ne sais jamais où je les ai fourrées.

— Prenez donc les miennes, rétorqua généreusement Peabody. Ah, oui ! C'est mieux, ajouta-t-elle quand Eve eut chaussé les lunettes noires. Un peu mieux. Maintenant, vous avalez votre antalgique.

— Je ne veux pas de ces saletés.

— Ça décuplera l'effet du patch.

Sûre que c'était un mensonge éhonté, Eve goba néanmoins la petite pilule bleue, déglutit, grogna de nouveau.

— Bon, ça y est. Vous pensez qu'on peut se remettre au boulot, infirmière Peabody ?

— Oui, lieutenant. Je crois que ça finira de vous calmer.

Eve s'arrêta à l'hôpital, d'abord pour voir où en était Lane. Il dormait toujours, assommé par les sédatifs qu'on lui administrait. Le prétexte qu'on avait imaginé – une allergie massive – semblait n'avoir éveillé aucun soupçon et justifiait en tout cas qu'il soit en quarantaine et qu'on interdise toute visite.

Eve fut informée que Magda était venue deux fois pour regarder son fils à travers la vitre de la chambre. Liza Trent était passée en coup de vent.

Quant à ses autres amis ou associés, s'ils étaient venus, ils n'avaient pas inscrit leur nom dans le registre de la réception. Eve emporta à tout hasard les films enregistrés par les caméras de surveillance de l'étage.

— Michel Gerade, dit-elle, tandis qu'elle visionnait la vidéo dans son bureau.

Elle pointa le doigt vers l'homme immobile, la mine soucieuse, devant la vitre de la chambre.

— C'est gentil de rendre visite à son copain malade.

— Il paraît plus embêté qu'inquiet.

— Oui, et il n'a même pas eu l'idée d'acheter un petit cadeau. Bon, ça confirme la présence de Gerade à New York. S'il participe à la tentative de cambriolage, on peut établir un lien solide entre lui et Yost. Complicité de meurtre... là, il ne sera pas couvert par l'immunité diplomatique.

— On n'aperçoit aucun des sbires de Naples sur cette vidéo ?

— Non... À mon avis, Gerade sert de garçon de courses. Il a vérifié que Lane était hospitalisé comme l'avaient annoncé les médias. Regardez-le... il interroge l'infirmière pour lui soutirer des infos. Il lui fait du charme. Et elle lui dit ce qu'il veut savoir : allergie sévère nécessitant un repos complet et un isolement de quarante-huit heures, le temps de pratiquer les analyses nécessaires.

Sur l'écran, on voyait Gerade pivoter pour se diriger vers l'ascenseur.

— C'est bien ennuyeux, n'est-ce pas, mais ils ne vont pas annuler un plan qu'ils ont élaboré pendant des mois et des mois, uniquement parce qu'un membre du groupe est dans les vapes. Dans le fond, ils n'ont plus vraiment besoin de lui. Pour eux, il a accompli sa part du boulot.

Eve éjecta la cassette du lecteur.

— Maintenant, à nous de faire le nôtre, déclara-t-elle d'un ton menaçant.

22

Il était 17 heures quand Eve entra au Palace par le hall central. Elle voulait faire le tour des lieux, utiliser sa mémoire visuelle et auditive, son instinct, pour enregistrer la topographie de l'hôtel, ses pulsations, avant de rejoindre son QG à l'étage.

Le hall, sur deux niveaux, évoquait une mer de marbre et de mosaïques, aux couleurs et aux motifs somptueux, qu'Eve avait eu l'occasion d'admirer lors d'un de ses voyages en Italie avec Connors.

Des fleurs exotiques s'épanouissaient dans des urnes de la taille d'un homme. Les membres du personnel arboraient des tenues rouges ou bleues, selon leur fonction.

Les clients étaient tous élégamment vêtus.

Eve remarqua notamment une femme très grande, drapée, du cou aux genoux, dans un savant assemblage d'écharpes de soie, et qui tenait en laisse trois minuscules chiens blancs.

— Augusta.

— Pardon ?

— Augusta, lui répéta Peabody à l'oreille. Le mannequin vedette de l'année. Bonté divine, je tuerais père et mère pour avoir ses jambes. Et là-bas, regardez… c'est le chanteur de Crash. Et, ô… mon Dieu… Mont Tyler qui sort de l'ascenseur. Il a été élu l'homme le plus sexy de la décennie. Dallas, c'est drôlement chouette de travailler avec vous.

— Vous avez fini de frétiller comme ça, Peabody ?

— Si on avait le temps, je continuerais volontiers.

Les yeux écarquillés, les joues roses d'excitation, la jeune femme suivit Eve qui scrutait elle aussi, pour d'autres raisons, le décor, évaluait la distance jusqu'aux sorties. Elle repéra deux policiers qui avaient endossé la tenue des grooms, les caméras de surveillance. Elle cherchait d'éventuelles failles.

Elle monta à pied l'escalier menant à la salle de bal, au troisième niveau, inspecta chaque étage.

Les vigiles, humains et droïdes, montaient la garde aux entrées, déambulaient parmi les visiteurs qui se pressaient devant les trésors de Magda Lane, les robes chatoyantes, les joyaux, les photographies et les hologrammes, les costumes d'époque. Les exclamations émerveillées fusaient.

Les objets étaient présentés dans des vitrines pareilles à des écrins de velours cramoisi. Pour le plaisir des yeux. Les capteurs destinés à déclencher le système d'alarme, eux, étaient invisibles.

Le catalogue de l'exposition était à la disposition des amateurs qui avaient mille deux cents dollars à dépenser. Un extrait de ce catalogue pouvait être consulté gratuitement par les clients de l'hôtel, dans leur chambre.

— Des chaussures, marmonna Eve en s'arrêtant devant des escarpins argentés. Quand on veut des souliers d'occasion, on va dans une boutique de troc.

— Mais ici, lieutenant, on achète de la magie.

— On achète des chaussures qui ont été portées par quelqu'un d'autre, s'obstina Eve.

À cet instant, Magda et sa cour émergèrent d'un ascenseur. L'actrice avait les traits tirés, sa magnifique chevelure était coiffée en un chignon roulé sur sa nuque.

— Eve, je suis si contente de vous rencontrer. Mon fils est… balbutia-t-elle.

— Comment va-t-il ?

— On m'affirme qu'il se remettra, qu'il s'agit d'une banale réaction allergique. Mais on le garde en quarantaine, il est assommé par les sédatifs. Je ne peux même pas lui dire que je suis là, auprès de lui.

— Allons, il le sait, déclara Mince en lui tapotant affectueusement le bras. Magda se rend malade, elle aussi, ajouta-t-il en lançant à Eve un coup d'œil signifiant : il faut que ça cesse.

— Ne vous tourmentez pas, les médecins prennent soin de votre fils, dit Eve d'un ton rassurant.

— Je l'espère. Il paraît que vous étiez avec lui quand cette allergie s'est déclarée.

— En effet. J'étais passée le voir pour discuter de certains détails concernant la sécurité.

— Lorsque je vous ai quittés, tous les deux, il était en pleine forme, intervint Liza qui dardait sur Eve un regard perçant.

— Il ne vous avait donc pas signalé qu'il se sentait un peu nauséeux, étourdi ?

Prends ça dans les dents, ma chérie.

— Non, il allait très bien.

— Il n'a sans doute pas voulu vous inquiéter. Il m'a avoué qu'il n'était pas au mieux. Soudain, il est devenu livide, il avait le visage en sueur et il s'est mis à trembler de tous ses membres. Nous l'avons aidé à s'allonger, et mon assistante lui a suggéré de consulter un médecin.

— Il était blanc comme un linge, confirma Peabody.

— Il répétait que ce n'était rien, quand brusquement il a eu un malaise. Il a perdu connaissance et nous avons remarqué des plaques rouges dans l'encolure de son sweater. Nous avons aussitôt alerté les secours médicaux qui ont diagnostiqué une allergie.

— Dieu merci, vous étiez là. Je préfère ne pas songer à ce qui se serait passé s'il avait été seul, incapable d'appeler à l'aide.

— Vous auriez dû me prévenir, dit Liza. Je l'ai attendu des heures au restaurant. J'étais folle d'angoisse.

— Désolée, nous vous avions oubliée. À ce moment-là, nous pensions d'abord à lui, à sa santé.

— Naturellement. L'essentiel, c'était de le soigner le plus vite possible, déclara Magda qui semblait quelque peu rassérénée. Il sera désespéré de manquer la vente, lui qui a tellement travaillé pour tout mettre au point.

— Oui, rétorqua Eve. Ça tombe mal.

— Dallas, vous avez été fabuleuse, décréta Peabody, réjouie, lorsqu'elles furent dans l'ascenseur privé qui les menait au QG. Vous avez l'envergure d'une grande comédienne.

— Merci... N'empêche que demain, quand Magda apprendra la vérité à propos de son fils, le coup sera difficile à encaisser. Je suis navrée pour elle.

Elles sortirent de l'ascenseur pour pénétrer directement dans la somptueuse suite réservée au propriétaire de l'hôtel – l'idée que Connors se faisait d'un QG.

— Oh, Dallas... murmura Peabody, éblouie.

— Ne roucoulez pas, Peabody, c'est énervant. Et essayez de vous souvenir que nous sommes là pour travailler.

Le salon était une splendide harmonie de couleurs chaudes, de riches étoffes, de tapis moelleux et de boiseries. Une sculpture en cuivre poli occupait toute la hauteur d'un mur ; elle représentait une femme qui versait un filet d'eau d'un bleu profond dans une vasque où flottaient des pétales de roses.

Du plafond en dôme ruisselait un lustre formé de centaines de délicates boules en verre, du même bleu que l'eau. Le piano à queue et le marbre de la cheminée étaient également bleus.

Un escalier en colimaçon, en cuivre, conduisait au niveau supérieur. Des rosiers grimpants, dans des urnes, agrémentaient le palier.

Le décor était d'un tel raffinement que l'intrusion des policiers et de tout leur matériel ne gâtait même pas la beauté ambiante.

Eve en fut gênée.

Soudain, elle entendit des éclats de rire. D'un pas de grenadier, elle se dirigea vers la salle à manger et s'immobilisa sur le seuil, éberluée par le spectacle qui s'offrait à elle.

Manifestement, le banquet durait depuis un bon moment, à en juger par les plats et les saladiers déjà vidés de leur contenu. Des fumets de viande rôtie, d'épices et de sauce au chocolat imprégnaient encore l'atmosphère.

Étaient présents sur la scène du crime : McNab, deux policiers en uniforme – dont le jeune et prometteur Trueheart, qu'Eve aurait cru plus raisonnable –, Feeney, Brigham, le responsable de la sécurité de l'hôtel... et le coupable en personne, autrement dit Connors.

— Qu'est-ce que ça signifie ? aboya-t-elle.

McNab se hâta d'avaler ce qu'il avait dans la bouche, s'étrangla et vira au rouge coquelicot, tandis que Feeney lui tapait charitablement dans le dos. Les deux policiers en uniforme se figèrent. Brigham se plongea dans la contemplation du plafond, et Connors sourit tendrement à sa moitié.

— Hello, lieutenant. Je te sers quelque chose ?

— Vous et vous, articula-t-elle, désignant les deux policiers, à vos postes ! McNab, vous me faites honte. Essuyez la moutarde que vous avez sur le menton.

— C'est de la crème, lieutenant.

— Toi, dit-elle à Connors. Tu viens avec moi.

— Je suis toujours avec toi.

Il la suivit tranquillement. Ils traversèrent un élégant bureau où un autre flic dégustait un cocktail de crevettes tout en surveillant néanmoins l'écran d'un moniteur. Eve le foudroya du regard, mais n'émit aucun commentaire. Elle attendit d'être dans la grande chambre de la suite.

Là, elle explosa.

— On n'organise pas une réception mondaine, nom d'une pipe !

— Absolument.

— Quelle idée t'a pris de gaver mes hommes comme des oies ?

— La plupart des gens ont besoin de manger, de temps à autre.

— Des sandwichs, une pizza... d'accord. Mais ils sont tellement repus qu'ils vont être avachis et vaseux.

— Lieutenant, nous avons une longue veille qui nous attend. Si on ne s'accorde pas des pauses pour alléger le stress, l'ennui, nous serons tous avachis et vaseux.

Il lui saisit doucement le menton, examina son visage.

— Pas mal, conclut-il. Mais il te faudra une nouvelle dose d'anti-inflammatoire et d'antalgique.

— McNab, cracha-t-elle d'une voix sifflante qui fit rire Connors. Ce petit mouchard...

— Tu l'as beaucoup impressionné en renversant cette montagne de muscles. Mais fallait-il vraiment que tu abîmes ton joli minois que j'aime tant ?

— Apparemment, on t'a tout raconté en détail.

— Excellente déduction. Quand comptes-tu t'occuper personnellement de Yost ?

— Demain. Il paiera, Connors. Vu les chefs d'accusation retenus contre lui au niveau local et fédéral, sur une période de vingt ans, il écopera de la peine maximale. Et il le sait pertinemment.

Connors hocha la tête.

— Je me réjouis à la pensée que désormais, pour un homme comme lui, habitué au luxe, la vie sera bien pire que la mort.

Elle soupira.

— Il faudra peut-être se satisfaire de ça. Arrêter Yost était ma priorité, mais ça risque de compromettre le reste. Je doute qu'il soit directement impliqué dans ce projet de cambriolage. C'est un assassin, pas un voleur, il ne se mouillerait pas dans ce genre de projet, il aurait trop peur de se salir les mains. Seulement voilà... en quelques jours, on a évacué Lane, Yost et Connelly. Naples n'est pas idiot. Malgré le temps et l'argent qu'il a investis dans cette affaire, il peut tout annuler.

— Mick ne lui dira rien.

Elle préférait ne pas remettre ce sujet épineux sur le tapis.

— Qu'il parle ou non, il n'est plus dans le coup. Donc, je résume : l'homme clé de Naples concernant la sécurité est en fuite, sa taupe est à l'hôpital, et son tueur à gages en cellule. L'aventure devient périlleuse. On convaincra peut-être Yost de dénoncer Naples. Mais on n'a pas grand-chose à lui proposer en échange. Il est possible que nous soyons tous les deux forcés de nous contenter d'avoir évité un nouveau crime et fait en sorte que la vente se déroule comme prévu.

— Tu t'en contenteras ?

— Non. Je veux ce salaud. Donner Yost à Stowe a été... bref, passons. Mais Naples et les autres... ils sont à moi. Malheureusement, je sais que mon métier n'est pas toujours satisfaisant. On verra bien.

À minuit, elle frisait l'overdose de caféine et avait inspecté sur les écrans de contrôle le moindre centimètre carré de tous les espaces accessibles au public. Avec

Feeney et Brigham, elle avait étudié pour la énième fois l'ensemble du système de sécurité.

Lorsque le commandant arriva, elle se leva pour le saluer et lui faire son rapport.

— Un instant, lieutenant.

D'un geste, il l'invita à le suivre. Ils traversèrent le salon, s'immobilisèrent près de la fontaine en cuivre. Whitney semblait las.

— Yost s'est suicidé, murmura-t-il.

— Quoi ?

— Il a été transféré au siège du FBI voici deux heures. L'agent qui devait l'incarcérer avait un verre sur son bureau. Yost a réussi à s'en emparer, à le briser et, malgré ses menottes, à se trancher la gorge avec un éclat de verre.

— Alors il n'aura pas le châtiment qu'il méritait, marmonna-t-elle. Et j'ai perdu le maillon de la chaîne qui me menait à Naples.

— Je suis désolé, lieutenant.

— Oui... Merci de m'avoir prévenue.

— L'état de l'agent Jacoby s'améliore. Ses médecins estiment que son cœur réagit correctement au traitement.

— Tant mieux. Au moins, il n'est pas dans nos pattes pour tout bousiller. En admettant qu'il reste quelque chose à bousiller.

— Je souhaiterais participer à votre veillée d'armes. Mais vous continuez à assurer le commandement.

Whitney embrassa la pièce du regard.

— Il me semble que je ne vous encombrerai pas, cette suite est plutôt spacieuse.

— Allez donc jeter un œil au buffet, ironisa-t-elle. Il y a peut-être encore un croûton de pain pour vous.

Elle prit place devant la rangée de moniteurs installés dans le salon. De là, elle pouvait surveiller l'intérieur et l'extérieur de l'hôtel. Le personnel de nuit vaquait à ses occupations, apportait des plateaux-repas dans certaines chambres. Des clients rentraient se coucher, d'autres sortaient.

À l'instar de New York, le Palace ne dormait jamais vraiment.

Elle repéra une prostituée en minirobe de satin rouge qui traversait le hall du rez-de-chaussée. Visiblement satisfaite, elle tapotait son petit sac doré, sans doute bourré de billets. Soudain, Eve tressaillit. Liza entrait, croisait la prostituée.

Nonchalante – trop nonchalante –, Liza s'immobilisait et jetait un regard circulaire.

— Feeney, je parierais que notre amie a une caméra sur elle. Pour faire profiter ses copains du paysage.

— Agrandissement, section dix-huit à trente-six.

Feeney émit divers grognements, tandis que la machine exécutait son ordre. Eve eut bientôt une vue plongeante dans le décolleté de Liza.

— Superbe.

— Feeney !

Il cilla, rougit jusqu'à la racine des cheveux.

— Je ne parle pas d'elle, se défendit-il. Je parle du collier qu'elle tripote. Le pendentif est un microcaméscope. Un appareil extrêmement sophistiqué.

— Tu peux brouiller l'image et le son ?

— Oh, oui ! Avec le matériel que Connors m'a procuré, j'arriverais à brouiller une transmission depuis la Lune, jubila-t-il.

— Pas maintenant. Laissons-la faire. Ils seront rassurés, ils verront que tout est en ordre. Bon sang, Feeney, ils n'ont pas annulé leur opération.

Elle consulta sa montre.

— On a quarante-cinq minutes. Continue à la surveiller, dit-elle avant d'aller rameuter ses troupes.

Une demi-heure après, Eve se rendait au poste de commandement, un étage en dessous de la salle de bal. Liza avait filmé pour ses complices toutes les portes de sécurité et l'emplacement des signaux d'alarme. À présent elle était dans sa chambre, et Feeney attendait le feu vert pour intervenir. Deux policiers munis d'un passe s'introduiraient ensuite chez Liza pour l'embarquer au Central.

Eve regrettait de manquer ça.

Elle s'assura que la communication était établie entre elle et les autres chefs de groupe. Elle vérifia son arme, fit rouler son épaule et se félicita de n'éprouver qu'une légère douleur.

Puis elle fronça les sourcils en voyant Connors apparaître.

— Les civils ne sont pas admis ici. Tu remontes.

— Cet hôtel m'appartient, je peux donc aller et venir à ma guise. En outre, ton commandant m'a donné sa bénédiction.

Elle savait qu'il était tout à fait apte à participer à l'action, quoique dans ce sweater et pantalon noirs, il eût plutôt l'allure d'un cambrioleur que d'un défenseur de la loi.

— Tu es armé ?

Il considéra pensivement l'enregistreur qu'elle avait fixé au revers de sa veste, signifiant ainsi qu'il était parfaitement conscient que ses paroles pouvaient être écoutées.

— Les experts consultants civils ne sont pas autorisés à porter une arme.

Autrement dit, il en avait une. Cependant, comme elle ne tenait pas à ce qu'il prenne des risques inutiles, elle ne protesta pas.

— Il faudra faire vite, déclara-t-elle aux hommes et aux femmes réunis dans la salle. Vous avez vos équipes. Assurez mutuellement vos arrières. Ces gens résisteront, parce qu'ils n'auront pas d'échappatoire. Ils seront vraisemblablement munis de pistolets paralysants, ou de gaz tranquillisants, mais il n'est pas impossible qu'ils soient prêts à tuer. Maîtrisez-les et désarmez-les. N'oubliez pas que nous brouillons leurs transmissions et que donc, dans les diverses zones où ils se trouveront, les nôtres seront également brouillées. Je le répète : il faudra agir vite. Lenick, procurez une tenue de protection et un enregistreur à ce civil.

Cinq minutes avant le top de départ, Eve était devant les écrans de contrôle. Elle détourna brièvement les yeux quand Connors se campa à son côté.

— Où est ta tenue de protection ? demanda-t-elle.

— Et la tienne ?

— Je ne suis pas obligée de la mettre.

— Parce qu'elle ralentit les mouvements. Ne perdons pas de temps à nous chamailler. Regarde Honroe qui prend position à l'entrée réservée aux livraisons. Celui-là, il saura bientôt combien je désapprouve le travail de nuit.

— Il tombera avec les autres, mais je veillerai à ce que tu aies une petite minute pour le virer avec perte et fracas.

— J'apprécie cette attention.

— Et voilà le maxibus, pile à l'heure. Que tout le monde se tienne prêt, dit-elle dans son micro.

Elle observa le maxibus qui faisait une embardée, enfonçait l'avant de la voiture arrivant en sens inverse, basculait sur le côté et, dans un éclaboussement d'étincelles, fonçait droit sur l'immeuble voisin.

Il y eut une impressionnante explosion de verre brisé, un panache de fumée noire. Les véhicules stoppèrent, les gens se précipitèrent, le signal d'alarme de la joaillerie retentit.

Sur l'écran d'un autre moniteur, Eve vit le camion de livraison pénétrer tranquillement dans l'hôtel, et Honroe émerger de l'ombre.

Comme Connors, les six individus qui sautèrent du camion étaient tout de noir vêtus, coiffés de cagoules et gantés.

— Mick est avec eux, murmura Connors. Pour nous aider.

Ça reste à prouver, songea Eve.

— Ils sont armés.

— Comment tu…

— Mick me prévient, c'est un vieux code qu'on avait. Des lasers, du style des vôtres. Un lance-grenades, un détecteur de chaleur.

Quand Mick fut dans les lieux, Connors regarda son ami s'attaquer au premier panneau de sécurité, tout en écoutant d'une oreille Eve répercuter au fur et à mesure les informations qu'il lui donnait.

— Attention, les complices qu'ils ont dans l'hôtel sont aussi armés. Lasers. Une femme, spécialiste du combat rapproché. Elle a un poignard dans sa botte droite.

Connors jeta un coup d'œil à Eve.

— Tu lui revaudras ça.

Ce n'était pas une question, il ne doutait pas de son sens de la justice.

— On les arrête, après je verrai ce que je peux faire.

— Voilà, il a franchi le deuxième niveau. Il est plus doué qu'autrefois.

Elle observa Mick qui levait le pouce, puis grimpait avec les autres l'escalier de service. Ils se déplaçaient à toute vitesse, sans bruit et sans la moindre hésitation. À l'évidence, ils s'étaient entraînés à fond.

Mais Eve et ses flics, eux aussi, avaient répété inlassablement les diverses phases de l'opération. Elle regarda Mick s'arrêter devant la porte coupe-feu de l'étage où était située la salle de bal. Il la déverrouilla en un tour de main, la franchit le premier.

— On y va, commanda Eve. Feeney, prépare-toi à brouiller les transmissions.

— Bien reçu. Dis donc, tu as remarqué celui qui a l'air nerveux, qui transpire ? C'est Gerade, figure-toi.

— Magnifique.

Eve gagna l'étage de la salle de bal, agita une main. À l'autre bout du couloir, le chef de son équipe de renfort l'imita. D'un même élan, ils s'élancèrent.

— Police ! On ne bouge plus ! vociféra-t-elle en tirant un coup de semonce qui frôla les bottes de la femme au moment où elle se penchait.

Un projectile lui siffla aux oreilles. Elle pivota, avisa une silhouette en noir qui tombait à la renverse, assommée par l'arme paralysante d'un des policiers.

Quelqu'un s'écroula sur une vitrine, les autres tentaient de fuir, tels des rats affolés. Dans le tohu-bohu général, Eve vit Mick qui adressait un sourire radieux à Connors.

Soudain, la femme en noir lui lança un énorme vase et se jeta sur elle. Une fraction de seconde, Eve faillit céder à la tentation de se battre avec elle, mais la raison l'emporta… Elle pressa la détente de son arme et son adversaire s'effondra, inconsciente.

— Dommage, commenta Connors. J'aurais bien aimé te regarder lui administrer une raclée.

Il se tourna vers Mick, remit dans sa poche l'arme qu'il n'était pas censé porter.

Par la suite, Connors repenserait très souvent à ce moment. À Mick qui levait les mains en signe de reddition, à ses yeux pétillants de malice.

Ses yeux où, soudain, il avait lu de la peur.

Il se retourna d'un bond, sortant déjà son laser. Vif comme l'éclair. Bon Dieu, il avait toujours eu des réflexes fulgurants.

Mais pas cette fois.

Gerade tenait son poignard à hauteur de sa taille. Son regard flamboyait, terrifié, halluciné. Connors entendit Eve crier, tirer.

Trop tard, là aussi.

Alors Mick se jeta devant lui. La lame du poignard plongea dans son ventre.

— Merde, bredouilla-t-il en s'effondrant.

— Non !

Connors s'agenouilla, pressant une main sur la blessure. Un flot de sang sombre et visqueux jaillit entre ses doigts.

— Ce petit con, articula péniblement Mick, luttant contre l'atroce douleur qui le submergeait. J'aurais pas cru qu'il aurait le cran de faire ça. Je savais même pas qu'il avait un poignard sur lui. Il m'a eu ?

— Tu t'en remettras, Mick.

— Avant, tu mentais mieux que ça.

— Il me faut une ambulance, une équipe de chirurgiens ! hurla Eve tout en se précipitant. J'ai un homme blessé. Poignardé au ventre. Dépêchez-vous !

Puis, sans réfléchir, elle retira sa chemise et la tendit à Connors pour qu'il puisse comprimer la plaie.

— Ça, c'est drôlement gentil, murmura Mick dont le visage virait du blanc crayeux au gris. Je suis pardonné, Eve ?

— Ne vous agitez pas, répondit-elle en lui prenant le pouls. Les secours arrivent.

— Je lui devais ça, vous comprenez, dit Mick en tournant son regard vers Connors. Je le lui devais, même si je m'attendais pas à payer aussi cher. Bon Dieu, il faut souffrir autant pour mourir ?

Il agrippa la main de Connors.

— Ne me lâche pas, hein ?

— Tu t'en sortiras, rétorqua Connors en serrant de toutes ses forces la main de son ami.

Un filet de sang coulait de la bouche de Mick.

— Tu sais bien que je suis foutu. Tu as capté mes signaux, hein ?

— Oui.

— Comme au bon vieux temps. Tu te rappelles…

Il gémit, reprit son souffle.

— … quand on a cambriolé la maison du maire de Londres… On a vidé son salon, pendant qu'il était à l'étage avec sa maîtresse. Sa bonne femme était partie chez sa sœur à Bath.

Connors ne parvenait pas à arrêter l'hémorragie. Il flairait l'odeur de la mort qui approchait, qui rampait vers Mick.

— Je me souviens que tu es monté et que tu as filmé ses ébats avec sa propre caméra. Et ensuite, on lui a revendu le film et on a fourgué la caméra à un receleur.

— Oui… c'était le bon temps. L'époque la plus heureuse de ma vie. Seigneur, finalement ma mère avait raison. Je crève avec un poignard dans le ventre. Mais au moins, je crève dans un hôtel de luxe, pas dans un bouge.

— Reste tranquille, Mick, les secours arrivent.

— Oh, qu'ils aillent au diable…

Il poussa un profond soupir et, un instant, ses yeux furent aussi limpides que du cristal.

— Tu allumeras un cierge pour moi à St. Patrick ?

Connors refusait cette idée, tout son être se révoltait. Pourtant il acquiesça.

— Oui…

— Je te remercie. Tu as toujours été un véritable ami pour moi. Je suis content que tu aies trouvé celle que tu cherchais. Surtout, garde-la près de toi.

La tête de Mick tomba sur le côté. Il était mort.

— Ô mon Dieu…

Le cœur déchiré, Connors se balança d'avant en arrière, comme ballotté par une terrible tempête. Sa main ensanglantée serrait toujours celle de Mick. Il leva vers Eve un regard désespéré.

Elle fit signe aux médecins qui accouraient de rester à distance. Puis elle s'agenouilla au côté de son mari, l'entoura de ses bras, le berça.

Connors se recroquevilla contre sa femme et fondit en larmes.

Il était seul avec ses pensées lorsque l'aube pointa. Immobile devant la fenêtre de sa chambre, il contempla la fragile lumière de ce jour tout neuf et, pas à pas, s'arracha aux ténèbres.

Il aurait voulu éprouver de la colère, de la rage, il l'avait cherchée au tréfonds de lui. Il ne l'avait pas trouvée.

Il ne se retourna pas quand Eve entra, cependant le fait de la savoir de retour à la maison allégea sa peine.

— Tu as eu une très longue journée, lieutenant.

— Toi aussi.

Elle avait été obligée de le laisser seul pendant des heures, et en avait été malade d'inquiétude. Elle hésita… Non, elle ne pouvait pas lui dire les mots banals qu'on prononçait dans de pareilles circonstances. Je suis navrée pour toi, tu dois avoir beaucoup de chagrin…

Non, pas à Connors.

— Michel Gerade est inculpé de meurtre. Cette fois, l'immunité diplomatique ne le sauvera pas.

Comme il se taisait, elle fourragea dans ses cheveux, tripota la chemise que lui avait prêtée une collègue.

— Je le briserai, enchaîna-t-elle. Il dénoncera Naples et sa bande. Il dénoncerait son enfant si ça pouvait lui être utile.

— Naples s'est enfui, on ne le coincera jamais.

Il pivota.

— Tu crois que je n'ai pas déjà fait les recherches nécessaires ? Il nous a échappé. Lui et son ordure de fils. Ils sont hors d'atteinte, comme Yost qui rôtit en enfer.

— Je suis désolée.

— Pourquoi ?

Il s'approcha et, dans la lueur rosée de l'aube, prit le visage d'Eve entre ses mains, baisa son front et ses joues.

— Pourquoi es-tu désolée ? Tu as fait tout ce qui était humainement possible, et même davantage. Tu as donné ta chemise à mon ami, qui n'était pas de ton monde. Tu as été là pour moi quand j'avais besoin de toi.

— Tu te trompes, quiconque te sauve la vie est mon ami. Mick nous a aidés à préparer notre intervention. Et quand nous aurons Naples et son ordure de fils, car nous les aurons, ce sera en partie grâce à lui. Tu avais raison à son sujet. C'était un type bien, incapable de faire du mal à une mouche. Et, à la fin, il a montré un courage exemplaire.

— Il aurait dit que ce n'était pas grand-chose. Je veux le ramener en Irlande, l'enterrer auprès de nos amis.

— Je t'accompagnerai. La police de New York lui a décerné une citation posthume pour conduite héroïque.

Connors la considéra fixement, recula d'un pas. Puis, à la stupéfaction d'Eve, il éclata d'un rire tonitruant.

— Seigneur, s'il n'était pas déjà mort, ça le tuerait pour de bon ! Une citation décernée par ces salauds de flics en guise d'épitaphe !

— Je te rappelle que je suis un salaud de flic.

— Ne te vexe pas, surtout ne te vexe pas, mon magnifique petit lieutenant.

Il la souleva dans ses bras, la fit tournoyer.

— Où qu'il soit désormais, Mick va adorer ça !

Elle aurait pu rétorquer que ce n'était pas une blague, mais un immense honneur, la plus haute distinction qu'elle avait le pouvoir d'attribuer. Cependant elle était tellement soulagée de voir s'éclairer les yeux de Connors qu'elle ne s'offusqua pas.

— Ouais, j'espère bien. Lâche-moi, je voudrais dormir un peu. La journée de demain ne sera pas non plus de tout repos avec cette vente aux enchères.

— On dormira plus tard. On est encore jeunes, murmura-t-il en la couchant sur le lit.

Ils salueraient ce nouveau jour, songea-t-il, en oubliant la mort pour célébrer la vie et l'amour...

Composition
CHESTEROC LTD

Achevé d'imprimer en Espagne
par Litografia Roses
le 10 septembre 2010.

Dépôt légal septembre 2010
EAN 9782290027516

Éditions J'ai lu
87, quai Panhard-et-Levassor, 75013 Paris
Diffusion France et étranger : Flammarion